ESTADOS UNIDOS

OCÉANO
ATLÁNTICO

Golfo de
México

Islas Bahamas

Trópico de Cáncer

Estrecho de la Florida

Canal de Yucatán

La Habana ✳

CUBA

REPÚBLICA
DOMINICANA

San
Juan

ISLAS
VÍRGENES

MÉXICO

HAITÍ

ANTIGUA Y BARBUDA

Antillas Mayores

Puerto
Príncipe

Santo
Domingo

PUERTO
RICO

GUADALUPE

Antillas Menores

BARBADOS

BELICE

JAMAICA

Kingston ✳

DOMINICA

Belmopan ✳

MARTINICA

SANTA LUCÍA

GUATEMALA

SAN VICENTE

Guatemala ✳

HONDURAS

Mar Caribe

GRANADA

Tegucigalpa ✳

TRINIDAD Y
TOBAGO

San Salvador ✳

NICARAGUA

CURAZAO

ARUBA

BONAIRE

ISLA
MARGARITA

Puerto
España ✳

L SALVADOR

Managua ✳

Canal de
Panamá

COSTA
RICA

San José ✳

AMÉRICA
DEL SUR

OCÉANO
PACÍFICO

Panamá ✳

PANAMÁ

0   200   400 km.

0   200   400 Mi.

¡Hola, amigos!

Second Canadian Edition

Second Canadian Edition

¡Hola, amigos!

Ana C. Jarvis
Chandler-Gilbert Community College

Raquel Lebredo
California Baptist University, Emerita

Francisco Mena-Ayllón
University of Redlands, Emeritus

Mercedes Rowinsky-Geurts
Wilfrid Laurier University

Rosa L. Stewart
University of Victoria

NELSON / EDUCATION

NELSON / EDUCATION

¡Hola, amigos!, Second Canadian Edition

by Ana C. Jarvis, Raquel Lebredo, Francisco Mena-Ayllón, Mercedes Rowinsky-Geurts, and Rosa L. Stewart

Vice President, Editorial Director:
Evelyn Veitch

Editor-in-Chief, Higher Education:
Anne Williams

Acquisitions Editor:
Anne-Marie Taylor

Senior Marketing Manager:
Amanda Henry

World Languages Editor:
Roberta Osborne

Photo Researcher and Permissions Coordinator:
Indu Arora

Senior Content Production Manager:
Natalia Denesiuk Harris

Production Service:
MPS Limited, a Macmillan Company

Copy Editor:
Alicia Fontan

Proofreaders:
Elvira Ortiz and Anne Nellis

Indexer:
Heather Lisa Dubnick

Senior Production Coordinator:
Ferial Suleman

Design Director:
Ken Phipps

Managing Designer:
Franca Amore

Interior Design:
Dianna Little

Cover Design:
Jennifer Leung

Cover Images:
AWL Images/Masterfile; Valerie Potapova/Shutterstock (sky)

Compositor:
MPS Limited, a Macmillan Company

Printer:
RR Donnelley

Library and Archives Canada Cataloguing in Publication Data

¡Hola, amigos! / Ana C. Jarvis . . . [et al.]. — 2nd Canadian ed.

Includes index.
In English and Spanish.
ISBN 978-0-17-650240-9

1. Spanish language—Textbooks for second language learners—English speakers. 2. Spanish language—Grammar. I. Jarvis, Ana C. II. Title: Hola, amigos!

PC4129.E5H64 2011
468.2'421   C2010-908089-0

ISBN-13: 978-0-17-650240-9
ISBN-10: 0-17-650240-8

Brief Contents

Scope and Sequence

❶ Los estudiantes universitarios (pp. 2–53)

	LECCIÓN 1 ¡Bienvenidos!	**LECCIÓN 2 Nuestras clases**
Para hablar del tema	**(pp. 6–7)** *Títulos* *Saludos y despedidas* *Expresiones de cortesía* *Preguntas y respuestas útiles* *Colores* *Vocabulario para la clase* **DE PAÍS A PAÍS** *Audio Flashcards*	**(pp. 26–27)** *Asignaturas* *Expresiones* *Para pedir bebidas* **DE PAÍS A PAÍS** *Audio Flashcards*
Para practicar el vocabulario	**(pp. 8–9)** A. Los estudiantes B. Yo soy el anfitrión (la anfitriona) C. ¡Somos pintores! D. ¿Qué color te gusta? E. ¿Qué necesitamos? F. ¿Necesitas algo? **PRONUNCIACIÓN:** *Las vocales* *Ace Practice Tests*	**(pp. 28–29)** A. Palabras y más palabras B. Tu vida en la universidad C. ¿Qué deciden? D. ¿Qué clases necesito? **PRONUNCIACIÓN:** *Linking* *Ace Practice Tests*
Puntos para recordar	**(pp. 10–21)** 1. Gender and number of nouns, part I **(p. 10)** 2. Definite and indefinite articles **(p. 11)** 3. Subject pronouns **(p. 13)** 4. Present indicative of *ser* **(p. 15)** 5. *¿Qué?* and *¿cuál?* used with *ser* **(p. 16)** 6. Forms of adjectives and agreement of articles, nouns, and adjectives **(p. 16)** 7. The alphabet **(p. 18)** 8. Numbers 0 to 39 **(p. 19)** *Grammar Tutorials* *Ace Practice Tests*	**(pp. 30–43)** 1. Present indicative of *–ar* verbs **(p. 30)** 2. Interrogative and negative sentences **(p. 31)** 3. Possessive adjectives **(p. 35)** 4. Gender of nouns, part II **(p. 37)** 5. Numbers 40 to 200 **(p. 38)** 6. Telling time **(p. 38)** 7. Days of the week, and months and seasons of the year **(p. 41)** *Grammar Tutorials* *Ace Practice Tests*
Entre nosotros	**(pp. 22–23)** **¡CONVERSEMOS!** **PARA ESCRIBIR** *Un mensaje electrónico* **UN DICHO** *Ace Practice Tests*	**(pp. 44–45)** **¡CONVERSEMOS!** **PARA ESCRIBIR** *Tu horario* **UN DICHO** *Ace Practice Tests*

LECTURA (pp. 46–47)
Universidad Nacional

VIDEO

EL MUNDO HISPÁNICO (pp. 48–49)
Los hispanos en Canadá

TOME ESTE EXAMEN (pp. 50–53)
Lección 1

Lección 2

4 Para divertirse (pp. 152–203)

LECCIÓN 7 Un fin de semana

LECCIÓN 8 Las actividades al aire libre

Para hablar del tema

(pp. 156–157)

El fin de semana
Para invitar a alguien a salir
Partes del cuerpo
DE PAÍS A PAÍS

Audio Flashcards

(pp. 178–179)

Los deportes
Más sobre las actividades al aire libre
DE PAÍS A PAÍS

Audio Flashcards

Para practicar el vocabulario

(pp. 158–159)

A. Preguntas y respuestas
B. Todos se divierten
C. ¿Adónde vamos...?
D. ¿Quieres ir...?
E. ¿Qué sabes de anatomía?
PRONUNCIACIÓN: *Las consonantes l, r, rr*

Ace Practice Tests

(pp. 180–181)

A. Preguntas y respuestas
B. ¿Lógico o ilógico?
C. Palabras y más palabras
D. Planes de vacaciones
PRONUNCIACIÓN: *Pronunciation in context*

Ace Practice Tests

Puntos para recordar

(pp. 160–173)

1. Preterite of regular verbs **(p. 160)**
2. Preterite of *ser, ir,* and *dar* **(p. 162)**
3. Indirect object pronouns **(p. 163)**
4. The verb *gustar* **(p. 166)**
5. Reflexive constructions **(p. 169)**
RODEO:
Summary of the Pronouns **(p. 172)**

Grammar Tutorials

Ace Practice Tests

(pp. 182–193)

1. Preterite of some irregular verbs **(p. 182)**
2. Direct and indirect object pronouns used together **(p. 184)**
3. Stem-changing verbs in the preterite **(p. 187)**
4. The imperfect tense **(p. 189)**
5. Formation of adverbs **(p. 192)**

Grammar Tutorials

Ace Practice Tests

Entre nosotros

(pp. 174–175)

¡CONVERSEMOS!
PARA ESCRIBIR *Un día típico*
UN DICHO

Ace Practice Tests

(pp. 194–195)

¡CONVERSEMOS!
PARA ESCRIBIR *De vacaciones*
UN DICHO

Ace Practice Tests

LECTURA (pp. 196–197)
Excerpts from *Versos sencillos* (José Martí)

VIDEO

EL MUNDO HISPÁNICO (pp. 198–199)
Cuba
Colombia
Puerto Rico
La República Dominicana
Venezuela

VIDEO

TOME ESTE EXAMEN (pp. 200–203)
Lección 7

Lección 8

5 ¿Qué hacemos hoy? (pp. 204–251)

	LECCIÓN 9 No tengo nada que ponerme	LECCIÓN 10 Diligencias
Para hablar del tema	**(pp. 208–209)** *La ropa* *El tiempo* **DE PAÍS A PAÍS** — Audio Flashcards	**(pp. 228–229)** *En el banco* *En la oficina de correos* *Un poco de tecnología* **DE PAÍS A PAÍS** — Audio Flashcards
Para practicar el vocabulario	**(pp. 210–211)** A. En la tienda y en la zapatería B. ¿Qué se ponen? C. Hablando del tiempo D. El armario de la ropa **PRONUNCIACIÓN:** *Pronunciation in context* — Ace Practice Tests	**(pp. 230–231)** A. Preguntas y respuestas B. Rubén y Eva hacen diligencias C. ¿Qué necesito o qué tengo que hacer? D. ¿Qué necesita hacer? **PRONUNCIACIÓN:** *Pronunciation in context* — Ace Practice Tests
Puntos para recordar	**(pp. 212–223)** 1. Some uses of *por* and *para* **(p. 212)** 2. Weather expressions **(p. 214)** 3. The preterite contrasted with the imperfect **(p. 216)** 4. *Hace...* meaning *ago* **(p. 219)** 5. Possessive pronouns **(p. 221)** — Grammar Tutorials / Ace Practice Tests	**(pp. 232–241)** 1. Past participles **(p. 232)** 2. Present perfect tense **(p. 233)** 3. Past perfect (pluperfect) tense **(p. 235)** 4. Formal commands: *Ud.* and *Uds.* **(p. 237)** 5. First-person plural commands **(p. 240)** — Grammar Tutorials / Ace Practice Tests
Entre nosotros	**(pp. 224–225)** **¡CONVERSEMOS!** **PARA ESCRIBIR** *¿Cómo eras tú?* **UN DICHO** — Ace Practice Tests	**(pp. 242–243)** **¡CONVERSEMOS!** **PARA ESCRIBIR** *En el banco* **UN DICHO** — Ace Practice Tests

LECTURA (pp. 244–245)
"Árbol enamorado" (Nela Río)

VIDEO

EL MUNDO HISPÁNICO (pp. 246–247)
Ecuador
Perú
Bolivia
Paraguay
Uruguay

VIDEO

TOME ESTE EXAMEN (pp. 248–251)
Lección 9

Lección 10

6 De vacaciones (pp. 252–309)

LECCIÓN 11 ¡Buen viaje!

(pp. 256–257)

En la agencia de viajes
En el aeropuerto
Más sobre los viajes
DE PAÍS A PAÍS

Audio Flashcards

(pp. 258–259)

A. Preguntas y respuestas
B. ¿Qué hago? ¿Adónde voy?
C. Definiciones
D. En la agencia de viajes
PRONUNCIACIÓN: *Pronunciation in context*

Ace Practice Tests

(pp. 260–277)

1. Introduction to the subjunctive mood **(p. 260)**
2. Subjunctive with verbs of volition **(p. 263)**
3. Subjunctive with verbs of emotion **(p. 266)**
4. Subjunctive to express doubt, denial, and disbelief **(p. 268)**
5. Some uses of the prepositions *a, de,* and *en* **(p. 273)**

Grammar Tutorials

Ace Practice Tests

(pp. 278–279)

¡CONVERSEMOS!
PARA ESCRIBIR *Un viaje especial*
UN DICHO

Ace Practice Tests

LECCIÓN 12 ¿Dónde nos hospedamos?

(pp. 282–283)

En el hotel
Más sobre los hoteles
DE PAÍS A PAÍS

Audio Flashcards

(pp. 284–285)

A. Preguntas y respuestas
B. En el hotel
C. ¿Cuál es la solución?
D. Minidiálogos
PRONUNCIACIÓN: *Pronunciation in context*

Ace Practice Tests

(pp. 286–299)

1. Subjunctive to express indefiniteness and nonexistence **(p. 286)**
2. Familiar commands **(p. 288)**
RODEO:
Summary of the Command Forms **(p. 290)**
3. Verbs and prepositions **(p. 290)**
4. Ordinal numbers **(p. 292)**
5. Future tense **(p. 294)**
6. Conditional tense **(p. 296)**
RODEO:
Summary of the Tenses of the Indicative **(p. 299)**

Grammar Tutorials

Ace Practice Tests

(pp. 300–301)

¡CONVERSEMOS!
PARA ESCRIBIR *En un hotel*
UN DICHO

Ace Practice Tests

Para hablar del tema

Para practicar el vocabulario

Puntos para recordar

Entre nosotros

LECTURA (pp. 302–303)
"El canario y el cuervo" (Tomás Iriarte)

VIDEO

EL MUNDO HISPÁNICO (pp. 304–305)
Chile
Argentina
España

VIDEO

TOME ESTE EXAMEN (pp. 306–309)
Lección 11

Lección 12

An Overview of Your Textbook's Main Features

¡Hola, amigos!, Second Canadian Edition, consists of twelve lessons thematically organized into six units

UNIDAD 4

LECCIÓN 7
Un fin de semana

LECCIÓN 8
Las actividades al aire libre

El Salto Ángel, en Venezuela, es la catarata más alta del mundo. Fue descubierta en 1935 y nombrada en honor de James Ángel, un piloto norteamericano que estrelló su avión cerca de allí en el año 1937.

Objetivos
LECCIÓN 7
- Learn parts of the body
- Talk about what you like or dislike to do
- Discuss weekend activities
- Talk about your daily routine

Para divertirse

Vista del Capitolio Nacional de Cuba. Al frente, un anuncio de los tabacos Partagás

Un paisaje del Valle de Aburrá, cerca de Medellín

Una playa en Bayahibe-La Romana, en la República Dominicana

El Castillo del Morro, situado en la bahía de San Juan, Puerto Rico

153

● **Provides focus for student learning.** Each Unit Opener presents the thematic topic and an outline of the unit's communicative goals and linguistic functions, as well as a visual and cultural presentation.

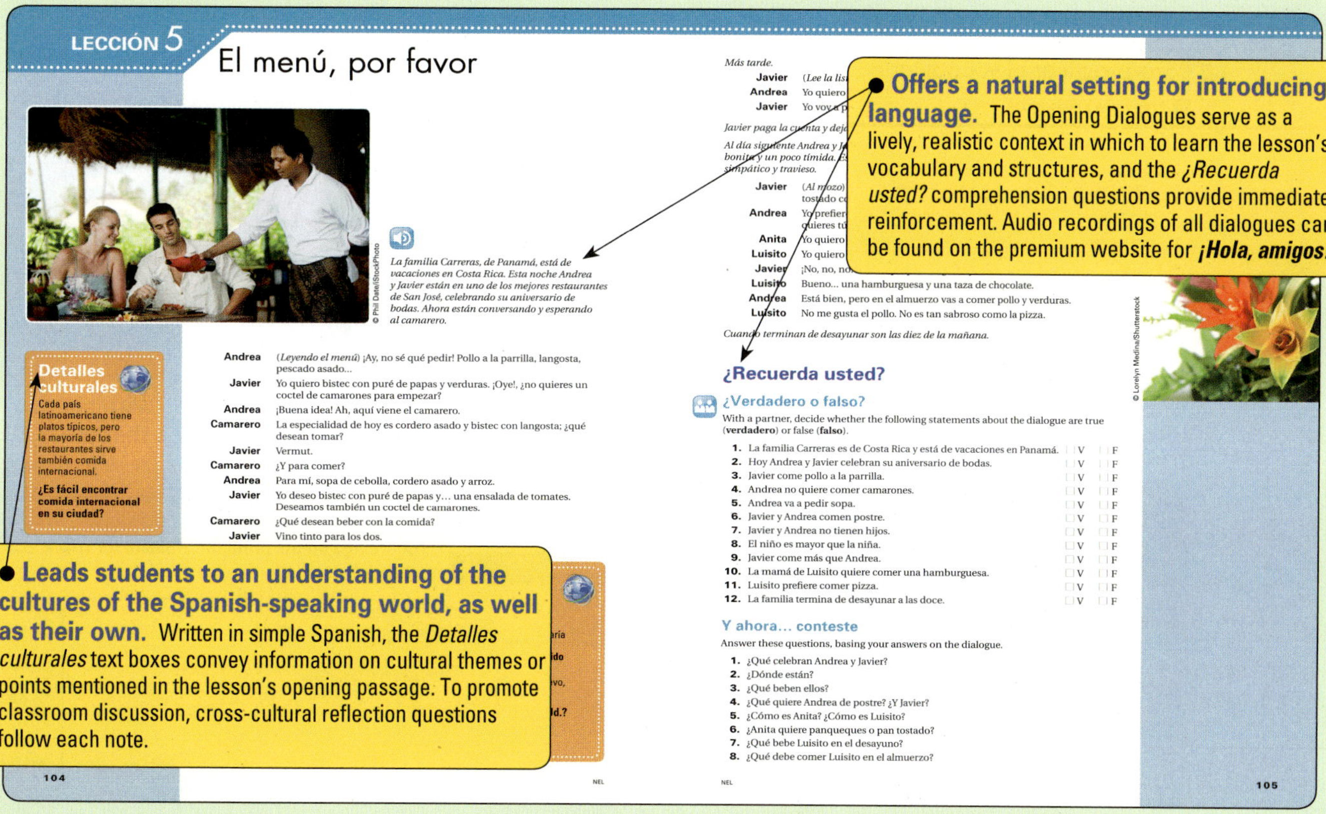

LECCIÓN 5

El menú, por favor

Detalles culturales
Cada país latinoamericano tiene platos típicos, pero la mayoría de los restaurantes sirve también comida internacional.

¿Es fácil encontrar comida internacional en su ciudad?

La familia Carreras, de Panamá, está de vacaciones en Costa Rica. Esta noche Andrea y Javier están en uno de los mejores restaurantes de San José, celebrando su aniversario de bodas. Ahora están conversando y esperando al camarero.

Andrea	(*Leyendo el menú*) ¡Ay, no sé qué pedir! Pollo a la parrilla, langosta, pescado asado...
Javier	Yo quiero bistec con puré de papas y verduras. ¡Oye!, ¿no quieres un coctel de camarones para empezar?
Andrea	¡Buena idea! Ah, aquí viene el camarero.
Camarero	La especialidad de hoy es cordero asado y bistec con langosta; ¿qué desean tomar?
Javier	Vermut.
Camarero	¿Y para comer?
Andrea	Para mí, sopa de cebolla, cordero asado y arroz.
Javier	Yo deseo bistec con puré de papas y... una ensalada de tomates. Deseamos también un coctel de camarones.
Camarero	¿Qué desean beber con la comida?
Javier	Vino tinto para los dos.

Más tarde.

Javier	(*Lee la lis...*
Andrea	Yo quiero...
Javier	Yo voy a p...

Javier paga la cuenta y deja...
Al día siguiente Andrea y J... bonita y un poco tímida. ... simpático y travieso.

Javier	(*Al mozo*) ...tostado co...
Andrea	Yo prefiero... quieres tú...
Anita	Yo quiero...
Luisito	Yo quiero...
Javier	¡No, no, no...
Luisito	Bueno... una hamburguesa y una taza de chocolate.
Andrea	Está bien, pero en el almuerzo vas a comer pollo y verduras.
Luisito	No me gusta el pollo. No es tan sabroso como la pizza.

Cuando terminan de desayunar son las diez de la mañana.

¿Recuerda usted?

¿Verdadero o falso?
With a partner, decide whether the following statements about the dialogue are true (**verdadero**) or false (**falso**).

1. La familia Carreras es de Costa Rica y está de vacaciones en Panamá. ☐ V ☐ F
2. Hoy Andrea y Javier celebran su aniversario de bodas. ☐ V ☐ F
3. Javier come pollo a la parrilla. ☐ V ☐ F
4. Andrea no quiere comer camarones. ☐ V ☐ F
5. Andrea va a pedir sopa. ☐ V ☐ F
6. Javier y Andrea comen postre. ☐ V ☐ F
7. Javier y Andrea no tienen hijos. ☐ V ☐ F
8. El niño es mayor que la niña. ☐ V ☐ F
9. Javier come más que Andrea. ☐ V ☐ F
10. La mamá de Luisito quiere comer una hamburguesa. ☐ V ☐ F
11. Luisito prefiere comer pizza. ☐ V ☐ F
12. La familia termina de desayunar a las doce. ☐ V ☐ F

Y ahora... conteste
Answer these questions, basing your answers on the dialogue.

1. ¿Qué celebran Andrea y Javier?
2. ¿Dónde están?
3. ¿Qué beben ellos?
4. ¿Qué quiere Andrea de postre? ¿Y Javier?
5. ¿Cómo es Anita? ¿Cómo es Luisito?
6. ¿Anita quiere panqueques o pan tostado?
7. ¿Qué bebe Luisito en el desayuno?
8. ¿Qué debe comer Luisito en el almuerzo?

● **Offers a natural setting for introducing language.** The Opening Dialogues serve as a lively, realistic context in which to learn the lesson's vocabulary and structures, and the *¿Recuerda usted?* comprehension questions provide immediate reinforcement. Audio recordings of all dialogues can be found on the premium website for *¡Hola, amigos!*

● **Leads students to an understanding of the cultures of the Spanish-speaking world, as well as their own.** Written in simple Spanish, the *Detalles culturales* text boxes convey information on cultural themes or points mentioned in the lesson's opening passage. To promote classroom discussion, cross-cultural reflection questions follow each note.

104

105

● **Provides a solid foundation for building students' communication skills.** The *Vocabulario* section lists all active vocabulary, new words, and expressions introduced in the opening dialogue, as well as other words and phrases related to the lesson's theme in the *Amplíe su vocabulario* section.

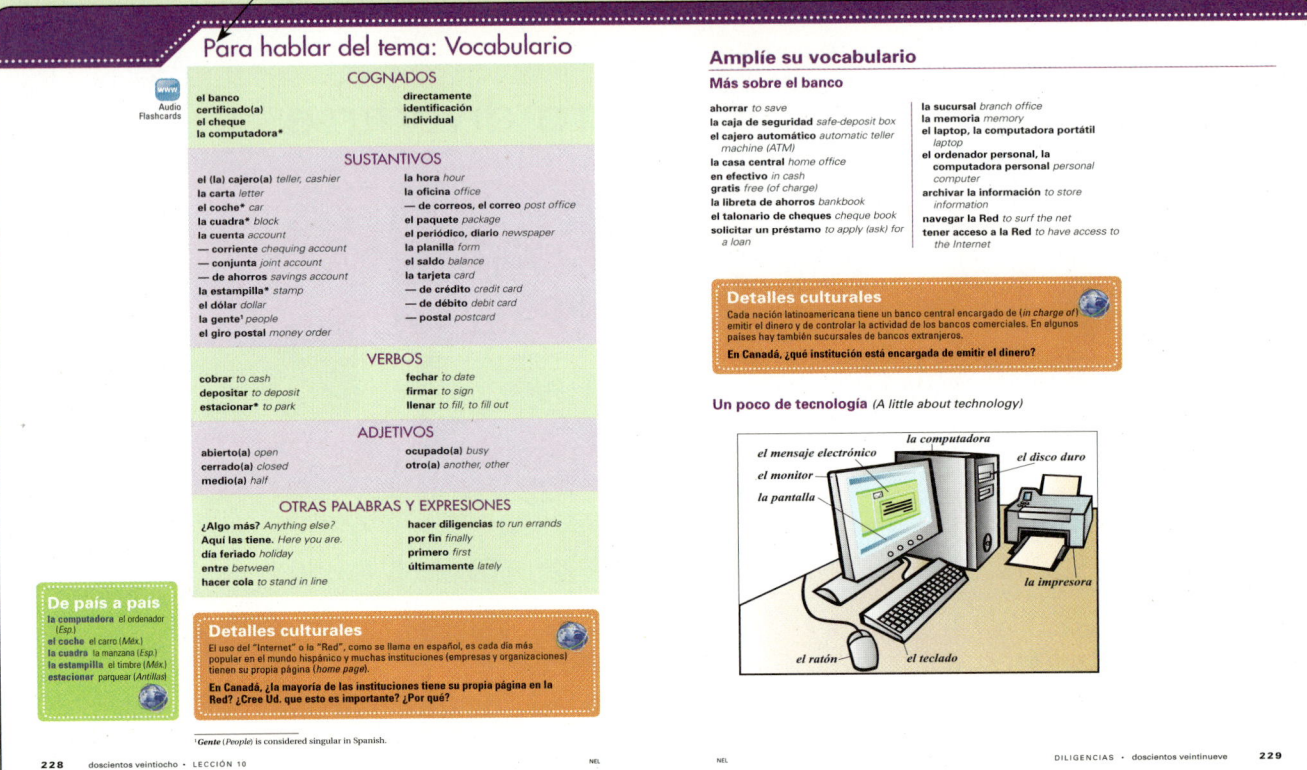

Para hablar del tema: Vocabulario

Audio Flashcards

COGNADOS

el banco
certificado(a)
el cheque
la computadora*

directamente
identificación
individual

SUSTANTIVOS

el (la) cajero(a) *teller, cashier*
la carta *letter*
el coche* *car*
la cuadra* *block*
la cuenta *account*
— corriente *chequing account*
— conjunta *joint account*
— de ahorros *savings account*
la estampilla* *stamp*
el dólar *dollar*
la gente¹ *people*
el giro postal *money order*

la hora *hour*
la oficina *office*
— de correos, el correo *post office*
el paquete *package*
el periódico, diario *newspaper*
la planilla *form*
el saldo *balance*
la tarjeta *card*
— de crédito *credit card*
— de débito *debit card*
— postal *postcard*

VERBOS

cobrar *to cash*
depositar *to deposit*
estacionar* *to park*

fechar *to date*
firmar *to sign*
llenar *to fill, to fill out*

ADJETIVOS

abierto(a) *open*
cerrado(a) *closed*
medio(a) *half*

ocupado(a) *busy*
otro(a) *another, other*

OTRAS PALABRAS Y EXPRESIONES

¿Algo más? *Anything else?*
Aquí las tiene. *Here you are.*
día feriado *holiday*
entre *between*
hacer cola *to stand in line*

hacer diligencias *to run errands*
por fin *finally*
primero *first*
últimamente *lately*

De país a país

la computadora el ordenador *(Esp.)*
el coche el carro *(Méx.)*
la cuadra la manzana *(Esp.)*
la estampilla el timbre *(Méx.)*
estacionar parquear *(Antillas)*

Detalles culturales

El uso del "Internet" o la "Red", como se llama en español, es cada día más popular en el mundo hispánico y muchas instituciones (empresas y organizaciones) tienen su propia página (*home page*).

En Canadá, ¿la mayoría de las instituciones tiene su propia página en la Red? ¿Cree Ud. que esto es importante? ¿Por qué?

¹*Gente (People)* is considered singular in Spanish.

Amplíe su vocabulario

Más sobre el banco

ahorrar *to save*
la caja de seguridad *safe-deposit box*
el cajero automático *automatic teller machine (ATM)*
la casa central *home office*
en efectivo *in cash*
gratis *free (of charge)*
la libreta de ahorros *bankbook*
el talonario de cheques *cheque book*
solicitar un préstamo *to apply (ask) for a loan*

la sucursal *branch office*
la memoria *memory*
el laptop, la computadora portátil *laptop*
el ordenador personal, la computadora personal *personal computer*
archivar la información *to store information*
navegar la Red *to surf the net*
tener acceso a la Red *to have access to the Internet*

Detalles culturales

Cada nación latinoamericana tiene un banco central encargado de (*in charge of*) emitir el dinero y de controlar la actividad de los bancos comerciales. En algunos países hay también sucursales de bancos extranjeros.

En Canadá, ¿qué institución está encargada de emitir el dinero?

Un poco de tecnología *(A little about technology)*

el mensaje electrónico
el monitor
la pantalla
la computadora
el disco duro
la impresora
el ratón
el teclado

Para practicar el vocabulario

Ace Practice Test

A Preguntas y respuestas

With a partner, match the questions in column *A* with the answers in column *B*.

A

1. ¿Bailamos?
2. ¿Es casada?
3. ¿Es rubia o morena?
4. ¿Qué bebida tienen?
5. ¿Qué celebran hoy?
6. ¿Qué vas a mandar?
7. ¿Luis es tu novio?
8. ¿Dónde es la fiesta?
9. ¿Es alta?
10. ¿Es de El Salvador?

B

a. Champán.
b. En la casa de mis abuelos.
c. Las invitaciones.
d. No, es soltera.
e. No, es mi primo.
f. No, es guatemalteco.
g. No, de estatura mediana.
h. Ahora no; estoy cansada.
i. Mi cumpleaños.
j. Es pelirroja.

B Planes para la fiesta

Complete the following exchanges and then act them out with a partner.

1. —¿Qué vas a traer para comer?
   —Los _____ y la _____ de cumpleaños.
2. —¿Los invitados lo _____ bien?
   —Sí, la fiesta es todo un _____.
3. —¿Vamos a brindar?
   —Sí. (_____ su copa.) ¡Un _____ !
   ¡Salud!
4. —¿Uds. _____ una fiesta el sábado?
   —Sí, y vamos a _____ a todos nuestros amigos.

¿Qué creen ustedes que celebran estos amigos?

C El parentesco *(Relationship with relatives)*

With a partner, take turns saying what the relationship of one person to another is in the family tree. Mention eight to ten relationships.

- **MODELO:** —Doña Elsa es la mamá de Eva.

Doña Elsa Don Luis

Carlos Eva Sergio Marta

Ana Beto

● **Familiarizes students with sounds, words, and expressions that are challenging.** The *Pronunciación* section of each lesson acquaints students with the basic Spanish sounds. Listen to the *Pronunciación* audio recordings on the premium website for *¡Hola, amigos!*

D De mi álbum de fotos

Bring photos of family members and share info_____
prepared to present your family photos to the____

Pronunciación

La consonante c

In Spanish, **c** has two different sounds: [s] and [k]. The [s] sound occurs in **ce** and **ci**, the [k] sound in **ca, co, cu, cl,** and **cr.** Read the following words aloud.

[s]		[k]	
cerveza	ciencias	Carmen	cuándo
gracias	necesito	cansado	club
invitación	celebrar	cómo	creo

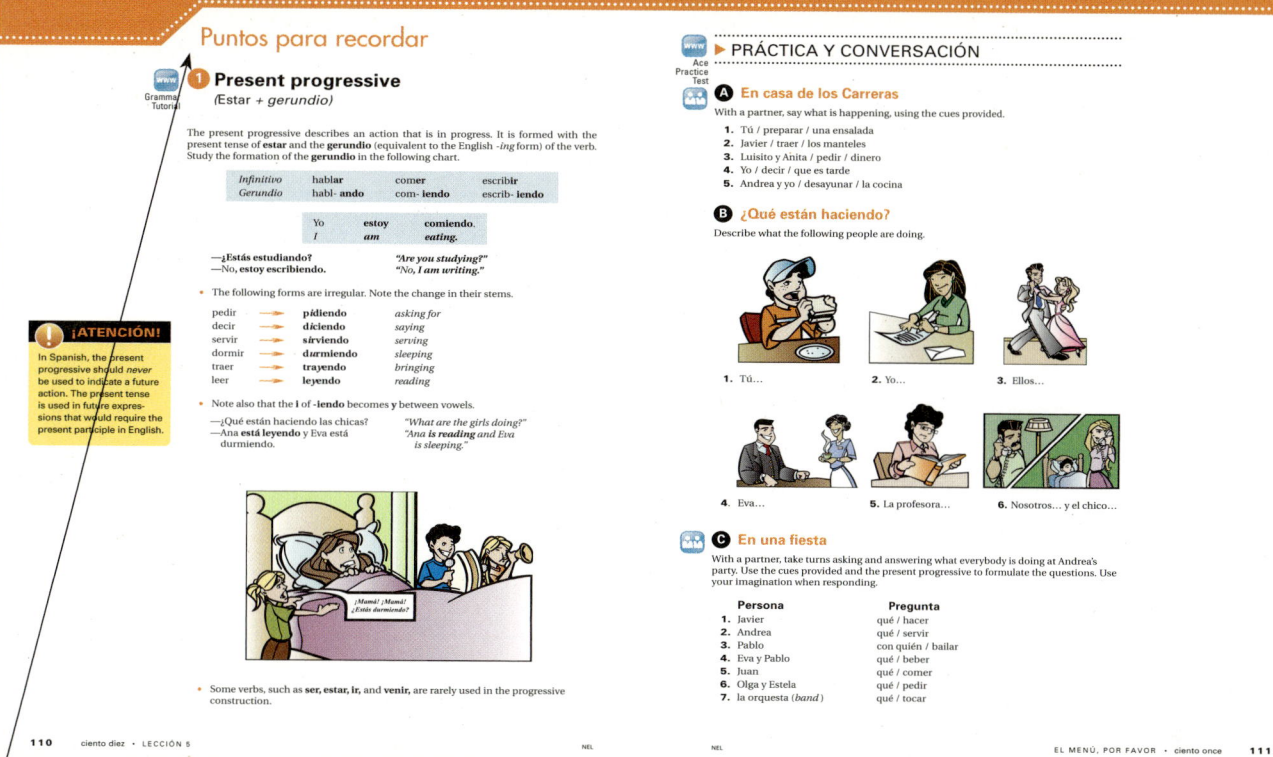

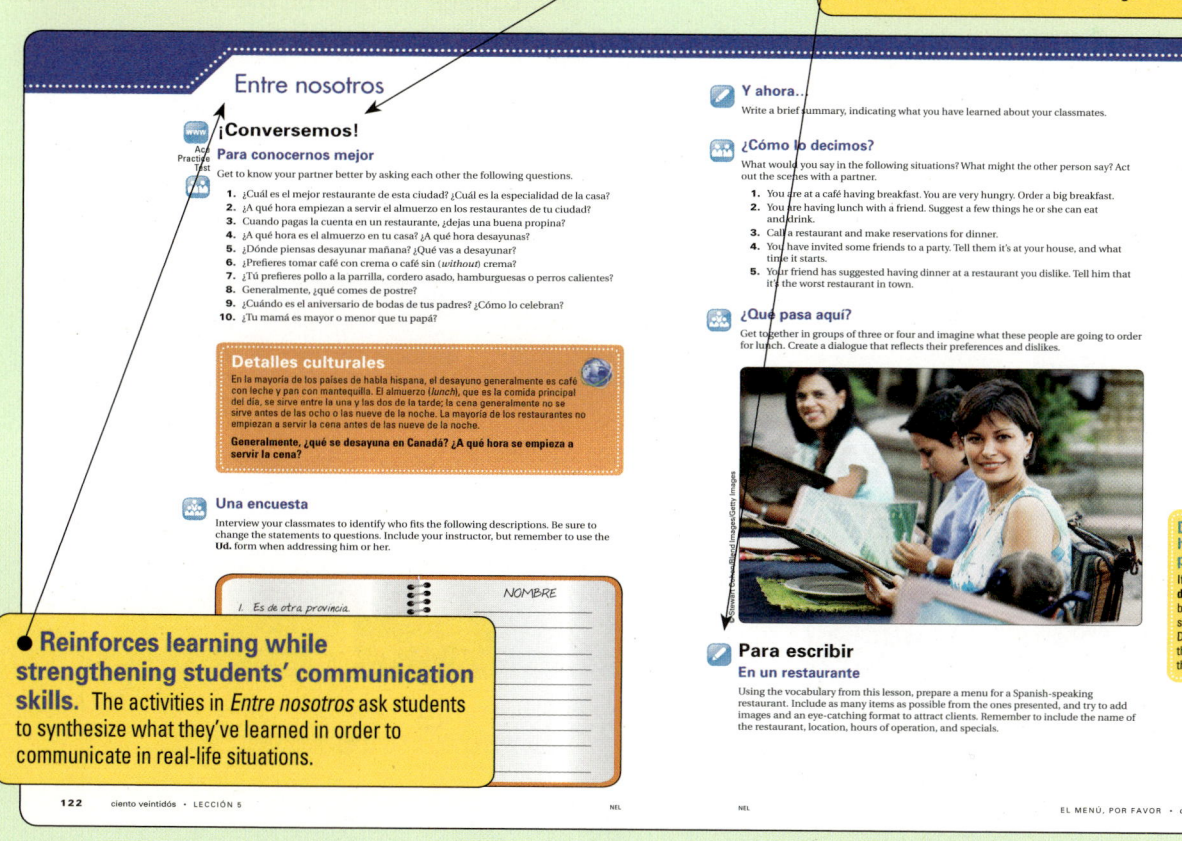

Presents grammar structures in a clear and succinct manner. The *Puntos para recordar* section presents, in English, an average of four or five grammar points per lesson. Each structure is immediately followed by a *Práctica* or *Práctica y conversación* exercise that ranges from controlled drills to open-ended activities, including illustration-based activities.

Presents opportunities to actively use the language in the classroom. *¡Conversemos!* consists of a series of open-ended activities, including personalized pair activities, activities for vocabulary review, and pair and small-group activities. The *Entre nosotros* section ends with *Para escribir*, a writing activity on a topic related to the thematic goals of the lesson.

Reinforces learning while strengthening students' communication skills. The activities in *Entre nosotros* ask students to synthesize what they've learned in order to communicate in real-life situations.

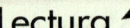

● **Fosters student understanding of spoken language.** The situational videos, shot on location in Costa Rica, relate in theme and language level to each unit. Activities relating to each video, along with the videos themselves, can be found on the premium website.

● **Promotes the development of students' reading skills.** Appearing at the end of each unit, the *Lectura* section develops reading comprehension while reinforcing the structures and vocabulary introduced in the preceding lessons. Pre-reading questions focus students' attention on detail, and open-ended post-reading questions provide students with opportunities to personally relate to the reading.

Lectura

Estrategia de lectura
Look at the recipe on the next page. Reading through the list of ingredients, how many do you know already? Have you heard of this appetizer before? How does this recipe compare with others?

Vamos a leer
After you read the recipe, see if you can answer the questions below.

1. ¿Cómo es el guacamole?
2. ¿Con qué se puede servir?
3. ¿Cuántos aguacates necesitas para hacer el guacamole?
4. ¿Qué cantidad (*amount*) de cebolla necesitas y en qué forma?
5. ¿Qué tienes que hacer con los aguacates?
6. ¿Cuándo añades el aceite de oliva?
7. ¿Cuánta sal añades?
8. ¿Cuándo sirves el guacamole?

Maria Elena Cuervo-Lorens was born and raised in Mexico City. She has been living in Canada for more than 30 years, where she shares her love of cooking and of her native Mexico through her culinary classes.

According to Maria Elena, "Mexican cuisine is the culinary expression of two of the world's great cultures married into a new nation: the Spanish Empire of the XVI century and the Meshica people, the most prosperous and advanced society in the Mid-America region before the arrival of the Europeans.

"Both the Spanish and the Meshicas . . . enjoyed the pleasures of the table along with the social lives which were always centered around the protocols of meal times. Women were praised and valued for their cooking talents, friendships developed around good eating and drinking, and hospitality always being expressed with a generous table."

Mexican Culinary Treasures features recipes that range from the very traditional to the modern cuisine of cosmopolitan Mexico City, providing tasty insights into Mexican history and culture.

GUACAMOLE

El guacamole es delicioso. Se puede servir con tortillas, tostadas o con otros antojitos (snacks) mexicanos.

INGREDIENTES:

2 aguacates grandes
1 cucharadita (tsp) de jugo de limón
1 jitomate grande, picado (chopped)
2 cucharadas (tbsp) de cebolla picada en trozos (pieces) pequeños
2-4 chiles serranos, picados en trozos muy pequeños
1 cucharadita de aceite de oliva (olive oil)
1/4 taza (c.) de cilantro picado
sal

Tienes que moler (mash) el aguacate. Pones el jugo de limón en el aguacate. Añades (add) el jitomate, la cebolla y los chiles al aguacate. Mezclas (mix) todo. Añades el aceite de oliva y el cilantro. Y finalmente, sal al gusto (to taste). Mezclas todo otra vez. Sirves el guacamole inmediatamente.

Díganos
Answer the following questions, based on your own thoughts and experience.

1. ¿Cuáles son los ingredientes más importantes?
2. ¿Es fácil o difícil hacer guacamole?
3. ¿Dónde puedes comprar los ingredientes?
4. ¿Te gusta la comida mexicana?

Video

Marisa en la cocina
Marisa está preparando una cena para el cumpleaños de Pablo. No tiene los ingredientes necesarios para el guiso (*stew*), y usa otros, con el resultado que podemos im...

● **Reinforces understanding of the cultures of the Spanish-speaking world.** A longer cultural section, *El mundo hispánico*, appearing at the end of each unit, presents in more detail the Hispanic cultures introduced throughout the unit.

El mundo hispánico

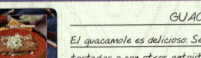 MÉXICO   GUATEMALA   EL SALVADOR

MÉXICO
• México, con más de cien millones de habitantes, ocupa por su población el primer lugar entre los países del mundo hispano, y tiene casi el área de Nunavut. Su capital, la ciudad de México, D.F. (Distrito Federal), con unos veinticuatro millones de habitantes, es uno de los centros urbanos más grande del mundo.
• La importancia del turismo se debe a (*is due to*) la abundancia de bellezas naturales y de reliquias históricas, y al servicio eficiente de sus centros turísticos. Playas famosas como Acapulco, Cancún y Puerto Vallarta, ruinas arquitectónicas como Teotihuacán, Chichén Itzá y Tulum, y la arquitectura de muchas ciudades atraen a turistas de todo el mundo. En México, D.F. coexisten restos arquitectónicos de la ciudad prehistórica Tenochtitlán, fundada en 1325 por los aztecas, edificios coloniales y modernas estructuras.

Palacio de Bellas Artes en la ciudad de México, México

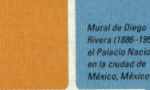

Mural de Diego Rivera (1886–1957) en el Palacio Nacional en la ciudad de México, México

• Otras ciudades de gran interés turístico son Guadalajara, la segunda ciudad más grande del país, origen del mariachi y del tequila; Guanajuato, famosa por sus momias; y San Miguel de Allende, residencia de artistas de todo el mundo.
• En el mundo del arte, se destacan (*stand out*) pintores como Diego Rivera, José Clemente Orozco, David Alfaro Siqueiros y Frida Kahlo.

GUATEMALA
• Guatemala es uno de los países centroamericanos que fue (*was*) parte del imperio maya. Aunque el español es el idioma oficial, sólo lo habla el 60 por ciento de la población; el resto habla alguna lengua maya.
• En Guatemala encontramos innumerables centros arqueológicos. Uno de los más famosos es la ciudad maya de Tikal, que por su valor arqueológico fue declarada Patrimonio de la Humanidad por la UNESCO.
• Guatemala es un país de volcanes, montañas y bellos paisajes. Su clima es muy agradable y por eso se conoce como "el país de la eterna primavera". En sus bosques hay numerosos pájaros (*birds*), entre ellos el quetzal, que le da nombre a la moneda del país y que es el símbolo nacional de Guatemala.

Rigoberta Menchú (1959–), Premio Nobel de la Paz, 1992

EL SALVADOR
• El Salvador es el país más pequeño de Centroamérica, pero es el más densamente poblado. Tiene más de seis millones de habitantes en un área más pequeña (*smaller*) que la Isla de Vancouver.
• En El Salvador hay más de 200 volcanes y por eso lo llaman "la tierra (*land*) de los volcanes". El país tiene unos 300 kilómetros de costa, y sus playas están entre las más hermosas de América. El *surfing* es el deporte (*sport*) que más se practica en las playas.
• El clima es tropical, con dos estaciones: la estación de las lluvias (de mayo a octubre) y la estación de la sequía (*dry season*) (de noviembre a abril).
• La capital de El Salvador es San Salvador, la ciudad más industrializada de Centroamérica.

La Catedral Metropolitana frente a la plaza Barrios, en San Salvador

Comentarios...
With a partner, discuss, in Spanish, what impressed you the most about these three countries, and compare them to Canada. Which places do you want to visit and why?

Tome este examen

LECCIÓN 9

A Some uses of *por* and *para*

Complete each sentence, using **por** or **para**.

1. El vestido es _____ ti, mamá.
2. ¿Cuánto pagaron _____ los aretes?
3. Yo no trabajo _____ la mañana.
4. Los chicos salieron _____ la puerta principal.
5. Ellos fueron al club nocturno _____ bailar.
6. Necesito la falda _____ mañana _____ la tarde.
7. El sábado salimos _____ Lima. Vamos _____ avión (*airplane*). Vamos a estar allí _____ una semana.
8. En ese hotel cobran 100 dólares _____ noche.

B Weather expressions

Complete each sentence with the appropriate word(s).

1. En verano _____ mucho _____ en Ontario.
2. En invierno en Yukón _____ mucho _____ y _____ mucho.
3. En Vancouver _____ todo el año.
4. Hoy no hay vuelos (*flights*) porque _____ mucha _____ .
5. Necesito la sombrilla porque _____ mucho _____ .

C The preterite contrasted with the imperfect

Complete each sentence, using the preterite or the imperfect tense of the verbs in parentheses.

1. Ayer nosotros _____ (celebrar) nuestro aniversario.
2. _____ (Ser) las cuatro de la tarde cuando yo _____ (salir) del restaurante. _____ (Llegar) a mi casa a las cinco.
3. El mozo me _____ (decir) que la especialidad de la casa _____ (ser) cordero y yo lo _____ (pedir).
4. Cuando Raúl _____ (ser) pequeño _____ (vivir) aquí.
5. Jorge _____ (estar) en el café cuando yo lo _____ (ver).
6. Ella no _____ (ir) a la fiesta anoche porque _____ (estar) muy cansada. _____ (Preferir) quedarse en su casa.
7. Ayer yo _____ (hacer) las reservaciones.
8. Nosotros _____ (estar) almorzando cuando tú _____ (llamar).

D *Hace*... meaning *ago*

Indicate how long ago everything took place.

1. Llegué a las seis. Son las nueve.
2. Ellos vinieron en marzo. Estamos en julio.
3. Empecé a trabajar a las dos. Son las dos y media.
4. Terminaron el domingo. Hoy es viernes.
5. Llegaste en 2001. Estamos en el año 2011.

E Possessive pronouns

Complete each sentence, giving the Spanish equivalent of the word in parentheses.

1. Mi vestido es mejor que _____ , María. (*yours*)
2. Las camisas azules son _____ . (*mine*)
3. Yo voy a invitar a mis amigos. ¿Tú vas a invitar a _____ ? (*yours*)
4. Estos zapatos son _____ . (*ours*)
5. Mi abuelo es de México. _____ es de Cuba. (*Theirs*)
6. Ese libro no es _____ ; es _____ . (*mine / hers*)

F Vocabulary

Complete the following sentences, using vocabulary from **Lección 9**.

1. Estos zapatos no son caros, son muy _____ .
2. Voy a la _____ para comprar unas sandalias.
3. Estudia en la _____ de medicina.
4. Necesito un _____ de botas.
5. Necesito una camisa de _____ largas.
6. ¿En que puedo _____ , Srta.?
7. Este traje no está de _____ ahora.
8. No me gusta andar _____ . Siempre uso zapatos.
9. Voy a comprar ropa porque no tengo nada que _____ .
10. Los aretes me costaron un _____ de la _____ .
11. ¿Qué número _____ Ud.?
12. En el verano, el clima de Manitoba no es seco, es _____ .

G Translation

Express the following in Spanish.

1. Yesterday I went to his house to talk to him.
2. Where did you used to live when you were a child?
3. When was the last time that you went to the store?
4. —What did the professor say?
   —She said that we had to study more.
5. The weather is not good today. It's raining and I need a raincoat.

H Culture

Complete the following sentences, based on the cultural notes you have read.

1. En los países hispanos se usa el sistema _____ decimal.
2. La moneda de Perú es el _____ .

● Encourages self-assessment of learning objectives. At the end of each unit, the *Tome este examen* section contains exercises designed to review the vocabulary and structures presented in the lessons contained in that unit. The Answer Key is found in Appendix D.

Letter to Students

Embarking on a Learning Journey
Welcome to *¡Hola, amigos!*, Second Canadian Edition

You are ready to start learning a new language. This is probably a bit intimidating for you. Learning a language encompasses many aspects: the language itself, with its nuances, rules, and new pronunciation; the culture, with all its regional characteristics, sounds, and flavours; and, of course, the literature and artistic representations. All these components come together in a very compact manner in *¡Hola, amigos!*, Second Canadian Edition. Throughout the textbook, ancillary materials, and online components, you will experience the lives of Hispanic people around the world and in Canada.

Each lesson brings you a new adventure in your journey of discovery. The content of each unit has been thought-out carefully to offer you the best learning experience. Themes and concepts in each chapter are linked and presented according to their difficulty. The initial exercises are usually very easy, and then each lesson moves to more complex learning activities. As you progress, you will be building up your knowledge and self-confidence. Never be afraid to ask questions in and outside class.

Even if you have never studied Spanish before, you will easily learn words like *fantástico, excelente, clase de español, profesora…* and many more. You recognize them because they are **cognates**—words that derive from Latin and are used in both English and Spanish. Pay attention to their spelling and pronunciation and you will be building your vocabulary repertoire in no time! We are sure that by bringing forward your existing knowledge and by paying attention to the material studied in the course, you will be successful.

We, as instructors, don't expect you to be fluent right away. Learning a language is a process, and you need to be flexible and open to explore the endless possibilities that learning a new language will offer. Consider this course as a trip to the Spanish-speaking world with all its beauty and mesmerizing culture, but also with some challenges and difficulties. You will explore different countries and learn about them. Next time you visit one of them, you will be able to communicate with the locals. You will make some errors, but people will value your effort and it will be compensated with many smiles and useful hints to help you improve your language skills.

The same process will take place during this course. The material in *¡Hola, amigos!* will be your exploration guide and your learning tool. Pay attention to the different sections of each lesson. Navigating the book is easy if you are familiar with its organizational format.

Start with *Lección 1*. Look at the variety of exercises and sections in each lesson. Some will be done individually, and others will lend themselves to being completed with a partner or in a group, but they are all tailored to obtain the most rewarding teaching and learning experience!

Learning Suggestions[1]

- Plan the tasks to be accomplished
- Set goals
- Plan how to accomplish the goals
- Prepare a calendar for the course

Organize/ Plant

- Determine how you learn best
- Seek opportunities to practise
- Focus on task

Manage your learning

Monitor

- Check your progress
- Check your comprehension as you use the language. Are you understanding?
- Check your production as you use the language

Evaluate

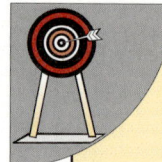

- Assess how well you have accomplished the task
- Assess how well you have applied strategies

[1]Material from "Defining and Organizing Language Learning Strategies." http://www.nclrc.org/guides/HED/chapter2.html.

Task-Based Strategies: Use Your Imagination[2]

- Use or create an image to understand and/or represent information

- Act out and/or imagine yourself in different roles in the target language
- Manipulate real objects as you use the target language

Task-Based Strategies: Use Your Organizational Skills[3]

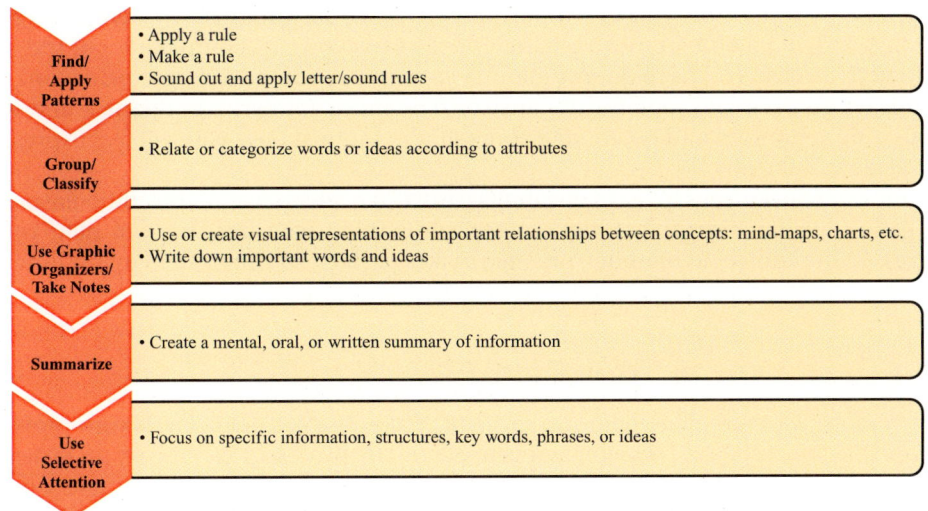

Find/ Apply Patterns	• Apply a rule • Make a rule • Sound out and apply letter/sound rules
Group/ Classify	• Relate or categorize words or ideas according to attributes
Use Graphic Organizers/ Take Notes	• Use or create visual representations of important relationships between concepts: mind-maps, charts, etc. • Write down important words and ideas
Summarize	• Create a mental, oral, or written summary of information
Use Selective Attention	• Focus on specific information, structures, key words, phrases, or ideas

Use the Target Language

When the instructor speaks to you in Spanish at the beginning of the course, you will not understand everything that he/she is saying, but you will get the message. Concentrate on understanding the meaning of the message. If you don't understand, ask for the statement to be repeated. Whenever possible, use Spanish to communicate with the instructor and with your peers, even if it is a brief sentence. You will be surprised how quickly you start building up your vocabulary.

There is a good chance that your instructor will have an accent from a specific area. The ancillary material will offer you the opportunity to experience other accents from the Spanish-speaking world. Take advantage of any opportunity to listen to the language as it is spoken in each region. Music is a great way to do this. Just find some of your favourite Hispanic singers and listen to them! You can do this activity anywhere, anytime! Soon, you will be singing in Spanish and your pronunciation will improve. Aren't you excited about this possibility? How many courses have you taken where the instructors tell you that listening to music and singing along can be beneficial to improve your learning experience?

---

[2] Material from "Defining and Organizing Language Learning Strategies." http://www.nclrc.org/guides/HED/chapter2.html.

[3] Material from "Defining and Organizing Language Learning Strategies." http://www.nclrc.org/guides/HED/chapter2.html.

Organize Your Time

Time management can be challenging while at university. In order to learn a language you will need to dedicate time and effort. We suggest that you create your own Spanish corner in your study space. Give the space a Hispanic flavour with pictures, words, colours. Make it fun and inviting. Anytime that you sit down to study Spanish you will feel that learning a language is not only exciting, it can be fun and exhilarating, too. You need to organize your time accordingly. Repetition of the vocabulary and memorization of the grammatical rules are essential to help you move forward to the next lesson, so make sure that you have understood each concept before your next class. If you have questions about the material presented in the previous class, bring them to class. Refer to the material in *¡Hola, amigos!* to show the instructor that you are involved in your learning process.

Rehearse, Rehearse, Rehearse

The best path to success in your course is to practise. Each unit, which is made up of two lessons, includes a section called *Tome este examen*. This is a fabulous feature of *¡Hola, amigos!* that offers you the opportunity to test your progress. By completing this section, you will be able to move through the lessons you just completed and test your knowledge. In case you have doubts about a concept, or you have forgotten a word, you can always go back and look for the answer! The more you write in Spanish and work on building sentences and expressing yourself, the more at ease you will feel expressing your ideas in Spanish.

One of the best ways to learn vocabulary is to take advantage of the audio flashcards and games available on the *¡Hola, amigos!* companion website. This will help you to progress in the course. Remember, practice makes perfect, so you need to invest time and effort in processing the information presented in the course.

Your Professor Is Your Best Ally

As professors, we are there to help you succeed. Make sure you get to know your professor well and ask for assistance whenever it is needed. The professor is not only an expert on the subject, but he/she is also passionate about the topic. What better ambassador to help you improve and make progress in the course! He or she is also very familiar with *¡Hola, amigos!* and can give you hints to navigate the book successfully.

Many creative projects and active learning activities are part of *¡Hola, amigos!*, Second Canadian Edition. The book was prepared and planned with you in mind! Don't be afraid of writing in the book; make connections between concepts using the **Flashback** feature and the material that appears in the Appendices.

Best of luck on your learning journey! *¡Buen viaje!*

Preface

¡Hola, amigos!, Second Canadian Edition, has been adapted especially for use in Canadian colleges and universities. It continues to be the complete, flexible program that has made it a successful introduction to Spanish for beginning college and university students throughout seven editions. It presents the basics of Spanish grammar using a balanced, eclectic approach that stresses all four skills—listening, speaking, reading, and writing. The program has always emphasized the active, practical use of Spanish for communication in high-frequency situations. The completely redesigned Second Canadian Edition features an attractive colour-coded layout, making navigation easy for readers. A special effort has been made to enhance the cultural presentation and integration by focusing on culture on a unit level, and giving more substance to the smaller culture notes throughout each lesson. The program's goal is to help you achieve linguistic proficiency and cultural awareness, and to motivate you to continue your study of the Spanish language and the many cultures in which it is spoken.

New to This Edition

In response to reviewers' comments, *¡Hola, amigos!,* Second Canadian Edition, has been reorganized into six units, each containing two thematically-related lessons.

- *¿Qué?* and *¿cuál?* used with *ser* (Lesson 13 in the first edition) has been moved to Lesson 1.

- Vocabulary related to the parts of the body (Lesson 13 in the first edition) is presented along with reflexive verbs in Lesson 7.

- First-person plural commands (Lesson 13 in the first edition) have been moved to Lesson 10.

- Explanations of the future tense and conditional tense (presented in Lesson 14 in the first edition) are now presented in the last lesson (Lesson 12), where they provide a good opportunity for students to discuss their plans after the course has finished.

- The imperfect subjunctive (Lesson 14 in the first edition) has been moved to the *Un poco más* section for reference.

Other significant changes include

- a completely new interior design that will be more attractive to adult language learners;

- more realistic lesson-opening dialogues;

- new *Práctica y traducción* exercises to allow students to practise their translation skills;

- Flashback icons, which remind students to review concepts they have encountered before; and

- new readings in the *Lectura* sections of Units 3 and 5, including the poem "Árbol Enamorado" by celebrated Argentinean-Canadian poet Nela Río.

The Student Text

In developing *¡Hola, amigos!,* Second Canadian Edition, our intention has been to provide a complete, adaptable beginning Spanish program that responds to the requirements of both the student and the instructor. Familiarizing yourself with the features of the textbook will allow you to get the most out of your learning experience.

Unit-Opener Spread

Each unit begins with a list of communicative objectives for the two lessons included in that unit. This list serves to focus your attention on important linguistic functions and vocabulary you will encounter and to help you gain a sense of accomplishment when you finish a unit. Captioned photos and maps give you a first impression of the countries presented in each unit.

Diálogos

New vocabulary and grammatical structures are first presented in the context of several brief conversations in idiomatic Spanish dealing with high-frequency situations that reflect the lesson's central themes. Audio recordings of each conversation may be accessed online on the premium website for *¡Hola, amigos!* and in the Heinle iLrn Learning Center. An audio icon will remind you to go online to listen to these recordings. Check your comprehension by doing the *¿Recuerda usted?* activities that follow the dialogues.

- *Detalles culturales*   These short culture notes, written in easy-to-read Spanish, promote cultural awareness in the language-learning process. They can be found throughout the entire unit and will give you important and interesting cultural information that helps integrate the learning of language with the learning of culture.

Para hablar del tema: Vocabulario

All new words and expressions introduced in the conversations are listed by parts of speech or under the general headings *Cognados* and *Otras palabras y expresiones.* You should learn the entries in these lists for active use. The *Amplíe su vocabulario* section that follows expands on the thematic vocabulary introduced in the dialogues.

Para practicar el vocabulario

This practice section immediately follows the vocabulary presentation and encourages you to use the expressions you have just learned in a meaningful way.

- *Pronunciación*   The vocabulary section ends with a pronunciation feature to present and practise the sounds of the Spanish language, with special attention to features that pose difficulty for most English speakers. The audio icon indicates that the recordings for this section may be found on our premium website and in the iLrn Learning Center.

Puntos para recordar

Each new grammatical structure featured in the lesson-opening dialogue is explained clearly and concisely in English so that the explanations can be used independently as an out-of-class reference. All explanations include examples of practical use in natural Spanish, and some explanations are illustrated by a cartoon.

- *Práctica* and *Práctica y conversación*   After each grammar explanation, the activities in *Práctica* and *Práctica y conversación* offer immediate reinforcement through a variety of structured and communicative exercises. These activities are flexible in format so that you can do them in class or your instructor can assign them as written practice outside of class. Exercises that invite students to work in pairs or in small groups are indicated by icons. Answers to these exercises are available at your instructor's discretion.

- *Rodeo*   The *Rodeo* boxed sections in Lessons 7 and 12 summarize major grammatical topics such as pronouns, command forms, and the tenses of the indicative.

Entre nosotros

The final section of each lesson provides for the recombination and synthesis of that lesson's new vocabulary and grammatical structures in a series of communicative activities. Because language is best learned through interpersonal communication, most of these exercises are designed to be done orally and require interactions with your classmates.

- *¡Conversemos!* features personalized activities such as pair interviews and class surveys that ask you to interact with your peers. Also included in this end-of-lesson cumulative section are activities that involve photos, realia, or illustrations, providing additional communicative practice based on authentic materials. This section has been expanded to provide more interactive, communicative practice.

- *Para escribir* guides you to express yourself in writing in a variety of formats, such as e-mails, lists, and descriptions.

- *Un dicho* or *Un proverbio,* a thematically-related popular saying or proverb, provides cultural enrichment and concludes each lesson.

Lectura

A reading section at the end of each unit contains authentic theme-related material from newspapers or magazines from the Spanish-speaking world, and in Units 4, 5, and 6 you will find literary selections. Pre-reading activities emphasize the need to develop reading strategies. The selections are followed by comprehension and personalized questions for writing practice or discussion.

El mundo hispánico

This section, written in easy-to-read Spanish, provides an integrated cultural presentation of the countries and regions presented in the unit opener and throughout the lessons. It offers an overview of the locale in which the introductory dialogues were set, with attention to such details as climate, points of interest, customs, politics, economy, and inhabitants. It will also inform you about prevailing customs in the Spanish-speaking world that relate to the lesson themes. A map highlighting important geographic locations can be found on the unit opener spread. Colour photos visually depict the country or custom(s) discussed. *El mundo hispánico* videos may be accessed online on the premium website for **¡Hola, amigos!** and in the iLrn Learning Center. A video icon will remind you to go online to view these videos.

Tome este examen

After each unit, these self-tests review and synthesize important vocabulary and grammatical structures you have learned in that unit. Because cultural awareness is as important as linguistic competence, the self-tests will also check your knowledge of cultural concepts. Organized by lesson, the self-tests quickly enable you to determine what material you have already mastered and which concepts you need to target for further review. An answer key is provided in Appendix D for immediate verification.

Reference Materials

The following sections provide you with useful reference tools throughout the course.

- **Maps.** Up-to-date maps of the Hispanic world and Canada appear on the inside front and back covers of the textbook for quick reference.

- **Appendices.** Appendix A summarizes the sounds and key pronunciation features of the Spanish language, with abundant examples. Conjugations of high-frequency regular, stem-changing, and irregular Spanish verbs constitute Appendix B. Appendix C is a glossary of all grammatical terms used in the text, with examples. Appendix D is the answer key to the *Tome este examen* self-tests.

- **Vocabularies.** Spanish–English and English–Spanish glossaries list all active core vocabulary introduced in the dialogues and the *Amplíe su vocabulario* and grammar sections, as well as the passive vocabulary employed in the readings and the *El mundo hispánico* sections.

- **Index.** An index provides ready access to all grammatical structures presented in the text.

Supplementary Materials for the Student

Student Activities Manual (SAM)

Each lesson of the *Student Edition* is correlated to the corresponding lesson in the *Student Activities Manual (SAM)* (ISBN: 978-0-17-647199-6).

The *Workbook* section offers a variety of writing activities—sentence completion, matching, sentence transformation, and illustration-based exercises—that provide further practice and reinforcement of concepts presented in the textbook. Each lesson includes a crossword puzzle for vocabulary review and a reading comprehension passage. Writing strategies and topics appear in each lesson to further writing skills. An answer key for all written exercises is available at your instructor's discretion.

The *Laboratory Manual* section opens with an Introduction to Spanish Sounds designed to make learners aware of the differences between Spanish and English pronunciation. Each regular lesson of the *Laboratory Manual* includes pronunciation, structure, listening and speaking practice, illustration-based listening comprehension, and dictation exercises to be used in conjunction with the audio program.

QUIA eSAM

The *QUIA Electronic Student Activities Manual (eSAM)* (IAC ISBN: 978-0-17-661654-0; PAC ISBN: 978-0-17-661653-3) provides the convenience of having the pronunciation and listening comprehension activities and the SAM Audio files online in one place.

iLrn Learning Center

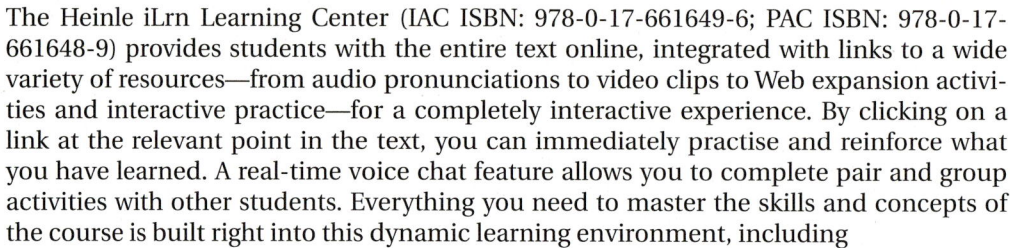

The Heinle iLrn Learning Center (IAC ISBN: 978-0-17-661649-6; PAC ISBN: 978-0-17-661648-9) provides students with the entire text online, integrated with links to a wide variety of resources—from audio pronunciations to video clips to Web expansion activities and interactive practice—for a completely interactive experience. By clicking on a link at the relevant point in the text, you can immediately practise and reinforce what you have learned. A real-time voice chat feature allows you to complete pair and group activities with other students. Everything you need to master the skills and concepts of the course is built right into this dynamic learning environment, including

- an audio- and video-enhanced eBook;
- integrated textbook activities;
- **companion videos** with pre- and post-viewing activities;
- partnered **voice-recorded activities** for multiple students;
- an interactive *Student Activities Manual* with audio;
- interactive enrichment activities; and
- a **diagnostic study tool** with personalized study plan.

¡Hola, amigos! Premium Website

The *¡Hola, amigos!* premium website (IAC ISBN: 978-0-17-661644-1; PAC ISBN: 978-0-17-661643-4) brings course concepts to life with interactive learning, study, and exam preparation tools that support the printed textbook.

Ace Practice Tests

- *ACE Practice Tests:* You can take these practice quizzes, covering the vocabulary and key grammar concepts presented in each lesson, to ensure that you are well-prepared for a test or exam.

Audio/ Flashcards

- *Audio Flashcards:* Flashcards with integrated audio help you learn the vocabulary presented in each lesson.

- *Audio:* The audio materials for the student textbook and the Laboratory Activities in the *Student Activities Manual* are designed to maximize your exposure to the sounds of natural spoken Spanish and to help improve pronunciation. The textbook dialogues are used to provide listening and pronunciation exercises in each lesson. Laboratory Activities include comprehension questions on the dialogues, structured grammar exercises (one for each point in the lesson), a listening comprehension activity, and a dictation. Answers to all exercises, except the dictation, are provided within the audio program. These recordings may be used outside of class or in the Language Laboratory. You can access these files wherever you have internet access—or you can download the files for use on a portable MP3 player. All audio materials may be downloaded from the premium website for *¡Hola, amigos!* or accessed online in the iLrn Learning Center.

- *Video Segments:* Situational videos (at the end of each unit) feature recurring characters and demonstrate how Spanish is used in everyday life. *El mundo hispánico* videos showcase the selected countries, ethnic groups, and regions presented in each unit. Both types of videos are designed to develop your listening skills and cultural awareness as you view diverse images of the Hispanic world and Hispanic life and lifestyles. Pre-viewing, post-viewing, and expansion activities along with active vocabulary lists are correlated to each video segment.

- *Grammar Tutorials* allow students to review key grammar concepts in three ways: online, downloadable MP3s, or printable study guides.

- *Podcasts:* These are informal discussions of key grammar and pronunciation points. You can access grammar and pronunciation podcasts online and play them from your iPod or internet browser.

- *Web Search Activities:* These activities are designed to give you further practice with lesson vocabulary and grammar while exploring existing Spanish-language websites.

- *Concentration* and *Crossword Games* provide an enjoyable means of learning vocabulary.

Supplementary Materials for Instructors
Nelson Education Teaching Advantage

The **Nelson Education Teaching Advantage (NETA) program** delivers research-based resources that promote student engagement and higher-order thinking and enable the success of Canadian students and educators.

The primary NETA components are **NETA Engagement** and **NETA Assessment**.

NETA Engagement

The foundational principles underlying NETA Engagement are student-centred learning, deep learning, active learning, and creating positive classroom environments. The *NETA Instructor's Guide to Classroom Engagement (NETA IGCE)* provides an overview of the research underlying these principles. The structure of the Enriched Instructor's Manual was validated by an interdisciplinary editorial advisory board of scholars of teaching and learning.

Editorial Advisory Board:

Dr. Norman Althouse, Haskayne School of Business, University of Calgary

Dr. Brenda Chant-Smith, Department of Psychology, Trent University

Dr. Scott Follows, Manning School of Business Administration, Acadia University

Dr. Jon Houseman, Department of Biology, University of Ottawa

Dr. Glen Loppnow, Department of Chemistry, University of Alberta

Dr. Tanya Noel, Department of Biology, York University

Dr. Gary Poole, Director, Centre for Teaching and Academic Growth and School of Population and Public Health, University of British Columbia

Dr. Dan Pratt, Department of Educational Studies, University of British Columbia

Dr. Mercedes Rowinsky-Geurts, Department of Languages and Literatures, Wilfrid Laurier University

The Enriched Instructor's Manual for *¡Hola, amigos!* was written by the Canadian authors of the textbook in accordance with the principles of the NETA Engagement program. Select the "NETA Engagement" button on the *¡Hola, amigos! Instructor's Resource CD* to view the Enriched Instructor's Manual. It is also available to download from the Instructor companion website.

Heinle iLrn Learning Center and Course Management

The **Heinle iLrn Learning Center** is an all-in-one diagnostic, assessment, assignment, and Course Management System. iLrn offers instructors the ability to make assignments, track performance, and view and manage the results of students' work.

- *Interactive eBook:* The interactive eBook allows students to work in a convenient, engaging online format and receive immediate feedback for most exercises. Students can easily link to the companion website for supplementary practice and to access grammar tutorials. All of the videos are available and show up here chapter-by-chapter, along with the video-based activities. The audio associated with the textbook and *Laboratory Manual* can be easily accessed online.

- *eSAM:* The electronic version of the *Student Activities Manual* is a media-enhanced workbook/lab manual that includes a comprehensive grade-book.

- *Diagnostics:* An interactive diagnostic study tool allows students to better prepare for exams. A pre-test prepares students for the material they will encounter in class. The pre-test results will generate a personalized study plan for each student on a chapter-by-chapter basis. Students will have the ability to take a post-test and receive a revised study plan before they take their professor's exam.

- *Assignments:* All activities from the textbook and *SAM* (including the pair and group activities) can be assigned by instructors. Students can work in pairs to record conversation assignments that feed directly into a grade-book. Student results can be easily exported into WebCT or Blackboard, if desired.

- *Enrichment Activities:* Students may also use iLrn to access interactive enrichment activities that feature grammar and pronunciation tutorials, iTunes playlists, iRadio podcasts, a verb conjugator, and more.

Additional Resources for Instructors

Student Activities Manual Lab Audio Program

The audio files for the pronunciation and listening practice exercises in the Laboratory Activities section of the *Student Activities Manual* are designed to maximize the student's exposure to natural spoken Spanish and to help improve pronunciation. Pronunciation exercises at the beginning of each exercise create opportunities to practise isolated sounds; subsequent exercises take a more global approach to pronunciation practice. Each lesson also includes lesson-opener dialogues followed by comprehension questions, structured grammar exercises that correspond with each of the concepts presented in the *Puntos para recordar* section of that lesson, a listening comprehension activity, and a dictation. Answers to all exercises, except the dictation, are provided within the lab audio files. The audio files for the *Student Activities Manual* are available

- on the *¡Hola, amigos!* premium website,

- in the iLrn Learning Center, and

- as a set of lab audio CDs (ISBN: 978-0-17-647215-3).

Videos

The video program for *¡Hola, amigos!* is designed to develop listening skills and cultural awareness by presenting diverse images of the Hispanic world and Hispanic lifestyles. Situational dialogues feature recurring characters in scenarios that reflect everyday life. Shot on location, *El mundo hispánico* videos will allow students to get a glimpse of the culture and geography of selected countries and regions. Each video is approximately two to four minutes long. Pre-viewing, post-viewing, expansion activities, and active vocabulary lists are correlated to each video segment. Videos are may be viewed

- online on the *¡Hola, amigos!* premium website,
- online in the iLrn Learning Center, or
- on DVD (ISBN: 978-0-17-661683-0).

Instructor's Resource CD/Premium Website

The following resources are available for instructors on our Instructor's Resource CD (ISBN: 978-0-17-647207-8) and on the premium website for *¡Hola, amigos!*, Second Canadian Edition:

- NETA Engagement
  - *NETA Instructor's Guide to Classroom Engagement*
  - an Enriched Instructor's Manual
    Written by Mercedes Rowinsky-Geurts (Wilfrid Laurier University) and Rosa L. Stewart (University of Victoria), this manual offers instructors advice on how to create positive classroom environments that foster student-centred learning, deep learning, and active learning. Drawing on their extensive experience as instructors, the authors offer advice on how to increase student motivation, overcome barriers to learning, develop engagement strategies, and tailor assessment tools to your pedagogical goals. The Enriched Instructor's Manual is intended to be used as a toolbox from which instructors may select the tactics and strategies that are most appropriate for their classroom.

- NETA Assessment
  - *Multiple-Choice Testing: Getting Beyond Remembering*
  - ExamView® Computerized Test Bank
  - Test Bank (.rtf files)

  The assessment program for *¡Hola, amigos!* was adapted for Canadian students by Denise Mohan of the University of Guelph. With over 20 audio files and 2000 questions in a variety of formats (sentence completion, short answer, composition, fill-in-the-blank, and multiple-choice), the *¡Hola, amigos!* assessment program is flexible enough to accommodate a range of scheduling factors, contact hours, and ability levels, without sacrificing coverage of the key grammatical structures essential to communication in Spanish.

- NETA PowerPoint® Presentations
  Adapted by Mercedes Rowinsky-Geurts (Wilfrid Laurier University), the *¡Hola, amigos!* PowerPoint® presentations and transparencies explore the grammatical concepts and vocabulary presented in each lesson.

- additional Instructor's Resources, including
  - answer keys for the exercises contained in the textbook, the *Student Activities Manual,* and the testing program;
  - transcriptions of the audio files for the laboratory exercises, the videos associated with the textbook, and the Grammar Tutorials available on the premium website;

- an Integration Guide, Transition Guide, and sample lesson plans to assist instructors in planning for their classes;
- a complete set of 120 *Situation Cards,* each of which focuses on a clearly defined, realistic communicative task, providing instructors with opportunities to evaluate their students' oral skills; and
- video worksheets with approximately 30 questions per chapter, along with corresponding answer keys.
- Image Library
- DayOne

Acknowledgments

We wish to express appreciation to all the users of ***¡Hola, amigos!*** who have provided feedback on their experience with the program through many editions and to the following colleagues for the many valuable suggestions they offered in their reviews of this and previous editions of ***¡Hola, amigos!***

Amparo Font, Saddleback College
Pilar Hernández, Arizona Western College
Channing Horner, Northeast Missouri State University
Harriet Hutchinson, Bunker Hill Community College
Stephen Richman, Mercer County College
Dr. Tomás Ruiz-Fábrega, Albuquerque Technical Vocational Institute
Dr. Kristin Shoaf, Bridgewater State College
Vincent Spina, Clarion University of Pennsylvania
Susanna Williams, Macomb Community College
Lydia Bernstein, Bridgewater State College
Linda Burk, Manchester Community Technical College
Dimitrios Karayiannis, Southern Illinois University
David Korn, Anderson College
Barbara Kruger, Finger Lakes Community College
Stephen Richman, Mercer County Community College
Virginia Vigil, Austin Community College at Rio Grande
Clementina Adams, Clemson University
Peter Alfieri, Salve Regina College
Jane Harrington Bethune, Salve Regina College
Joseph DiPaola, Macomb Community College
Rosita Marcella, Manhattan College
Joel B. Pouwels, University of Central Arkansas
Barbara Ross, Eastern Kentucky University

We wish to thank the Canadian users of ***¡Hola, amigos!*** for their many valuable suggestions on how to adapt the program for Canadian students and instructors.

Susan Bauman-Fenicky, Seneca College
Stacey Collins, Langara College
Christine Forster, University of Victoria
Margarita López, Thompson Rivers University
Enrique Manchón, University of British Columbia
Maritza Mark, Grant McEwan University
Ping Mei Law, McMaster University
Ranka Minic-Vidovic, University of Regina
Denise Mohan, University of Guelph

Luis Ochoa, Concordia University

Donna Rogers, Dalhousie University

Christina Santos, Brock University

Pedro Serrano, University of New Brunswick, Saint John

Adam Spires, St. Mary's University

Julio Torres-Recinos, University of Saskatchewan

Carlos Valdez, Carleton University

Lillian Zuccolo, Simon Fraser University

Also, Rosa Stewart would like to thank the most important "amigos" in her life, Ken, Ben, Alex, Ellie, Andrew, and Minga for their support while working on this second Canadian edition of *¡Hola, amigos!* Mercedes Rowinsky-Geurts would like to thank her students, who continue to inspire her, and Evan, who brings her laughter, hope, and inspiration.

Ana C. Jarvis
Raquel Lebredo
Francisco Mena-Ayllón
Mercedes Rowinsky-Geurts
Rosa L. Stewart

UNIDAD

1

LECCIÓN 1
¡Bienvenidos!

LECCIÓN 2
Nuestras clases

© Alberto Pomares/iStockPhoto

Los estudiantes hablan después (*after*) de las clases.

Objetivos

LECCIÓN 1

▶ Introduce yourself
▶ Greet and say good-bye to others
▶ Name colours
▶ Describe your classroom
▶ Describe people
▶ Request and give telephone numbers
▶ Give and request information regarding nationality and place of origin

LECCIÓN 2

▶ Discuss the courses you and your classmates are taking
▶ Order beverages
▶ Request and give the correct time
▶ Name the day of the week, months, and seasons
▶ Talk about your activities and what you have to do

Los estudiantes universitarios

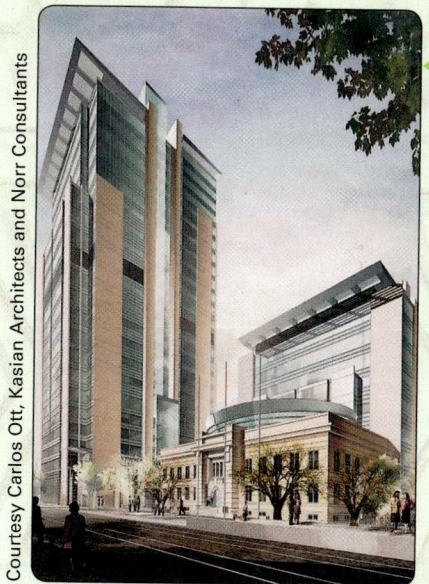

Courtesy Carlos Ott, Kasian Architects and Norr Consultants

Carlos Ott, arquitecto uruguayo residente en Canadá, es reconocido por sus maravillosos edificios; entre otros el Calgary Courts Centre en Calgary. Sus edificios se caracterizan por tener materiales idénticos en el interior y en el exterior.

Estas niñas bailan con trajes tradicionales en la Fiesta Hispana que se celebra en Toronto cada septiembre en la Plaza Mel Lastman.

Used by permission of Hispanic Fiesta

Laura Fernández, española residente en Canadá, es una exitosa pianista, cantante y compositora. Tiene un programa de radio llamado Café Latino en radio Jazz FM.91.

Emma-Lee Photography

¡Bienvenidos!

© Taxi/Getty Images

En la Universidad de Toronto

David, un chico canadiense habla con Lupe, una chica mexicana.

David	¡Hola, Lupe! ¿Cómo estás?
Lupe	Muy bien, gracias. ¿Qué hay de nuevo?
David	No mucho. Oye, ¿cómo es la profesora de español?
Lupe	Ella es muy interesante.
David	¿Y los estudiantes?
Lupe	Ellos son muy inteligentes.
David	¡Fantástico!
Lupe	Bueno, hasta luego.

Nora habla con el profesor.

Nora	Permiso, profesor Acosta.[1]
Profesor	Por favor, pase. ¿Cómo se llama usted?
Nora	Me llamo Nora Ballester.
Profesor	Mucho gusto, señorita.
Nora	El gusto es mío, profesor.
Profesor	¿De dónde es usted?
Nora	Soy de Toronto, Ontario.

Sergio habla con Teresa en la biblioteca.

Sergio	Hola, Teresa, ¿qué tal?
Teresa	Excelente, Sergio, ¿y tú?
Sergio	Regular. Oye, ¿cuál es tu número de teléfono?
Teresa	Nueve-cero-cinco-nueve-quince-veintidós-treinta y cinco.[2]
Sergio	Más despacio, por favor.
Teresa	No hay problema. *(Teresa repite el número.)*

Detalles culturales

Se usa **"hola"** con personas conocidas (*known*), no con extraños (*strangers*).

¿Cómo saludan ustedes (*do you greet*) al profesor (a la profesora)?

Detalles culturales

"Señorita" se usa solamente (*only*) para referirse a mujeres (*women*) que nunca se han casado. No existe un equivalente de *Ms.*

En Canadá, ¿qué título se usa para referirse a las mujeres en general?

---

[1]In Spanish, titles are not capitalized when used with a last name unless they are abbreviated: **señor Fernández**, but **Sr. Fernández**.

[2]Phone numbers can also be mentioned one by one: **nueve-cero-cinco-nueve-uno-cinco-dos-dos-tres-cinco.**

Sergio	Muchas gracias, Teresa.
Teresa	De nada, Sergio.

La profesora Rivas habla con los estudiantes en la clase de español.

Profesora	Buenos días. ¿Cómo están ustedes?
Estudiantes	Muy bien, gracias.
David	Profesora, ¿cómo se dice "*North American*" en español?
Profesora	Se dice "**norteamericano**".
David	Yo soy norteamericano.
Profesora	Muy bien, David, buena pronunciación.

Detalles culturales

María es un nombre muy popular en España y en Latinoamérica. Se usa (*It's used*) frecuentemente con otros nombres: **Ana María, María Isabel**, etc. También (*Also*) se usa como segundo nombre para los hombres: **José María**.

¿Qué nombres son populares en Canadá?

¿Recuerda usted? *(Do you remember?)*

¿Verdadero o falso? *(True or false?)*

With a partner, decide whether the following statements about the dialogues are true (**verdadero**) or false (**falso**).

1. David es canadiense.   ☐ V ☐ F
2. La profesora Rivas enseña (*teaches*) español.   ☐ V ☐ F
3. Nora es de Toronto.   ☐ V ☐ F
4. El profesor habla con el chico.   ☐ V ☐ F
5. Sergio habla con Teresa en la cafetería.   ☐ V ☐ F
6. La profesora Rivas es interesante.   ☐ V ☐ F
7. Teresa y Sergio son compañeros.   ☐ V ☐ F
8. Los estudiantes hablan con la profesora Rivas.   ☐ V ☐ F

Y ahora... conteste *(And now ... answer)*

Answer these questions, basing your answers on the dialogues.

1. ¿Con quién habla Lupe?
2. ¿Qué estudia ella?
3. ¿De dónde es Nora?
4. ¿Dónde hablan Sergio y Teresa?
5. ¿La profesora es interesante?
6. ¿Cómo se dice "*North American*" en español?

Para hablar del tema: Vocabulario
(To talk about the topic: Vocabulary)

Audio
Flashcards

SUSTANTIVOS (Nouns)

la biblioteca *library*
la cafetería *cafeteria*
la calle *street*
la chica, la muchacha *young woman*
el chico, el muchacho *young man*
la clase *class*
—de español* *Spanish class*

el (la) compañero(a) de cuarto *roommate*
la dirección* *address*
el español *Spanish (language)*
el (la) estudiante, el (la) alumno(a) *student*
el libro *book*
el número *number*

ADJETIVOS (Adjectives)

bienvenido(a) *welcome*
bonito(a), lindo(a) *pretty[1]*
canadiense *Canadian (from Canada)*
fantástico *fantastic*
horrible *horrible*
inteligente *intelligent*
interesante *interesting*
mexicano(a) *Mexican*

norteamericano(a)[2] *North American (from the U.S.)*
perfecto(a) *perfect*
rico(a) *rich*
simpático(a) *charming, nice, fun to be with*
terrible *terrible*
universitario(a) *(related to) university*

TÍTULOS (Titles)

doctor (Dr.) *doctor (m.)*
doctora (Dra.) *doctor (f.)*
profesor(a) *professor*

señor (Sr.) *Mr., sir, gentleman*
señora (Sra.) *Mrs., madam, lady*
señorita (Srta.) *miss, young lady*

OTRAS PALABRAS Y EXPRESIONES
(Other words and expressions)

bueno… *well …, okay*
¡Caramba! *Gee!*
¿Cómo? *How?*
con *with*
¿Cuál es? *What is? / Which one is?*
¿Cuál es tu número de teléfono? *What's your phone number?*
¿Dónde? *Where?*
¿Dónde es? *Where is?*
en *at, in, on*
esta noche *tonight*
habla *he/she speaks*
hay *there is, there are*

el ipod *ipod*
el laptop, la computadora portátil *laptop*
muy *very*
no *no, not*
oye *listen*
¿Qué es? *What is?*
ser *to be*
sí *yes*
el teléfono celular (móvil) *cellphone*
tu *your*
y *and*
¿Y tú? *And you?*

ALGUNOS SALUDOS Y DESPEDIDAS
(Some greetings and farewells)

Buenos días. *Good morning.*
Buenas tardes. *Good afternoon.*
Buenas noches. *Good evening. Good night.*
Hola. *Hello. Hi.*

¿Qué tal? *How is it going?*
Adiós. *Good-bye.*
Hasta luego. *(I'll) see you later.*
Hasta mañana. *(I'll) see you tomorrow.*
Nos vemos. *(I'll) see you.*
Saludos a… *Say hi to …*

De país a país

la clase de español la clase de castellano (*Esp., Cono Sur*)
la dirección el domicilio (*Méx.*)
Mucho gusto Encantado(a) (*Arg., Cuba*) (The response is **igualmente**)
de nada por nada (*Méx.*)
¿Cómo? ¿Mande? (*Méx.*)
marrón café (*Méx.*); carmelita (*Cuba*)
la computadora el ordenador (*Esp.*)

---

*Spanish is spoken in more than 20 countries, and different countries may use different words to refer to the same thing. The section **De país a país** includes variations corresponding to words marked with asterisks in the vocabularies throughout the book.

[1]When referring to men, **guapo** (*handsome*) is used.

[2]In formal situations, **estadounidense** is used to denote U.S. citizenship.

EXPRESIONES DE CORTESÍA (Polite expressions)

Mucho gusto.* *It's a pleasure to meet you. (How do you do?)*

El gusto es mío. *The pleasure is mine.*

Gracias. *Thanks.*

Muchas gracias. *Thank you very much.*

De nada.* *You're welcome.*

PREGUNTAS Y RESPUESTAS ÚTILES
(Useful questions and answers)

¿Cómo está usted? *How are you? (formal)*

¿Cómo están ustedes? *How are you? (when addressing two or more people)*

¿Cómo estás? *How are you? (familiar)*

Bien. *Fine.*

Mal. *Poorly.*

Más o menos. *So-so. (also means more or less)*

Muy bien. *Very well.*

Regular. *So-so.*

¿Cómo se dice...? *How do you say ...?*

Se dice... *You say ...*

¿Cómo se llama usted? *What's your name? (formal)*

¿Cómo te llamas? *What's your name? (familiar)*

Me llamo... *My name is ...*

¿De dónde es usted? *Where are you from? (formal)*

Soy de... *I am from ...*

¿Qué hay de nuevo? *What's new?*

No mucho. *Not much*

¿Qué pasa? *What's new? / What's happening?*

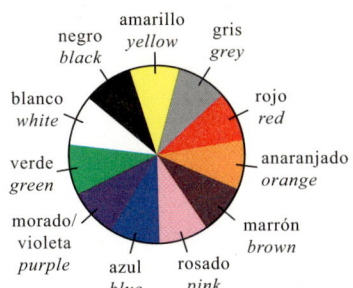

Everywhere you go there are colours! Learn to say them in Spanish. (¡Hay colores por todas partes! Aprenda a decirlos en español.)

amarillo *yellow* · negro *black* · gris *grey* · blanco *white* · rojo *red* · verde *green* · anaranjado *orange* · morado/violeta *purple* · azul *blue* · rosado *pink* · marrón *brown*

Amplíe su vocabulario (Expand your vocabulary)

Más despedidas y expresiones de cortesía (More farewells and polite expressions)

Chau. *Bye.*

¿Cómo?* *Excuse me? (when one doesn't understand or hear what is being said)*

Hasta la vista. *(I'll) see you around.*

Lo siento. *I'm sorry.*

Más despacio, por favor. *More slowly, please.*

Pase. *Come in.*

Perdón. *Sorry. Pardon me.*

Permiso. Con permiso. *Excuse me. (e.g., when going through a crowded room)*

Por favor. *Please.*

Tome asiento. *Have a seat.*

Vocabulario para la clase (Vocabulary for the class)

la pared · la luz · la pizarra · la puerta · la ventana · el reloj · el mapa · la mochila · la pluma, el bolígrafo · el reloj · el borrador · el marcador · la tiza · el papel · el pupitre · la silla · el lápiz · el escritorio · la computadora portátil · la computadora · el cuaderno · el cesto de papeles · el libro

Para practicar el vocabulario
(To practise vocabulary)

A Los estudiantes

Complete each sentence, using vocabulary from **Lección 1.**

1. ¿Cómo te _____ tú? ¿María?
2. ¿Cómo se _____ "*window*" en español?
3. El _____ es mío, profesora.
4. La señora Ariet _____ con los alumnos en español.
5. ¿De dónde _____ usted? ¿De México?
6. ¿Cómo _____ usted? ¿Bien?
7. En la clase hay un profesor y veinte _____ .
8. Viviana es una _____ bonita, inteligente y _____ . ¡Y es rica!
   ¡Es _____ !
9. ¿Fernando es tu _____ de cuarto?
10. Adiós. _____ a Norma.

B Yo soy el anfitrión (la anfitriona) *(I'm the host/hostess)*

You are having a party in the evening. What are you going to say to the following people in each situation?

1. You open the door to one of your guests. Greet him and ask him to come in and have a seat.
2. You go back to the kitchen, walking through your crowded living room. You accidentally push someone.
3. You didn't understand a word that one of your guests said. She is talking very fast.
4. One of your guests brings a friend whom he introduces to you.
5. Three of your guests are leaving: your best friend, an acquaintance whom you'll probably see again, and a lady who will be returning to the party.

C ¡Somos pintores! *(We are painters!)*

Working with a partner, say what colour you will get by mixing the following colours:

1. rojo y amarillo
2. blanco y negro
3. rojo y blanco
4. azul y rojo

Now, find three objects of the mixed colours in the classroom and show your partner by saying: ¡Esto es…! (name of colour) / *This is…!*

D ¿Qué color te gusta?

To ask someone whether he or she likes something, you say: "**¿Te gusta… ?**"[1] To say that you like something, say: "**Me gusta…**" Conduct a survey of your classmates to find out which colour is the most popular in class, following the model.

- **MODELO:** ¿Qué color te gusta?
  —*Me gusta el color rojo.*

_____
[1]When addressing someone as **usted**, use "**¿Le gusta… ?**"

E ¿Qué necesitamos? *(What do we need?)*

You are going to an office supply store to purchase some supplies for your courses. Use the vocabulary from this lesson to help you. Put items in the cart according to the need for each purpose listed below. Write the words of the items purchased.

1. to write on
2. to carry your books and notebooks
3. to know what time it is
4. to write with
5. to communicate with your friends
6. to listen to music

F ¿Necesitas algo? *(Do you need anything?)*

With a partner, ask each other whether you need certain objects from the ones shown below. Select at least five objects. Be careful to use the appropriate definite articles: *el/la.* When answering, tell what you need if the answer is **no.** Follow the model.

- **MODELO:** —*¿Necesitas el teléfono celular?* (Do you need the cellphone?)

  —*Sí, necesito el teléfono celular.* (Yes, I need the cellphone.)

  —*No, necesito la mochila.* (No, I need the backpack.)

Pronunciación *(Pronunciation)*

Las vocales (*vowels*) a, e, i, o, u[1]

Spanish vowels are constant, clear, and short. To practise the sound of each vowel, repeat the following words.

a	mapa	sábado	hasta mañana
	hablar	trabajar	de nada
e	mes	leche	estudiante
	este	Pepe	semestre
i	silla	libro	universidad
	tiza	lápiz	señorita
o	doctor	Soto	los profesores
	dónde	borrador	domingo
u	mujer	alumno	universidad
	gusto	lunes	computadora

---

[1]See Appendix A for a complete introduction to Spanish pronunciation.

Grammar Tutorial

1 Gender and number of nouns
(Género y número de los sustantivos)

Gender, part I

- In Spanish, all nouns—including those denoting nonliving things—are either masculine or feminine in gender.[1]

Masculine	Feminine
el profesor	la profesora
el cuaderno	la tiza
el lápiz	la ventana

- Most nouns that end in **-o** or denote males are masculine: **cuaderno, hombre** (*man*).
- Most nouns that end in **-a** or denote females are feminine: **ventana, mujer** (*woman*).

Here are some helpful rules to remember about gender.

- Some masculine nouns ending in **-o** have a corresponding feminine form ending in -**a: el secretario / la secretaria**.
- When a masculine noun ends in a consonant, you often add -**a** to obtain its corresponding feminine form: **el doctor / la doctora**.
- Some nouns have the same form for both genders: **el estudiante / la estudiante.** In such cases, gender is indicated by the article **el** (masculine) or **la** (feminine).

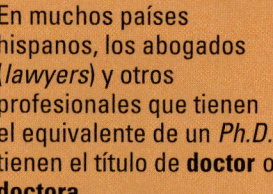

¡ATENCIÓN!

Some common exceptions include the words **día** (*day*) and **mapa** (*map*), which end in –**a** but are masculine, and **mano** (*hand*), which ends in –**o** but is feminine.

Detalles culturales

En muchos países hispanos, los abogados (*lawyers*) y otros profesionales que tienen el equivalente de un *Ph.D.* tienen el título de **doctor** o **doctora**.

¿Qué títulos se usan con el apellido (*last name*) en Canadá?

Ace Practice Test

▶ PRÁCTICA (*Practice*)

A ¿Masculino o femenino?

Place **el** or **la** before each noun.

1. ___ mapa	7. ___ pizarra	13. ___ hombre
2. ___ tiza	8. ___ libro	14. ___ día
3. ___ escritorio	9. ___ mujer	15. ___ secretario
4. ___ secretaria	10. ___ puerta	16. ___ mano
5. ___ silla	11. ___ ventana	17. ___ computadora
6. ___ profesora	12. ___ bolígrafo	18. ___ profesor

---

[1]See Appendix C for a glossary of grammatical terms.

Plural forms of nouns

Spanish singular nouns are made plural by adding **-s** to words ending in a vowel and **-es** to words ending in a consonant. When a noun ends in **-z**, change the **z** to **c** and add **-es**.

Singular	Plural
silla	sillas
estudiante	estudiantes
profesor	profesores
borrador	borradores
lápiz	lápices

¡ATENCIÓN!

When an accent mark falls on the *last* syllable of a word that ends in a consonant, it is omitted in the plural form:

lec**ción** ⟶ lec**ciones**[1]

▶ PRÁCTICA

Ⓐ ¿Cuál es el plural?

Give the plural of the following nouns.

1. mapa
2. profesor
3. tiza
4. lápiz
5. ventana
6. mochila
7. lección
8. escritorio
9. borrador
10. día
11. luz
12. papel

ammar
torial

❷ Definite and indefinite articles
(Artículos determinados e indeterminados)

The definite article[2]

Spanish has four forms that are equivalent to the English definite article *the*.

	Singular	Plural
Masculine	**el**	**los**
Feminine	**la**	**las**

el	profesor	**la**	profesora
el	lápiz	**la**	pluma
los	profesores	**las**	profesoras
los	lápices	**las**	plumas

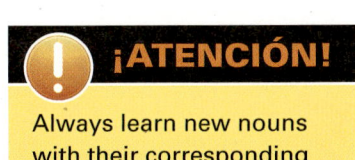

¡ATENCIÓN!

Always learn new nouns with their corresponding definite articles—this will help you remember their gender.

---

[1]For an explanation of written accent marks, refer to Appendix A.
[2]See Appendix C.

The indefinite article[1]

The Spanish equivalents of *a* (*an*) and *some* are as follows:

	Singular		Plural	
Masculine	**un**	*a, an*	**unos**	*some*
Feminine	**una**	*a, an*	**unas**	*some*

un	libro	**unos**	libros
un	profesor	**unos**	profesores
una	silla	**unas**	sillas
una	ventana	**unas**	ventanas

▶ PRÁCTICA

🅐 ¿Qué es?

For each of the following illustrations, identify the noun together with its corresponding definite and indefinite articles.

1. _____

2. _____

3. _____

4. _____

5. _____

6. _____

---

[1]See Appendix C.

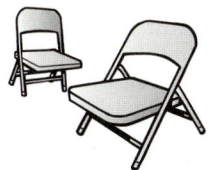

7. _____

8. _____

9. _____

10. _____

B ¿Qué necesitas?

With a partner, go to p. 7 (*Vocabulario para la clase*) and, using indefinite articles, take turns indicating what you need for class. Name twelve items.

- **MODELO:** *Necesito una silla.*

FLASHBACK

Flashback will call your attention to go back in the book and review material already presented. This feature will be very useful so you will not waste time looking for the appropriate material to review.

Flashback to pp. 6 and 7 for vocabulary.

3 **Subject pronouns**

(Pronombres personales usados como sujetos)[1]

	Singular		Plural
yo	I	**nosotros**	we (*m.*)
		nosotras	we (*f.*)
tú	you (*familiar*)	**vosotros**	you (*m., familiar*)
		vosotras	you (*f., familiar*)
usted	you (*formal*)	**ustedes**	you (*formal, familiar*[2])
él	he	**ellos**	they (*m.*)
ella	she	**ellas**	they (*f.*)

[1]See Appendix C.
[2]In Latin America.

- Use the **tú** form as the equivalent of *you* when addressing a close friend, a relative, or a child. Use the **usted** form in *all* other instances. In most Spanish-speaking countries, young people tend to call each other **tú**, even if they have just met.

- In Latin America, **ustedes** (abbreviated **Uds.**) is used as the plural form of both **tú** and **usted** (abbreviated **Ud.**). In Spain, however, the plural form of **tú** is **vosotros(as)**.

- The masculine plural forms **nosotros, vosotros,** and **ellos** can refer to the masculine gender alone or to both genders together:

  Juan y Roberto → **ellos**   Juan y María → **ellos**

- Unlike English, Spanish does not generally express *it* or *they* as separate words when the subject of the sentence is a thing.

  Es una mesa.   *It is a table.*

Ace
Practice
Test

► PRÁCTICA

A ¿Quiénes son?

What subject pronouns do the following pictures suggest to you?

1. _____   2. _____   3. _____

4. _____   5. _____   6. _____

7. _____ **8.** _____ **9.** _____

B **¿Tú, Ud. o Uds.?**

What pronoun would you use to address the following people?

1. the president of the university
2. two strangers
3. your best friend
4. your mother
5. a new classmate
6. your neighbour's children

grammar
tutorial

4 **Present indicative of *ser***

(Presente de indicativo del verbo ser*)*[1]

The verb **ser** (*to be*) is irregular. Its forms must therefore be memorized.

yo	**soy**	I am
tú	**eres**	you (*fam.*) are
Ud.		you (*form.*) are
él	**es**	he is
ella		she is
nosotros(as)	**somos**	we are
vosotros(as)	**sois**	you (*fam.*) are
Uds.		you are
ellos	**son**	they (*masc.*) are
ellas		they (*fem.*) are

—Ud. **es** el doctor Rivas, ¿no?
—No, **soy** el profesor Soto.

—¿De dónde **son** Uds.?
—**Somos** de Calgary.
 ¿De dónde eres tú?
—Yo **soy** de Terranova.
—¿Y Silvia?
—Ella **es** de Quebec.

"**You are** Dr. Rivas, right?"
"No, **I'm** professor Soto."

"Where **are you** (all) from?"
"**We are** from Calgary.
 Where **are you** from?"
"**I am** from Newfoundland."
"And Silvia?"
"**She is** from Quebec."

---

[1]See Appendix C.

Ace
Practice
Test

▶ PRÁCTICA Y CONVERSACIÓN

A ¿De dónde son?

Miss Soto works in the Admissions Office and these students are telling her where they are from. Using the verb **ser,** complete what they are saying.

1. David / Columbia Británica
2. Yo / Terranova
3. Ana y Eva / Alberta
4. Guadalupe / Saskatchewan
5. Nosotros / Nueva Escocia
6. Raúl y Ángel / Nuevo Brunswick

Now indicate what Miss Soto would say to a girl, an older gentleman, and two young men to ask them where they are from.

B Compañeros de clase (Classmates)

Make groups of three or four students and ask each other the following questions; answers may vary.

¿Cómo te llamas?

¿De dónde eres?

¿Cuál es tu color favorito?

¿Cómo se llama el profesor/la profesora de español?

¿Qué hay en la clase?

Ace
Practice
Test

Grammar
Tutorial

5 ¿Qué? and ¿cuál? used with *ser*
(Qué y cuál usados con el verbo *ser*)

- *What?* translates as **¿qué?** when it is used as the subject of the verb and asks for a definition.

  —¿**Qué** es una paella?   *"**What** is a paella?"*
  —Es un plato español.   *"It's a Spanish dish."*

- *What?* translates as **¿cuál?** when it is used as the subject of a verb and asks for a choice. **Cuál** conveys the idea of selection from among several or many available objects, ideas, and so on.

  —¿**Cuál** es tu color favorito?   *"**What** is your favourite colour?"*
  —Es azul.   *"It's blue."*

6 Forms of adjectives and agreement of articles, nouns, and adjectives
(La formación de adjetivos y la concordancia de artículos, nombres y adjetivos)

Grammar
Tutorial

Forms of adjectives[1]

- Most adjectives in Spanish have two basic forms: the masculine form ending in **-o** and the feminine form ending in **-a.** Their corresponding plural forms end in **-os** and **-as,** respectively.

[1]See Appendix C.

profesor mexican**o**	profesores mexican**os**
profesora mexican**a**	profesoras mexican**as**
chico simpátic**o**	chicos simpátic**os**
chica simpátic**a**	chicas simpátic**as**

- When an adjective ends in **-e** or a consonant, the same form is normally used with both masculine and feminine nouns.

muchacho inteligent**e**	muchacha inteligent**e**
libro difíci**l** (*difficult*)	clase difíci**l**

- The only exceptions are as follows:

  - Adjectives of nationality that end in a consonant have feminine forms ending in **-a.**

señor español (*Spanish*)	señora español**a**
señor inglé**s** (*English*)	señora ingle**sa**

  - Adjectives that end in -ista do not reflect gender.

    un chico optimista

    una chica optimista

    un hombre pesimista

    una mujer pesimista

  - In forming the plural, adjectives follow the same rules as nouns.

mexican**o**	⟶	mexican**os**
feli**z** (*happy*)	⟶	feli**ces**
difíci**l**	⟶	difíci**les**

Position of adjectives

- In Spanish, adjectives that describe qualities (*pretty, smart,* and so on) generally *follow* nouns, while adjectives of quantity precede them: Hay **dos** chicas **bonitas.**

Agreement of articles, nouns, and adjectives

- In Spanish, the article, the noun, and the adjective agree in gender and number.

El muchach**o** es simpátic**o.**	**Los** muchach**os** son simpátic**os.**
La muchach**a** es simpátic**a.**	**Las** muchach**as** son simpátic**as.**

Ace Practice Test

▶ **PRÁCTICA Y CONVERSACIÓN**

Study these common adjectives that are used to describe people, places, or things.

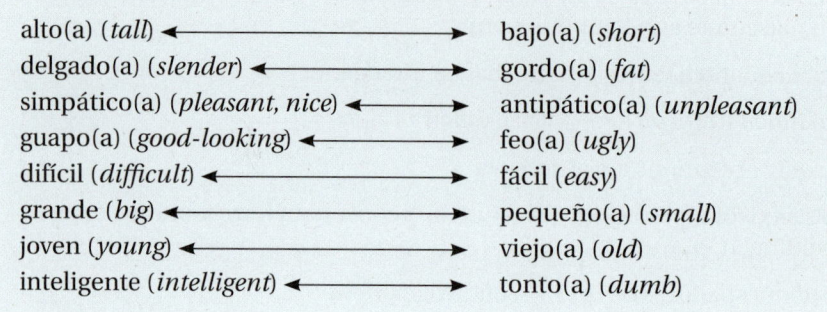

alto(a) (*tall*) ← →	bajo(a) (*short*)
delgado(a) (*slender*) ← →	gordo(a) (*fat*)
simpático(a) (*pleasant, nice*) ← →	antipático(a) (*unpleasant*)
guapo(a) (*good-looking*) ← →	feo(a) (*ugly*)
difícil (*difficult*) ← →	fácil (*easy*)
grande (*big*) ← →	pequeño(a) (*small*)
joven (*young*) ← →	viejo(a) (*old*)
inteligente (*intelligent*) ← →	tonto(a) (*dumb*)

A **¿Cómo son… ?**

With a partner, take turns asking and answering the following questions. In your answers, contradict what is stated.

- **MODELO:** —¿Eva es tonta?

  —¡*Al contrario* (On the contrary)*! Es muy inteligente.*

1. ¿Los chicos son bajos?

2. ¿Elena es joven?

3. ¿Eva y Gloria son antipáticas?

4. ¿Luis y Francisco son feos?

5. ¿Elsa es gorda?

6. ¿Las lecciones son fáciles?

7. ¿Las casas (*houses*) son grandes?

8. ¿Ellos son inteligentes?

B **Para conversar** (*To talk*)

With a partner, take turns asking each other what these people are like. Ask: **¿Cómo es… ?** (*What is … like?*)

1. Céline Dion

2. Michael J. Fox

3. Sidney Crosby

4. Jennifer López

5. Avril Lavigne

6. Bryan Adams

7. Stephen Harper

8. Penélope Cruz

Grammar Tutorial

7 **The alphabet**
(*El alfabeto*)[1]

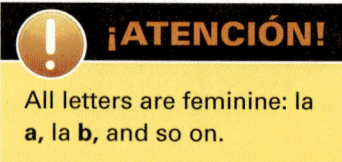

> **¡ATENCIÓN!**
>
> All letters are feminine: la **a,** la **b,** and so on.

[1] In 1994 the Real Academia decided that *ch* and *ll* are no longer to be considered separate letters of the alphabet. For a complete introduction to Spanish sounds, see Appendix A, p. 324.

Letter	Name	Letter	Name	Letter	Name
a	a	j	jota	r	ere
b	be	k	ca	s	ese
c	ce	l	ele	t	te
d	de	m	eme	u	u
e	e	n	ene	v	ve
f	efe	ñ	eñe	w	doble ve
g	ge	o	o	x	equis
h	hache	p	pe	y	i griega
i	i	q	cu	z	zeta

▶ PRÁCTICA Y CONVERSACIÓN

A Siglas *(Acronyms)*

With a partner, take turns reading the following acronyms in Spanish.

1. CSIS _____
2. NHL _____
3. PEI _____

4. NAFTA _____
5. RCMP _____
6. CFL _____

B Apellidos *(Last names)*

In groups of three or four, ask each person in the group what his or her last name is and how to spell it.

- **MODELO:** *¿Cuál es tu apellido?*

  ¿Cómo se deletrea?

8 Numbers 0 to 39 *(Números de 0 a 39)*

Learn the Spanish numbers from zero to thirty-nine.

0 cero	14 catorce	28 veintiocho
1 uno	15 quince	29 veintinueve
2 dos	16 dieciséis[1]	30 treinta
3 tres	17 diecisiete	31 treinta y uno
4 cuatro	18 dieciocho	32 treinta y dos
5 cinco	19 diecinueve	33 treinta y tres
6 seis	20 veinte	34 treinta y cuatro
7 siete	21 veintiuno	35 treinta y cinco
8 ocho	22 veintidós	36 treinta y seis
9 nueve	23 veintitrés	37 treinta y siete
10 diez	24 veinticuatro	38 treinta y ocho
11 once	25 veinticinco	39 treinta y nueve
12 doce	26 veintiséis	
13 trece	27 veintisiete	

¡ATENCIÓN!

Uno changes to **un** before a masculine singular noun: **un libro** (*one book*). **Uno** changes to **una** before a feminine singular noun: **una silla** (*one chair*).

---

[1]The numbers sixteen to nineteen and twenty-one to twenty-nine can also be spelled with a **y** *(and)*: **diez y seis, diez y siete... veinte y uno, veinte y dos**, and so on. The pronunciation of each group of words, however, is identical to the corresponding words spelled with **i**.

 ► PRÁCTICA Y CONVERSACIÓN

Ace
Practice
Test

A **Números de teléfono**

Say the telephone number of each of the following people.

NOMBRES	TELÉFONOS
María Luisa Pagán	325-4270
José María Pereyra	476-0389
Teresita Peña	721-4693
Amanda Pidal	396-7548
Ángel Pardo	482-3957
Benito Paredes	396-1598
Raquel Parra	476-8539
Tito Paz	721-0653
David Pizarro	482-7986
María Inés Pinto	396-8510

Jupiter Images

 B **¿Cuál es tu número de teléfono?**

Ask three or four of your classmates for their names and phone numbers. Write down the response and show it to each one, asking, **¿Está bien?** (*Is it okay?*). He or she will say **"sí"** or **"no"** and will correct any mistakes.

C Sumas y restas *(Additions and subtractions)*

Learn the following mathematical terms; then, with a partner, take turns adding and subtracting.

+ más   – menos   = son   ÷ entre / divido

- **MODELO:** 7 + 4 = 11   *(Siete más cuatro son once.)*

  20 – 6 = 14   *(Veinte menos seis son catorce.)*

1. 20 + 15 =

2. 16 – 11 =

3. 17 – 13 =

4. 11 + 16 =

5. 19 + 11 =

6. 13 – 8 =

7. 30 – 12 =

8. 18 + 18 =

9. 23 – 14 =

10. 17 + 13 =

▶ PRÁCTICA Y TRADUCCIÓN

Based on the vocabulary and grammatical concepts presented in **Lección 1**, you will be able to translate the following sentences without any problems. **¡Buena suerte!** Good luck!

1. Ana is a student. She is intelligent and charming.

2. The Spanish class is perfect.

3. John is North American. He is from Washington, D.C.

4. —Good morning, Dr. Suárez.

—Good morning, Miss Smith. How are you?

—Very well, thank you.

Entre nosotros *(Among us)*

¡Conversemos!

Ace Practice Test

Para conocernos mejor *(To get to know each other better)*

Get to know your partner better by asking each other the following questions.

1. ¿Cómo te llamas?
2. ¿Cómo estás?
3. ¿Eres canadiense?
4. ¿De dónde eres?
5. ¿Cuál es tu número de teléfono?
6. ¿Cuál es tu color favorito?
7. ¿Quién (*Who*) es tu profesor(a) favorito(a)?
8. ¿Cómo es tu mejor amigo(a) (*best friend*)?

Una encuesta *(A survey)*

Interview your classmates to identify who fits the following descriptions. Include your instructor, but remember to use the **Ud.** form when addressing him or her.

NOMBRE

1. Es muy paciente. _____
2. Es inteligente. _____
3. Es muy liberal. _____
4. Es conservador(a). _____
5. Es popular. _____
6. Es eficiente. _____
7. Es perfeccionista. _____
8. Es atlético(a). _____
9. Es optimista. _____
10. Es pesimista. _____

Y ahora...

Write a brief summary, indicating what you have learned about your classmates.

¿Cómo lo decimos? *(How do we say it?)*

What would you say in the following situations? What might the other person say? Act out the scenes with a partner.

1. You meet Mrs. García in the evening and you ask her how she is.
2. You ask Professor Vega how to say "I'm sorry" in Spanish.
3. You ask a young girl what her name is.
4. You ask a classmate what her roommate is like.
5. You ask a classmate where he or she is from.
6. You say good-bye to someone you expect to see at some point in the future.
7. You ask a friend how he or she is and what is new with him or her.
8. You offer Miss Vega a seat and then ask her what her address is.
9. You didn't understand what someone said. He or she is speaking too fast.
10. You are going through a crowded room. You stepped on someone's foot.
11. Someone is introduced to you.
12. You ask a classmate what his or her phone number is.

 ## ¿Qué pasa aquí? *(What's going on here?)*

With a partner, look at the photograph on page 2 and create a dialogue between two of the people in the photo. The two people should greet each other, introduce themselves, and tell where they're from.

 # Para escribir *(To write)*

Un mensaje electrónico

A new friend wants to know what you are like. Write him or her an e-mail, describing yourself with as much detail as you can. Begin the e-mail by saying: "Querido/a (friend's name):." At the end, ask your new friend for a description and end with "Un abrazo, (your name)."

Saber es poder.

This is a popular saying in Spanish. Find out what it means. Does it have an equivalent in English? Learn it in Spanish. You might want to make it part of your philosophy …

Un dicho

Nuestras clases

© Alberto Pomares/iStockPhoto

Lisa, una chica canadiense, habla con Alina, su nueva compañera de cuarto, que es hispanocanadiense. Las dos estudian en la Universidad de Alberta, en Edmonton.

Lisa   Alina, ¿cuántas clases tomas este semestre?

Alina   Tomo cinco clases: inglés, matemáticas, física, psicología y biología. ¿Y tú? ¿Qué clases tomas?

Lisa   Yo tomo historia, literatura y español.

Alina   ¿Español? ¡Buena idea!, pero solamente tomas tres asignaturas.

Lisa   Sí, yo trabajo los lunes, miércoles y viernes por la tarde porque necesito dinero.

Alina   Yo también, pero trabajo en el verano, de julio a septiembre.

Lisa   Tú tomas materias muy difíciles.

Alina   Sí, pero todas mis clases son requisitos… además, la clase de psicología es fácil.

Lisa   Pues, Alina, tu vida es muy aburrida. ¡Vamos a bailar esta noche!

Detalles culturales

En la mayoría de los países hispanos, el año escolar (*school year*) no se divide en semestres o trimestres; dura (*it lasts*) nueve meses. Los requisitos generales se toman en la escuela secundaria. En la universidad los estudiantes se concentran en su propio campo (*their own fields*).

En esta universidad, ¿el año académico se divide en semestres o en trimestres?

Detalles culturales

En los países de habla hispana, muchos estudiantes estudian con un(a) compañero(a) o en grupos. Generalmente viven con su familia o en pensiones. Hay muy pocas residencias universitarias (*dormitories*).

¿Cómo estudian los estudiantes en Canadá?

Miguel habla con su amigo Pablo, un chico chileno. Los dos conversan en la cafetería de la universidad.

Miguel   ¿Deseas tomar una taza de café?

Pablo   No, un vaso de leche. Yo no tomo café. Oye, ¿qué hora es?

Miguel   Es la una y media. ¿Por qué?

Pablo   Porque a las dos de la tarde hay un programa de televisión muy interesante.

Miguel   ¡Ah! Necesito mi horario de clases.

Pablo   Aquí está. Nuestra clase de química es a las cuatro en el aula[1] ciento noventa y cinco.

Miguel   ¿A qué hora terminan tus clases hoy?

Pablo   A las ocho de la noche.

Miguel   Estudiamos juntos mañana, ¿verdad?

Pablo   Entonces, ¿mañana no vamos a bailar? ¡Qué lástima! Bueno, me voy.

¿Recuerda usted?

¿Verdadero o falso?

With a partner, decide whether the following statements about the dialogues are true (**verdadero**) or false (**falso**).

1. Lisa y Alina son estudiantes universitarias. ☐ V ☐ F
2. Alina toma cinco requisitos. ☐ V ☐ F
3. Lisa trabaja porque necesita dinero. ☐ V ☐ F
4. Alina solamente estudia en el verano. ☐ V ☐ F
5. La clase de psicología es muy difícil para Alina. ☐ V ☐ F
6. Pablo es de Cuba. ☐ V ☐ F
7. El programa de televisión es a las dos de la tarde. ☐ V ☐ F
8. La clase de química es a las cuatro. ☐ V ☐ F
9. Pablo termina sus clases a las seis de la tarde. ☐ V ☐ F
10. Pablo y Miguel estudian juntos. ☐ V ☐ F

Y ahora… conteste

Answer these questions, basing your answers on the dialogue.

1. ¿Alina es chilena o hispanocanadiense?
2. ¿Cuántas clases toma Lisa este semestre?
3. ¿Qué días trabaja Lisa?
4. ¿La vida de Alina es muy aburrida?
5. ¿Dónde conversan Miguel y Pablo?
6. ¿Pablo desea tomar café o leche?
7. ¿Miguel necesita el horario de clases o el libro?
8. ¿Dónde es la clase de química?

---
[1]The article **el** is used before a feminine noun that starts with a stressed **a** or **ha**.

Para hablar del tema: Vocabulario

Audio
Flashcards

COGNADOS

la biología
la cafetería
la física
el (la) hispanocanadiense
la historia
la idea
internacional
julio

la literatura
las matemáticas
el programa
la psicología
el semestre
septiembre
la televisión

SUSTANTIVOS

el (la) amigo(a) *friend*
la asignatura* *course, subject*
el aula (f.) *classroom*
el café *coffee*
el dinero* *money*
el horario de clases[1] *class schedule*
el inglés *English (language)*
el lunes *Monday*
la leche *milk*
el miércoles *Wednesday*
la noche *night*

la playa *beach*
el requisito *requirement*
la química *chemistry*
la tarde *afternoon*
la tarea *homework*
la taza *cup*
el vaso *(drinking) glass*
el verano *summer*
la vida *life*
el viernes *Friday*

OTRAS PALABRAS Y EXPRESIONES

a *at (with time of day); to*
¿A qué hora...? *(At) What time . . . ?*
además *besides*
Aquí está *Here it is*
¿Cuándo? *When?*
¿Cuántos(as)? *How many?*
de *of*
entonces *then*
este semestre *this semester*
hay *there is, there are*
hoy *today*
los (las) dos *both*
mañana *tomorrow, morning*
Me voy *I'm leaving*
no vamos *we are not going*

pero *but*
por la tarde *in the afternoon*
¿Por qué? *Why?*
porque *because*
pues *then, well*
que *who, that*
¿Qué? *What?*
¿Qué hora es? *What time is it?*
¡Qué lástima! *What a pity!*
solamente, sólo *only*
también *also, too*
¿verdad? *right?, true?*
y media *half past*
ya es tarde *it's already late*

VERBOS

bailar *to dance*
comprar *to buy*
conversar* *to talk, converse*
desear *to wish, want*
estudiar *to study*

hablar *to speak*
necesitar *to need*
terminar *to end, finish, get through*
tomar *to take (a class); to drink*
trabajar *to work*

ADJETIVOS

aburrido(a) *boring*
bueno(a) *good*
juntos(as) *together*

nuestro(a) *our*
nuevo(a) *new*
todos(as) *all*

---

[1]Spanish uses prepositional phrases that correspond to the English adjectival use of nouns: **horario de clases** (*class schedule*).

Amplíe su vocabulario

Más asignaturas *(More course subjects)*

la administración de empresas
   business administration
la antropología *anthropology*
el arte *art*
las ciencias políticas *political science*
la contabilidad *accounting*

la educación física *physical education*
la geografía *geography*
la geología *geology*
la informática *computer science*
la música *music*
la sociología *sociology*

Para pedir bebidas *(Ordering drinks)*

Deseo una taza de
café	coffee
té	tea
chocolate caliente	hot chocolate
café con leche	coffee with milk

Deseo un vaso de
agua (con hielo)	water (with ice)
leche	milk
cerveza	beer
té helado, té frío	iced tea

Deseo jugo* de
manzana	apple
naranja*	orange
tomate	tomato
toronja	grapefruit
uvas	grapes

Deseo una copa de vino (*wine*)
blanco	white
rosado	rosé
tinto	red

Deseo una botella (*a bottle*) de agua mineral

> ### De país a país
> **la asignatura** la materia *(Arg., Esp.)*
> **el dinero** la plata *(Cono Sur, Cuba)*
> **conversar** platicar *(Méx.)*
> **el jugo** el zumo *(Esp.)*
> **la naranja** la china *(Puerto Rico)*

Para practicar el vocabulario

A Palabras y más palabras

¿Qué palabra o frase corresponde a lo siguiente?

1. opuesto de día
2. asignatura donde estudiamos novelas y poemas
3. clases que necesitamos tomar
4. un día de la semana
5. en preparación para tomar un examen, necesitamos...
6. opuesto de malo
7. sólo
8. *Sleeman* o *Moosehead* por ejemplo
9. idioma de Shakespeare
10. opuesto de caliente

B Tu vida en la universidad

Complete the following phrases using appropriate vocabulary words.

1. La clase más difícil este semestre es...
2. Deseo estudiar...
3. Por la tarde en la cafetería tomo...
4. En un restaurante elegante tomo...
5. No deseo vino tinto, deseo...
6. Yo no soy puertorriqueña, soy...
7. Tomo café con...
8. Deseo una botella de...
9. Hay amigos en...
10. Mis libros son...

C ¿Qué deciden?

With a partner, take turns offering each other something to drink. Choose what you will have to drink according to the circumstances described in each case. Then indicate your choice, using **Deseo tomar...**

1. You are allergic to citrus fruit.
   a. un vaso de jugo de toronja
   b. un vaso de jugo de manzana
   c. un vaso de jugo de naranja
2. You are very hot and thirsty.
   a. una taza de chocolate caliente
   b. un vaso de té helado
   c. una taza de café
3. You don't drink alcohol.
   a. una botella de agua mineral
   b. una botella de cerveza
   c. una copa de vino tinto

4. You're having breakfast in Madrid.
   a. una copa de vino rosado
   b. un vaso de agua con hielo
   c. una taza de café con leche
5. It's a cold winter night.
   a. un vaso de jugo de uvas
   b. una taza de chocolate caliente
   c. un vaso de leche fría

D ¿Qué clases necesito?

With a partner, take turns saying what class(es) you need according to the following situations. Start by saying **Necesito tomar...**

1. You need to get in shape.
2. You would like to get a job in the business world.
3. You need two humanities classes.
4. You need three social science classes.
5. You know very little about other countries.
6. You need to learn about computers.

¿Qué clase cree Ud. que toman estos estudiantes?

Pronunciación

Linking[1]

Practise linking by reading aloud the following sentences.

1. Habla en la universidad.
2. Juan habla con Norma Acosta.
3. Termino a la una.
4. ¿A qué hora es su clase de español?
5. Deseo un vaso de agua.

---

[1]See Appendix A for an explanation of linking.

Puntos para recordar

1 Present indicative of -*ar* verbs
(Presente de indicativo de los verbos terminados en -ar*)*

- Spanish verbs are classified according to their endings. There are three conjugations: **-ar, -er,** and **-ir.**[1]

—Rosa, tú **hablas** inglés, ¿no?   *"Rosa, you **speak** English, don't you?"*
—Sí, **hablo** inglés y español.   *"Yes, **I speak** English and Spanish."*

hablar *(to speak)*		
Singular		
	Stem Ending	
yo	habl- **o**	Yo **hablo** español.
tú	habl- **as**	Tú **hablas** español.
Ud.	habl- **a**	Ud. **habla** español.
él	habl- **a**	Juan **habla** español. Él **habla** español.
ella	habl- **a**	Ana **habla** español. Ella **habla** español.
Plural		
nosotros(as)	habl- **amos**	Nosotros(as) **hablamos** español.
vosotros(as)	habl- **áis**	Vosotros(as) **habláis** español.
Uds.	habl- **an**	Uds. **hablan** español.
ellos	habl- **an**	Ellos **hablan** español.
ellas	habl- **an**	Ellas **hablan** español.

—¿Qué idioma **hablan** Uds. con el profesor?   *"What language **do you speak** with the professor?"*
—**Hablamos** español.   *"**We speak** Spanish."*

- Native speakers usually omit subject pronouns in conversation because the ending of each verb form indicates who is performing the action described by the verb. The context of the conversation also provides clues as to whom the verb refers. However, the forms **habla** and **hablan** are sometimes ambiguous even in context. Therefore, the subject pronouns **usted, él, ella, ustedes, ellos,** and **ellas** are used in speech with greater frequency than the other pronouns.

- Regular verbs ending in **-ar** are conjugated like **hablar.** Other verbs conjugated like **hablar** are **bailar, comprar, conversar, desear, estudiar, necesitar, terminar, tomar,** and **trabajar.**

—¿A qué hora **terminan** Uds. hoy?   *"What time **do you finish** today?"*
—**Terminamos** a las tres.   *"**We finish** at three o'clock."*

—¿Qué **necesitas**?   *"What **do you need**?"*
—**Necesito** el horario de clases.   *"**I need** the class schedule."*

—Deseo **hablar** con Roberto.   *"I want **to speak** with Roberto."*

¡ATENCIÓN!

In Spanish, as in English, when two verbs are used together, the second verb remains in the infinitive.

---

[1]The infinitive (unconjugated form) of a Spanish verb consists of a stem and an ending. The stem is what remains after the ending (**-ar, -er,** or **-ir**) is removed from the infinitive.

- The Spanish present tense has three equivalents in English.

Yo hablo. $\begin{cases} \text{\textit{I speak.}} \\ \text{\textit{I am speaking.}} \\ \text{\textit{I do speak.}} \end{cases}$

▶ PRÁCTICA Y CONVERSACIÓN

Ⓐ Olga habla con Sergio

Complete the following conversation between two students. Use the present indicative of the verbs in the list. Then act it out with a partner, modifying as you wish.

desear   necesitar   tomar (2)   estudiar (2)   trabajar (2)   terminar (2)

Olga	¿Cuántas clases (1) _____ tú este semestre?
Sergio	(2) _____ cuatro clases.
Olga	Tú y Álvaro (3) _____ en la cafetería, ¿no?
Sergio	Sí, nosotros (4) _____ los lunes y miércoles. Oye, ¿tú (5) _____ tomar un vaso de agua?
Olga	Sí, gracias. ¿A qué hora (6) _____ tú hoy?
Sergio	Mis clases (7) _____ a las 4 de la tarde.
Olga	¿Tú y Álvaro (8) _____ juntos en la biblioteca?
Sergio	Sí, (9) _____ por la noche. Ah, (yo) (10) _____ tu número de teléfono.
Olga	Es siete-treinta-veinticinco-doce.

Ⓑ Entreviste a su compañero(a) *(Interview your partner)*

Interview your partner, using the following questions.

1. ¿Cuántas clases tomas este semestre?
2. ¿Qué asignaturas tomas? ¿Son fáciles o difíciles?
3. ¿Estudias en la biblioteca o en tu casa (*house*)?
4. ¿Trabajas en la universidad?
5. ¿Cuántas horas (*hours*) trabajas?
6. ¿Trabajas en el verano?
7. ¿Deseas un vaso de jugo o una botella de agua mineral?
8. ¿Tú tomas café o chocolate caliente? ¿Tú tomas vino?

② Interrogative and negative sentences
(Oraciones interrogativas y negativas)

Interrogative sentences

- In Spanish, there are three ways of asking a question to elicit a *yes/no* response.

¿**Elena** habla español? ⎫
¿Habla **Elena** español? ⎬ Sí, Elena habla español.
¿Habla español **Elena**? ⎭

- The three questions at the bottom of the previous page ask for the same information and have the same meaning. The subject may be placed at the beginning of the sentence, after the verb, or at the end of the sentence. Note that written questions in Spanish begin with an inverted question mark.

—¿**Trabajan Uds.** en la biblioteca?
—No, trabajamos en la cafetería.

*"**Do you work** in the library?"*
"No, we work in the cafeteria."

—¿**Habla** español **la profesora**?
—Sí, y también habla inglés.

*"**Does the professor speak** Spanish?"*
"Yes, and she also speaks English."

—¿**Carmen es** bonita?
—Sí y muy simpática.

*"**Is Carmen** pretty?"*
"Yes, and very nice."

 ¡ATENCIÓN!

Spanish does not use an auxiliary verb, such as *do* or *does*, in an interrogative sentence.

¿**Habla** Ud. inglés?

__Do you speak__ English?

¿**Necesita** él el horario de clase?

__Does he need__ the class schedule?

¿Necesito el libro de matemáticas hoy?

David Young-Wolff/Alamy

Detalles culturales

Español y **castellano** son sinónimos. En muchos países de habla hispana para referirse al idioma no usan el término **español**; usan **castellano.** Este término también se usa para referirse al español como una asignatura en las escuelas (*schools*).

En su universidad, ¿cuál de los dos términos usan?

Negative sentences

- To make a sentence negative in Spanish, simply place the word **no** in front of the verb.

Yo tomo café.	*I drink coffee.*
Yo **no** tomo café.	*I **don't** drink coffee.*

If the answer to a question is negative, the word **no** appears twice: once at the beginning of the sentence, as in English, and again before the verb.

—¿Trabajan Uds. en la cafetería?
—**No,** nosotros **no** trabajamos en la cafetería.

"Do you work in the cafeteria?"
*"**No**, we **don't** work in the cafeteria."*

© Dennis MacDonald / Alamy

—¿Hay jugo de naranja?
—No, no hay jugo de naranja, pero hay agua mineral.

 ¡ATENCIÓN!

Spanish does not use an auxiliary verb, such as the English *do* or *does,* in a negative sentence.

Ella no estudia inglés.	***She does not study*** English.
Yo no estudio hoy.	***I do not study*** today.

Ace
actice
Test

► PRÁCTICA Y CONVERSACIÓN

A **¿Qué preguntó?** *(What did he ask?)*

Complete the following dialogues by supplying the questions that would elicit the responses given.

1. —¿ _____ ?
    —Sí, estudiamos en la biblioteca.

2. —¿ _____ ?
    —No, este semestre tomo sociología.

3. —¿ _____ ?
    —No, deseamos agua mineral.

4. —¿ _____ ?
    —Sí, ellos trabajan en el verano.

5. —¿ _____ ?.
    —No, tomo jugo.

6. —¿ _____ ?
    —No, deseo una taza de chocolate.

B ¿Quiere saber?

This person wants to know many things. Use the cues provided to give him the information.

- **MODELO:** —¿Usted es de Halifax? (Regina)

  —*No, no soy de Halifax, soy de Regina.*

1. ¿Tú necesitas el libro? (el horario de clases)
2. ¿Tú tomas café? (té frío)
3. ¿Necesitamos muchos libros? (dos)
4. ¿Rebeca es colombiana? (hispanocanadiense)
5. ¿Elsa termina a las ocho? (a las siete)
6. ¿Ellos hablan español? (inglés)
7. ¿Es difícil la clase de geografía? (fácil)
8. ¿Tu nueva compañera de cuarto es baja? (alta)

C ¿Cuál es la pregunta?

Complete the following sentences with an appropriate interrogative word or phrase.

1. —¿ _Cómo_ se llama la profesora? —Se llama profesora Salinas.
2. —¿ _Cuál_ es tu libro? —Mi libro es el azul.
3. —¿ _de dónde_ es Marisa? —Es de España.
4. —¿ _Qué_ deseas tomar? —Deseo un café con leche.
5. —¿ _Cuántas_ sillas hay en la clase? —Hay treinta y cinco.
6. —¿ _Por qué_ estudias español? —Porque es interesante.
7. —¿ _dónde_ es la fiesta? —Es en la casa de Pablo.
8. —¿ _a qué hora_ termina la clase? —Termina muy tarde.

> **FLASHBACK**
>
> Remember that interrogative words or phrases can be used to form questions. See ¿cómo?, ¿cuándo?, and ¿cuál?, on pp. 6, 7, and 26.

D ¿Cómo eres tú?

Using yes/no questions or interrogative words or phrases, ask a partner about the following things. Be sure to compare each other's answers.

MODELO: si (*if*) estudia inglés   Student 1:

—*¿Estudias inglés?*

Student 2:

—*No, no estudio inglés, estudio español. ¿Y tú?*

1. si es de Canadá
2. si toma siete clases este semestre
3. las clases que toma
4. estudia en la biblioteca o en casa
5. necesita trabajar

3 Possessive adjectives
(Adjetivos posesivos)

Forms of the Possessive Adjectives		
Singular	**Plural**	
mi	**mis**	my
tu	**tus**	your (*fam.*)
su	**sus**	your (*form.*) his her its their
nuestro(a)	**nuestros(as)**	our
vuestro(a)	**vuestros(as)**	your (*fam. pl.*)

- Possessive adjectives[1] always precede the nouns they introduce. They agree in number (singular or plural) with the nouns they modify.

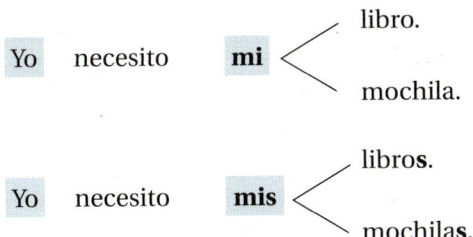

- **Nuestro** and **vuestro** are the only possessive adjectives that have the feminine endings **-a** and **-as.** The others take the same endings for both genders.

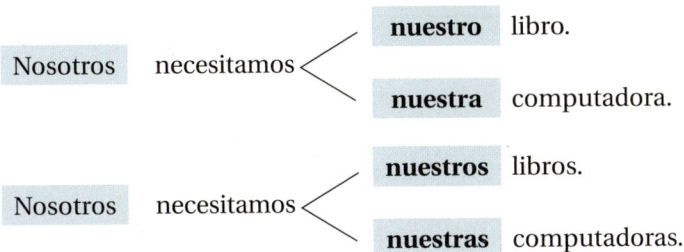

- Possessive adjectives agree with the thing possessed and *not* with the owner. For instance, two male students would refer to their female professor as **nuestra profesora,** because **profesora** is feminine.

---
[1]See Appendix C.

- Because **su** and **sus** have several possible meanings, the forms **de él, de ella, de ellos, de ellas, de Ud.,** or **de Uds.** can be substituted to avoid confusion. Use this pattern: *article + noun +* **de** *+ pronoun.*

—¿Es **la amiga de él**?　　*"Is she **his** friend?"*
—Sí, es **su** amiga　　　*"Yes, she is **his** friend."*

La Pionera
RADIOLANDIA 1600
Penetrando en el
corazón del pueblo

En su hogar...
Su carro y su trabajo...

Escuche...La diferencia
En música y noticias...

▶ PRÁCTICA Y CONVERSACIÓN

Ⓐ En la clase

Complete the following exchanges using the appropriate possessive adjectives that correspond to each subject. Then act them out with a partner.

1. — ¿Tú necesitas ___tu___ bolígrafo rojo?
   — Sí, necesito ___mi___ bolígrafo rojo y ___mis___ lápices negros.
2. — ¿De dónde es la profesora de Uds.?
   — ___nuestra___ profesora es de Ottawa.
3. — ¿Qué necesita Roberto?
   — Necesita ___sus___ cuadernos y ___su___ libro de español.
4. — Los alumnos de Uds., ¿son mexicanos?
   — No, ___nuestros___ alumnos son argentinos.
5. — ¿Qué necesita Ana? ¿ ___su___ mochila?
   —No, necesita ___su___ reloj.

Ⓑ Entreviste a su compañero(a)

Interview your partner, using the following questions.

1. ¿De dónde es tu mejor (*best*) amigo(a)?
2. ¿Tus padres (*parents*) son de Edmonton?
3. ¿Necesitas tus libros hoy?
4. ¿Son interesantes tus clases?
5. ¿Es simpático(a) tu compañero(a) de cuarto?
6. ¿Tú y tus amigos estudian juntos?
7. ¿Dónde estudian?
8. ¿Las clases de Uds. son fáciles o difíciles?

4 Gender of nouns, part II

(Género de los nombres, parte II)

Here are practical rules to help you determine the gender of those nouns that do not end in **-o** or **-a.** There are also a few important exceptions.

- Nouns ending in **-ción, -sión, -tad,** and **-dad** are feminine.

la lec**ción**	*lesson*	**la** liber**tad**	*liberty*
la televi**sión**	*television*	**la** universi**dad**	*university*

- Many words that end in **-ma** are masculine.

el progra**ma**	*program*	**el** cli**ma**	*climate*
el siste**ma**	*system*	**el** proble**ma**	*problem*
el te**ma**	*theme*	**el** poe**ma**	*poem*
el idio**ma**	*language*		

- The gender of nouns that have other endings and that do not refer to males or females must be learned. Remember that it is helpful to memorize a noun with its corresponding article.

el español	**el** borrador	**la** noche	**la** clase
el inglés	**el** reloj	**la** tarde	**la** leche
el café	**el** té	**la** luz	**la** calle

▶ PRÁCTICA

 A **¿Qué es...?**

For each illustration or set of words, give the Spanish noun together with its corresponding definite article.

1. _____ _____   2. _____ _____

3. francés, italiano, portugués   4. UBC, McGill, Dalhousie

_____ _____   _____ _____

5. _____ _____   6. el _____ *lápiz* _____

7. _____ _____

8. _____ _____

9. Quito, Lima, Bogotá

10. "In Flanders Fields"

_____ _____

_____ _____

Grammar Tutorial

www

5 # Numbers 40 to 200
(Números de 40 a 200)

40	cuarenta	90	noventa
41	cuarenta y uno	100	cien[1]
45	cuarenta y cinco	101	ciento uno
50	cincuenta	115	ciento quince
60	sesenta	175	ciento setenta y cinco
70	setenta	180	ciento ochenta
80	ochenta	200	doscientos[2]

www

Ace Practice Test

▶ ## PRÁCTICA Y CONVERSACIÓN

A ### Sumas y restas

With a partner, take turns solving the problems. Note + : más, – : menos, = : son

1. $27 + 13 =$

2. $37 + 12 =$

3. $90 + 15 =$

4. $75 + 23 =$

5. $52 - 20 =$

6. $200 - 30 =$

7. $65 - 35 =$

8. $80 - 35 =$

9. $16 + 56 =$

10. $40 + 22 =$

11. $200 - 10 =$

12. $200 - 100 =$

B ### Números de teléfono

Ask three or four classmates their phone numbers. To give a phone number, say the first number alone and the rest in pairs. This pattern is common in many Spanish-speaking countries.

- **MODELO:** —¿Cuál es tu número de teléfono?

  —*Es el 9–24–85–97.*

6 ## Telling time
(La hora)

- The following word order is used for telling time in Spanish:

Es la				**y**		
or	+	*hour*	+	*or*	+	*minutes*
Son las				**menos**		

[1]When counting beyond 100, **ciento** is used: **ciento uno, ciento dos,** etc.

[2]When **doscientos** modifies a feminine object, it must agree: **doscient*as* sill*as***

Es la una y veinte.

Son las cinco menos diez.

- **Es** is used with **una.**

  Es la una y cuarto.   *It is a quarter after one.*

- **Son** is used with all the other hours.

  Son las dos y cuarto.   *It is a quarter after two.*

  Son las cinco y diez.   *It is ten after five.*

Programación de Telecaribe

VIERNES

6:00	Telecaribe	9:00	Noticiero Televisa
6:50	Noticiero Cartagena T.V.	9:30	Las amazonas
7:00	Champagne	10:00	Amor gitano
7:30	Esta sí es la costa	11:00	Noticiero Cartagena T.V.
8:00	Coralito	11:10	Cierre

- The feminine definite article is always used before the hour, since it refers to **la hora.**

  Es **la** una menos veinticinco.   *It is twenty-five to one.*

  Son **las** cuatro y media.   *It is four-thirty.*

- The hour is given first, then the minutes.

  Son las **cuatro** y **diez.**   *It is **ten** after **four**.* (literally, "four and ten")

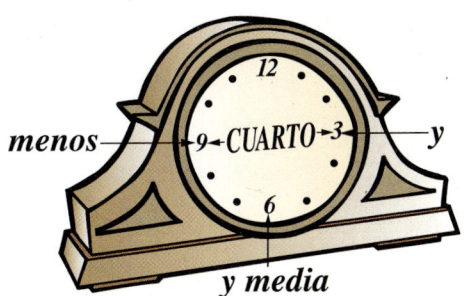

- The equivalent of *past* or *after* is **y.**

  Son las doce **y** cinco.   *It is five **after** twelve.*

- The equivalent of *to* or *till* is **menos.** It is used with fractions of time up to a half hour.

  Son las ocho **menos** veinte.   *It is twenty **to** eight.* (literally, "eight minus twenty")

¡ATENCIÓN!

To find out at what time an event will take place, use **¿A qué hora...?** as shown below. Observe that in the responses the equivalent of *at* + *time* is **a** + **la(s)** + *time*.

—¿**A qué** hora es la clase de arte?
—**A la** una.

"**What time** *is art class?*"
"**At** *one o'clock.*"

—¿**A qué hora** termina Julio hoy?
—**A las** cinco y media.

"**What time** *does Julio finish today?*"
"**At** *five-thirty.*"

• Note the difference between **de la** and **por la** in expressions of time.

  • When a specific time is mentioned, **de la (mañana, tarde, noche)** should be used. This is the equivalent to the English A.M. and P.M.

    Estudiamos a las **cuatro de la tarde.**   *We study at **4 p.m.***

• When no specific time is mentioned, **por la (mañana, tarde, noche)** should be used.

  Yo trabajo **por la mañana** y ella trabaja **por la noche**.   *I work **in the morning** and she works **at night**.*

• Midday and midnight are expressed with **el mediodía** and **la medianoche.**

▶ PRÁCTICA Y CONVERSACIÓN

Ace Practice Test

Ⓐ ¿Qué hora es?

Give the time indicated on the following clocks, writing out the numerals in Spanish. Start with clock number one; then read the times aloud.

B Entreviste a su compañero(a)

Interview your partner, asking the following questions.

1. ¿A qué hora es tu primera (*first*) clase?
2. ¿A qué hora termina?
3. ¿A qué hora termina tu última clase?
4. ¿Estudias por la mañana, por la tarde o por la noche?
5. ¿Mañana estudiamos juntos(as)? ¿A qué hora deseas estudiar?
6. ¿A qué hora trabajas?
7. ¿A qué hora terminas de trabajar?
8. ¿A qué hora es tu programa de televisión favorito?

C Nuestros horarios

With a partner, talk about your class schedule. Indicate whether your classes are in the morning, afternoon, or evening.

7 Days of the week, and months and seasons of the year

(Los días de la semana, y los meses y las estaciones del año)

MARZO						
lunes	martes	miércoles	jueves	viernes	sábado	domingo
			1	Estudiar con Ana 2	¡Fiesta! 3	4
Examen de arte 5	6	7	8	9	10	11
12	Clase de tenis 13	14	Conferencia 15	16	17	Cena con la familia 18
19	20	21	22	23	24	25
26	27	Examen de inglés 28	29	Clase de yoga 30	31	

Days of the week *(Los días de la semana)*

- In Spanish-speaking countries, the week begins on Monday.
- Note that the days of the week are not capitalized in Spanish.
- The days of the week are masculine in Spanish. The masculine definite articles **el** and **los** are used with them to express *on:* **el lunes, los martes,** etc.
- To ask: "What day is today?" say: **"¿Qué día es hoy?"**

Months of the year (Los meses del año)

enero	*January*	**mayo**	*May*	**septiembre**	*September*
febrero	*February*	**junio**	*June*	**octubre**	*October*
marzo	*March*	**julio**	*July*	**noviembre**	*November*
abril	*April*	**agosto**	*August*	**diciembre**	*December*

- To ask for the date, say:

  ¿Qué fecha es hoy?   *What's the date today?*

- When telling the date, always begin with the expression **Hoy es...**

  Hoy es el 20 de mayo.   *Today is May 20th.*

- Note that the number is followed by the preposition **de** (*of*), and then the month.

  el 15 de mayo   *May 15th*

  el 10 de septiembre   *September 10th*

  el 12 de octubre   *October 12th*

- The ordinal number **primero** (*first*) is used when referring to the first day of the month.[1]

  el primero de febrero   *February 1st*

  —¿Qué fecha es hoy, **el primero de octubre**?   *"What's the date today, **October 1st**?"*

  —No, hoy es **el 2 de octubre**.   *"No, today is **October 2nd**."*

Seasons of the year (Las estaciones del año)

la **primavera**   el **verano**   el **otoño**   el **invierno**

- Note that all the seasons are masculine except **la primavera**.

► PRÁCTICA Y CONVERSACIÓN

Ace Practice Test

A **Mi calendario**

With a partner, look at the calendar on p. 41 and take turns asking each other on which day each event takes place.

- **MODELO:**   —¿Cuándo estudio con Ana?

            —El viernes 2.

[1]In Spanish today, some people say **el uno de: el uno de febrero.**

B Fechas importantes

On what dates do the following annual events take place?

1. Canada Day
2. Halloween
3. St. Patrick's Day
4. Boxing Day
5. Christmas
6. the first day of spring
7. Valentine's Day
8. Remembrance Day

C Las estaciones del año

In which season does each of these months fall in the Northern Hemisphere?

1. febrero
2. agosto
3. mayo
4. enero
5. octubre
6. julio
7. abril
8. noviembre

D ¿Cuándo es?

On what dates do the following events occur?

1. your mother's birthday
2. your father's birthday
3. your best friend's birthday
4. your birthday
5. the first day of classes this semester
6. the end of classes

> ### Detalles culturales
>
> Las estaciones ocurren en épocas opuestas en los dos hemisferios. Por ejemplo, cuando en Canadá y Estados Unidos (hemisferio norte) es verano; en Chile y Argentina (hemisferio sur) es invierno.
>
> **¿Cuál es su estación favorita?**

E Feliz cumpleaños

Ask four or five classmates when their birthday is. Ask: **¿Cuándo es tu cumpleaños?** Choose one of the birthdays and announce it to the rest of the class:

El cumpleaños de _____ es el _____ de _____.

> ### Detalles culturales
>
> Los hispanos generalmente celebran, además del día de su cumpleaños, el día de su santo, que corresponde al santo de su nombre en el calendario católico. Patricio celebra su santo el 17 de marzo (*St. Patrick's Day*).
>
> **¿Le gusta la idea de celebrar su santo? ¿Sabe Ud. cuándo es?**

▶ PRÁCTICA Y TRADUCCIÓN

Based on the vocabulary and grammatical concepts studied in **Lección 2,** translate the following sentences.

1. —Sara, what's the date today?
   —It's October 14th.
2. In April there are thirty days.
3. On Monday Roberto works in the cafeteria.
4. We want a cup of coffee and a glass of apple juice.
5. —At what time is your biology class, Olivia?
   —It's at four-thirty.

Entre nosotros

¡Conversemos!

Para conocernos mejor

Get to know your partner better by asking each other the following questions.

1. ¿Qué asignaturas tomas tú este semestre?
2. ¿Cuál es tu clase favorita?
3. ¿Conversas con tus amigos en la cafetería? ¿Tomas café con ellos?
4. ¿Cuántas horas estudias? ¿Cuántas horas trabajas?
5. ¿Tú trabajas los sábados? ¿Y los domingos?
6. En el verano, ¿tomas clases o trabajas?
7. ¿Qué clases deseas tomar el próximo (*next*) semestre?
8. ¿Qué estación te gusta?
9. ¿Deseas tomar café, leche o té?
10. ¿Deseas agua con hielo o jugo de naranja?

Una encuesta

Interview your classmates to identify who does the following activities. Be sure to change the statements to questions. Include your instructor, but remember to use the **Ud.** form when addressing him or her.

	NOMBRE
1. Trabaja por la noche.	_____
2. Trabaja cuatro horas al día (a day).	_____
3. Toma clases en el verano.	_____
4. Toma mucho café.	_____
5. Toma cerveza o vino.	_____
6. Estudia los domingos.	_____
7. Estudia en la biblioteca.	_____
8. Toma una clase de yoga.	_____
9. Toma una clase de psicología.	_____
10. Desea tomar una clase de música.	_____

Y ahora…

Write a brief summary, indicating what you have learned about your classmates.

¿Cómo lo decimos?

What would you say in the following situations? What might the other person say? Act out the scenes with a partner.

1. You want to ask a friend what subjects he or she is taking this semester.
2. You want to tell someone what subjects you are taking.

3. You want to ask someone where he or she works.

4. You want to order something to drink.

5. You want to know the time.

6. You want to ask a classmate if his or her classes are easy or difficult.

¿Qué dice aquí?

With a classmate, study Virginia's schedule and take turns asking each other the following questions.

1. ¿Qué días tiene (*has*) Virginia la clase de historia? ¿A qué hora?
2. ¿Cuántas clases tiene Virginia por la noche? ¿Qué clase es?
3. ¿Qué clases tiene ella los (*on*) lunes, miércoles y viernes a las ocho?
4. ¿Qué idioma estudia Virginia? ¿Qué días?
5. ¿Cuándo estudia con el grupo?
6. ¿A qué hora almuerza (*has lunch*) Virginia? ¿Dónde?
7. ¿Dónde trabaja Virginia?
8. ¿Cuántas horas trabaja por semana (*per week*)?
9. ¿Qué clases incluyen laboratorio?
10. ¿Qué estudia Virginia los sábados?

Horario de Virginia

	lunes	martes	miércoles	jueves	viernes	sábado
8:00	Biología		Biología		Biología	
9:00	Japonés	Japonés	Japonés	Japonés		
10:00	Estudiar con el grupo		Estudiar con el grupo		Estudiar con el grupo	Informática
11:00	↓	Educación física	↓	Educación física	↓	
12:00	Cafetería	Cafetería	Cafetería	Cafetería	Cafetería	
1:00		Biología (Laboratorio)		Japonés (Laboratorio)		
2:00	Trabajar en la biblioteca →					
3:00	↓	↓	↓	↓	↓	
4:00						
5:00	↓					
6:00						
7:00	Historia		Historia			
8:00	↓		↓			

Para escribir

Tu horario

With a partner, create a schedule for him or her. Use the following questions to ask about your partner's schedule.

¿Qué clases tomas?

¿Qué días es la clase de…? ¿A qué hora?

¿Trabajas? ¿Qué días? ¿A qué hora?

¿Cuándo estudias? ¿A qué hora? ¿Dónde? ¿Con quién?

Lectura

Estrategia de lectura

The selection you are going to read talks about registration procedures at the **Universidad Nacional.** What types of information would you expect to find in such instructions?

Vamos a leer

As you read **Información sobre la matrícula,** find the answer to each of the following questions.

1. ¿Qué necesita revisar (*check*) el/la estudiante?
2. ¿Qué debe reportar?
3. ¿Qué debe hacer (*to do*) para tomar más de (*more than*) 18 unidades?
4. ¿Debe asistir (*attend*) a todas las clases?
5. ¿Qué información debe tener (*must have*) el carnet de estudiante?
6. ¿Cuándo debe pagar la matrícula (*pay tuition*)?
7. ¿Qué debe hacer si necesita un plan de pago (*payment*) especial?
8. ¿Con quién debe hablar si necesita cambiar (*to change*) una clase?

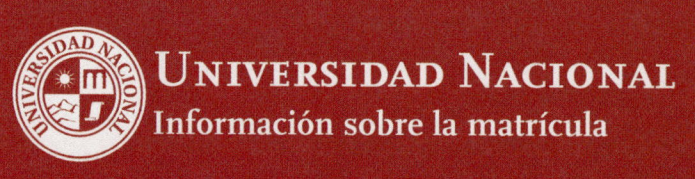 

UNIVERSIDAD NACIONAL
Información sobre la matrícula

El estudiante debe:

- revisar su horario de clases
- reportar cualquier error
- recibir la aprobación de la Administración para tomar más de 18 unidades
- asistir a todas las clases
- sacar un carnet de estudiante con su nombre, su número de identificación y su foto
- pagar la matrícula antes del primer día de clases
- llenar una solicitud en la Oficina de Administración si necesita un plan de pago especial
- hablar con un consejero si necesita cambiar una clase

Video

¿Cuántas clases toma cada (*each*) uno de estos estudiantes?
¿Trabajan o solamente estudian?

Díganos

Answer the following questions, based on your own thoughts and experience.

1. ¿Revisa Ud. su horario de clases cuidadosamente (*carefully*)?
2. ¿Toma usted más de 10 clases por año?
3. ¿Asiste usted a todas las clases?
4. ¿Qué información tiene su carnet de estudiante?
5. ¿Cuánto es la matrícula en su universidad?
6. ¿Necesita usted un plan de pago especial?
7. ¿Habla usted con un(a) consejero(a) (*adviser*) o con un(a) profesor(a) si necesita cambiar una clase?

Dos amigos

Pablo y Marisa, estudiantes de la Universidad de Costa Rica, estudian juntos y son buenos amigos. Cuando Marisa conoce a (*meets*) Fernando y Pablo conoce a Victoria, los dos amigos están un poco celosos (*jealous*).

El mundo hispánico

LOS HISPANOS EN CANADÁ

- El número de hispanos crece (*grows*) más cada año en Canadá. Hoy en día (*today*) hay casi un millón de hispanos, de todas partes del mundo. La mayoría de ellos son de El Salvador (13,2 %), México (12,4 %) y Chile (8,4 %). Las ciudades con más hispanos son Toronto, Montreal y Vancouver.

- Del español vienen palabras como *rodeo, corral, lasso, bronco, lariat* y *ranch,* asociadas con la vida de los vaqueros (*cowboys*) que se encuentran en el centro de nuestro país.

- Hoy en día hay hispanocanadienses que participan en una variedad de actividades: el gobierno, el arte, el teatro, el mundo literario, la televisión, la música y la comida (*food*).

Photo courtesy of Dr. Enrique Fernández

El Dr. Enrique Fernández es profesor de español de la Universidad de Manitoba y recibió un premio como uno de los hispanos más destacados en Canadá en el 2009.

MÚSICA

La música latina es muy popular no sólo para escuchar pero también para bailar. De Latinoamérica vienen el tango, la salsa y el merengue que se bailan en muchas ciudades canadienses. Hay clases para aprender estos bailes (*dances*) y varios clubes nocturnos ahora tienen noches de música latina. En Canadá se puede escuchar música hispana tradicional como el flamenco, que viene de España, el tango y la música andina (*from the Andes*) pero también hay músicos de *jazz, hip hop* y otros estilos que cantan (*sing*) en español.

El Festival de Tango de Montreal es una oportunidad de explorar la cultura latina por medio del baile. Este evento lo tiene todo: pasión, movimiento y música.

Festival de TANGO NUEVO DE MONTREAL

May 3 – 6, 2007
Montreal, Canada
Neo-tango Festival

bulent & marika   nick & tara

mariana   korey & mila

www.neotangofestivalmontreal.com

tango fabrika.com

Courtesy Tango Fabrika, Montreal

COMIDA

La comida hispana es muy popular en todas partes de Canadá. De St. John's en Terranova a Victoria en la Colombia Británica se pueden encontrar (*find*) restaurantes que sirven comida hispana. Tal vez (*Perhaps*) la comida más conocida es la mexicana. En muchos restaurantes hay tacos, enchiladas y guacamole. También hay nachos, burritos y chimichangas que aunque (*even though*) no son comidas tradicionales, son muy pedidas por los norteamericanos.

TELEVISIÓN

Telelatino (TLN) en español, es un canal que ofrece programas en español.

Cristina Saralegui es una de las personalidades más famosas de la televisión en español y su programa, *El Show de Cristina*, ofrece una diversidad de temas del momento. Cristina nació en Cuba. *El Show de Cristina* comenzó (*started*) en 1989 y es uno de los programas más populares de la televisión en español.

En agosto de 2005, Cristina Saralegui fue nombrada (was named) una de las 25 personas hispanas más influyentes (most influential) en Estados Unidos.

© WireImage/Getty Images

© Jon Arnold Images Ltd/Alamy

Las playas de México son maravillosas. La playa Ballenas y la playa Chac Mool, que están cerca de Cancún, son dos playas muy populares.

TURISMO

Los países hispanos son muy visitados por canadienses durante sus vacaciones. También les interesa la cultura hispana. Los lugares hispanos más visitados por canadienses son México, Cuba, la República Dominicana y España. A los canadienses les gustan las playas, los deportes acuáticos y el sol en los lugares calurosos (*warm*). A causa del (*Because of*) turismo a países hispanos, el estudio del español ha crecido (*has grown*) no sólo en las universidades sino (*but*) también en las comunidades de muchas ciudades canadienses.

Comentarios...

With a partner, answer these questions about the Hispanic presence in Canada.

1. ¿Cuáles son unas palabras del español que usamos (*we use*) en inglés?
2. ¿Cuáles son los bailes latinos más populares en Canadá?
3. ¿Hay un canal en tu ciudad que presenta programas en español?
4. ¿La comida hispana es común en Canadá? ¿Hay un restaurante hispano en tu ciudad? ¿Cuál es tu plato (*dish*) favorito?
5. ¿Cuál es el país hispano que más visitan los canadienses?

LECCIÓN 1

A Gender of nouns; plural forms of nouns; definite and indefinite articles

Place the corresponding definite and indefinite article before each noun.

Definite	Indefinite	Nouns
1. _____	_____	lápices
2. _____	_____	días
3. _____	_____	hombre
4. _____	_____	mujeres
5. _____	_____	mano
6. _____	_____	silla
7. _____	_____	borradores
8. _____	_____	mapas

B Subject pronouns

Say which pronoun would be used to talk about the following people.

1. Ana y yo (*f.*)
2. Jorge y Rafael
3. la Dra. García
4. usted y el Sr. López
5. Amalia y Teresa
6. el doctor Torres

Now give the pronouns used to address the following people.

7. your professor
8. your best friend

C Present indicative of *ser*

Complete the following sentences, using the present indicative of the verb **ser.**

1. Yo _____ mexicana y John _____ canadiense.
2. ¿Uds. _____ de Thunder Bay?
3. Teresa y yo _____ estudiantes.
4. Las plumas _____ rojas.
5. ¿Tú _____ de Windsor?
6. ¿De dónde _____ Ud.?

D Forms of adjectives and agreement of articles, nouns, and adjectives

Change each sentence according to each new element.

1. Las alumnas son canadienses. (alumno)
2. Las tizas son verdes. (lápices)

3. El escritorio es blanco. (mesas)
4. Es una mujer española. (hombre)
5. El profesor es inglés. (profesoras)
6. La chica es rica. (muchachos)
7. Es un hombre inteligente. (mujer)
8. La señora es muy simpática. (señores)

E The alphabet

Spell the following last names in Spanish.

1. Díaz
2. Jiménez
3. Vargas
4. Parra
5. Feliú
6. Acuña

F Numbers 0–39

Write the following numbers in Spanish.

1. 8 _____
2. 14 _____
3. 26 _____
4. 11 _____
5. 35 _____
6. 10 _____
7. 13 _____
8. 0 _____
9. 28 _____
10. 17 _____
11. 39 _____
12. 15 _____

G Vocabulary

Complete the following sentences, using vocabulary from **Lección 1.**

1. ¿Cómo se _____ Ud.? ¿Teresa? ¿De _____ es Ud.?
2. Mucho _____, señor Vargas.
3. ¿Cómo se _____ "desk" en español?
4. Mi compañera de _____ es _____ bonita.
5. Hay una profesora y diez _____ en la clase.
6. Rosa _____ con el profesor.
7. Buenos días. ¿Cómo _____ usted? ¿Bien?
8. Adiós. _____ a Marisa.
9. ¿Cómo _____ Sergio? ¿Guapo?
10. —Muchas gracias
    —De _____.

H Translation

Express the following in Spanish.

1. Good morning, Miss Moreno. How are you?
2. Sergio speaks with Ana in class.
3. What is your phone number?
4. Lupe is intelligent and nice.
5. What is Viviana like?

I Culture

Circle the correct answer, based on the cultural notes you have read.

1. El nombre María (no es / es) muy popular en los países hispanos.
2. El título "señorita" se usa solamente para mujeres (casadas / solteras (*single*)).

A Present indicative of -ar verbs

Complete each sentence with the correct form of the verb in parentheses.

1. ¿Tú _____ leche? (*drink*)
2. La señora Paz _____ con los alumnos. (*talks*)
3. Nosotros _____ inglés con la doctora Torres. (*speak*)
4. Yo _____ tomar café. (*wish*)
5. ¿Ud. _____ matemáticas o biología? (*study*)
6. Ana y Paco _____ en la biblioteca. (*work*)
7. Ernesto _____ la pluma roja. (*needs*)
8. Eva y yo _____ en agosto. (*finish*)

B Interrogative and negative sentences

Convert the following statements first into questions and then into negative statements.

1. Ellos hablan inglés con los estudiantes.
   a. _____
   b. _____
2. Ella es de México.
   a. _____
   b. _____
3. Ustedes terminan hoy.
   a. _____
   b. _____

C Possessive adjectives

Complete these sentences, using the Spanish equivalent of the word in parentheses.

1. ¿Tú necesitas _____ libro? (*your*)
2. Yo hablo con _____ profesor. (*her*)
3. Nosotros necesitamos hablar con _____ profesora. (*our*)
4. Trabajo con _____ compañeros de clase. (*my*)
5. ¿Ud. desea hablar con _____ amigos? (*your*)
6. Carlos habla con _____ profesores. (*our*)
7. Los estudiantes necesitan hablar con _____ profesor. (*their*)
8. Necesito _____ número de teléfono. (*his*)

D Gender of nouns (Part II)

Write **el, la, los,** or **las** before each of the following nouns.

1. _____ lecciones
2. _____ relojes
3. _____ idioma
4. _____ unidades
5. _____ problemas
6. _____ café
7. _____ libertad
8. _____ televisión

E Numbers 40–200

Write the following phrases in Spanish. (Write the numbers in words.)

1. 80 ballpoint pens
2. 46 backpacks
3. 72 clocks
4. 33 windows
5. 200 chairs
6. 115 notebooks
7. 68 students
8. 50 maps
9. 95 computers

F Telling time

Write the Spanish equivalent of the words in parentheses.

1. Oye, ¿qué hora es? ¿ _____ ? (*Is it one o'clock?*)
2. Luis toma química _____. (*at nine-thirty in the morning*)
3. Estudiamos español _____. (*in the afternoon*)
4. _____ las ocho. (*It's*)
5. La clase es _____. (*at a quarter to three*)

G Days of the week, and months and seasons of the year

Write the names of the missing days.

lunes, _____ , _____ , jueves, _____ , _____ , domingo

Give the following dates in Spanish.

1. March 1 _____
2. June 10 _____
3. August 13 _____
4. December 26 _____
5. September 3 _____
6. October 28 _____
7. July 17 _____
8. April 4 _____
9. January 2 _____
10. February 5 _____

During what seasons do these months fall in the Northern Hemisphere?

1. febrero _____
2. abril _____
3. octubre _____
4. julio _____

H Vocabulary

Complete the following sentences, using vocabulary from **Lección 2**.

1. ¿Qué _____ es? ¿Las dos?
2. Necesito el _____ de clases. ¡Ah! ¡_____ está!
3. Yo tomo _____ dos clases.
4. Deseo una _____ de café y un _____ de agua.
5. ¿Ellos _____ café en la cafetería?
6. Este _____ tomo tres clases.
7. Marzo, abril y mayo son los meses de la _____.
8. ¿Qué _____ estudias? ¿Historia?
9. Él toma una _____ de vino.
10. Deseo tomar _____ de manzana.

I Translation

Express the following in Spanish.

1. —Clara, what classes are you taking?
   —I'm taking English, History, and Spanish.
2. Professor Salinas is from Mexico. He is our biology professor.
3. Martina wants to study, but Jorge wants a cup of coffee.
4. —What time is it?
   —It's ten thirty.
5. July 1st is Canada Day.

J Culture

Circle the correct answer, based on the cultural notes you have read.

1. Hay un(os) (1.000.000 / 10.000.000) de hispanos en Canadá.
2. La mayor parte de los habitantes hispanos son de (El Salvador / México)
3. La ciudad con más hispanos en Canadá es (Halifax / Toronto).

UNIDAD

2

LECCIÓN 3
Los trabajos de la casa

LECCIÓN 4
Una fiesta de cumpleaños

La familia almuerza una comida deliciosa.

© UpperCut Images / Alamy

Objetivos

LECCIÓN 3

▶ Talk about household chores
▶ Talk about possession
▶ Talk about how you feel

LECCIÓN 4

▶ Discuss plans for a party
▶ Talk about family
▶ Handle informal social situations, such as parties

En familia

Guanajuato, México: una ciudad de contrastes

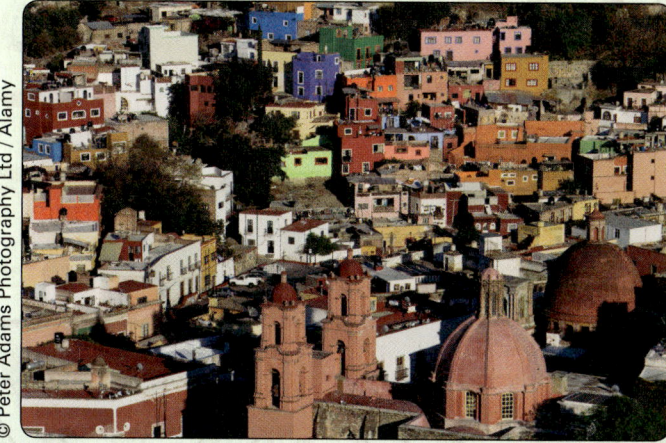

© Peter Adams Photography Ltd / Alamy

Map courtesy of Patricia Isaacs, Parrot Graphics

Estos turistas admiran un templo en Tikal, Guatemala.

Un mercado al aire libre al lado de la iglesia de Suchitoto, El Salvador

© ML Sinibaldi/CORBIS

© Philip Scalia / Alamy

Los trabajos de la casa

© Tony Anderson/Taxi/Getty Images

Hoy es un día muy ocupado para Susana, Alicia y Héctor, tres hermanos que viven con sus padres en la Ciudad de México.

Alicia	Esta noche a las ocho y media vienen papá y mamá de Guadalajara y tenemos que limpiar la casa.
Susana	Sí, yo tengo que sacudir los muebles. Después debo pasar la aspiradora.
Alicia	Muy bien, Susana. Gracias. Héctor, ¿tú cortas el césped?
Héctor	Sí, pero antes (*before*) tengo que lavar el coche.
Susana	¡A trabajar! Dividir el trabajo es una idea excelente. Especialmente cuando tenemos cuatro horas y media para hacer (*to do*) todo.
Alicia	¡Excelente! Yo tengo que preparar la cena y después debo limpiar la cocina.
Héctor	Papá y mamá siempre hacen los trabajos de la casa. Hoy tenemos que ayudar (*to help*).
Susana	Una familia unida es fantástica.

Esa tarde.

Alicia	Todavía tenemos que lavar y planchar la ropa.
Susana	¡Hay mil cosas que hacer!
Héctor	¿Por qué no descansamos un rato y bebemos una limonada? Yo tengo mucha sed.
Alicia	Tienes razón. Hay limonada en el refrigerador.
Susana	Bueno… descansamos un momento, pero después debo pasar la aspiradora.
Héctor	Yo estoy ocupado.

Alicia	¿Y quién pone la mesa?
Susana	Yo. Héctor, oye. Tocan a la puerta.
Héctor	Debe ser Carlos, mi amigo. (*Héctor corre a abrir.*)

Esa noche, cuando llegan los padres, todos cenan y conversan en el comedor.

Detalles culturales

Actualmente *(At present)* muchos hombres hispanos, especialmente los más jóvenes, ayudan *(help)* a su esposa con los trabajos de la casa. Esto es debido a que, generalmente, los dos trabajan fuera de casa.

¿Los esposos canadienses ayudan con los trabajos de la casa?

Detalles culturales

México tiene una comida típica excelente que hoy es popular en todo el mundo (*world*), pero en las grandes ciudades mexicanas los restaurantes sirven también comida internacional.

¿Qué comidas son típicas en Canadá?

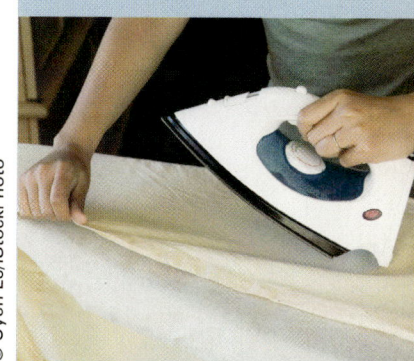

¿Recuerda usted?

¿Verdadero o falso?

With a partner, decide whether the following statements about the dialogue are true (**verdadero**) or false (**falso**).

1. Susana, Alicia y Héctor son hermanos. ☐ V ☐ F
2. Los padres de los chicos llegan a las cinco de la tarde. ☐ V ☐ F
3. Héctor tiene que cortar el césped. ☐ V ☐ F
4. Héctor dice (*says*) que tiene que lavar el coche. ☐ V ☐ F
5. Susana tiene que sacudir los muebles. ☐ V ☐ F
6. Susana limpia la sala. ☐ V ☐ F
7. Los chicos descansan todo el día. ☐ V ☐ F
8. Los chicos dividen el trabajo. ☐ V ☐ F
9. Alicia prepara la cena. ☐ V ☐ F
10. Tocan a la puerta. Son los padres de los chicos. ☐ V ☐ F

Y ahora… conteste

Answer these questions, basing your answers on the dialogue.

1. ¿De dónde vienen los padres de los chicos?
2. Según (*According to*) Susana, ¿qué es lo que tiene que hacer ella?
3. ¿Quién prepara la cena?
4. ¿Quién viene a visitar a Héctor?
5. ¿Dónde hay limonada?
6. ¿Quién pone la mesa?
7. ¿Dónde cenan todos?
8. ¿Qué hacen mientras (*while*) comen?

Detalles culturales

La música mexicana es conocida (*known*) en todos los países y sus telenovelas se ven (*are seen*) no solamente en el mundo hispano sino que también son populares en países como Rusia, Japón y Canadá.

¿Qué telenovelas son famosas en Canadá?

Para hablar del tema: Vocabulario

Audio
Flashcards

COGNADOS

el desastre

la ensalada

la excusa

la familia

favorito(a)

el garaje

la limonada

el momento

la ocupación

el refrigerador*

SUSTANTIVOS

el baño, el cuarto de baño *bathroom*

la basura *garbage*

la casa *house*

el césped* *lawn*

la ciudad *city*

la cocina *kitchen, stove*

el comedor *dining room*

la comida *meal, food*

la cosa *thing*

el cuarto *room*

el dormitorio* *bedroom*

la hermana *sister*

el hermano *brother*

la mamá *mom*

los muebles *furniture*

los padres *parents*

el papá *dad*

el plato *plate, dish*

el plumero *duster*

la receta *recipe*

la ropa *clothes*

la sala *living room*

la telenovela *soap opera*

el tiempo *time*

el trabajo *work*

los trabajos de la casa *housework*

VERBOS

abrir *to open*

barrer *to sweep*

beber *to drink*

cenar *to have dinner*

comer *to eat*

correr *to run*

cortar *to cut, to mow*

creer *to believe*

deber *to have to, must*

descansar *to rest*

dividir *to divide*

escribir *to write*

hacer (yo hago) *to do, to make*

lavar *to wash*

leer *to read*

limpiar *to clean*

llegar *to arrive*

mirar *to watch, to look at*

planchar *to iron*

preparar *to prepare*

recibir *to receive*

sacar *to take out*

sacudir* *to dust*

tener *to have*

venir *to come*

vivir *to live*

ADJETIVOS

este(a) *this*

mandón(ona) *bossy*

ocupado(a) *busy*

OTRAS PALABRAS Y EXPRESIONES

conmigo *with me*
cortar el césped *to mow the lawn*
cosas que hacer *things to do*
cuando *when*
después *after*
eso *that*
especialmente *especially*
mil *a thousand*
para *for, in order to*
pasar la aspiradora *to vacuum*
poner la mesa *to set the table*
¿Quién (es)? *Who (is it)?*

siempre *always*
tener hambre *to be hungry*
tener que + infinitivo *to have to + infinitive*
tener razón *to be right*
tener sed *to be thirsty*
tocar (llamar) a la puerta *to knock at the door*
todavía *still*
todo(a) *all*
un rato *a while*

Amplíe su vocabulario

Aparatos electrodomésticos y batería de cocina *(Home appliances and kitchen utensils)*

el horno de microondas
el tazón
la lavadora
el colador
la licuadora
la cafetera
la cacerola
la tostadora
la sartén
la plancha
el horno
el lavaplatos
la secadora

Para practicar el vocabulario

A Preguntas y respuestas

Match the questions in column *A* with the answers in column *B*.

A

1. ¿A qué hora cenan?
2. ¿Qué necesitas?
3. ¿Quién viene hoy?
4. ¿Ella es la hermana de Eva?
5. ¿Dónde viven?
6. ¿Qué deseas beber?
7. ¿Comes en tu cuarto?
8. ¿Con quién estudia Luis?
9. ¿Deseas una Coca-Cola?
10. ¿Quién hace los trabajos de la casa? ¿Tu hermano?
11. ¿No descansa?
12. ¿Qué miran por la noche?

B

a. No, la mamá.
b. Conmigo.
c. Limonada.
d. No, mi papá.
e. No, gracias; no tengo sed.
f. Mi hermano.
g. Una telenovela.
h. ¡No! ¡Siempre trabaja!
i. A las ocho de la noche.
j. En la ciudad de Lima.
k. No, en la cocina.
l. ¡Muchas cosas!

B ¡Hay mil cosas que hacer!

Complete these exchanges, using vocabulary from **Lección 3.** Then act them out with a partner.

1. —¿Qué _____ (nosotros) que hacer hoy?
   —Tenemos que _____ los muebles, _____ los platos y _____ el baño y la cocina.
2. —Tengo que _____ la aspiradora y _____ la comida.
   —Yo tengo que _____ el garaje, _____ el césped y _____ la basura.
3. —Oye, Sara, tienes que planchar la _____ y _____ la mesa.
   —Un _____, mamá. Tengo mucha _____ y deseo _____ una limonada.

¿Quiénes son estas personas y qué tienen que hacer hoy?

© Gary Houlder/Corbis

C ¿Qué necesitas?

With a partner, look at the following list and take turns asking each other whether you need certain items.

- **MODELO:** —*¿Necesitas la lavadora?*

    —*Sí, porque tengo que lavar la ropa.*

1. lavar la ropa
2. secar (*dry*) la ropa
3. planchar
4. lavar los platos
5. tostar el pan (*bread*)

6. preparar un batido (*shake*)
7. hacer sopa (*soup*)
8. preparar una ensalada
9. colar (*strain*) espaguetis
10. hacer café

D Los trabajos de la casa

Imagine your house is a disaster. With a partner, select the areas of the house you would like to clean. Using the vocabulary from this lesson, write five chores you and your partner must do.

- **MODELO:** la sala:

    Tú pasas la aspiradora y yo sacudo los muebles.

1. el dormitorio:
2. el baño:
3. la cocina:
4. el comedor:

Pronunciación

Las consonantes (*consonants*) *b, v*

In Spanish, **b** and **v** have the same bilabial sound. To practise this sound, pronounce the following words, paying particular attention to the sound of **b** and **v.**

b	**ba**sura	**ba**rrer	**be**ber	**ba**ño	a**br**ir	
v	di**v**idir	**v**iene	**v**i**v**ir	la**v**ar	fa**v**orito	**B**ena**v**ente

Puntos para recordar

Grammar
Tutorial

1 **Present indicative of *-er* and *-ir* verbs**
(*Presente de indicativo de los verbos terminados en* -er *y en* -ir)

comer (*to eat*)		vivir (*to live*)	
yo	com**o**	yo	viv**o**
tú	com**es**	tú	viv**es**
Ud.		Ud.	
él	com**e**	él	viv**e**
ella		ella	
nosotros(as)	com**emos**	nosotros(as)	viv**imos**
vosotros(as)	com**éis**	vosotros(as)	viv**ís**
Uds.		Uds.	
ellos	com**en**	ellos	viv**en**
ellas		ellas	

Regular verbs ending in **-er** are conjugated like **comer.** Other regular **-er** verbs are **barrer, beber, correr, creer, leer,** and **deber.**

—Uds. **beben** café, ¿no?   *"**You drink** coffee, don't you?"*
—No, **bebemos** limonada.   *"No, **we drink** lemonade."*

—¿Nosotros **debemos** poner la mesa?   *"**Do we have to** set the table?"*
—No, Uds. **deben** preparar la comida.   *"No, **you must** prepare the food."*

Regular verbs ending in **-ir** are conjugated like **vivir.** Other regular **-ir** verbs are **abrir, escribir, recibir, sacudir,** and **dividir.**

—Tú **escribes** en inglés, ¿no?   *"**You write** in English, don't you?"*
—No, **escribo** en español.   *"No, **I write** in Spanish."*

—¿Uds. **viven** en D.F.[1]?   *"**Do you live** in D.F.?"*
—No, nosotros **vivimos** en Guadalajara.   *"No, **we live** in Guadalajara."*

—¿Qué **sacudes** tú?   *"What do **you dust**?"*
—Yo **sacudo** los muebles de la sala.   *"**I dust** the living room furniture."*

---

[1]Distrito Federal (*Mexico City*)

Vivo en un apartamento.

▶ PRÁCTICA Y CONVERSACIÓN

A **Minidiálogos**

Complete the following exchanges appropriately, using the present indicative of the verbs in the list. Then act them out with a partner.

1. vivir

—¿Dónde _____ Uds.?

—Nosotros _____ en Guanajuato.

—¿Y Pablo?

—Él _____ en Puebla.

2. comer

—¿A qué hora _____ tú?

—Yo _____ a las dos.

3. leer

—¿Qué libro _____ Uds.?

—Nosotros _____ *El Quijote.*[1]

4. beber

—¿Ud. _____ vino tinto?

—No, yo _____ vino blanco.

5. correr

—¿Uds. _____ por la mañana?

—Sí, nosotros _____ por la mañana, pero Carlos _____ por la tarde.

6. sacudir

—¿Tú _____ los muebles de la sala?

—No, yo _____ los muebles del dormitorio.

---

[1] *El ingenioso hidalgo don Quijote de la Mancha,* Miguel de Cervantes's famous novel.

7. deber
—¿Qué _____ limpiar Uds.?
—Yo _____ limpiar el baño y Alicia _____ limpiar la cocina.

8. barrer
—¿Quién _____ el garaje? ¿Tú?
—No, Teresa y yo _____ la sala.

9. recibir
—¿Uds. _____ cartas (*letters*)?
—No, nosotros _____ mensajes electrónicos.

10. escribir
—¿Ud. _____ con lápiz?
—No, yo _____ con pluma.

 B ## Entreviste a su compañero(a)

Interview a partner, using the following questions.

1. ¿Dónde vives?
2. ¿Bebes café por la mañana? Y por la tarde, ¿bebes té?
3. ¿Comes en la cafetería de la universidad? ¿A qué hora comes?
4. ¿Tú corres por la mañana?
5. ¿Tú escribes en inglés o en español? ¿Lees mucho?
6. ¿Tú abres la ventana de tu dormitorio por la noche?
7. ¿Qué días sacudes los muebles? ¿Qué días barres la cocina?
8. ¿Tú debes cortar el césped hoy? ¿Debes sacar la basura?

WWW
Grammar
Tutorial

2 Possession with *de*
(*El caso posesivo*)

The **de** + *noun* construction is used to express possession or relationship. Unlike English, Spanish does not use the apostrophe.

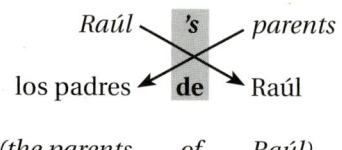

(the parents   of   Raúl)

—¿Ellos son **los** hermanos **de** Rafael? *"Are they Rafael's brothers?"*
—No, son **los** hijos **de** Oscar. *"No, they are Oscar's children."*

—¿Dónde viven Uds.? *"Where do you live?"*
—En **la** casa **de** Pedro. *"At Pedro's house."*

 **¡ATENCIÓN!**

Note the use of the definite article before the words **hermanos, hijos,** and **casa.**

▶ PRÁCTICA Y CONVERSACIÓN

Ⓐ ¿Posesión o relación?

Express the relationship of the people and/or objects in each illustration, using **de** + *noun* (i.e., the Spanish equivalent of *Marta's son*).

el hijo   *Marta*

la señorita Martínez

el número de teléfono

1. _____   2. _____

los libros

Elena

la profesora

el escritorio

3. _____   4. _____

B Los trabajos de la casa

Observe the following items: they belong to different people. You need to borrow some of them to complete some household chores. Starting with the verb **necesitar,** write down each chore you will be doing while expressing the relationship that exists between the item and the owner.

- **MODELO:** la aspiradora / Susana

  Necesito la aspiradora de Susana para (in order to) limpiar la sala.

1. el plumero / mamá

2. la aspiradora / Ana

3. los limones / Luis

4. la plancha / mis amigos

Top (both): © D. Hurst / Alamy. Bottom, L to R: © inga spence / Alamy; © D. Hurst / Alamy

3 Present indicative of *tener* and *venir*
(Presente de indicativo de tener y venir)

tener (*to have*)		venir (*to come*)	
yo	**tengo**	yo	**vengo**
tú	**tienes**	tú	**vienes**
Ud.		Ud.	
él	**tiene**	él	**viene**
ella		ella	
nosotros(as)	**tenemos**	nosotros(as)	**venimos**
vosotros(as)	**tenéis**	vosotros(as)	**venís**
Uds.		Uds.	
ellos	**tienen**	ellos	**vienen**
ellas		ellas	

—¿**Tienes** la sartén?
—Sí, **tengo** la sartén y la cacerola.

"*Do you have* the frying pan?"
"*Yes, I have* the frying pan and the saucepan."

—¿**Vienes** mañana por la mañana?
—No, **vengo** el jueves.

"*Are you coming* tomorrow morning?"
"*No, I'm coming* on Thursday."

—¿Cuántos platos **tienen** Uds.?
—**Tenemos** ocho platos.

"*How many dishes do you have?*"
"*We have* eight dishes."

—¿Uds. **vienen** a la universidad los martes y jueves?
—No, nosotros **venimos** los lunes, miércoles y viernes.

"*Do you come* to the university on Tuesdays and Thursdays?"
"*No, we come* on Mondays, Wednesdays, and Fridays."

—¿**Tienes que** limpiar la casa hoy?
—No, hoy no **tengo que** limpiar.

"*Do you have to* clean the house today?"
"*No, I don't have to* clean today."

 ¡ATENCIÓN!

Tener que means *to have to*, and it is followed by an infinitive: **Elsa *tiene que* limpiar** la casa hoy. (*Elsa **has to clean** the house today.*)

....

▶ PRÁCTICA Y CONVERSACIÓN

....

A Minidiálogos

Supply the missing forms of **tener** and **venir** to complete the dialogues. Then act them out with a partner.

1. —¿Cuándo _____ Uds.?
—Pedro _____ el sábado y yo _____ el domingo.
—¿Con quién _____ tú?
—Yo _____ con la Srta. Aranda.

2. —¿Tú _____ a mi casa mañana?
—No, yo _____ el viernes.

3. —¿Uds. _____ una licuadora?
—Sí, y también una cafetera.

4. —¿Cuándo _____ tú de Guadalajara?

— _____ el jueves.

5. —¿Tú _____ que lavar la ropa hoy?

—No, yo no _____ que lavar la ropa hoy.

 B **¿Qué tienen que hacer?** *(What do you have to do?)*

You and your partner take turns saying what everyone has to do. Use the elements given in your answers and include an appropriate verb.

- **MODELO:** Elsa / la ensalada

  Elsa tiene que preparar la ensalada.

1. yo / los muebles

2. Ana y Eva / los platos

3. nosotros / la ropa

4. Marta / la aspiradora

5. Roberto / la basura

6. Sergio / el césped

 C **¿Hay mucho trabajo?**

With a partner, ask each other five questions about what you have to do at different times and on different days. Follow the model.

- **MODELO:** —*¿Qué tienes que hacer el sábado?*

  —*Tengo que barrer el garaje.*

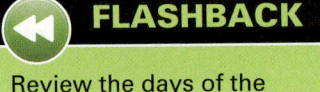

FLASHBACK

Review the days of the week on p. 41.

Grammar
Tutorial

4 **Expressions with _tener_**

(Expresiones con tener)

The following idiomatic expressions are formed with **tener.**

tener (mucho) frío	*to be (very) cold*
tener (mucha) sed	*to be (very) thirsty*
tener (mucha) hambre	*to be (very) hungry*
tener (mucho) calor	*to be (very) hot*
tener (mucho) sueño	*to be (very) sleepy*
tener prisa	*to be in a hurry*
tener suerte	*to be lucky*
tener cuidado	*to be careful*
tener éxito	*to be successful*
tener ganas de	*to feel like*
tener miedo	*to be afraid, scared*
tener razón	*to be right*
no tener razón	*to be wrong*
tener... años (de edad)	*to be . . . years old*

—¿**Tienes hambre?**   *"Are you hungry?"*
—No, pero **tengo** mucha **sed.**   *"No, but **I am** very thirsty."*

—¿Cuántos **años tiene** Eva?   *"How **old is** Eva?"*
—**Tiene** veinte **años.**   *"She is twenty years old."*

Ace
actice
Test

▶ PRÁCTICA Y CONVERSACIÓN

Ⓐ ¿Qué tienen?

Describe the following people according to the illustrations below, using an expression with **tener.**

1. Elena _____

2. Yo _____

3. Nosotros _____

4. Él _____

5. Ellos _____

6. Tú _____

Ⓑ ¿Cómo se sienten? *(How do these people feel?)*

Answer, using expressions with **tener,** according to the information given.

1. Carlos and Daniel are in the middle of the Sahara desert at 11 a.m.
2. Luis hasn't had a bite to eat for fifteen hours.
3. Marta sees a snake near her feet.
4. Darío and Eva have to get to the airport in a few minutes.
5. Rosa is in northern Alberta in February.

Ⓒ ¿Por qué...?

With a partner, take turns indicating why you are or are not doing the following, using an expression with **tener.**

1. ¿Por qué no abres las ventanas?
2. ¿Por qué corres?
3. ¿Por qué no comes ensalada?
4. ¿Por qué no tomas un vaso de limonada?
5. ¿Por qué cierras *(close)* la puerta?

D **¿Qué tiene/n?**

Discuss with a partner how these people are feeling according to the situation. Use expressions with **tener.**

- **MODELO:** Elisa y Ana miran una película de horror.

  Ellas tienen miedo.

 **FLASHBACK**

Review *expresiones con tener*, p. 68.

1. Inés lava la ropa a las tres de la mañana.
2. La mamá de Alicia tiene que cocinar para treinta personas. La fiesta es en seis horas.
3. Es enero en Ontario. Luis no tiene casa y vive en la calle (*in the street*).
4. Los estudiantes tienen un examen de cálculo en media hora.
5. La profesora tiene clase en cinco minutos y necesito hablar con ella.

Grammar
Tutorial

5 Demonstrative adjectives and pronouns
(Adjetivos y pronombres demostrativos)

Demonstrative adjectives

- Demonstrative adjectives point out persons and things. Like all other adjectives, they agree in gender and number with the nouns they modify. The forms of the demonstrative adjectives are as follows.

Masculine		Feminine		English Equivalent	
Sing.	*Pl.*	*Sing.*	*Pl.*	*Sing.*	*Pl.*
este	estos	esta	estas	this	these
ese	esos	esa	esas	that	those
aquel	aquellos	aquella	aquellas	that (*over there*)	those (*at a distance*)

aquella mesa

esa mesa

esta mesa

—¿Qué necesitas?   *"What do you need?"*
—**Estos** vasos y **aquellas** tazas.   *"**These** glasses and **those** cups (over there)."*

Demonstrative pronouns

- The forms of the demonstrative pronouns are as follows.

Masculine		Feminine		Neuter	English Equivalent	
Sing.	*Pl.*	*Sing.*	*Pl.*	*Sing.*	*Sing.*	*Pl.*
éste	éstos	ésta	éstas	esto	this (*one*)	these
ése	ésos	ésa	ésas	eso	that (*one*)	those
aquél	aquéllos	aquélla	aquéllas	aquello	that (*over there*)	those (*at a distance*)

- The masculine and feminine demonstrative pronouns are the same as the demonstrative adjectives, except that they have a written accent.[1]

- Each demonstrative pronoun has a neuter form. The neuter forms have no gender and refer to unspecified situations, ideas, or things: *this, this matter; that, that business.*

- Note that the demonstrative pronouns replace a noun.

—¿Qué libro quiere Ud., **éste** o **ése**? *"Which book do you want, **this one** or **that one**?"*

— Quiero **aquél**. *"I want **that one over there**."*

— ¿Qué es **eso**? *"What is **that**?"*
— Es una plancha. *"It's an iron."*

▶ PRÁCTICA Y CONVERSACIÓN

A **Este, ese y aquel**

Describe in Spanish the following illustrations, using the suggested demonstrative adjectives.

1. this, these:

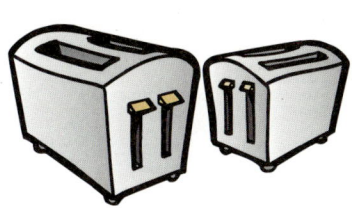 

a. _____   b. _____

c. _____   d. _____

[1]The Real Academia Española, which sets Spanish language standards, says that the accent on the demonstrative pronouns should be used only in cases where there would be ambiguity. We recommend that students use them to differentiate between the adjective and pronoun forms.

2. that, those:

a. _____

b. _____

c. _____

d. _____

3. that (over there); those (over there):

a. _____

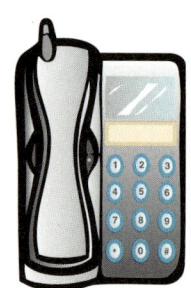

b. _____

c. _____

d. _____

B Ud. está aquí

Say what you need according to the objects in the illustration, using the corresponding demonstrative adjectives. Necesito…

C Minidiálogos

Complete the following exchanges with the Spanish equivalent of the demonstrative pronouns in parentheses. Then act them out with a partner.

1. —¿Necesitas estos platos?
   —No, necesito _____. (*those*)
2. —¿Cuál de las mesas necesitan Uds.?
   —_____. (*This one*)
3. —¿Cuáles son tus tazas? ¿_____ o _____? (*These / those over there*)
   —_____. (*Those*)
4. —¿Cuál es tu casa? ¿_____ o _____? (*This one / that one*)
   —_____. (*That one over there*)

D Nuestros compañeros

You and your partner take turns asking each other who the people in your class are. According to the relative distance. Use the appropriate demonstrative adjectives.

- **MODELO:** —¿*Quién es John?*
  —***Ese*** *muchacho.*

6 Numbers from 300 to 1,000
(*Números de 300 a 1.000*)

300 trescientos	600 seiscientos	900 novecientos
400 cuatrocientos	700 setecientos	1.000 mil
500 quinientos	800 ochocientos	

- In Spanish, one does not count in hundreds beyond one thousand; thus 1,100 is expressed as **mil cien.** Note that Spanish uses a comma where English uses a decimal point to indicate values below one: 1.095,99 (Spanish) = 1,095.99 (English).
- When a number from 200 to 900 is used before a feminine noun, it takes a feminine ending: **doscient*as* mes*as*.**[1]

---

[1]This is also true for higher numbers that incorporate the numbers 200–900: **mil doscientas treinta sillas, dos mil ochocientos libros.**

Ace
Practice
Test

▶ PRÁCTICA Y COMUNICACIÓN

 A **Sumas y restas**

With a partner, solve the following mathematical problems in Spanish.

1. 308 + 70 = _____

2. 500 − 112 = _____

3. 653 + 347 = _____

4. 892 − 163 = _____

5. 216 + 284 = _____

6. 1.000 − 450 = _____

7. 700 + 280 = _____

8. 125 + 275 = _____

9. 900 − 520 = _____

10. 230 + 725 = _____

 B **¿Cuánto cuesta?**

With a partner, take turns asking each other how much everything costs.

- **MODELO:** —¿Cuánto cuesta el refrigerador? ($1650)

  —*Cuesta mil seiscientos cincuenta dólares.*

1. ¿Cuánto cuesta la pluma?

2. ¿Cuánto cuesta el vino?

3. ¿Cuánto cuesta la silla?

4. ¿Cuánto cuesta la computadora?

5. ¿Cuánto cuesta el iPod?

6. ¿Cuánto cuesta la mesa?

7. ¿Cuánto cuesta el escritorio?

8. ¿Cuánto cuesta el libro?

▶ PRÁCTICA Y TRADUCCIÓN

Based on the vocabulary and grammatical concepts studied in **Lección 3,** translate the following sentences. You will notice that translating becomes easier as you move forward in the course.

1. Today, I have to clean my bedroom.
2. My favourite meal is dinner, because the family has time to (para) talk.
3. Mom prepares the meal and we set the table.
4. When I have things to do, I am always in a hurry.
5. This pot is green, and that one (over there) is red.

¡Conversemos!

Ace Practice Test

Para conocernos mejor

Get to know your partner better by asking each other the following questions.

1. ¿En qué ciudad vives tú? ¿Y tus padres?
2. ¿Cuántos años tienes? ¿Y tu mejor (*best*) amigo(a)?
3. ¿Qué días limpias tu casa?
4. ¿Quién prepara la comida en tu casa?
5. ¿Te gusta cortar el césped? ¿Te gusta pasar la aspiradora?
6. ¿Tú trabajas todos los días?
7. ¿Quién lava y plancha tu ropa?
8. ¿Qué aparatos electrodomésticos tienes en tu cocina?
9. ¿Qué bebes cuando tienes sed? ¿Agua o limonada?
10. ¿Qué tienes que hacer mañana?
11. ¿Tu casa es un desastre a veces (*sometimes*)?
12. ¿Qué trabajo de la casa no te gusta hacer?

Una encuesta

Interview your classmates to identify who fits the following descriptions. Include your instructor, but remember to use the **Ud.** form when addressing him or her.

NOMBRE

1. Lava su ropa los fines de semana.
2. Corta el césped los domingos.
3. Vive con sus padres.
4. Limpia su casa los sábados.
5. Llega a clase temprano (early).
6. Tiene veinte años.
7. Siempre tiene sueño.
8. Necesita descansar.
9. Siempre tiene prisa.
10. Es muy mandón (mandona).

Y ahora...

Write a brief summary, indicating what you have learned about your classmates.

¿Cómo lo decimos?

What would you say in the following situations? What might the other person say? Act out the scenes with a partner.

1. You and a friend have invited guests for dinner and must decide what each of you has to do to prepare for them.

2. You tell your roommate that there is a knock at the door.

3. You ask a little boy how old he is.

4. You complain that there are a thousand things to do.

 ## ¿Qué pasa aquí?

Get together in groups of three or four and create a story about the people in the illustration. Say who they are, what their relationship is to one another, what they are doing, and what they might be getting ready for.

 # Para escribir

Para dividir el trabajo

You are in charge of organizing all the chores that must be done on a certain day. Indicate what you and everyone else has to do. Some of the chores must be done in pairs. To start out, create a mind map about all kinds of household chores. Then decide who is going to do what.

> **Hogar, dulce hogar.**
> This is a saying about home life. Can you guess the meaning?
>
> **Un dicho**

Una fiesta de cumpleaños

Silvia y Esteban deciden dar una fiesta para celebrar el cumpleaños de Mónica, una chica guatemalteca que ahora vive en San Salvador con la familia de Silvia.

Esteban Tenemos que mandar las invitaciones. ¿A quiénes vamos a invitar?

Silvia A todos nuestros amigos, a mis primos, al novio de Mónica y a Yolanda.

Esteban Yo no conozco a Yolanda. ¿Quién es?

Silvia Es la hermana del novio de Mónica.

Esteban ¿Ah, sí? ¿Es bonita? ¿Es rubia, morena o pelirroja? No es casada, ¿verdad?

Silvia Es morena, de ojos castaños, delgada, de estatura mediana… encantadora… y es soltera.

Esteban Bueno, si baila bien, ya estoy enamorado.

Silvia Oye, tenemos que planear la fiesta. Va a ser en el club, ¿no?

Esteban No, va a ser en la casa de mis abuelos. Ellos están en Costa Rica con mi madrina y yo tengo la llave (*key*) de la casa.

Silvia ¡Perfecto! Yo traigo los entremeses y la torta de cumpleaños.

Esteban Yo traigo las bebidas y los discos compactos. Yo sé que mis abuelos no tienen música para bailar.

En la fiesta, cuando Mónica, su novio y Yolanda llegan a la casa, todos gritan: ¡Feliz cumpleaños!

Mónica (*Contenta*) ¡Qué sorpresa!

Silvia ¿Qué deseas tomar? ¿Champán, cerveza… ? ¿O deseas comer algo?

Mónica Una copa de champán para brindar con todos mis amigos.

Silvia (*Levanta su copa.*) ¡Un brindis! ¡Por Mónica! ¡Salud!

Todos ¡Salud!

Detalles culturales

Los jóvenes hispanos frecuentemente organizan fiestas en sus casas y casi siempre bailan.

En una fiesta, ¿los jóvenes canadienses prefieren bailar o conversar?

Detalles culturales

En los países hispanos, muchas personas pertenecen (*belong*) a un club. Allí pueden nadar, practicar deportes, asistir a fiestas o reunirse con sus amigos.

¿Qué clase de clubes hay en Canadá?

© Royalty-Free / Masterfile

Esteban	(*A Yolanda*) Hola, soy Esteban Campos. Tú eres Yolanda, ¿verdad?
Yolanda	Sí, mucho gusto.
Esteban	¿Bailamos? ¿Te gusta bailar salsa?
Yolanda	Sí, me gusta, aunque no sé bailar muy bien.

Esteban y Yolanda bailan y conversan. Todos los invitados lo pasan muy bien.

| Silvia | (*A Mónica*) Veo que Yolanda y Esteban están muy animados. |
| Mónica | Sí, hacen una buena pareja. Oye, Silvia, la fiesta es todo un éxito. ¡Muchas gracias! |

Después de la fiesta, Esteban lleva a Silvia y a Mónica a su casa. Las chicas están cansadas, pero contentas.

Detalles culturales

La palabra **salsa** (*sauce* o *spice*) se usa para referirse a la música caribeña, basada en la música afrocubana.

¿Cuáles son los ritmos típicos de Canadá?

 ## ¿Recuerda usted?

¿Verdadero o falso?

With a partner, decide whether the following statements about the dialogue are true (**verdadero**) or false (**falso**).

1. Mónica es de Guatemala.   ☐ V ☐ F
2. Mónica no tiene novio.   ☐ V ☐ F
3. Esteban no sabe quién es Yolanda.   ☐ V ☐ F
4. Yolanda es rubia, de ojos azules.   ☐ V ☐ F
5. La fiesta es en el club.   ☐ V ☐ F
6. Esteban hace la torta de cumpleaños.   ☐ V ☐ F
7. Mónica desea brindar con champán.   ☐ V ☐ F
8. Yolanda y Esteban bailan salsa.   ☐ V ☐ F
9. Esteban y Yolanda están muy aburridos.   ☐ V ☐ F
10. Todos lo pasan muy bien en la fiesta.   ☐ V ☐ F

Y ahora… conteste

Answer these questions, basing your answers on the dialogue.

1. ¿Qué deciden Silvia y Esteban?
2. ¿Quién es la hermana del novio de Mónica?
3. ¿Dónde están los abuelos de Esteban?
4. ¿Quién trae las bebidas?
5. ¿Yolanda sabe bailar bien?
6. ¿Con quién baila y conversa Yolanda?
7. ¿Quiénes hacen una buena pareja?
8. ¿Quién lleva a las chicas a su casa?

Para hablar del tema: Vocabulario

Audio
Flashcards

COGNADOS

el champán
el club
guatemalteco(a)

la invitación
la música
la sorpresa *surprise*

De país a país

la torta la tarta (*Esp.*) el pastel (*Méx.*)

moreno(a) trigueño(a) (*Cuba, Par.*)

SUSTANTIVOS

la bebida *beverage*
el brindis *toast (i.e., at a celebration)*
el cine *movies, movie theatre*
el cumpleaños *birthday*
el disco compacto *CD*
los entremeses *appetizers, finger food*
el éxito *success*
la fiesta *party*

el (la) invitado(a) *guest*
la madrina *godmother*
la novia *girlfriend, bride*
el novio *boyfriend, bridegroom*
los ojos *eyes*
el padrino *godfather*
la pareja *couple*
el (la) primo(a) *cousin*
la torta* *cake*

VERBOS

bailar *to dance*
brindar *to toast*
celebrar *to celebrate*
conocer *to know, to be acquainted*
dar *to give*
decidir *to decide*
estar *to be*
gritar *to shout*
invitar *to invite*

llamar *to call*
levantar *to raise*
llevar *to take (someone or something somewhere)*
mandar, enviar[1] *to send*
planear *to plan*
saber *to know*
traer *to bring*
ver *to see*

ADJETIVOS

animado(a) *in good spirits*
cansado(a) *tired*
casado(a) *married*
castaño *brown (eyes, hair)*
contento(a) *happy, content*
enamorado(a) *in love*

encantador(a) *charming*
feliz *happy*
moreno(a)* *dark, brunet(te)*
pelirrojo(a) *red-haired*
rubio(a) *blond(e)*
soltero(a) *single*

OTRAS PALABRAS Y EXPRESIONES

¿A quién(es)? *To whom?*
ahora *now*
aunque *although*
¿Bailamos? *Shall we dance?*
comer algo *to have something to eat*
de estatura mediana *of medium height*

de ojos castaños *with brown eyes*
pasarlo bien *to have a good time*
¡Salud! *Cheers!*
¡Qué sorpresa! *What a surprise!*
todo un éxito *quite a success*
ya *already*

---

[1] Note conjugation of **enviar: envío, envías, envía, enviamos, enviáis, envían.**

Amplíe su vocabulario

La familia

Doña Elsa

abuelos
(grandparents)

Don Luis

abuela
(grandmother)
suegra
(mother-in-law)
esposa
(wife)

abuelo
(grandfather)
suegro
(father-in-law)
esposo
(husband)

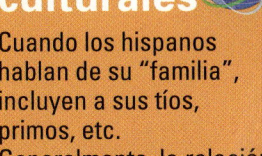

Detalles culturales

Cuando los hispanos hablan de su "familia", incluyen a sus tíos, primos, etc. Generalmente, la relación entre ellos es muy estrecha (*close*).

¿La relación entre Ud. y su familia es muy estrecha?

Carlos

Eva

padres
(parents)

Sergio

Marta

cuñado
(brother-in-law)
yerno
(son-in-law)

hija (daughter)
tía (aunt)
hermana
madre (mother)
mamá (mom)

hijo (son)
padre (father)
papá (dad)
hermano
tío (uncle)

cuñada
(sister-in-law)
nuera
(daughter-in-law)

Ana **hijos** **Beto**

Ada **Marcos** **hijos** **Elena**

sobrina
(niece)

sobrino
(nephew)
nieto
(grandson)

prima
(cousin)

primo
(cousin)

nieta
(granddaughter)

Para practicar el vocabulario

A Preguntas y respuestas

With a partner, match the questions in column *A* with the answers in column *B*.

A

1. ¿Bailamos?
2. ¿Es casada?
3. ¿Es rubia o morena?
4. ¿Qué bebida tienen?
5. ¿Qué celebran hoy?
6. ¿Qué vas a mandar?
7. ¿Luis es tu novio?
8. ¿Dónde es la fiesta?
9. ¿Es alta?
10. ¿Es de El Salvador?

B

a. Champán.
b. En la casa de mis abuelos.
c. Las invitaciones.
d. No, es soltera.
e. No, es mi primo.
f. No, es guatemalteco.
g. No, de estatura mediana.
h. Ahora no; estoy cansada.
i. Mi cumpleaños.
j. Es pelirroja.

B Planes para la fiesta

Complete the following exchanges and then act them out with a partner.

1. —¿Qué vas a traer para comer?
   —Los _____ y la _____ de cumpleaños.
2. —¿Los invitados lo _____ bien?
   —Sí, la fiesta es todo un _____ .
3. —¿Vamos a brindar?
   —Sí. (_____ *su copa*.) ¡Un _____ !
   ¡Salud!
4. —¿Uds. _____ una fiesta el sábado?
   —Sí, y vamos a _____ a todos nuestros amigos.

¿Qué creen ustedes que celebran estos amigos?

Jupiter Images

C El parentesco *(Relationship with relatives)*

With a partner, take turns saying what the relationship of one person to another is in the family tree. Mention eight to ten relationships.

- **MODELO:** —*Doña Elsa es la mamá de Eva.*

D De mi álbum de fotos

Bring photos of family members and share information about them in small groups. Be prepared to present your family photos to the class.

Pronunciación

La consonante *c*

In Spanish, **c** has two different sounds: [*s*] and [*k*]. The [*s*] sound occurs in **ce** and **ci,** the [*k*] sound in **ca, co, cu, cl,** and **cr.** Read the following words aloud.

[*s*]		[*k*]	
cerveza	**ci**en**ci**as	**Ca**rmen	**cu**ándo
gra**ci**as	ne**ce**sito	**ca**nsado	**cl**ub
invita**ci**ón	**ce**lebrar	**có**mo	**cr**eo

Puntos para recordar

Grammar Tutorial

1 Verbs with irregular first-person forms
(Verbos irregulares en la primera persona)

- The following verbs are irregular in the first-person singular of the present tense.

Verb	*yo* form	Regular forms
salir (*to go out, to leave*)	**salgo**	sales, sale, salimos, salís, salen
hacer (*to do, make*)	**hago**	haces, hace, hacemos, hacéis, hacen
poner (*to put, place*)	**pongo**	pones, pone, ponemos, ponéis, ponen
traer (*to bring*)	**traigo**	traes, trae, traemos, traéis, traen
conducir (*to drive, to conduct*)	**conduzco**	conduces, conduce, conducimos, conducís, conducen
traducir (*to translate*)	**traduzco**	traduces, traduce, traducimos, traducís, traducen
conocer (*to know*)	**conozco**	conoces, conoce, conocemos, conocéis, conocen
caber (*to fit*)	**quepo**	cabes, cabe, cabemos, cabéis, caben
ver (*to see*)	**veo**	ves, ve, vemos, veis, ven
saber (*to know*)	**sé**	sabes, sabe, sabemos, sabéis, saben

Ace Practice Test

▶ PRÁCTICA Y CONVERSACIÓN

A Olga y yo...

With a partner, take turns comparing what Olga does to what you do.

- **MODELO:** Olga traduce del inglés al español.
  Yo traduzco del español al inglés.

1. Olga sale de su casa a las ocho de la mañana.
2. Olga pone su dinero en el Banco de Montreal.
3. Olga conoce Guatemala.
4. Olga sabe bailar salsa.
5. Olga trae a su amiga a la universidad.
6. Olga conduce un Honda.
7. Olga ve a sus abuelos los domingos.
8. Olga hace ejercicio (*exercises*) por la mañana.

B ¿Qué haces tú?

With a partner, take turns asking each other about some of your daily activities.

1. ¿A qué hora sales de casa por la mañana?
2. ¿Qué pones en tu mochila?
3. ¿Traes un sándwich para comer o comes en la cafetería?
4. ¿Conduces a la universidad?
5. ¿Cuántas personas caben en tu coche (*car*)?

6. ¿Ves muchas películas (*movies*) los sábados por la noche?

7. ¿Cuándo haces la tarea?

8. ¿Sabes bailar salsa, merengue o tango?

2 *Saber* vs. *conocer*

The verb *to know* has two Spanish equivalents, **saber** and **conocer,** which are used to express distinct types of knowledge.

- **Saber** means *to know something by heart, to know how to do something* (a learned skill), or *to know a fact* (information).

—¿**Sabes** el poema "In Flanders Fields" de memoria?	"***Do you know*** the poem 'In Flanders Fields' by heart?"
—¡No!	"*No!*"
—¿Ana **sabe** bailar salsa?	"***Does*** Ana ***know how*** to dance salsa?"
—No muy bien…	"*Not very well . . .*"
—¿Ud. **sabe** el número de teléfono de David?	"***Do you know*** David's phone number?"
—Sí, es 8–26–49–30.	"*Yes, it's 8–26–49–30.*"

- **Conocer** means *to be familiar or acquainted with a person, a thing, or a place.*

—¿**Conoces** a Hugo?	"***Do you know*** Hugo?"
—Sí, es el primo de Alberto.	"*Yes, he's Alberto's cousin.*"
—¿**Conocen** Uds. todas las novelas de Cervantes?	"***Are you familiar with*** all of Cervantes's novels?"
—No, no todas.	"*No, not all of them.*"
—¿**Conoces** San Salvador?	"***Do you know*** (Have you been to) San Salvador?"
— Sí, es una ciudad muy bonita.	"*Yes, it is a very pretty city.*"

▶ PRÁCTICA Y CONVERSACIÓN

A *¿Saber o conocer?*

Fill in the blanks with the correct form of **saber** or **conocer**.

1. —Marisa, ¿ _____ tú la dirección de Antonio?

2. —No, yo no _____ su dirección.

3. —Tu amiga Rebeca _____ a Antonio, ¿verdad?

4. —Sí, ella _____ su número de teléfono también.

5. —Nosotros deseamos comida mexicana, ¿tú _____ un buen restaurante mexicano en la ciudad?

6. —No, pero hay un restaurante argentino muy bueno. Mis padres _____ a los dueños (*owners*).

7. —Gracias. Nosotros _____ que en Argentina es muy popular el tango.

8. —¿Ustedes _____ bailar tango?

9. —No, pero yo _____ a un chico argentino muy guapo, y deseo aprender a bailar tango.

B ¿Qué sabes y qué conoces?

With a partner, take turns interviewing each other, using the **tú** form. Ask if your partner *knows* the following. You'll have to decide whether to use **saber** or **conocer.**

- **MODELO:** bailar rumba

    —¿Sabes bailar rumba?

    —Sí, yo sé bailar rumba. (No, no sé bailar rumba.)

1. el número de teléfono de la universidad
2. Guatemala
3. las novelas de Margaret Atwood
4. hablar italiano
5. a los padres del profesor (de la profesora)
6. el poema "In Flanders Fields" de memoria
7. dónde vive el profesor (la profesora) de español
8. preparar entremeses

C Queremos saber…

With a partner, use **saber** and **conocer** to prepare five or six questions to ask your instructor.

Grammar
Tutorial

3 Personal *a*
(La a personal)

- The preposition **a** is used in Spanish before a direct object (recipient of the action expressed by the verb) referring to a specific person or persons. When the preposition **a** is used in this way, it is called the *personal* **a** and has no English equivalent.

		(Direct object)
Yo conozco	**a**	Roberto.
I know		*Robert.*

—¿Tú conoces **a** Carmen y **a** Héctor?   *"Do you know Carmen and Héctor?"*

—Conozco **a** Carmen, pero no conozco **a** Héctor.   *"I know Carmen, but I don't know Héctor."*

> **¡ATENCIÓN!**
>
> When there is a series of direct object nouns, referring to people, the personal **a** is repeated: **¿Tú conoces a Carmen y a Héctor?**

- The personal **a** is *not* used when the direct object is a thing or place.

    Yo conozco Kingston.   *I know Kingston.*

- The personal **a** is seldom used following the verb **tener** even if the direct object is a person or persons.

    Tengo dos hermanas.   *I have two sisters.*

- The personal **a** is also used when referring to pets.

    Yo llevo **a** mi perro a la veterinaria.   *I take my dog to the vet.*

► PRÁCTICA Y CONVERSACIÓN

 **A** **Minidiálogos**

Complete the following exchanges, using the personal **a** when appropriate. Leave the space blank if **a** is not needed.

1. —¿Tú conoces _____ Silvia y _____ Mónica?

—Conozco _____ Mónica, pero no conozco _____ Silvia.

2. —¿_____ quién llevas a la fiesta?

—Llevo _____ mi suegra y _____ mi cuñada.

3. —¿Tienes _____ hermanos?

—Sí, tengo _____ un hermano y _____ dos hermanas.

4. —¿Qué tienes que hacer?

—Tengo que llevar _____ mi perro a caminar (*for a walk*).

 B **Los sábados**

With a partner, take turns asking whom you call (**llamar**), visit (**visitar**), or see on Saturdays.

- **MODELO:** —¿A quién llamas todos los sábados?

  —*Yo llamo a mi abuela.*

4 **Contractions: *al* and *del***

(Contracciones: al *y* del*)*[1]

- The preposition **a** and the article **el** contract to form **al.**

Llevamos	**a**	+	**el**	profesor.
Llevamos		**al**		profesor.

- Similarly, the preposition **de** and the definite article **el** contract to form **del.**

Tiene los libros	**de**	+	**el**	profesor.
Tiene los libros		**del**		profesor.

—¿Vienes **del** club?   "*Are you coming **from the** club?*"

—No, vengo **de la** biblioteca.   "*No, I'm coming **from the** library.*"

—¿Vamos **al** cine?   "*Shall we go **to the** movies?*"

—Sí, vamos.   "*Yes, let's go.*"

- None of the other combinations of preposition and definite article (**de la, de los, de las, a la, a los, a las**) is contracted.

El esposo **de la** profesora viene **a la** clase de español.

¡ATENCIÓN!

A + **el** and **de** + **el** must *always* be contracted to **al** and **del.**

---

[1]See Appendix C.

Ace Practice Test

▶ **PRÁCTICA Y CONVERSACIÓN**

A *Ir* y *venir* **(Going and Coming)**

Using the list provided, you and your partner will take turns mentioning where everyone is going and whom everyone is taking.

- **MODELO:** Teresa / cine / Sr. López

  *Teresa **va al** cine. Lleva **al** señor López.*

  1. Inés / teatro / Sra. Vigo
  2. El doctor Rojas / fiesta / profesor Vega
  3. Fernando / club / Srta. Acosta
  4. Paloma / zoológico / niños
  5. Ramiro / parque / perro
  6. Sara / biblioteca / estudiantes

Now you both use the same list to mention where everyone is coming from.

- **MODELO:** *Teresa y el Sr. López vienen **del** cine.*

B **Entreviste a su compañero(a)**

You and a partner take turns asking each other the following questions.

1. ¿Tú conoces a los amigos del profesor (de la profesora)?
2. ¿Tú vienes a la universidad antes de (*before*) las ocho de la mañana?
3. ¿Tú llamas al profesor (a la profesora) a veces (*sometimes*)?
4. ¿Tú tienes el libro del profesor (de la profesora)?
5. ¿Tú vienes a la universidad los domingos?
6. ¿Tú ves al profesor (a la profesora) los sábados?

⑤ Present indicative of *ir, dar,* and *estar*

(Presente de indicativo de ir, dar *y* estar*)*

	ir *(to go)*	dar *(to give)*	estar *(to be)*
Yo	**voy**	**doy**	**estoy**
tú	**vas**	**das**	**estás**
Ud. él ella	**va**	**da**	**está**
nosotros(as)	**vamos**	**damos**	**estamos**
vosotros(as)	**vais**	**dais**	**estáis**
Uds. ellos ellas	**van**	**dan**	**están**

—¿Dónde **está** Aurora?   *"Where **is** Aurora?"*
—**Está** en el teatro.   *"**She is** at the theatre."*
—¿No **da** una fiesta hoy?   *"Isn't **she giving** a party today?"*
—No, yo **doy** una fiesta.   *"No, **I'm giving** a party."*

—¿Adónde **vas**?   *"Where **are you going** (to)?"*
—**Voy** al cine.   *"**I'm going** to the movies."*
—¿No **estás** cansada?   *"**Aren't you** tired?"*
—No, no **estoy** cansada.   *"**No, I am** not tired."*

Location: Aurora **está** en el club.   *Aurora **is** at the club.*

Current condition: **Estoy** cansada.   *I **am** tired.*

> **¡ATENCIÓN!**
>
> The verb **estar** is used to indicate location and to describe condition at a given moment in time. **Estar** and **ser** are not interchangeable.

▶ PRÁCTICA Y CONVERSACIÓN

Ⓐ Fiestas y más fiestas

Complete the following statements about Mónica's birthday party, using the appropriate forms of **dar, ir,** and **estar.**

1. Todos los amigos de Silvia _____ a la fiesta que ella y Esteban _____ para Mónica. Esteban _____ dinero para la fiesta.

2. La abuela de Esteban no _____ a la fiesta; ella _____ en Costa Rica.

3. En la fiesta, Mónica _____ muy contenta y los invitados _____ muy animados.

4. Las bebidas y los entremeses _____ en la mesa.

5. Yo no _____ a la fiesta porque no _____ invitado.

6. Yo no _____ muchas fiestas en mi casa, pero mis amigos y yo _____ a fiestas en el club.

B **Entreviste a su compañero(a)**

You and your partner take turns interviewing each other, using the following questions.

1. ¿Adónde vas los viernes?
2. ¿Vas al cine los sábados? ¿Con quién?
3. ¿Vas al trabajo los domingos?
4. ¿Tú y tus amigos van a muchas fiestas?
5. ¿Estás invitado(a) a una fiesta esta noche?
6. ¿Das muchas fiestas en tu casa?
7. ¿Estás cansado(a)?
8. ¿Dónde están tus padres ahora?

Now, you and your partner are interviewing Miss Muñoz. How would you ask her the same questions? Use the **Ud.** form.

 6 *Ir a* + infinitive

Grammar Tutorial

(Ir a + *el infinitivo*)

The **ir a** + *infinitive* construction is used in Spanish to express future time, in the same way English uses the expression *to be going to + infinitive*.

ir (*conjugated*)	+	**a**	+	*infinitive*
Voy			**a**	**estudiar**.
I am going				*to study.*

—¿Tú **vas a bailar** con Jorge?   *"**Are you going to dance** with Jorge?"*
—No, **voy a bailar** con Carlos.   *"No, **I'm going to dance** with Carlos."*

© Stockbyte/Getty Images

Elena va a estudiar ahora pero… ¿qué planea hacer después?

▶ **PRÁCTICA Y CONVERSACIÓN**

 Ace Practice Test

A **Entreviste a su compañero(a)**

You and your partner take turns interviewing each other, using the following questions.

1. ¿Cuándo vas a estudiar? ¿Dónde?
2. ¿Cuántas horas vas a estudiar?
3. ¿Qué vas a hacer mañana?
4. ¿Dónde vas a comer mañana?
5. ¿Adónde van a ir tú y tus amigos el viernes?

6. ¿Vas a dar una fiesta el sábado?
7. ¿A quiénes vas a invitar a tu próxima (*next*) fiesta?
8. ¿Qué bebidas vas a servir (*serve*) en tu fiesta?

B **¿Qué vamos a hacer?**

What will be the result of each of the following situations? Indicate what *is going to happen.*

- **MODELO:** Yo tengo hambre.
    Voy a comer algo.

1. Ud. tiene un examen mañana.
2. Ud. y yo tenemos sed.
3. Mi tío tiene hambre.
4. Raquel y Luis van a ir a una fiesta.
5. Anita está cansada.
6. Marcelo quiere celebrar su cumpleaños.

¿Qué va a hacer cada (*each*) uno de estos estudiantes el sábado por la noche?

▶ PRÁCTICA Y TRADUCCIÓN

Based on the vocabulary and grammatical concepts studied in **Lección 4**, translate the following sentences.

1. My brother is going to work in Guatemala in January.
2. —Marisa, do you know Professor Salinas?
    —Yes, she is my mathematics professor.
3. I bring my Spanish book to class.
4. We're tired and are not going to the club tonight.
5. Her aunt is celebrating her birthday with a party.

Entre nosotros

¡Conversemos!

Ace
Practice
Test

Para conocernos mejor

Get to know your partner better by asking each other the following questions.

1. ¿Cuándo planeas dar una fiesta?
2. ¿Tus discos compactos son de música para bailar?
3. ¿Sabes cantar (*to sing*) "Happy Birthday" en español?
4. ¿Qué haces los sábados por la tarde? ¿Y por la noche?
5. ¿A qué hora sales de tu casa?
6. ¿Cuántas hermanas tienes?
7. ¿Tú conduces bien?
8. ¿Ves a tus abuelos frecuentemente?
9. ¿Conoces un restaurante mexicano bueno?
10. ¿Tus ojos son azules, verdes o castaños?

Una encuesta

Interview your classmates to identify who fits the following descriptions. Include your instructor, but remember to use the **Ud.** form when addressing him or her.

NOMBRE

1. Tiene amigos en un país hispano.
2. Es la nieta/el nieto favorita/o de su abuela.
3. Visita a sus tíos frecuentemente.
4. Da muchas fiestas en su casa.
5. Va a muchas fiestas.
6. Sabe bailar salsa, merengue o tango.
7. Conoce México, Cuba o España.
8. Va a comer en la cafetería mañana.
9. Está casado.
10. Sabe hacer tortas.

Y ahora…

Write a brief summary, indicating what you have learned about your classmates.

¿Cómo lo decimos?

What would you say in the following situations? What might the other person say? Act out the scenes with a partner.

1. You and a friend are planning a party. You ask him or her what beverages he or she is going to bring.

2. You ask a friend what he or she is going to do on Saturday and with whom.

3. You talk to a friend about some members of your family.

¿Qué pasa aquí?

Get together in groups of three or four and create a conversation among the people in the picture. You might have them introduce one another and discuss their friends, their activities, the occasion, or the party itself.

© Morgan David de Lossy/Corbis

Para escribir

Un mensaje electrónico

You are sending an e-mail to a friend, inviting him or her to a birthday party you are giving for someone.

Brainstorm about the place, the day and the time, whom you are going to invite, what you are going to serve, and what you are going to do. Now make a list of all the details and then organize the e-mail.

> **Come y bebe, porque la vida es breve.**
>
> This piece of advice reminds us of a similar one in English. Do you know what it is? Is it good advice? Memorize the Spanish saying!
>
> **Un dicho**

Lectura

Estrategia de lectura

Look at the **Sociales** reading below. Based on the headline and the photos, what do you think the reading is about? (**¿De qué trata la lectura?**) In which section of the newspaper can you find such articles?

Vamos a leer

As you read the **Sociales** section of the newspaper, find the answers for the following questions.

1. ¿En qué ciudad viven los novios?
2. ¿Cómo se llama el restaurante en el cual los novios van a compartir la cena con su familia?
3. ¿Cuántos años cumple Alina?
4. ¿Qué hacen Alina y sus amigos en la fiesta?
5. ¿Qué miembro especial de su familia está en la fiesta?
6. ¿En qué hospital nace José Carlos Gómez Delfino?
7. ¿Por qué el bebé tiene dos apellidos?
8. ¿Qué lugares va a visitar Rosalía Mena de Castro en Alberta?
9. ¿Cómo celebra Olga su cumpleaños?

SOCIALES

Los jóvenes celebran su día de bodas (*wedding day*). El fotógrafo decidió sacar fotos en la calle. Aquí están los novios al lado del reloj a vapor en Gastown, Vancouver. Después de sacar las fotos van a cenar con toda la familia en el restaurante *Lumière*.

¡Muchas felicidades al nuevo matrimonio!

Alina celebra sus quince años con la fiesta tradicional que se llama "quinceañera". Las familias latinas celebran los 15 años de sus hijas con grandes fiestas donde la cumpleañera recibe a todos sus amigos. Su abuela María Luisa está muy contenta de poder asistir a la fiesta. Alina, sus amigos y su familia bailan, juegan y comen platos especiales. ¡Feliz cumpleaños, Alina!

© travelstock44 / Alamy

© Wolfgang Kaehler / Alamy

Video

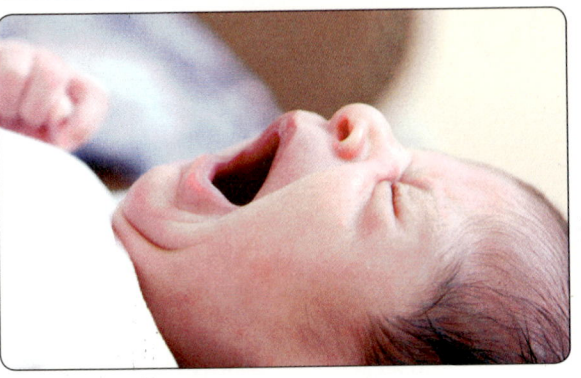

© Rohit Seth / Alamy

La familia Gómez, de Toronto, recibe a un nuevo miembro de la familia. José Carlos Gómez Delfino nació (*was born*) el viernes primero de abril de 2011 a las 9 de la mañana en el Hospital San José, de Toronto. Los padres del bebé están felices y el bebé está cansado.

¡Felicidades a toda la familia!

© Robert Frerck/Odyssey Productions

La semana próxima va de vacaciones a Banff la señora Rosalía Mena de Castro. Allí va a visitar a sus padres, que residen en Calgary. Acompañada de sus padres, visitará Lake Louise y Jasper. ¡Le deseamos buen viaje!

© Melanie Carr/Viesti & Associates

El viernes pasado se celebró, con una gran fiesta infantil, el cumpleaños de Olga Paz Soldán en la residencia de sus padres. ¡Feliz cumpleaños, Olguita!

 **Díganos**

Observe the following picture and write a brief paragraph noting the following: What members of the family are in the picture? What are they celebrating? Are they happy? Why?

After completing the paragraph, prepare a family tree of this family and make the connections between family members. Make sure you give them names. (Please refer to the *Amplíe su vocabulario* section of this lesson.)

© Bill Bachmann / Alamy

¡Qué sorpresa!

Los amigos de Marisa están en el apartamento de la muchacha, muy ocupados preparando una fiesta sorpresa para celebrar su cumpleaños. Cuando Marisa regresa más tarde y ellos se esconden (*hide*), la sorpresa de ella es realmente grande…

El mundo hispánico

© Peter Adams Photography Ltd / Alamy

MÉXICO

- México, con más de cien millones de habitantes, ocupa por su población el primer lugar entre los países del mundo hispano, y tiene casi el área de Nunavut. Su capital, la ciudad de México, D.F. (Distrito Federal), con unos veinticuatro millones de habitantes, es uno de los centros urbanos más grande del mundo.

- La importancia del turismo se debe a (*is due to*) la abundancia de bellezas naturales y de reliquias históricas, y al servicio eficiente de sus centros turísticos. Playas famosas como Acapulco, Cancún y Puerto Vallarta; ruinas arquitectónicas como Teotihuacán, Chichén Itzá y Tulum, y la arquitectura de muchas ciudades atraen a turistas de todo el mundo. En México, D.F., coexisten restos arquitectónicos de la ciudad prehistórica Tenochtitlán, fundada en 1325 por los aztecas, edificios coloniales y modernas estructuras.

- Otras ciudades de gran interés turístico son Guadalajara, la segunda ciudad más grande del país, origen del mariachi y del tequila; Guanajuato, famosa por sus momias, y San Miguel de Allende, residencia de artistas de todo el mundo.

- En el mundo del arte, se destacan (*stand out*) pintores como Diego Rivera, José Clemente Orozco, David Alfaro Siqueiros y Frida Kahlo.

Palacio de Bellas Artes en la ciudad de México, México

Mural de Diego Rivera (1886–1957) en el Palacio Nacional en la ciudad de México, México

© Lightworks Media / Alamy

 **MÉXICO**   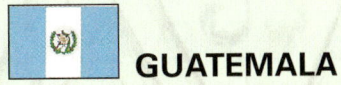 **GUATEMALA**    **EL SALVADOR**

GUATEMALA

- Guatemala es uno de los países centroamericanos que fue (*was*) parte del imperio maya. Aunque el español es el idioma oficial, sólo lo habla el 60 por ciento de la población; el resto habla alguna lengua maya.

- En Guatemala encontramos innumerables centros arqueológicos. Uno de los más famosos es la ciudad maya de Tikal, que por su valor arqueológico fue declarada Patrimonio de la Humanidad por la UNESCO.

- Guatemala es un país de volcanes, montañas y bellos paisajes. Su clima es muy agradable y por eso se conoce como "el país de la eterna primavera". En sus bosques hay numerosos pájaros (*birds*), entre ellos el quetzal, que le da nombre a la moneda del país y que es el símbolo nacional de Guatemala.

© SIPA Press

Rigoberta Menchú (1959–), Premio Nobel de la Paz, 1992

EL SALVADOR

- El Salvador es el país más pequeño de Centroamérica, pero es el más densamente poblado. Tiene más de seis millones de habitantes en un área más pequeña (*smaller*) que la Isla de Vancouver.

- En El Salvador hay más de 200 volcanes y por eso lo llaman "la tierra (*land*) de los volcanes". El país tiene unos 300 kilómetros de costa, y sus playas están entre las más hermosas de América. El *surfing* es el deporte (*sport*) que más se practica en las playas.

- El clima del país es tropical, con dos estaciones: la estación de las lluvias (de mayo a octubre) y la estación de la sequía (*dry season*) (de noviembre a abril).

- La capital de El Salvador es San Salvador, la ciudad más industrializada de Centroamérica.

© Neil Julian / Alamy

La Catedral Metropolitana frente a la plaza Barrios, en San Salvador

Comentarios…

With a partner, discuss, in Spanish, what impressed you the most about these three countries, and compare them to Canada. Which places do you want to visit and why?

Tome este examen

LECCIÓN 3

Ⓐ Present indicative of *-er* and *-ir* verbs

Complete each sentence with the correct form of the Spanish equivalent of the verb in parentheses.

1. El profesor _____ en la pizarra. (*writes*)
2. Ana y yo _____ en la casa de la Sra. Paz. (*live*)
3. Ellos _____ limpiar el baño. (*must*)
4. ¿Tú _____ por la noche? (*run*)
5. Yo _____ limonada. (*drink*)
6. Esteban _____ en la cocina. (*eats*)
7. María _____ las ventanas. (*opens*)
8. ¿_____ Uds. libros de inglés? (*receive*)

Ⓑ Possession with *de*

Write the Spanish equivalent of the words in parentheses.

1. Estela es _____. (*Pedro's friend*)
2. Aquí está _____. (*Paco's clothes*)
3. Ellos viven en _____. (*Mrs. Peña's house*)
4. Ellos son _____. (*Eva's brothers*)

Ⓒ Present indicative of *tener* and *venir*

Complete the following sentences, using the present indicative of **tener** or **venir.**

1. ¿Tú _____ a la universidad los lunes?
2. Eva y yo _____ con Roberto porque no _____ automóvil.
3. Ellos _____ mis libros de español, pero hoy no _____ a clase.
4. Yo no _____ a la universidad los viernes porque no _____ clases.
5. Sergio no _____ hijos.
6. Elvira _____ que planchar la ropa ahora.

Ⓓ Expressions with *tener*

Say how you and everybody else feel according to each situation, using expressions with **tener.**

1. It's July and you are in Montreal. (*Yo…*)
2. Marcelo hasn't had anything to eat for the last twelve hours. (*Marcelo…*)
3. Adela's throat is very dry. (*Adela…*)
4. I am in Whitehorse and it is winter. (*Tú…*)
5. We haven't slept for the last twenty-four hours. (*Nosotros…*)
6. The boys are being chased by a big dog. (*Los muchachos…*)
7. You have one minute to get to your next class, across campus. (*Yo…*)

E Demonstrative adjectives and pronouns

Use the appropriate demonstrative adjective.

1. (*those*)　　　　**a.** _____ cosas　　**b.** _____ muebles
2. (*this*)　　　　　**a.** _____ cocina　**b.** _____ dormitorio
3. (*that over there*)　**a.** _____ café　　**b.** _____ limonada
4. (*that*)　　　　　**a.** _____ casa　　**b.** _____ refrigerador
5. (*these*)　　　　**a.** _____ platos　**b.** _____ casas

F Numbers 300–1,000

Write the following numbers in Spanish.

1. 567 _____
2. 790 _____
3. 1.000 _____
4. 345 _____
5. 615 _____

6. 874 _____
7. 965 _____
8. 825 _____
9. 481 _____
10. 13.816 _____

G Vocabulary

Complete the following sentences, using vocabulary from **Lección 3.**

1. No me gusta hacer los _____ de la casa.
2. Tengo que descansar un _____.
3. ¿ _____ es ese señor?
4. Yo corto el _____ los sábados.
5. Ellos tienen muchas _____ que hacer hoy.
6. Jorge, necesito los platos para _____ la mesa.
7. Tenemos que _____ los muebles.
8. Tocan a la _____ y Héctor corre a _____.
9. Debes _____ la basura.
10. Mis amigos _____ dentro de un _____.
11. Yo _____ limonada cuando tengo _____.
12. Andrés tiene que _____ la aspiradora.

H Translation

Express the following in Spanish.

1. Juan has to take out the garbage.
2. —We are very hungry.
　　—Why don't you eat?
3. Hector eats a lot, but he doesn't wash the dishes.
4. —How old are you?
　　—I'm eighteen years old.
5. This house is big. That one over there is small.

I Culture

Answer the questions based on the cultural information you have read.

1. Actualmente, ¿quiénes ayudan con los trabajos de la casa en los países hispanos?
2. ¿Dónde es popular la comida mexicana?
3. ¿En qué países son populares las telenovelas mexicanas?

LECCIÓN 4

Ⓐ Irregular first person in the present indicative

Complete each sentence with the correct form of the verb in parentheses.

1. Yo _____ de mi casa a las ocho. (*leave*)
2. Yo _____ el auto de mi papá. (*drive*)
3. Yo _____ la lección al inglés. (*translate*)
4. Yo no _____ ejercicios (*exercises*) hoy. (*do*)
5. Yo no _____ en este auto. (*fit*)
6. Yo _____ las bebidas. (*bring*)

Ⓑ *Saber* vs. *conocer*

Complete the following sentences, using the present indicative of **saber** or **conocer.**

1. ¿Tú _____ México? ¿ _____ hablar español?
2. Yo no _____ el número de teléfono de Ana.
3. Nosotros _____ las novelas de Cervantes.
4. ¿Uds. _____ a Frida Kahlo?
5. ¿Olga _____ bailar?

Ⓒ Personal *a*

Write a sentence with each group of words, adding any necessary words.

1. Yo / conocer / la tía / Julio
2. Luis / tener / tres tíos / dos tías
3. Ana / llevar / su prima / fiesta
4. Uds. / conocer / San Salvador

Ⓓ Contractions *al* and *del*

Rewrite the following sentences, replacing the words in italics with the words in parentheses. Make all necessary changes.

1. No conocemos a la *señora* Vega. (señor)
2. Es la hermana de la *profesora*. (profesor)
3. Venimos de la *fiesta*. (club)
4. Voy a la *clase*. (laboratorio)
5. Vengo del *aula*. (playa)

Ⓔ Present indicative of *estar, ir,* and *dar*

Complete the following sentences, using the present indicative of **dar, ir,** and **estar.**

1. Yo no _____ mi número de teléfono.
2. Ella no _____ en el aula.
3. Nosotros _____ a la fiesta.
4. ¿Tú _____ bien?
5. Ellos _____ en la cafetería.
6. ¿Ud. _____ a la universidad por la mañana?
7. ¿Uds. _____ fiestas los sábados?
8. Yo _____ al club.

F *Ir a* + infinitive

Write the question that originated each response, using the cues in italics.

1. Yo voy a estudiar *en el laboratorio*. (tú)
2. Nosotros vamos a comer *sándwiches*.
3. Roberto va a ir *con Teresa*.
4. Yo voy a terminar *a las cuatro*. (Ud.)
5. Ellos van a trabajar *el sábado*.

G Vocabulary

Complete the following sentences, using vocabulary from **Lección 4.**

1. Tenemos muchos _____ compactos.
2. Vamos a comer _____.
3. Mi madrina es morena de ojos _____.
4. ¿Es rubia, morena o _____ ?
5. Es de _____ mediana.
6. Dan una fiesta de _____ para Ana hoy.
7. Elena no es casada; es _____.
8. Paco y Rosa hacen una buena _____.
9. Ellos traen los _____ para comer en la fiesta.
10. La orquesta toca (*is playing*) una salsa. ¿Quieres _____ ?
11. Todos _____ su copa y brindan: ¡ _____ !
12. La fiesta es todo un _____.

H Translation

Express the following in Spanish.

1. My cousin's boyfriend has green eyes.
2. I go out a lot in the evening, but I don't drive.
3. —Tina, do you know Roberto?
   —Yes, and I know where he lives, too.
4. Mr. Rivera's children are going to the club.
5. We are going to have a party tomorrow because it's my birthday.

I Culture

Circle the correct answer based on the cultural information you have read.

1. (Tenochtitlán / Teotihuacán) es ahora México D.F.
2. Guanajuato es famosa por sus (momias / mariachis).
3. Guatemala es conocido como el país de la eterna (selva / primavera).
4. El país más pequeño de Centroamérica es (El Salvador / Guatemala).

UNIDAD

3

LECCIÓN 5
El menú, por favor

LECCIÓN 6
En el mercado

© Central America / Alamy

Un mercado de frutas y vegetales en San José, Costa Rica

Objetivos

LECCIÓN 5

▶ Order meals at cafes and restaurants
▶ Request and pay your bill
▶ Talk about what is going on
▶ Describe people and things
▶ Make comparisons

LECCIÓN 6

▶ Shop for groceries in supermarkets and specialty stores
▶ Avoid repetition by using pronouns
▶ Contradict what someone else is saying
▶ Talk about how long something has been going on

¿Qué comemos hoy?

Turistas admirando la selva desde un puente en el Parque Selvatura, en Costa Rica

Courtesy of Patricia Isaacs, Parrot Graphics

BELICE
Puerto Barrios
San Pedro Sula
HONDURAS
Copán
Tegucigalpa
EL SALVADOR
NICARAGUA
León
Lago de Managua
Managua
Granada
Lago de Nicaragua
Mar Caribe
Arenal
COSTA RICA
Poás
Irazú
Puerto Limón
Canal de Panamá
Colón
Panamá
Puntarenas
Orosi
San José
OCÉANO PACÍFICO
Quepos
PANAMÁ

0   100   200 Km
0   100   200 Mi

Un barco de carga en el Canal de Panamá

Ruinas mayas en Copán, Honduras

Volcán Concepción, el más alto de Nicaragua, en la isla de Ometepe

© Blaine Harrington III/Corbis

© Danny Lehman/CORBIS

© Tony Arruza/CORBIS

© INSADCO Photography / Alamy

El menú, por favor

© Phil Date/iStockPhoto

La familia Carreras, de Panamá, está de vacaciones en Costa Rica. Esta noche Andrea y Javier están en uno de los mejores restaurantes de San José, celebrando su aniversario de bodas. Ahora están conversando y esperando al camarero.

Andrea	(*Leyendo el menú*) ¡Ay, no sé qué pedir! Pollo a la parrilla, langosta, pescado asado…
Javier	Yo quiero bistec con puré de papas y verduras. ¡Oye!, ¿no quieres un coctel de camarones para empezar?
Andrea	¡Buena idea! Ah, aquí viene el camarero.
Camarero	La especialidad de hoy es cordero asado y bistec con langosta; ¿qué desean tomar?
Javier	Vermut.
Camarero	¿Y para comer?
Andrea	Para mí, sopa de cebolla, cordero asado y arroz.
Javier	Yo deseo bistec con puré de papas y… una ensalada de tomates. Deseamos también un coctel de camarones.
Camarero	¿Qué desean beber con la comida?
Javier	Vino tinto para los dos.

Detalles culturales

Cada país latinoamericano tiene platos típicos, pero la mayoría de los restaurantes sirve también comida internacional.

¿Es fácil encontrar comida internacional en su ciudad?

Detalles culturales

En los países hispanos, los restaurantes tienen camareros profesionales que trabajan tiempo completo. Por lo general, son hombres y usan uniforme: pantalones negros y chaqueta blanca.

¿Qué diferencia ve Ud. entre los camareros hispanos y los de Canadá?

Detalles culturales

- En los países de habla hispana, el café se sirve después del postre, nunca durante la comida. Generalmente es café tipo espresso, y se sirve en tazas muy pequeñas.

- La propina que se ofrece en los restaurantes generalmente es el 10%, pero varía según el país y el tipo de restaurante. Con frecuencia la propina está incluida en la cuenta. Si Ud. no está seguro de esto, debe preguntar (*ask*), **¿Está incluido el servicio?**

- El desayuno típico en Costa Rica es gallo pinto (arroz con frijoles negros), huevo, tortilla, jugo de mango y café.

1. **¿Se bebe mucho café en Canadá? ¿Qué tipo de café prefiere beber Ud.?**

2. **Generalmente, ¿cuánto se deja de propina en un restaurante?**

3. **¿Cuál es el desayuno típico en Canadá?**

Más tarde.

Javier	(*Lee la lista de postres.*) Flan, torta, helado, arroz con leche, pastel...
Andrea	Yo quiero helado de vainilla.
Javier	Yo voy a pedir flan con crema y después tomamos un café.

Javier paga la cuenta y deja una buena propina.

Al día siguiente Andrea y Javier llevan a sus hijos a desayunar. Anita es una niña muy bonita y un poco tímida. Es mayor que Luisito, pero él es más alto que ella. El niño es simpático y travieso.

Javier	(*Al mozo*) Buenos días. Deseo jugo de naranja, huevos con jamón y pan tostado con mantequilla y mermelada.
Andrea	Yo prefiero una ensalada de frutas y un café con leche. (*A Anita*) ¿Qué quieres tú?
Anita	Yo quiero panqueques y un vaso de leche.
Luisito	Yo quiero un perro caliente y una Coca-Cola.
Javier	¡No, no, no! Tienes que pedir algo mejor.
Luisito	Bueno... una hamburguesa y una taza de chocolate.
Andrea	Está bien, pero en el almuerzo vas a comer pollo y verduras.
Luisito	No me gusta el pollo. No es tan sabroso como la pizza.

Cuando terminan de desayunar son las diez de la mañana.

¿Recuerda usted?

¿Verdadero o falso?

With a partner, decide whether the following statements about the dialogue are true (**verdadero**) or false (**falso**).

1. La familia Carreras es de Costa Rica y está de vacaciones en Panamá. ☐ V ☐ F
2. Hoy Andrea y Javier celebran su aniversario de bodas. ☐ V ☐ F
3. Javier come pollo a la parrilla. ☐ V ☐ F
4. Andrea no quiere comer camarones. ☐ V ☐ F
5. Andrea va a pedir sopa. ☐ V ☐ F
6. Javier y Andrea comen postre. ☐ V ☐ F
7. Javier y Andrea no tienen hijos. ☐ V ☐ F
8. El niño es mayor que la niña. ☐ V ☐ F
9. Javier come más que Andrea. ☐ V ☐ F
10. La mamá de Luisito quiere comer una hamburguesa. ☐ V ☐ F
11. Luisito prefiere comer pizza. ☐ V ☐ F
12. La familia termina de desayunar a las doce. ☐ V ☐ F

Y ahora... conteste

Answer these questions, basing your answers on the dialogue.

1. ¿Qué celebran Andrea y Javier?
2. ¿Dónde están?
3. ¿Qué beben ellos?
4. ¿Qué quiere Andrea de postre? ¿Y Javier?
5. ¿Cómo es Anita? ¿Cómo es Luisito?
6. ¿Anita quiere panqueques o pan tostado?
7. ¿Qué bebe Luisito en el desayuno?
8. ¿Qué debe comer Luisito en el almuerzo?

Para hablar del tema: Vocabulario

Audio
Flashcards

COGNADOS

el aniversario
el coctel / cóctel
la crema
la especialidad
la fruta
la hamburguesa
la lista

el menú
el panqueque*
el restaurante
la sopa*
la vainilla
el vermut / vermú

SUSTANTIVOS

el almuerzo *lunch*
el arroz *rice*
— con leche *rice pudding*
el bistec, la costilla, la chuleta *steak*
la boda *wedding*
el (la) camarero(a)* *waiter, waitress*
los camarones* *shrimp*
la cebolla *onion*
la cena *dinner*
el cordero *lamb*
la cuenta *check, bill*
el desayuno *breakfast*
el flan *caramel custard*
el helado* *ice cream*
el huevo *egg*
el jamón *ham*

la langosta *lobster*
la mantequilla* *butter*
la mermelada *jam*
el (la) niño(a) *child*
el pan *bread*
— tostado *toast*
la papa* *potato*
el pastel *pie*
el perro caliente *hot dog*
el pescado *fish*
el pollo *chicken*
el postre *dessert*
la propina *tip*
el puré de papas *mashed potatoes*
la verdura, el vegetal *vegetable*

VERBOS

dejar *to leave (behind)*
desayunar *to have breakfast*
empezar (e>ie), comenzar (e>ie)
  to begin, to start
esperar *to wait*
pagar *to pay*

pedir *to order*
preferir (e>ie) *to prefer*
querer (e>ie) *to want, to wish*
tocar *to touch, to play an instrument,*
  to play music

ADJETIVOS

asado(a) *baked, roasted*
mayor *older, oldest*
mejor *better, best*

sabroso(a), rico(a) *tasty, rich*
tímido(a) *shy*
travieso(a) *mischievous*

OTRAS PALABRAS Y EXPRESIONES

a la parrilla *grilled*
al día siguiente *next day*
algo *something*
aquí *here*

de postre *for dessert*
de vacaciones *on vacation*
más tarde *later*
tráiganos *bring us*

Amplíe su vocabulario

Para poner la mesa *(To set the table)*

la pimienta   la sal   las copas
la taza
el platillo
la cucharita
la servilleta
el tenedor
el cuchillo
la cuchara
el plato
el mantel

De país a país

el panqueque el panqué (*Méx.*)

la sopa el caldo (*Méx.*)

el (la) camarero(a) el (la) mozo(a) (*Cono Sur*); el (la) salonero(a)
(*Costa Rica*); el (la) mesonero(a) (*Ven.*); el (la) mesero(a) (*Méx.*)

los camarones las gambas (*Esp.*)

el helado la nieve (*Méx.*)

la mantequilla la manteca (*Cono Sur*)

la papa la patata (*Esp.*)

Para practicar el vocabulario

Ace Practice Test

A En el restaurante

Choose the word or phrase that best completes each sentence.

1. Quiero una ensalada de (camareros, camarones, cuentas).
2. La especialidad de hoy es biftec con (langosta, pastel, mantequilla).
3. De postre quiero (cordero, pollo, helado).
4. No quiero salmón. No me gusta el (jamón, huevo, pescado).
5. Quiero puré de (gambas, papas, arroz).
6. Quiero (almuerzo, pollo, mermelada) a la parrilla.
7. Voy a pagar la (cuenta, cebolla, idea).
8. Javier deja una buena (boda, propina, verdura) para el mozo.

B Preguntas y respuestas

Match the questions in column A with the answers in column B.

A

1. ¿Qué quieres beber?
2. ¿Quieres langosta?
3. ¿Quieres sopa?
4. ¿Comen hamburguesas?
5. ¿Comes pan?
6. ¿A qué hora es el almuerzo?
7. ¿Quieres pollo?
8. ¿Comen flan con crema?
9. ¿Cómo son los niños?
10. ¿Cuánto dejas de propina?

B

a. No, comen perros calientes.
b. Sí, quiero pollo a la parrilla.
c. Es a las once y media.
d. ¡Muy traviesos!
e. Sí, quiero sopa de cebolla.
f. No, con helado.
g. Quiero beber vermut.
h. Quince dólares.
i. Sí, como pan con mantequilla y mermelada.
j. No, no quiero langosta. Prefiero camarones.

C Voy a pedir…

With a partner, play the roles of two dining companions looking at the menu and talking about what they are going to order. Start by saying "Yo voy a pedir…".

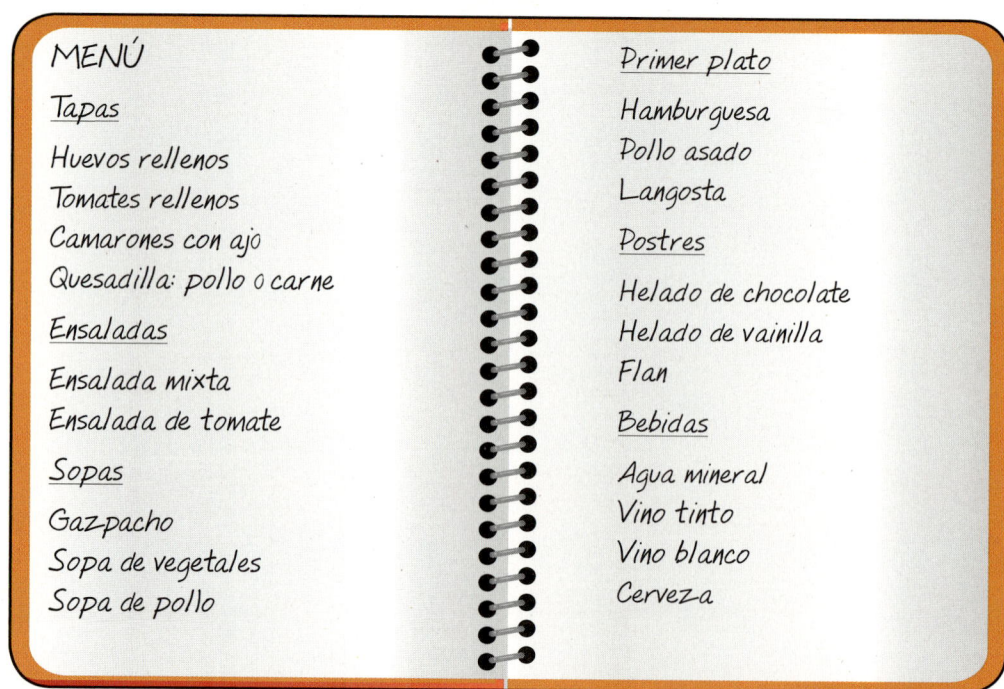

MENÚ

Tapas

Huevos rellenos
Tomates rellenos
Camarones con ajo
Quesadilla: pollo o carne

Ensaladas

Ensalada mixta
Ensalada de tomate

Sopas

Gazpacho
Sopa de vegetales
Sopa de pollo

Primer plato

Hamburguesa
Pollo asado
Langosta

Postres

Helado de chocolate
Helado de vainilla
Flan

Bebidas

Agua mineral
Vino tinto
Vino blanco
Cerveza

D **Para poner la mesa**

With a partner, decide what items you are going to need to set the table according to what is going to be served. Start out with a tablecloth and napkins.

You will serve soup, salad, steak and lobster, dessert, water, red wine, and coffee.

FLASHBACK

See "Para poner la mesa" on p. 107.

Pronunciación

Las consonantes *g, j, h*

A. Practise the sound of Spanish **g** in the following words.

pa**g**ar	**g**racias
gambas	**g**uapo
lan**g**osta	trái**g**anos

B. Practise the sound of Spanish **j** (or **g** before **e** and **i**) in the following words.

ba**j**o	pare**j**a	**J**ulio
giro	anaran**j**ado	**J**avier
Gerardo	me**j**or	ve**g**etales

C. Repeat the following words. Remember that the Spanish **h** is silent.

hora	**h**asta	**h**elado
hoy	**h**ola	**h**amburguesas
hora	**h**istoria	**h**uevo

Puntos para recordar

1 Present progressive
(Estar + *gerundio*)

The present progressive describes an action that is in progress. It is formed with the present tense of **estar** and the **gerundio** (equivalent to the English *-ing* form) of the verb. Study the formation of the **gerundio** in the following chart.

Infinitivo	habl**ar**	com**er**	escrib**ir**
Gerundio	habl- **ando**	com- **iendo**	escrib- **iendo**

Yo	estoy	comiendo.
I	*am*	*eating.*

—¿**Estás estudiando?**   *"Are you studying?"*
—No, **estoy escribiendo.**   *"No, I am writing."*

• The following forms are irregular. Note the change in their stems.

pedir	→	p**i**diendo	*asking for*
decir	→	d**i**ciendo	*saying*
servir	→	s**i**rviendo	*serving*
dormir	→	d**u**rmiendo	*sleeping*
traer	→	tra**y**endo	*bringing*
leer	→	le**y**endo	*reading*

• Note also that the **i** of **-iendo** becomes **y** between vowels.

—¿Qué están haciendo las chicas?   *"What are the girls doing?"*
—Ana **está leyendo** y Eva está durmiendo.   *"Ana is reading and Eva is sleeping."*

¡ATENCIÓN!

In Spanish, the present progressive should *never* be used to indicate a future action. The present tense is used in future expressions that would require the present participle in English.

¡Mamá! ¡Mamá!
¿Estás durmiendo?

• Some verbs, such as **ser, estar, ir,** and **venir,** are rarely used in the progressive construction.

▶ PRÁCTICA Y CONVERSACIÓN

Ⓐ En casa de los Carreras

With a partner, say what is happening, using the cues provided.

1. Tú / preparar / una ensalada
2. Javier / traer / los manteles
3. Luisito y Anita / pedir / dinero
4. Yo / decir / que es tarde
5. Andrea y yo / desayunar / en la cocina

Ⓑ ¿Qué están haciendo?

Describe what the following people are doing.

1. Tú…

2. Yo…

3. Ellos…

4. Eva…

5. La profesora…

6. Nosotros… y el chico…

Ⓒ En una fiesta

With a partner, take turns asking and answering what everybody is doing at Andrea's party. Use the cues provided and the present progressive to formulate the questions. Use your imagination when responding.

Persona	Pregunta
1. Javier	qué / hacer
2. Andrea	qué / servir
3. Pablo	con quién / bailar
4. Eva y Pablo	qué / beber
5. Juan	qué / comer
6. Olga y Estela	qué / pedir
7. la orquesta (*band*)	qué / tocar

Grammar
Tutorial

② Uses of *ser* and *estar*
(*Usos de* ser *y* estar)

The English verb *to be* has two Spanish equivalents, **ser** and **estar,** which have distinct uses and are *not* interchangeable.

Uses of ser

Ser expresses a fundamental quality and identifies the essence of a person or thing: *who* or *what* the subject is.

- It describes the basic nature or inherent characteristics of a person or thing. It is also used with expressions of age that do not refer to a specific number of years.

Anita **es** tímida.	*Anita **is** shy.*
Estela **es** joven.	*Estela **is** young.*

- It is used with **de** to indicate origin and with adjectives denoting nationality.

Carmen **es** cubana; **es** de La Habana   *Carmen **is** Cuban; she **is** from Havana.*

- It is used to identify professions and jobs.

Yo **soy** profesor de francés.   *I **am** a French professor.*

- With **de,** it is used to indicate possession or relationship.

El vaso **es** de Ana.	*The glass **is** Ana's.*
Ellas **son** las hermanas de Javier.	*They **are** Javier's sisters.*

- With **de,** it describes the material that things are made of.

El teléfono **es** de plástico.	*The telephone **is** (made of) plastic.*
La mesa **es** de metal.	*The table **is** (made of) metal.*

- It is used with expressions of time and with dates.

Son las cuatro y media.	*It **is** four-thirty.*
Hoy **es** jueves, primero de julio.	*Today **is** Thursday, July first.*

- It is used with events as the equivalent of "taking place."

La fiesta **es** en mi casa.   *The party **is (taking place)** at my house.*

Uses of estar

Estar is used to express more transitory qualities than **ser** and often implies the possibility of change.

- It indicates place or location.

Ana **está** en casa.   *Ana **is** at home.*

- It indicates a condition, often the result of an action, at a given moment in time.

Él **está** cansado.	*He's tired.*
La puerta **está** cerrada.	*The door **is** closed.*

- With personal reactions, it describes what is perceived through the senses—that is—how a subject tastes, feels, looks, or seems.

¡**Estás** muy bonita hoy!　　*You look* very pretty today!
La sopa **está** muy sabrosa.　*The soup is* very tasty.

- In present progressive constructions, it describes an action in progress.

Estoy desayunando.　　*I am* having breakfast.

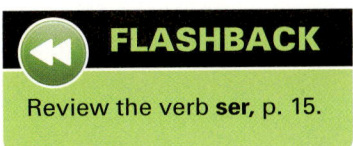

FLASHBACK

Review the verb **ser,** p. 15.

▶ PRÁCTICA Y CONVERSACIÓN

Ⓐ Entreviste a su compañero(a)

Interview a partner, using the following questions.

1. ¿Eres canadiense?
2. ¿De dónde eres?
3. ¿Tu mejor amigo es alto, bajo o de estatura mediana?
4. ¿Tu mejor amiga es rubia, morena o pelirroja?
5. ¿Dónde están tus padres ahora?
6. ¿Estás cansado(a)?
7. ¿Qué día es hoy?
8. ¿Qué hora es?

Ⓑ Carlos Alberto y Marisa

Complete the following story about Carlos Alberto and his girlfriend, Marisa, using the present indicative of **ser** or **estar,** as appropriate.

Carlos Alberto (1) _____ joven, alto y delgado. (2) _____ estudiante de la Universidad Central. Él (3) _____ de Panamá, pero ahora (4) _____ en Costa Rica. (5) _____ las nueve de la noche y Carlos Alberto decide ir a la casa de Marisa. Marisa (6) _____ su novia y (7) _____ una chica muy inteligente y simpática. —¡Qué bonita (8) _____ hoy, Marisa! —exclama Carlos Alberto cuando ella abre la puerta. Los dos van a una fiesta. La fiesta (9) _____ en casa de Andrea y Javier.

Ⓒ Ser o estar

With a partner, take turns making statements about each illustration, using **ser** or **estar** as needed.

- **MODELO:**　Pedro _____ y Luis _____ .
　　　　　　Pedro es alto y Luis es bajo.

Pedro

Luis

1. Mario _____ moreno y Ana _____ rubia.

2. Eva _____.

3. El doctor Torres _____.

4. Yo _____.

5. Hoy _____.

6. Los estudiantes _____.

7. _____.

8. Nosotros _____.

D En la clase

In groups of three or four, imagine an ideal place that you would like to visit and prepare a mind map that will cover the following information:

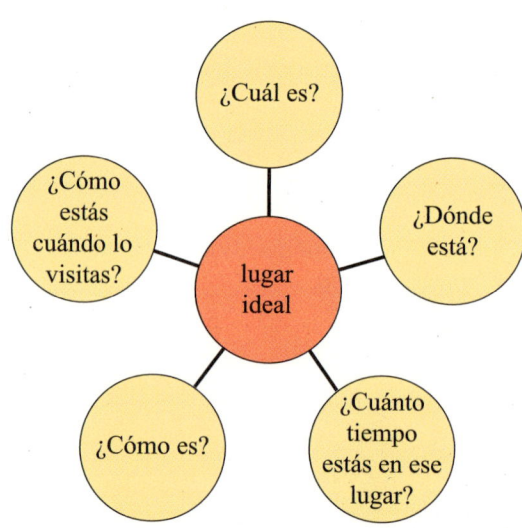

After completing the mind map, each member of the group will create five sentences using **ser** and **estar** that will describe the destination. Share them with each other.

③ Stem-changing verbs: *e > ie*

(Verbos que cambian en la raíz: e > ie)

As you have already seen, Spanish verbs have two parts: a stem and an ending (-**ar**, -**er**, or -**ir**). Some Spanish verbs undergo a change in the stem in the present indicative tense. When **e** is the last stem vowel and it is stressed, it changes to **ie** as shown below.

preferir *(to prefer)*			
yo	pref**ie**ro	nosotros(as)	preferimos
tú	pref**ie**res	vosotros(as)	preferís
Ud. él ella	pref**ie**re	Uds. ellos ellas	pref**ie**ren

- Note that the stem vowel is not stressed in the verb forms used with **nosotros(as)** and **vosotros(as);** therefore, the **e** does not change to **ie.**

- Stem-changing verbs have the same endings as regular -**ar,** -**er,** and -**ir** verbs.

- Other verbs that also change from **e** to **ie** are **cerrar** (*to close*), **comenzar, empezar, entender**[1] (*to understand*), **pensar**[2] (*to think*), and **querer.**

—¿**Quieres** bistec?   "***Do you want** steak?*"
—No, **prefiero** pollo.   "*No, **I prefer** chicken.*"

—¿A qué hora **comienzan**   "*At what time **do you begin** to*
   Uds. a trabajar?   *work?*"
—**Comenzamos** a las diez.   "***We begin** at ten.*"

▶ PRÁCTICA Y CONVERSACIÓN

Ⓐ No están de acuerdo

Alicia and Sergio cannot agree on anything. Supply the correct form for each verb and act out the conversation with a partner.

Alicia   ¿Tú (1) _____ (pensar) ir a la fiesta de Olga?

Sergio   Yo no (2) _quiero_____ (querer) ir a fiestas; (3) _prefiero_____ (preferir) ir a un restaurante con los muchachos.

Alicia   ¡Ellos también (4) _____ (querer) ir a la fiesta!

Sergio   ¿A qué hora (5) _____ (empezar) la fiesta?

Alicia   (6) _____ (Comenzar) a las nueve, pero Beatriz y yo (7) _queremos_____ (querer) estar allí (*there*) a las ocho porque tenemos que llevar las bebidas.

Sergio   Carlos y yo (8) _____ (pensar) ir a la biblioteca.

Alicia   ¡¿Uds. (9) _piensan_____ (pensar) ir a la biblioteca hoy?! Entonces yo voy a la fiesta con Roberto.

Sergio   ¡Magnífico! Yo voy al restaurante con Marisa.

---

[1]For a complete list of stem-changing verbs, see Appendix B.
[2]When followed by an infinitive, **pensar** means *to plan:* **Pienso** estudiar hoy.

B **Dime…** *(Tell me…)*

With a partner, take turns asking and answering the following questions with complete sentences, using the illustrations as cues.

1. ¿Qué quieres tomar?

2. ¿A qué hora empieza la clase?

3. ¿Adónde quieren ir Uds.?

4. ¿Qué prefiere comer Adela?

5. ¿Cuándo comienzan las clases?

6. ¿A qué hora cierran la biblioteca?

7. ¿Qué prefieren beber Uds.: ponche o vino?

8. ¿En qué mes empieza el invierno?

9. ¿Con quién piensas ir?

C **Quiero saber**

You are preparing for an interview with the owner of a popular restaurant. Using **e > ie** stem-changing verbs, prepare at least five questions that will elicit answers that will help you to prepare an ad or a brochure to promote the establishment.

4 Comparative and superlative adjectives, adverbs, and nouns

(Comparativo y superlativo de adjetivos, adverbios y nombres)

Comparisons of inequality

- In Spanish, the comparative of inequality of most adjectives, adverbs, and nouns is formed by placing **más** (*more*) or **menos** (*less*) before the adjective, the adverb, or the noun and **que** (*than*) after it.

más (*more*)		*adjective* or		
	+	*adverb* or	+	**que** (*than*)
menos (*less*)		*noun*		

—¿Tú eres **más alta que** Ana?
—Sí, ella es mucho **más baja que** yo.

*"Are you **taller than** Ana?"*
*"Yes, she is much **shorter than** I."*

¡ATENCIÓN!

De is used instead of **que** before a numerical expression of quantity or amount.

Luis tiene **más de** treinta años.
Hay **menos de** veinte estudiantes aquí.

*Luis is **over** thirty years old.*
*There are **fewer than** twenty students here.*

Comparisons of equality

- To form comparisons of equality with adjectives, adverbs, and nouns in Spanish, use the adjectives **tanto, -a, -os, -as,** or the adverb **tan… como.**

When comparing adjectives or adverbs:		When comparing nouns:	
tan (*as*) < bonita / tarde	+ **como**	**tanto** (*as much*) dinero **tanta** plat**a** (*money*) **tantos** (*as many*) libr**os** **tantas** plum**as**	+ **como**

—¿Tu hermana habla bien el español?
—Sí, habla español **tan bien como** nosotros.

"Does your sister speak Spanish well?"
*"Yes, she speaks Spanish **as well as** we do."*

—Tú das muchas fiestas.
—Sí, pero no doy **tantas fiestas como** Uds.

"You give many parties."
*"Yes, but I don't give **as many parties as** you do."*

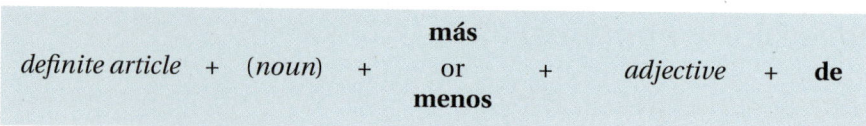

The superlative

- The superlative construction is similar to the comparative. It is formed by placing the definite article before the person or thing being compared.

definite article	+	(noun)	+	más or menos	+	adjective	+	de

¡ATENCIÓN!

Note that the Spanish **de** translates to the English *in* or *of* after a superlative.

—¿Quién es **el estudiante más inteligente** de la clase?
—Mario es **el¹ más inteligente** de todos.

Ellos son los más inteligentes **de** la clase.

*"Who is **the most intelligent student** in the class?"*
*"Mario is **the most intelligent** of all."*

*They are the most intelligent ones **in** the class.*

Irregular comparative forms

- The following adjectives and adverbs have irregular comparative and superlative forms in Spanish.

Adjective	Adverb	Comparative	Superlative
bueno (*good*)	bien (*well*)	**mejor**	**el (la) mejor**
malo (*bad*)	mal (*badly*)	**peor**	**el (la) peor**
grande (*big*)		**mayor**	**el (la) mayor**
pequeño (*small*)		**menor**	**el (la) menor**

- When the adjectives **grande** and **pequeño** refer to size, the regular comparative forms are generally used.

Tu clase es **más grande que** la de Antonio.

*Your class is **bigger than** Antonio's.*

When these adjectives refer to age, the irregular comparative forms **mayor** and **menor** are used.

—¿Felipe es **mayor que** tú?
—No, es **menor que** yo.

*"Is Felipe **older** than you?"*
*"No, he's **younger** than I (am)."*

Ace
Practice
Test

▶ PRÁCTICA Y CONVERSACIÓN

A **Más o menos…**

Complete the following sentences, giving the Spanish equivalent of the words in parentheses.

1. ¿Tu esposo tiene _____ cuarenta años? (*less than*)
2. Mi primo baila _____ yo. (*as badly as*)
3. Mi amigo(a) es _____ tú. (*less intelligent than*)
4. Andrea es _____ su hermana. (*much younger than*)
5. Tú eres _____ ella. (*much thinner than*)

---

¹The noun may be omitted in the superlative construction to avoid repetition when meaning is clear from context.

6. Luis es _____ Ariel. (*as nice as*)
7. Yo no tengo _____ tú. (*as many books as*)
8. Nosotros damos _____ Uds. (*as many parties as*)
9. Este restaurante es _____ todos. (*the best of*)
10. La langosta es _____ el pollo. (*tastier than*)

B Comparaciones

Establish comparisons between the following people and things, using the adjectives provided and adding any necessary words.

1. Hotel Hilton / Super 8 / mejor
2. Einstein / yo / inteligente
3. Penélope Cruz / Shakira / bonita
4. Terranova / Ontario / pequeña
5. Antonio Banderas / Danny De Vito / alto
6. Anita / Luisito / mayor
7. Brasil / Venezuela / grande
8. Margaret Atwood / Jennifer López / menor

C En la clase

Read each statement; then answer the questions that follow.

1. Mario tiene A en español, José tiene B y Lolo tiene F.
   ¿Quién es el mejor estudiante?
   ¿Quién es el peor estudiante?
2. Juan tiene veinte años, Raúl tiene quince y David dieciocho.
   ¿Quién es el mayor de los tres?
   ¿Quién es el menor de los tres?
3. Lolo no es inteligente, Beto es inteligente y Rosa es muy inteligente.
   ¿Quién es más inteligente que Beto?
   ¿Quién es menos inteligente que Beto?
   ¿Quién es el (la) más inteligente de los tres?
   ¿Quién es el (la) menos inteligente de los tres?

 ## D En mi familia

With a partner, ask each other questions to find out how you compare to members of your family with respect to height, age, intelligence, etc.

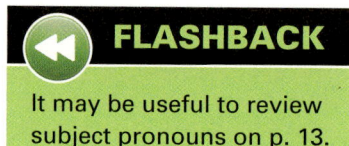

Grammar Tutorial

5 Pronouns as objects of prepositions
(Pronombres usados como complemento de preposición)

The object of a preposition[1] is the noun or pronoun that immediately follows it.

La fiesta es *para María (ella).*

Ellos van *con nosotros.*

Singular		Plural	
mí	me	**nosotros(as)**	us
ti	you (*fam.*)	**vosotros(as)**	you (*fam.*)
Ud.	you (*form.*)	**Uds.**	you (*form. / fam.*)
él	him	**ellos**	them (*masc.*)
ella	her	**ellas**	them (*fem.*)

FLASHBACK

It may be useful to review subject pronouns on p. 13.

- Only the first- and second-persons singular, **mí** and **ti,** are different from regular subject pronouns.

- When used with the preposition **con**, **mí** and **ti** become **conmigo** and **contigo**, respectively. The other forms do not combine: **con él**, **con ella**, **con ustedes**, and so on.

—¿El café es para **mí**?
—No, no es para **ti**; es para **él**.

*"Is the coffee for **me**?"*
*"No, it's not for **you**; it's for **him**."*

—¿Vas a la fiesta **conmigo**?
—No, no voy **contigo**; voy con **ellos**.

*"Are you going **with me** to the party?"*
*"No, I'm not going **with you**; I'm going with **them**."*

Es para ti.

[1]See Appendix C.

▶ PRÁCTICA Y CONVERSACIÓN

Ⓐ Entre amigos

Complete the following sentences with the correct forms of the pronouns and prepositions in parentheses.

1. Elena no va _____, Anita. (*with you*)
2. Esas servilletas son para _____ y el mantel es para _____. (*me / her*)
3. Teresa está hablando de _____. (*us*)
4. Elsa va a venir con _____. (*them, masc.*)
5. Olga no va a ir al restaurante _____; va a ir _____. (*with you, pl. / with me*)
6. El vino no es para _____, Paco; es para _____. (*him / you*)
7. El postre es para _____, señorita. (*you*)
8. El café es para _____. (*them, fem.*)

Ⓑ Entreviste a su compañero(a)

Interview a partner, using the following questions.

1. Cuando tú vas a un restaurante, ¿quién va contigo generalmente?
2. De postre, el camarero trae flan con crema; ¿es para ti?
3. Tú vas a preparar dos postres para tus padres: arroz con leche y pastel, ¿Cuál es para él y cuál es para ella?
4. ¿Qué idioma hablan tú y tu familia entre (*among*) Uds.?
5. En tu familia, ¿quién piensa en ti?
6. ¿Quieres ir al restaurante conmigo hoy?

▶ PRÁCTICA Y TRADUCCIÓN

Use the vocabulary from **Lección 5** and review the grammatical concepts covered in this lesson as you complete the translations.

1. Susana is eating lunch at the restaurant.
2. For breakfast, Luis eats toast with butter and jam. He also drinks a glass of milk.
3. What do you prefer for lunch: fish, lamb, or lobster?
4. Professor Ortega's students are the best in the university.
5. Alicia buys one ice cream for her and one hotdog for me.

Entre nosotros

www
Ace
Practice
Test

¡Conversemos!

Para conocernos mejor

Get to know your partner better by asking each other the following questions.

1. ¿Cuál es el mejor restaurante de esta ciudad? ¿Cuál es la especialidad de la casa?
2. ¿A qué hora empiezan a servir el almuerzo en los restaurantes de tu ciudad?
3. Cuando pagas la cuenta en un restaurante, ¿dejas una buena propina?
4. ¿A qué hora es el almuerzo en tu casa? ¿A qué hora desayunas?
5. ¿Dónde piensas desayunar mañana? ¿Qué vas a desayunar?
6. ¿Prefieres tomar café con crema o café sin (*without*) crema?
7. ¿Tú prefieres pollo a la parrilla, cordero asado, hamburguesas o perros calientes?
8. Generalmente, ¿qué comes de postre?
9. ¿Cuándo es el aniversario de bodas de tus padres? ¿Cómo lo celebran?
10. ¿Tu mamá es mayor o menor que tu papá?

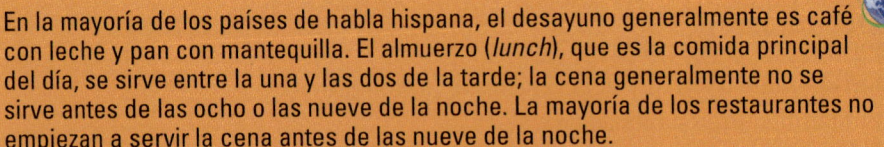

Detalles culturales

En la mayoría de los países de habla hispana, el desayuno generalmente es café con leche y pan con mantequilla. El almuerzo (*lunch*), que es la comida principal del día, se sirve entre la una y las dos de la tarde; la cena generalmente no se sirve antes de las ocho o las nueve de la noche. La mayoría de los restaurantes no empiezan a servir la cena antes de las nueve de la noche.

Generalmente, ¿qué se desayuna en Canadá? ¿A qué hora se empieza a servir la cena?

Una encuesta

Interview your classmates to identify who fits the following descriptions. Be sure to change the statements to questions. Include your instructor, but remember to use the **Ud.** form when addressing him or her.

NOMBRE

1. Es de otra provincia. _____
2. Es tímido(a). _____
3. Es el (la) más inteligente de la familia. _____
4. Es tan alto(a) como su padre. _____
5. Siempre está cansado(a). _____
6. Piensa ir a comer más tarde. _____
7. Está leyendo un buen libro. _____
8. Comienza a trabajar a las ocho. _____
9. Tiene más de un mes de vacaciones. _____
10. Tiene un hermano(a) muy travieso(a). _____

Y ahora…

Write a brief summary, indicating what you have learned about your classmates.

¿Cómo lo decimos?

What would you say in the following situations? What might the other person say? Act out the scenes with a partner.

1. You are at a café having breakfast. You are very hungry. Order a big breakfast.
2. You are having lunch with a friend. Suggest a few things he or she can eat and drink.
3. Call a restaurant and make reservations for dinner.
4. You have invited some friends to a party. Tell them it's at your house, and what time it starts.
5. Your friend has suggested having dinner at a restaurant you dislike. Tell him that it's the worst restaurant in town.

¿Qué pasa aquí?

Get together in groups of three or four and imagine what these people are going to order for lunch. Create a dialogue that reflects their preferences and dislikes.

© Stewart Cohen/Blend Images/Getty Images

Para escribir
En un restaurante

Using the vocabulary from this lesson, prepare a menu for a Spanish-speaking restaurant. Include as many items as possible from the ones presented, and try to add images and an eye-catching format to attract clients. Remember to include the name of the restaurant, location, hours of operation, and specials.

Donde hay hambre no hay pan duro.

If we tell you that **"pan duro"** refers to stale bread, what does the saying mean to you? Don't forget to learn all the sayings, and use them when applicable.

Un dicho

En el mercado

Marta y Ariel son dos amigos que viven juntos. Ellos son de Honduras, pero hace un mes que viven en Managua, la capital de Nicaragua, en un apartamento que está cerca de la universidad.

Detalles culturales

En los países hispanos, la gente mayor (*elderly*), generalmente vive en casa de un pariente (*relative*).

En Canadá, ¿dónde viven, generalmente, los ancianos?

Marta	No hay nada en el refrigerador, excepto un poco de carne. Tenemos que ir al supermercado.
Ariel	¿Podemos almorzar antes de ir? Yo estoy muerto de hambre.
Marta	Bueno, podemos ir a un restaurante antes…

Más tarde, en el supermercado.

Ariel	Necesitamos azúcar, una docena de huevos, mantequilla, papel higiénico, detergente… ¿qué más? ¿Dónde está la lista?
Marta	Yo la tengo. A ver… papas, zanahorias, brócoli, apio, pimientos…
Ariel	¡Caramba! ¡Tantos vegetales! ¿Quién los va a comer?
Marta	¡Tú y yo! Nosotros debemos comer de siete a ocho vegetales o frutas al día.

Don José y doña Ada, los padres de Ariel, están en un mercado al aire libre.

Don José	¿Cuánto cuestan las chuletas de cerdo?
Doña Ada	Son un poco caras, pero podemos comprarlas, si tú quieres. ¿Quieres chuletas de cerdo o chuletas de ternera?
Don José	Las dos, y también chuletas de cordero.
Doña Ada	¡No, no! Tienes que elegir una.
Don José	Está bien… elijo las chuletas de cerdo. Después tenemos que ir a la pescadería y a la panadería.
Doña Ada	Sí, pero antes voy a comprar pepinos, tomates y cebollas.
Don José	También necesitamos salsa de tomate porque quiero preparar mis famosos espaguetis con albóndigas.
Doña Ada	Buena idea. Tu hermana vuelve a las seis y puede cenar con nosotros.
Don José	¡Perfecto! La criada tiene el día libre hoy, de modo que yo soy el cocinero.
Doña Ada	¡Y tú cocinas mejor que ella!

¿Recuerda usted?

¿Verdadero o falso?

With a partner, decide whether the following statements about the dialogues are true (**verdadero**) or false (**falso**).

	V	F
1. Marta dice que hay muchas cosas en el refrigerador.	☐ V	☐ F
2. Ariel no tiene hambre.	☐ V	☐ F
3. Marta tiene la lista de lo que necesitan comprar.	☐ V	☐ F
4. Marta quiere comprar muchos vegetales.	☐ V	☐ F
5. Don José es el esposo de doña Ada.	☐ V	☐ F
6. Don José quiere comprar tres tipos de chuletas.	☐ V	☐ F
7. Don José no quiere ir a la panadería.	☐ V	☐ F
8. Don José no sabe cocinar.	☐ V	☐ F

Y ahora… conteste

Answer these questions, basing your answers on the dialogue.

1. ¿De dónde son Marta y Ariel y dónde viven ahora?

2. ¿Qué quiere hacer Ariel antes de ir al supermercado?

3. ¿Qué van a comprar Ariel y Marta para lavar la ropa?

4. ¿Qué dice Marta de los vegetales y frutas?

5. ¿Dónde están los padres de Ariel?

6. ¿Las chuletas de cerdo son baratas o son caras?

7. ¿Qué chuletas elige don José?

8. ¿Por qué va a cocinar don José hoy?

Detalles culturales

Muchas familias hispanas tienen criadas. Algunas viven en la casa donde trabajan y se les considera como parte de la familia.

¿Tiene Ud. criada? ¿Alguien lo (la) ayuda a Ud. con los trabajos de la casa?

© Corbis RF / Alamy

© Bryan Busovicki / Shutterstock

PESCADE

Para hablar del tema: Vocabulario

Audio
Flashcards

COGNADOS

el apartamento*
el brócoli
el detergente
la docena

los espaguetis
excepto
famoso(a)

SUSTANTIVOS

el aceite (de oliva) *(olive) oil*
el apio *celery*
la albóndiga *meatball*
el azúcar *sugar*
la carne *meat*
la cebolla *onion*
la chuleta *chop*
— de cerdo *pork chop*
— de cordero *lamb chops*
— de ternera *veal chop*
el (la) cocinero(a) *cook*
el (la) criado(a) *servant*
la ensalada mixta *mixed salad*

la lejía *bleach*
el mercado *market*
— al aire libre *outdoor market*
la panadería *bakery*
el papel higiénico *toilet paper*
el pepino *cucumber*
la pescadería *fish market*
el pimiento, el ají *pepper*
la salsa *salsa sauce*
el supermercado *supermarket*
el tomate* *tomato*
el vinagre *vinegar*
la zanahoria *carrot*

VERBOS

almorzar *(o>ue) to have lunch*
cocinar *to cook*
conseguir (e>i) *to get, to obtain*
costar (o>ue) *to cost*
decir (e>i) *to say, to tell*
dormir (o>ue) *to sleep*
encontrar (o>ue) *to find*

pedir (e>i) *to ask for*
poder (o>ue) *to be able to, can*
recordar (o>ue) *to remember*
seguir (e>i) *to follow, to continue*
servir (e>i) *to serve*
volver (o>ue) *to return*

ADJETIVOS

caro(a) *expensive*

tantos(as) *so many*

OTRAS PALABRAS Y EXPRESIONES

a ver *let's see*
al día *a day*
antes (de) *before*
cerca (de) *near, close*
de modo (manera) que *so*
después de *after*
don *a title of respect, used with a man's first name*
doña *a title of respect, used with a lady's first name*

está bien *all right, o.k.*
estar muerto(a)(s) de hambre *to be starving*
libre *off, free (available)*
nada *nothing*
qué más *what else*
los recién casados *newlyweds*
un poco (de) *a little*

Amplíe su vocabulario

Más comestibles

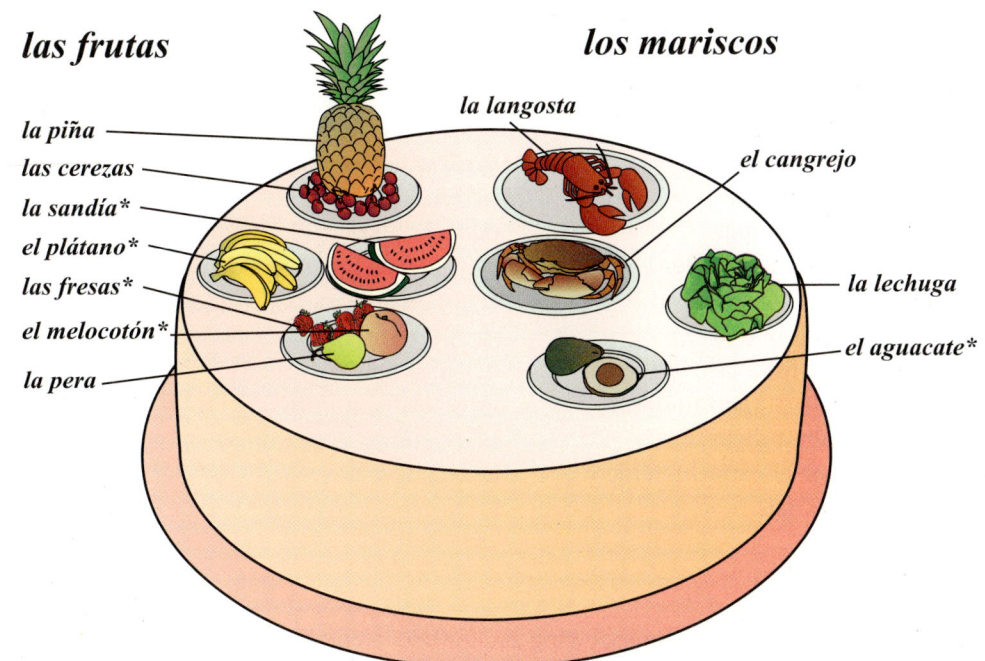

las frutas

- la piña
- las cerezas
- la sandía*
- el plátano*
- las fresas*
- el melocotón*
- la pera

los mariscos

- la langosta
- el cangrejo
- la lechuga
- el aguacate*

De país a país

el tomate el jitomate (*Méx.*)

el apartamento el departamento (*Méx., Arg.*); el piso (*Esp.*)

el aguacate la palta (*Cono Sur*)

el plátano la banana (*Cono Sur*)

la fresa la frutilla (*Cono Sur*)

el melocotón el durazno (*Méx., Cono Sur*)

la sandía el melón de agua (*Cuba, Puerto Rico*); la patilla (*Col., Puerto Rico, R. Dom., Ven.*)

Para practicar el vocabulario

A Preguntas y respuestas

Match the questions in column *A* with the corresponding responses in column *B*.

A

1. ¿Quieres comer algo?
2. ¿Son novios?
3. ¿Necesitas huevos?
4. ¿Vas a lavar la ropa?
5. ¿Quieres chuletas de cerdo?
6. ¿Quién va a cocinar?
7. ¿Adónde vamos?
8. ¿Tienes que trabajar?
9. ¿Dónde está el apartamento?
10. ¿Quieres albóndigas?
11. ¿Dónde está el papel higiénico?
12. ¿Qué dice Ariel?

B

a. Sí, necesito lejía y detergente.
b. Al supermercado.
c. En el baño.
d. La criada.
e. Cerca de la universidad.
f. Sí, una docena.
g. No, yo no como carne.
h. Que vuelve a las dos.
i. Sí, estoy muerto de hambre.
j. No, tengo el día libre.
k. No, de ternera.
l. No, son recién casados.

B Dime…

You and a partner take turns interviewing each other, using the following questions.

1. ¿Vives en una casa o en un apartamento?
2. ¿Vives cerca de la universidad? ¿Vives solo(a)?
3. ¿Sabes cocinar? ¿Te gusta hacerlo?
4. En el desayuno, ¿tomas el café solo o con azúcar?
5. ¿Te gusta más comer carne o pescado?
6. ¿Comes mariscos? ¿Cuál prefieres?
7. ¿Qué frutas te gustan más?
8. ¿Prefieres comprar en un mercado al aire libre o en un supermercado? ¿Por qué?

C ¿Qué quieren?

You and your partner have several guests. Discuss what they want based on their likes and dislikes.

- **MODELO:** A Tina le gusta la fruta.

  Quiere fresas.

1. A Raúl le gustan las chuletas, pero no come carne de cerdo.
2. A Sergio y a Daniel les gusta la comida italiana.
3. A Mirta y a Silvia les gustan los mariscos.
4. Raúl prefiere las frutas tropicales.
5. Mirta quiere comer pastel.
6. Alicia es vegetariana.
7. Luis está a dieta (*on a diet*).
8. A Marisa le gustan mucho los vegetales.

D En el supermercado

You and a classmate play the roles of two friends who are shopping at a supermarket. Talk about all the groceries that you need to buy for a week.

Eva va a comer una manzana mientras (*while*) descansa.
¿Qué frutas cree Ud. que va a comer Julio?

Pronunciación

Las consonantes *ll, ñ*

A. Practise the sound of Spanish **ll** in the following words.

llegar	cebolla	silla
llamar	Allende	allí
calle	ellos	mantequilla

B. Practise the sound of Spanish **ñ** in the following words.

señor	señora	niño
año	otoño	Peña
español	mañana	España

Puntos para recordar

www

Grammar
Tutorial

1 Stem-changing verbs: *o > ue*
(*Verbos que cambian en la raíz:* o > ue)

FLASHBACK

These new stem-changing verbs follow the same pattern as the **e > ie** verbs that were introduced in **Lección 5,** p. 115.

- As you learned in **Lección 5,** some Spanish verbs undergo a stem change in the present indicative tense. When **o** is the last stem vowel and it is stressed, it changes to **ue,** as shown below.

poder (*to be able to*)			
yo	p**ue**do	nosotros(as)	podemos
tú	p**ue**des	vosotros(as)	podéis
Ud.		Uds.	
él }	p**ue**de	ellos }	p**ue**den
ella		ellas	

- Note that the stem vowel is not stressed in the verb forms used with **nosotros(as)** and **vosotros(as);** therefore, the **o** does not change to **ue.**

Some other verbs that undergo the **o > ue** changes:[1]

almorzar   costar   dormir   encontrar   recordar   volver

—¿A qué hora **pueden** ir
   Uds. a la panadería?
—**Podemos** ir a las dos.

*"What time **can you** go to
  the bakery?"*
*"**We can** go at two o'clock."*

—¿A qué hora **vuelves** tú del
  mercado?
—**Vuelvo** a las tres.

*"At what time **do you return**
  from the market?"*
*"**I return** at three o'clock."*

¿Qué puede comprar la señora en el mercado? ¿Cuánto cuesta la fruta?

© Bob Daemmrich / The Image Works

---
[1]For a complete list of stem-changing verbs, see Appendix B.

▶ PRÁCTICA Y CONVERSACIÓN

Detalles culturales

Hoy los supermercados son muy populares en los países de habla hispana, pero todavía es costumbre (*custom*) comprar uno o dos productos en pequeñas tiendas especializadas: panaderías, pescaderías, fruterías, etc.

¿Hay tiendas especializadas en Canadá?

Ⓐ ¿Qué hacemos?

Create sentences using the components given.

- **MODELO:** Ella / encontrar / tomates
  Ella encuentra los tomates.

1. Yo / almorzar / cafetería
2. David / dormir / noche
3. Tú / encontrar / tus amigos
4. Nosotros / poder / estudiar / tarde
5. El libro / costar / $20
6. Ustedes / volver / México

Ⓑ Minidiálogos

Complete the following exchanges appropriately, using the present indicative of the verbs given.

1. —¿A qué hora _____ (almorzar) Uds.?

   —Nosotros _____ (almorzar) a las dos y _____ (volver) a casa a las cuatro. ¿A qué hora _____ (volver) tú?

   —Yo _____ (volver) a las cinco.

2. —¿Ud. _____ (poder) ir conmigo al supermercado?

   —Sí, yo _____ (poder) ir contigo esta tarde.

   —¿Ud. sabe cuánto _____ (costar) el detergente?

   —No, no sé.

3. —Jorge no _____ (encontrar) el número de teléfono de Nora. ¿Tú lo sabes?

   —No, no lo _____ (recordar), pero _____ (poder) buscarlo (*look it up*).

4. —¿Dónde _____ (dormir) los niños?

   —En mi cuarto; yo _____ (dormir) en el sofá de la sala.

Ⓒ Entreviste a su compañero(a)

Interview a partner, using the following questions.

1. ¿Puedes ir al mercado conmigo?
2. ¿Qué cuesta más, el pollo o el pescado?
3. ¿Sabes cuánto cuestan los camarones?
4. ¿Dónde puedo comprar frutas?
5. ¿A qué hora almuerzas tú? ¿Dónde?
6. ¿A qué hora vuelves a tu casa hoy?
7. ¿Recuerdas el número de teléfono de todos tus amigos?
8. Generalmente, ¿cuántas horas duermes? ¿Duermes bien?

2 Stem-changing verbs: *e > i*

(*Verbos que cambian en la raíz:* e > i)

FLASHBACK

These new stem-changing verbs follow the same pattern as the **e > ie** verbs that were introduced in **Lección 5,** p. 115, and the ones we have just seen in this **lección** (p. 130).

- Some **-ir** verbs undergo a stem change in the present indicative. For these verbs, when **e** is the last stem vowel and it is stressed, it changes to **i** as shown below.

servir *(to serve)*			
yo	s**i**rvo	nosotros(as)	servimos
tú	s**i**rves	vosotros(as)	servís
Ud.		Uds.	
él }	s**i**rve	ellos }	s**i**rven
ella		ellas	

- Note that the stem vowel is not stressed in the verb forms used with **nosotros(as)** and **vosotros(as);** therefore, the **e** does not change to **i.**

Some other verbs that undergo the **e > i** change:

decir[1] (*to say, to tell*)

conseguir[2] (*to get, to obtain*)

pedir[3] (*to ask for*)

seguir (*to follow, to continue*)

—¿A qué hora **sirven** Uds. el almuerzo?   *"What time **do you serve** lunch?"*
—**Servimos** el almuerzo a las doce.   *"**We serve** lunch at twelve o'clock."*

—¿Dónde **consigues** libros en español?   *"Where **do you get** books in Spanish?"*
—**Consigo** libros en la biblioteca.   *"**I get** books at the library."*

▶ PRÁCTICA Y CONVERSACIÓN

A ¿Lógico o no?

Decide if the following sentences are logical or not. If they are not, correct them.

- **MODELO:** Yo sirvo café.

    Es lógico. Tú sirves café.

1. Clara consigue un trabajo en la universidad.
2. Tú sirves libros de español.
3. Yo digo que hay una fiesta el sábado.
4. Ellas piden un café en la biblioteca.
5. Nosotros seguimos las instrucciones.

---

[1] First person: **yo digo.**
[2] Verbs like **conseguir** drop the **u** before **a** or **o: yo consigo.**
[3] **Pedir** also means *to order* (at a restaurant).

B Minidiálogos

Complete the following exchanges, using the present indicative of the appropriate verb from the list. Then act them out with a partner.

servir   pedir   conseguir   decir   seguir

1. —Yo nunca (*never*) _____ carne buena.
   —Mis padres _____ carne muy buena en el Mercado Central.
2. —¿Marta y Ariel _____ viviendo en Managua?
   —Sí, ellos _____ que es una ciudad muy bonita.
3. —¿Qué _____ Uds. en sus fiestas?
   —Nosotros _____ hamburguesas y perros calientes.
4. —¿Qué _____ tú cuando vas a ese restaurante?
   —Yo _____ bistec con langosta.
   —Yo siempre _____ que en ese restaurante (ellos) _____ los mejores mariscos.

C Entreviste a su compañero(a)

Interview a partner, using the following questions.

1. Cuando vas a un restaurante mexicano, ¿qué pides para comer? ¿Qué pides para beber?
2. ¿La comida mexicana es mejor que la italiana? ¿Qué dices tú?
3. ¿Dónde consigues mariscos frescos (*fresh*)?
4. ¿Qué sirves tú en tus fiestas para comer? ¿Y para beber?
5. Cuando tú y tus amigos dan una fiesta, ¿sirven cerveza o refrescos?
6. ¿Tú consigues discos compactos en español? ¿Dónde?

3 Direct object pronouns

(Pronombres usados como complemento directo)

- In addition to a subject, most sentences have an object[1] that directly receives the action of the verbs.

  Él compra **el café**.   *He buys **the coffee**.*
  S.   V.   D.O.

  In the preceding sentence, the subject **él** performs the action, while **el café**, the direct object, directly receives the action of the verb. (The direct object of a sentence can be either a person or a thing.)
    The direct object can be easily identified as the answer to the questions *whom?* and *what?*

  Él compra **el café.**   (***What** is he buying?*)
  S.   V.   D.O.

  Alicia llama **a Luis.**   (***Whom** is she calling?*)
  S.   V.   D.O.

---
[1]See Appendix C.

- Direct object pronouns are used in place of direct objects. The forms of the direct object pronouns are as follows.

Singular		Plural	
me	me	**nos**	us
te	you (*fam.*)	**os**	you (*fam.*)
lo	him, you (*masc. form.*), it (*masc.*)	**los**	them (*masc.*), you (*masc. form. / fam.*)
la	her, you (*fem. form.*), it (*fem.*)	**las**	them (*fem.*), you (*fem. form. / fam.*)

Yo tengo **las sillas.**   ¿Ustedes **las** necesitan?

*I have the **chairs.***   *Do you need **them**?*

Position of direct object pronouns

- In Spanish, object pronouns are normally placed before a conjugated verb.

Yo compro **el café.**	*I buy **the coffee.***
Yo **lo** compro.	*I buy **it.***

- In a negative sentence, **no** must precede the object pronoun.

Yo compro **el café.**	*I buy **the coffee.***
Yo **lo** compro.	*I buy **it.***
Yo **no lo** compro.	*I **don't** buy **it.***

- When a conjugated verb and an infinitive appear together, the direct object pronoun is either placed before the conjugated verb or attached to the infinitive. This is also the case in a negative sentence.

La voy a llamar.
Voy a llamar**la.**   } *I'm going to call **her.***

No **la** voy a llamar.
No voy a llamar**la.**   } *I'm not going to call **her.***

- In the present progressive, the direct object pronoun can be placed either before the verb **estar** or after the present participle.[1]

Lo está leyendo.
Está leyéndo**lo.**   } *He's reading **it.***

PRÁCTICA Y CONVERSACIÓN

Ace Practice Test

 A **Minidiálogos**

Complete the following exchanges supplying the missing direct object pronouns. Then act them out with a partner.

1. —¿Tú tienes la lejía?

—No, yo no _____ tengo. ¿Quién tiene el detergente?

—Julián _____ tiene.

[1] *Present participle* is **gerundio** (**-ando** and **-iendo** forms) in Spanish.

2. —¿A qué hora cierran el supermercado?

—_____ cierran a las diez. ¿Tú vas a comprar las frutas?

—Sí, _____ voy a comprar esta noche.

3. —Ariel, ¿Carlos _____ va a llevar a ti?

— Sí, _____ va a llevar a mí.

4. —¿Tú conoces a los hermanos de Marta?

—No, yo no _____ conozco.

5. —¿Ellos _____ invitan a Uds. a sus fiestas?

—Sí, siempre _____ invitan.

B Susana dice que sí

Susana has a car and her teacher and her friends often need rides. Susana always says yes. What does she say to the following people?

1. *Ana* —¿Puedes llevarme a casa?

2. *Raúl y Jorge* —¿Puedes llevarnos a la biblioteca?

3. *Profesora* —¿Puedes llevarme a mi apartamento?

4. *Teresa* —¿Puedes llevar a Rosa y a Carmen a casa?

5. *Sergio* —¿Puedes llevar a Pedro y a Luis al restaurante?

6. *Marta y Raquel* —¿Puedes llevarnos al Mercado Central?

C ¿Qué hacemos?

Use the appropriate direct object pronouns to say what we do with respect to the following people or things.

- **MODELO:** el café

  Lo bebemos.

1. las cartas (*letters*)

2. las frutas

3. el pan

4. el coctel de camarones

5. los libros

6. la ensalada

7. el taxi

8. dos chicas (dos muchachos)

D Planes

You and your friends Gustavo and Jaime are making plans to go out for the evening. Answer Gustavo's questions, using direct object pronouns and the cues provided.

1. ¿A qué hora me llamas? (a las cinco)

2. ¿Adónde nos llevas? (a un restaurante)

3. ¿Recuerdas el número de teléfono de Jaime? (no)

4. ¿Tienes tu licencia para conducir (*driver's licence*)? (sí)

5. ¿Cuándo vas a llamar a Teresa y a Susana? (más tarde)

6. ¿El novio de Teresa los conoce a Uds.? (no)

E **Necesitamos información**

With a partner, take turns answering the following questions, basing your answers on the illustrations. Use direct object pronouns in your responses.

1. ¿A qué hora llama Sara a Luis?
2. ¿Cuándo tiene que llamar Luis a Sara?

3. ¿Pepe puede llevar a los chicos a casa?
4. ¿Dónde tiene Pepe los libros?

5. ¿Quién sirve el café?

6. ¿Quién bebe el refresco?

7. ¿Quién tiene las cartas?

8. ¿Quién abre la puerta?

4 Affirmative and negative expressions
(Expresiones afirmativas y negativas)

Affirmative		Negative	
algo	something, anything	**nada**	nothing
alguien	someone, anyone	**nadie**	nobody, no one
algún **alguno(a)** **algunos(as)**	any, some	**ningún** **ninguno(a)**	none, not any; no one, nobody
siempre	always	**nunca** **jamás**	never
alguna vez	ever		
algunas veces, a veces	sometimes		
también	also, too	**tampoco**	neither
o… o	either … or	**ni… ni**	neither … nor

—¿Uds. **siempre** van a Tegucigalpa?
—No, **nunca** vamos.
—Nosotros **tampoco.**

*"Do you **always** go to Tegucigalpa?"*
*"No, we **never** go."*
*"**Neither** do we."*

—¿Conoces a **alguien** de Honduras?
—No, no conozco a **nadie** de Honduras.

*"Do you know **anyone** from Honduras?"*
*"No, I don't know **anyone** from Honduras."*

- **Alguno** and **ninguno** drop the final **-o** before a masculine singular noun and add an accent, but **alguna** and **ninguna** keep the final **-a.**

—¿Hay **algún** libro o **alguna** pluma en la mesa?
—No, no hay **ningún** libro ni **ninguna** pluma.

*"Is there **any** book or pen on the table?"*

*"No, there is **no** book or pen."*

- **Alguno(a)** can be used in the plural form, but **ninguno(a)** is used only in the singular.

—¿Necesita mandar **algunas** cartas?
—No, no necesito mandar **ninguna** carta.

*"Do you need to send **some** letters?"*
*"No, I don't need to send **any** letters."*

- Spanish sentences frequently use a double negative. In this construction, **no** is placed before the verb. The second negative word either follows the verb or appears at the end of the sentence. **No** is never used, however, if the negative word precedes the verb.

—¿Habla Ud. francés siempre?
—No, yo **no** hablo francés **nunca.**

"Do you always speak French?"
*"No, I **never** speak French."*

or:

—No, yo **nunca** hablo francés.

—¿Compra Ud. **algo** aquí?　　　　*"Do you buy **anything** here?"*
—No, **no** compro **nada nunca.**　　*"No, I **never** buy **anything.**"*

or:

—No, yo **nunca** compro **nada.**

- In fact, Spanish often uses several negatives in one sentence.

  Yo **nunca** pido **nada tampoco**.　　*I **never** ask for **anything either**.*

Ace
Practice
Test

 PRÁCTICA Y CONVERSACIÓN

A No estoy de acuerdo *(I don't agree)*

Contradict the following statements by saying that just the opposite is true.

- **MODELO:** Eva quiere comer algo.
  *Eva **no** quiere comer **nada.***

1. Jorge siempre va a ese mercado al aire libre.
2. Ellos tienen algunas verduras.
3. Ana siempre come langosta o cangrejo.
4. Pedro siempre va a ese restaurante y Eva también va.
5. Ella quiere hablar con alguien.
6. Luis tiene algunas amigas españolas.
7. Paco siempre compra algo.
8. Ella nunca habla con nadie.

B Entreviste a su compañero(a)

Interview a partner, using the following questions.

1. ¿Vas al mercado por la mañana a veces?
2. En el mercado, ¿siempre compras mariscos?
3. ¿Siempre llevas dinero contigo?
4. ¿Necesitas comprar algo en la panadería?
5. Yo nunca voy a la pescadería los domingos. ¿Y tú?
6. ¿Comes algunas frutas tropicales?
7. ¿Alguien va contigo al mercado?
8. ¿Tú comes pan tostado o panqueques por la mañana?

C Queremos saber…

With a partner, prepare five affirmative and five negative questions to ask your instructor.

D Siempre… a veces… nunca…

In groups of three, tell your classmates two things you always do, two things you sometimes do, and two things you never do.

5 *Hace… que*

- To express how long something has been going on, Spanish uses the following formula.

> **Hace** + length of time + **que** + verb (*in the present tense*)
>
> **Hace** dos años   **que**   vivo aquí.

    I have been living here for two years.

—Oye, ¿dónde está Eva?	*"Listen, where is Eva?"*
—No sé. **Hace dos días que no viene** a clase.	*"I don't know. **She hasn't come** to class **for two days.**"*

- The following construction is used to ask how long something has been going on.

> **¿Cuánto tiempo hace que** + verb (*present tense*)?[1]

—**¿Cuánto tiempo hace que ella trabaja** aquí?	*"**How long has she been working** here?"*
—**Hace una semana que trabaja** aquí**.**	*"**She has been working** here **for a week.**"*

---

[1]Note that English uses the present perfect progressive or the present perfect tense to express the same concept.

▶ PRÁCTICA Y CONVERSACIÓN

Ace Practice Test

A **¿Cuánto tiempo hace?**

In complete sentences, tell how long each action depicted below has been going on. Use **hace… que** and the length of time specified.

1. veinte minutos

2. tres años

3. una hora

4. dos horas

5. seis meses

6. cinco días

B Entreviste a su compañero(a)

Interview one of your classmates and then report to the class.

1. ¿Cuánto tiempo hace que vives en esta ciudad?
2. ¿Cuánto tiempo hace que estudias en esta universidad?
3. ¿Cuánto tiempo hace que trabajas en esta ciudad?
4. ¿Cuánto tiempo hace que no comes?
5. ¿Cuánto tiempo hace que no ves a tus abuelos?
6. ¿Cuánto tiempo hace que no hablas con tus padres?
7. ¿Cuánto tiempo hace que no vas a la biblioteca?
8. ¿Cuánto tiempo hace que estudias español?

C ¿Dónde están?

In groups of three or four, mention three or four friends and relatives that you haven't seen for a while.

- **MODELO:** *Hace dos años que no veo a mi prima Eva.*

Ésta es una reunión familiar, pero el abuelo no está aquí. ¿Cuánto tiempo hace que no lo ven?

▶ PRÁCTICA Y TRADUCCIÓN

Based on the vocabulary and grammatical concepts studied in **Lección 6**, translate the following sentences.

1. I have been studying Spanish for two months.
2. We have to go to the supermarket. We need meat, fruit, and detergent.
3. They can buy bread at the bakery.
4. Laura serves the fish. She serves it with white wine.
5. They never eat strawberries, but they always have pineapple.

Entre nosotros

¡Conversemos!

Ace
Practice
Test

Para conocernos mejor

Get to know your partner better by asking each other the following questions.

1. ¿A qué hora almuerzas? ¿Con quién?
2. ¿Prefieres la comida italiana, la comida china o la comida mexicana?
3. ¿Qué prefieres: la ternera, la carne de cerdo o el pollo?
4. ¿Qué vegetales comes? ¿Cuáles no comes?
5. ¿Tú desayunas en tu casa o en la cafetería?
6. Generalmente, ¿qué días vas al mercado?
7. ¿Qué marca (*brand*) de detergente usas para lavar la ropa? ¿Usas lejía también?
8. Cuando das una fiesta, ¿sirves bebidas alcohólicas?
9. ¿Cuánto tiempo hace que vives en la misma (*same*) ciudad?
10. ¿Hay alguien en tu casa ahora?
11. ¿Tus amigos te llaman por teléfono todos los días?
12. ¿Tú puedes llamarme esta tarde?

Una encuesta

Interview your classmates to identify who fits the following descriptions. Include your instructor, but remember to use the **Ud.** form when addressing him or her.

NOMBRE

1. Conoce a una pareja de recién casados.
2. Vive cerca de la universidad.
3. Tiene el día libre mañana.
4. Está muerto(a) de hambre.
5. Come cuatro vegetales y cuatro frutas al día.
6. A veces va a la pescadería.
7. Sabe preparar espaguetis con albóndigas.
8. Es buen(a) cocinero(a).
9. Cocina mejor que su madre.
10. No bebe ni vino ni cerveza.

Y ahora…

Write a brief summary indicating what you have learned about your classmates.

¿Cómo lo decimos?

What would you say in the following situations? What might the other person say? Act out the scenes with a partner.

1. You are telling a friend that you need many things from the supermarket. Tell him or her what they are.
2. You are at an outdoor market in Managua and you need vegetables, fish, meat, and bread. You inquire about prices and so on.
3. You are telling someone what ingredients you need to make vegetable soup.
4. You tell someone what you serve to eat and to drink when you give a party.
5. You tell a friend what fruits you need to prepare a fruit salad (**ensalada de frutas**).

¿Qué pasa aquí?

Working with classmates in groups of three or four, describe what you see in the picture. Create a story about the young man. Where is he? What is he buying? He is going to have a party. Who will be there? What will they do? Make your story as interesting as possible and then share it with the rest of the class.

© Hill Street Studios/Brand X Pictures / Getty Images

Para escribir

Un invitado importante

Imagine that next Saturday you are hosting a very important guest. Who is the guest? What are you going to do to prepare for the occasion? What housework do you have to do? What do you need to buy and prepare for dinner? What else are you going to do in honour of your guest's arrival?

No sólo de pan vive el hombre.

You have probably heard this proverb before. Do you know where it comes from? What does it mean to you? Memorize it!

Un proverbio

Lectura

Estrategia de lectura

Look at the recipe on the next page. Reading through the list of ingredients, how many do you know already? Have you heard of this appetizer before? How does this recipe compare with others?

Vamos a leer

After you read the recipe, see if you can answer the questions below.

1. ¿Cómo es el guacamole?
2. ¿Con qué se puede servir?
3. ¿Cuántos aguacates necesitas para hacer el guacamole?
4. ¿Qué cantidad (*amount*) de cebolla necesitas y en qué forma?
5. ¿Qué tienes que hacer con los aguacates?
6. ¿Cuándo añades el aceite de oliva?
7. ¿Cuánta sal añades?
8. ¿Cuándo sirves el guacamole?

Maria Elena Cuervo-Lorens was born and raised in Mexico City. She has been living in Canada for more than 30 years, where she shares her love of cooking and of her native Mexico through her culinary classes.

According to Maria Elena, "Mexican cuisine is the culinary expression of two of the world's great cultures married into a new nation: the Spanish Empire of the XVI century and the Meshica people, the most prosperous and advanced society in the Mid-America region before the arrival of the Europeans.

"Both the Spanish and the Meshicas . . . enjoyed the pleasures of the table along with the social lives which were always centered around the protocols of meal times. Women were praised and valued for their cooking talents, friendships developed around good eating and drinking, and hospitality always being expressed with a generous table."

Mexican Culinary Treasures features recipes that range from the very traditional to the modern cuisine of cosmopolitan Mexico City, providing tasty insights into Mexican history and culture.

Video

GUACAMOLE

El guacamole es delicioso. Se puede servir con tortillas, tostadas o con otros antojitos (snacks) mexicanos.

INGREDIENTES:

2 aguacates grandes

1 cucharadita (tsp.) de jugo de limón

1 jitomate grande, picado (chopped)

2 cucharadas (tbsp.) de cebolla picada en trozos (pieces) pequeños

2-4 chiles serranos, picados en trozos muy pequeños

1 cucharadita de aceite de oliva (olive oil)

¼ taza (c.) de cilantro picado

sal

Tienes que moler (mash) el aguacate. Pones el jugo de limón en el aguacate. Añades (add) el jitomate, la cebolla y los chiles al aguacate. Mezclas (mix) todo. Añades el aceite de oliva y el cilantro. Y finalmente, sal al gusto (to taste). Mezclas todo otra vez. Sirves el guacamole inmediatamente.

Díganos

Answer the following questions, based on your own thoughts and experience.

1. ¿Cuáles son los ingredientes más importantes?
2. ¿Es fácil o difícil hacer guacamole?
3. ¿Dónde puedes comprar los ingredientes?
4. ¿Te gusta la comida mexicana?

Marisa en la cocina

Marisa está preparando una cena para el cumpleaños de Pablo. No tiene los ingredientes necesarios para el guiso (stew), y usa otros, con el resultado que podemos imaginar.

El mundo hispánico

© Kevin Schafer / Alamy

COSTA RICA

- Costa Rica tiene el mayor ingreso (*income*) per cápita en Centroamérica y un gobierno democrático con muy pocos problemas políticos. La capital de Costa Rica es San José.

- La mayoría de los "ticos" (como se les llama a los costarricenses) son católicos y de origen español.

- Este país tiene excelentes programas para proteger la ecología, sobre todo (*especially*) la selva (*rainforest*).

- En Costa Rica se le da una gran importancia a la educación, la cultura y las artes. De todos los países centroamericanos, Costa Rica es el que tiene el menor número de analfabetos (*illiterates*). Se dice (*It is said*) que en Costa Rica "hay más maestros (*teachers*) que soldados".

PANAMÁ

- Panamá está situado en el istmo (*isthmus*) que une (*joins*) Sudamérica con Norteamérica. El país está dividido por el Canal de Panamá. La principal fuente de ingresos (*source of income*) del país está asociada con las operaciones del Canal, que es administrado por Panamá desde el año 2000. La construcción del Canal por parte del gobierno de los Estados Unidos duró (*lasted*) diez años y fue terminada en 1914. El Canal mide 82,4 km y tiene tres esclusas (*locks*) a cada lado del istmo que cruza.

- La cultura panameña es una mezcla (*mixture*) de las tradiciones españolas, africanas, indígenas y estadounidenses. El idioma oficial del país es el español, pero también se usa mucho el inglés.

Las Cataratas (Falls) *Congo o Ángel, Cordillera Central, Costa Rica*

El Canal de Panamá, el Corte Culebra o Gaillard

© PCL / Alamy

NEL

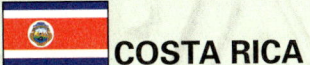 **COSTA RICA**    **PANAMÁ**   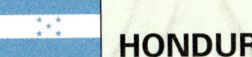 **HONDURAS**    **NICARAGUA**

HONDURAS

- Cuando Colón llegó a la costa de esta región de Centroamérica, sorprendido por la profundidad (*depth*) de las aguas junto a la tierra, llamó al lugar Honduras. Aquí floreció el imperio maya unos 500 años antes de la llegada de los conquistadores.

- La capital de Honduras es Tegucigalpa, que significa "colina de plata" (*silver hill*). La mayor atracción turística del país es Copán, una ciudad maya que existió hace unos dos mil años y de la cual sólo quedan ruinas.

- Hoy Honduras, un país pequeño, tiene casi seis millones de habitantes, en su mayoría mestizos.

- Honduras es el único país centroamericano que no tiene volcanes, pero esto no es favorable para el país, pues las tierras volcánicas son, por lo general, fértiles y buenas para la agricultura. Como la economía del país se basa en la agricultura, Honduras es hoy uno de los países más pobres de América.

© SCPhotos / Alamy

El Estadio Nacional en el centro de Tegucigalpa

NICARAGUA

- Nicaragua es la tierra de los lagos y de los volcanes. Uno de los lagos, el Nicaragua, es el mayor lago de agua dulce de Centroamérica, y en él hay tiburones (*sharks*) y otros peces que sólo viven en agua salada en otras regiones.

- Las playas de Nicaragua son excelentes para hacer surf. Muchos jóvenes canadienses visitan San Juan del Sur para aprovechar las olas grandes. También se puede pescar y practicar otros deportes acuáticos allí.

© CarverMostardi / Alamy

Estos jóvenes hablan enfrente de una tienda que vende tablas de surf.

Comentarios

With a partner, discuss, in Spanish, what impressed you the most about these four countries and compare them to your own. Which places do you want to visit and why?

Tome este examen

LECCIÓN 5

A Present progressive

Use the present progressive of the verbs **bailar, comer, dormir, leer,** and **servir** to complete the following sentences. Use each verb once.

1. Nosotros _____ café.

2. Yo _____ un libro.

3. Fernando _____ en la fiesta.

4. ¿Qué _____ (tú)? ¿Pollo?

5. Carlos _____ en su cuarto. (*room*)

B Uses of *ser* and *estar*

Complete each sentence, using the present indicative of **ser** or **estar.**

1. Paco _____ de Madrid, pero ahora _____ en Panamá.

2. Gabriela _____ estudiando italiano. _____una chica muy inteligente.

3. Las mesas _____ de metal.

4. ¡Tú _____ muy bonita hoy!

5. La fiesta _____ en el club "Los Violines".

6. Alina _____ la novia de Marcos.

7. Nosotros _____ muy cansados.

8. _____ las cinco de la tarde.

9. Los chicos _____ de Costa Rica.

10. Las frutas _____ muy sabrosas hoy.

C Stem-changing verbs (*e > ie*)

Complete each sentence with the Spanish equivalent of the verb in parentheses.

1. ¿Tú _____ pollo o pescado? (*prefer*)

Ana _____ bistec. (*wants*)

2. Las clases _____ a las seis y terminan a las nueve. (*start*)

3. Nosotros _____ estudiar esta noche. No tenemos ganas de ir a la fiesta de Eva. (*plan*)

4. Ellos _____ comer aquí. (*prefer*)

5. Ana y yo _____ venir mañana. (*want*)

6. Yo no _____ este menú; está en inglés. (*understand*)

D Comparative and superlative of adjectives, adverbs, and nouns

Complete these sentences with the Spanish equivalent of the words in parentheses.

1. Mi novio es _____ yo. (*much older than*)
2. Mi primo no es _____ mi tío. (*as tall as*)
3. Elsa es _____ la familia. (*the most intelligent in*)
4. Yo no bailo _____ tú. (*as well as*)
5. Este hotel es _____ la ciudad. (*the best in*)
6. Clara es _____ su hermana. (*much prettier than*)

E Pronouns as object of prepositions

Complete each sentence with the Spanish equivalent of the words in parentheses.

1. ¿Tú vas _____, Paquito? (*with me*)
   No, no voy _____, Anita. Voy _____. (*with you / with them*)
2. ¿Los camarones son _____, Tito? (*for you*)
   No, no son _____; son _____. (*for me / for her*)

F Vocabulary

Complete the following sentences, using vocabulary from **Lección 5.**

1. Voy a _____ la cuenta y a dejar una buena _____.
2. Julio quiere _____ de cebolla y yo _____ de camarones.
3. Ellos quieren pan _____ con _____ y _____.
4. Yo prefiero el pollo _____, no a la parrilla.
5. La _____ de la casa es el cordero.
6. De postre quiero _____ de vainilla.
7. Tráiganos _____ de papas y _____ de tomates.
8. Andresito no es tímido; es muy _____.
9. Para desayunar quiero huevos con _____.
10. ¿Qué deseas comer, una _____ o un perro _____?

G Translation

Express the following in Spanish.

1. Who is more intelligent than Beto?
2. Are you going to the party with me or with Andrea?
3. I prefer to eat fruits and vegetables.
4. The soup at the cafeteria is very tasty today.
5. Carlos Alberto is over twenty years old.

H Culture

Circle the correct answer based on the cultural notes you have read.

1. En los países de habla hispana, el café se sirve (después de / durante) la comida.
2. En la mayoría de los países hispanos, el almuerzo es la comida (menos importante / principal) del día.

LECCIÓN 6

Ⓐ Stem-changing verbs: *o > ue*

Complete each sentence, using one of the following verbs: **costar, encontrar, recordar, poder** (use twice), **volver, dormir.**

1. Yo no _____ el número de teléfono de Raúl.

2. Jorge _____ a casa a las cinco.

3. ¿Cuánto _____ las chuletas?

4. ¿En qué _____ (yo) servirle?

5. Nosotros no _____ el dinero. ¿Dónde está?

6. Claudia y yo no _____ ir a la pescadería hoy.

7. Él _____ en su cuarto.

Ⓑ Stem-changing verbs: *e > i*

Complete these sentences, using the present indicative of the following verbs: **conseguir, servir, pedir, decir.** (Use each verb twice.)

1. Ellos _____ trabajo en el hotel.

2. Nosotros _____ ensalada y sándwiches en la fiesta.

3. ¿Dónde _____ tú fresas?

4. Él _____ que está cansado.

5. Ella me _____ una taza de café.

6. Yo _____ que van al mercado.

7. Mi esposo y yo siempre _____ vino cuando comemos en ese restaurante.

8. ¿Dónde _____ Ud. las postales (*postcards*) de México?

Ⓒ Direct object pronouns

Answer the following questions in the negative, replacing the italicized words with direct object pronouns.

1. ¿Vas a leer *estos libros*?

2. ¿Él *me* conoce? (*Use the* **Ud.** *form.*)

3. ¿*Te* llevan ellos al mercado?

4. ¿Ella *me* llama mañana? (*Use the* **tú** *form.*)

5. ¿Necesitas *el detergente*?

6. ¿Tienes *la lejía* aquí?

7. ¿Ellos *los* conocen a Uds.?

8. ¿Uds. consiguen *buenas frutas* en el supermercado?

Ⓓ Affirmative and negative expressions

Rewrite the following sentences, changing the negative expressions to the affirmative.

1. No tengo nada aquí.

2. ¿No quiere nada más?

3. Nunca vamos al supermercado.

4. No quiero ni la pluma roja ni la pluma verde.

5. Nunca llamo a nadie.

E *Hace... que*

Write the following sentences in Spanish.

1. I have been living in Honduras for five years.
2. How long have you been studying Spanish, Mr. Smith?
3. They have been writing for two hours.
4. She hasn't eaten for two days.

F Vocabulary

Complete the following sentences, using vocabulary from **Lección 6.**

1. Yo le pongo _____ al café.
2. Ellos no quieren _____ de cerdo.
3. Va a comprar el pan en la _____.
4. En mi casa _____ a las doce.
5. ¿A qué hora _____ Uds. a su casa?
6. Ellos están _____ de hambre.
7. Ana y Jorge son _____ casados.
8. Ellos viven _____ de la universidad.
9. El _____ y la _____ son mariscos.
10. Necesito una _____ de huevos y _____ de tomate para los espaguetis.

G Translation

Express the following in Spanish.

1. At the market we buy celery, carrots, and cucumbers.
2. I'm starving! At what time do they serve lunch?
3. Hugo asks for pork chops. He wants them with spaghetti.
4. She never speaks to anyone.
5. —How long have you been living here?
   —I've been living here for four years.
6. They can come to the party on Friday.
7. We don't have toilet paper. I need to go to the supermarket.
8. Mr. Vega is a cook. He works at a famous restaurant.

H Culture

Circle the correct answers, based on the cultural notes you have read.

1. La capital de Costa Rica es (San José / San Juan).
2. La principal fuente de ingresos de Panamá está asociada con (la agricultura / las operaciones del Canal).
3. Honduras (tiene / no tiene) volcanes.

UNIDAD

4

LECCIÓN 7
Un fin de semana

LECCIÓN 8
Las actividades al aire libre

© Pablo Corral V/CORBIS

El Salto Ángel, en Venezuela, es la catarata más alta del mundo. Fue descubierta en 1935 y nombrada en honor de James Ángel, un piloto norteamericano que estrelló su avión cerca de allí en el año 1937.

Objetivos

LECCIÓN 7

▶ Learn parts of the body
▶ Talk about what you like or dislike to do
▶ Discuss weekend activities
▶ Talk about your daily routine

LECCIÓN 8

▶ Discuss activities you can do outdoors
▶ Discuss past actions, events and states
▶ Talk about the way things used to be

Para divertirse

© Patrick Robert/Sygma/CORBIS

Vista del Capitolio Nacional de Cuba. Al frente, un anuncio de los tabacos Partagás

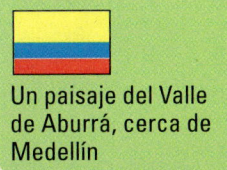

Un paisaje del Valle de Aburrá, cerca de Medellín

Photo courtesy of Pablo Restrepo-Gautier, Victoria, BC

M. Timothy O'Keefe/Alamy

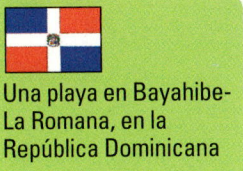

Una playa en Bayahibe-La Romana, en la República Dominicana

El Castillo del Morro, situado en la bahía de San Juan, Puerto Rico

© Bruce Adams; Eye Ubiquitous/CORBIS

Map courtesy of Patricia Isaacs, Parrot Graphics

Un fin de semana

Carlos Aranda y su esposa Ester son cubanos, pero ahora viven en un apartamento grande y moderno en Santo Domingo. Tienen dos hijos: Olga, de diecinueve años, y Pablo, de diecisiete años.

Carlos y Ester se levantan temprano hoy porque tienen muchos planes para el fin de semana. Los chicos duermen hasta las diez porque anoche fueron a una fiesta de cumpleaños en la casa de sus primos y volvieron muy tarde.

Ester	¿Vamos a ir al cine con los chicos este fin de semana?
Carlos	No estoy seguro. Tenemos que preguntarles.
Ester	Si no desean ir al cine con nosotros y tienen planes, podemos ir al teatro. Presentan la obra (*a play*) La casa de Bernarda Alba, de Federico García Lorca. Me gusta mucho Lorca.
Carlos	¡Excelente idea! Oh, creo que los chicos están despiertos (*they are awake*). Voy a preguntarles.
Ester	¿Ya se levantaron los chicos? ¿Sabes lo que quieren para el desayuno?
Carlos	Sí, ya se levantaron. Tú haces mucho por ellos, Ester. Ellos ya son mayores.
Ester	Me encanta cocinar para ellos, Carlos. No es un problema para mí.
Carlos	Lo sé, pero ellos deben aprender a cocinar también.
Ester	(*Se ríe.*) ¡Exactamente en eso estaba pensando el otro día! Otras personas deben aprender a cocinar en esta familia.
Carlos	(*Bromeando*) ¿Me estás tratando de decir algo?

Detalles culturales

Las películas estadounidenses son muy populares en el mundo hispánico. Generalmente tienen subtítulos en español o están dobladas (*dubbed*).

¿Le gusta ver películas extranjeras (*foreign*)?
¿Vio *El secreto de sus ojos/The Secret in Their Eyes* de Juan José Campanella?

Olga y Pablo están hablando en la cocina.

Pablo   Yo voy a ir a nadar con Beto y René esta tarde y después vamos a ir a ver un partido de béisbol.

Olga   ¿Me estás diciendo que no quieres ir al cine con papá y mamá?

Pablo   No, papá me dio permiso para salir con mis amigos.

Olga   ¡Eso no es justo! Entonces yo no voy al cine con ellos tampoco.

Ester   (*Entra en la cocina.*) No tienes que ir con nosotros si no quieres, Olga. ¿Qué vas a hacer entonces?

Olga   ¿Puedo ir a bailar con María Inés y su hermano? Hay una discoteca nueva...

Ester   Sí, me parece una buena idea, pero debes regresar temprano.

Olga   Sí, mamá. No hay problema.

Ester   Bueno, pero recuerda que no vas a tener el coche.

Olga   Le voy a decir a María Inés que me tiene que traer a las doce menos cinco.

¿Recuerda usted?

¿Verdadero o falso?

With a partner, decide whether the following statements about the dialogue are true (**verdadero**) or false (**falso**).

1. Olga es mayor que Pablo.   ☐ V ☐ F
2. Carlos y Ester no piensan hacer nada este fin de semana.   ☐ V ☐ F
3. Carlos y su esposa desean ir al teatro.   ☐ V ☐ F
4. Los chicos se levantaron muy temprano hoy.   ☐ V ☐ F
5. A Ester no le gusta cocinar.   ☐ V ☐ F
6. A Pablo le gusta el béisbol.   ☐ V ☐ F
7. A Olga no le gusta bailar.   ☐ V ☐ F
8. Olga no tiene coche para salir esta noche.   ☐ V ☐ F
9. María Inés no tiene hermanos.   ☐ V ☐ F
10. Olga tiene que volver a su casa antes de las diez.   ☐ V ☐ F

Y ahora... conteste

Answer these questions, basing your answers on the dialogue.

1. ¿Dónde viven Carlos Aranda y su familia?
2. ¿Adónde fueron los chicos anoche?
3. ¿Qué quiere ver Ester en el teatro?
4. ¿Quién cocina siempre para la familia?
5. ¿Carlos piensa que Ester hace mucho por sus hijos?
6. ¿Con quiénes va a ir a nadar Pablo?
7. ¿Qué quiere hacer Olga esta noche?
8. ¿Adónde van a ir a bailar?

Para hablar del tema: Vocabulario

Audio
Flashcards

COGNADOS

el béisbol
la discoteca
moderno(a)
el permiso

el plan
la recepción
el teatro
la visita

SUSTANTIVOS

anteayer *the day before yesterday*
ayer *yesterday*
la cara *face*
el cine *movie theatre, the movies*
el fin de semana *weekend*
el florero *vase*

el hombro *shoulder*
la medianoche *midnight*
el partido, el juego *game*
la película *movie, film*
la semana *week*
la vez *time, occasion*

VERBOS

aburrirse *to be bored*
bromear *to kid, to joke*
cambiar *to change*
divertirse (e>ie) *to have a good time*
entrar (en) *to enter, to go in*
gustar *to like, to appeal*
levantarse *to get up*
merendar (e>ie) *to have an afternoon snack*

nadar *to swim*
patinar *to skate*
preguntar *to ask (a question)*
quejarse *to complain*
reírse[1] *to laugh*
romperse* *to break*
visitar *to visit*

ADJETIVOS

justo(a) *fair*
pasado(a) *last*

pobre *poor*
último(a) *last (in a series)*

OTRAS PALABRAS Y EXPRESIONES

anoche *last night*
en vez de *instead of*
hasta *until*
importarle (a uno) *to matter*

ir a patinar *to go skating*
poner (pasar) una película* *to show a movie*
temprano *early*

---

[1] me río, te ríes, se ríe, nos reímos, os reís, se ríen

Amplíe su vocabulario

Para invitar a alguien a salir *(Asking someone out)*

¿Quieres ir...?

a escalar una montaña mountain climbing

a montar* en bicicleta bicycle riding

a esquiar skiing (to ski)

a montar a caballo horseback riding

a un club nocturno to a nightclub

a un concierto to a concert

a la playa to the beach

al museo to the museum

al parque de diversiones* to the amusement park

de picnic on a picnic

al zoológico to the zoo

Partes del cuerpo *(Parts of the body)*

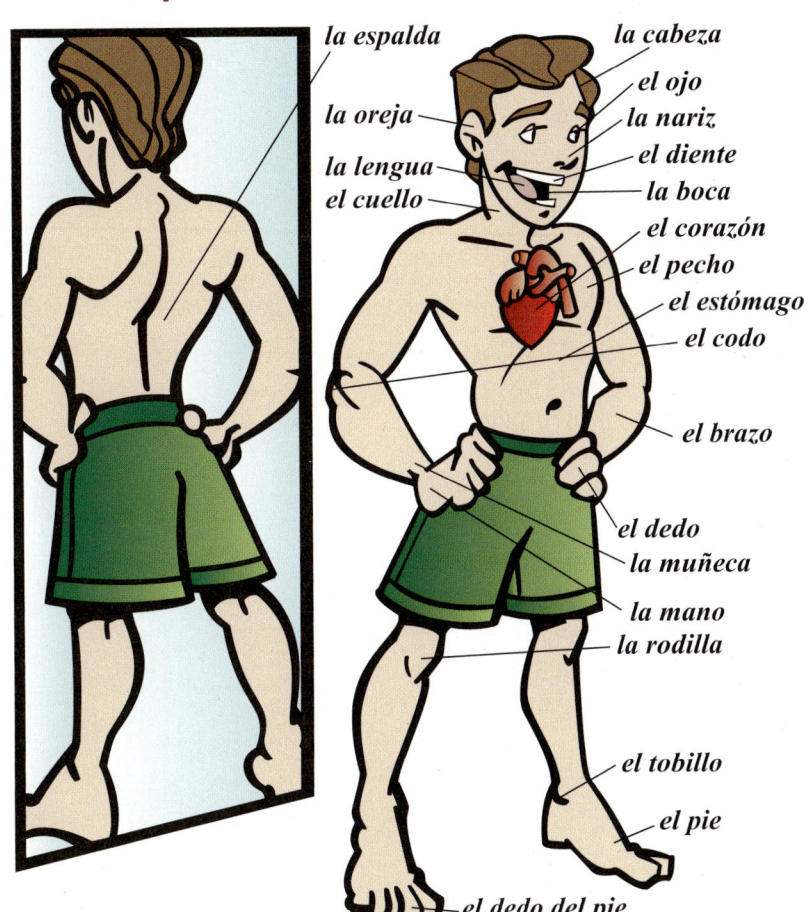

la espalda
la cabeza
la oreja
el ojo
la nariz
la lengua
el diente
el cuello
la boca
el corazón
el pecho
el estómago
el codo
el brazo
el dedo
la muñeca
la mano
la rodilla
el tobillo
el pie
el dedo del pie

Para practicar el vocabulario

Ace
Practice
Test

A Preguntas y respuestas

Match the questions in column *A* with the answers in column *B*.

A

1. ¿Se divierten en esas fiestas?
2. ¿Viste a Roberto en el club?
3. ¿Cuándo volvieron?
4. ¿Los niños rompieron el florero?
5. ¿Van a merendar?
6. ¿Tiene dinero?
7. ¿Vas los fines de semana?
8. ¿Tienen planes?
9. ¿A qué hora vienen?
10. ¿Tú haces todo el trabajo?

B

a. La semana pasada.
b. No, no tenemos hambre.
c. Sí, pero no me importa.
d. Sí, vamos a ir a patinar.
e. No, porque yo trabajo los sábados.
f. ¡Sí! ¡No es justo!
g. No, se aburren.
h. A la medianoche.
i. No, es muy pobre.
j. Sí, lo vi.

B Todos se divierten

Complete the following statements about a great weekend.

1. Hoy _____ una buena _____ en el cine Victoria.
2. Los chicos van a ir a _____ a caballo.
3. Sergio va a ir a ver un _____ de béisbol.
4. Ana y sus amigos van a una _____ a bailar.
5. Esta tarde yo voy a ir a _____ con mi novio.
6. Estoy invitada a la _____ de una boda.
7. Vamos a la piscina (*pool*) a _____ .
8. Vamos al _____ a ver *Romeo y Julieta*.
9. Voy a _____ a mi tía favorita.
10. Teresa y Armando van a un club _____ .

C ¿Adónde vamos…?

Your friend has accepted your invitation. Where are you going to go? Begin your answers with **Vamos a ir…**

1. You want to sunbathe and swim.
2. You feel like climbing a mountain.
3. You want to go to Canada's Wonderland.
4. You want to dance salsa.
5. You want to see animals.
6. You want to see Picasso's paintings.
7. You want to have lunch and commune with nature.
8. You want to hear some live music.
9. You want to go to Whistler, British Columbia.
10. You want to go horseback riding or ride your bicycle.

D ¿Quieres ir…?

With a partner, play the roles of two friends who cannot agree on where to go or what to do on the weekend.

- **MODELO:** —¿Quieres ir al cine?

    —No, prefiero ir al teatro.

E ¿Qué sabes de anatomía?

Today you and your partner are the professors. Teach your students these parts of the body in Spanish.

Pronunciación

Las consonantes l, r, rr

A. Practise the Spanish **l** in the following words.

Olga	abril	último
mil	Ángel	béisbol
Isabel	mal	volver

B. Practise the Spanish **r** in the following words.

moderno	teatro	florero
primero	París	cuarenta
partido	favorito	derecha

C. Practise the Spanish **rr** (spelled **r** both at the beginning of a word and after an **n**) in the following words.

recibir	borrador	correr
Enrique	aburrirse	romper
recepción	pizarra	reírse

Grammar
Tutorial

1 Preterite of regular verbs

(El pretérito de los verbos regulares)

- Spanish has two simple past tenses: the preterite and the imperfect. (The imperfect will be presented in **Lección 8.**) The preterite of regular verbs is formed as follows. Note that the endings for **-er** and **-ir** verbs are identical.

-ar verbs tomar (*to take*)	-er verbs comer (*to eat*)	-ir verbs escribir (*to write*)
tom**é**	com**í**	escrib**í**
tom**aste**	com**iste**	escrib**iste**
tom**ó**	com**ió**	escrib**ió**
tom**amos**	com**imos**	escrib**imos**
tom**asteis**	com**isteis**	escrib**isteis**
tom**aron**	com**ieron**	escrib**ieron**

yo **tomé**	*I took; I did take*
Ud. **comió**	*you ate; you did eat*
ellos **decidieron**	*they decided; they did decide*

- Verbs ending in **-ar** and **-er** that are stem-changing in the present indicative are regular in the preterite.

encontrar	tú enc**ue**ntras	tú enc**o**ntraste
volver	yo v**ue**lvo	yo v**o**lví
cerrar	yo c**ie**rro	yo c**e**rré

- Verbs ending in **-gar, -car,** and **-zar** change **g** to **gu, c** to **qu,** and **z** to **c** before **é** in the first person of the preterite.

pagar → pagué   **buscar → busqué**   **empezar → empecé**

- Verbs whose stem ends in a strong vowel (a, e, o) change the unaccented **i** of the preterite ending to **y** in the third-person singular and plural of the preterite.

leer[1] → leyó   **leyeron**

- The preterite tense refers to actions or events that the speaker views as completed in the past.

—¿Qué **compraste** ayer?	*"What **did you buy** yesterday?"*
—**Compré** un florero.	*"**I bought** a vase."*
—¿Qué **comieron** Uds.?	*"What **did you eat**?"*
—**Comimos** ensalada.	*"**We ate** salad."*
—¿A qué hora **volvió** usted?	*"What time **did you return**?"*
—Yo **volví** a las seis.	*"**I returned** at six."*
—¿A qué hora **llegaste**?	*"What time **did you arrive**?"*
—**Llegué** a las seis.	*"**I arrived** at six."*

---
[1]leí, leíste, leyó, leímos, leísteis, leyeron

—¿**Encontraste** el dinero?   *"**Did you find** the money?"*
—No lo **busqué.**   *"**I didn't look for** it."*

www
Ace
ctice
Test

> **¡ATENCIÓN!**
>
> Note that Spanish has no equivalent for the English *did* used as an auxiliary verb in questions and negative sentences.

▶ PRÁCTICA Y CONVERSACIÓN

Ⓐ Minidiálogos

Complete the following dialogues, using the correct preterite forms of the verbs in parentheses. Then act them out with a partner.

1. —¿A qué hora _____ (volver) Uds. ayer?
   —Yo _____ (volver) a las siete y Mario _____ (volver) a las nueve. ¿A qué hora _____ (volver) tú?

2. —¿_____ (Leer) Ud. este libro, Sr. Vega?
   —Sí, lo _____ (leer) ayer.
   —¿Ud. lo _____ (sacar) de la biblioteca o lo _____ (comprar)?
   —Lo _____ (sacar) de la biblioteca.

3. —¿Cuándo _____ (empezar) a trabajar tú?
   — _____ (Empezar) la semana pasada.
   —¿En qué mes _____ (llegar) aquí?
   — _____ (Llegar) en noviembre del año pasado.

4. —¿Con quién _____ (hablar) Uds.?
   —Yo _____ (hablar) con mi madrina y Ramiro _____ (hablar) con su abuela.

Ⓑ Ayer...

Read what the following people typically do. Then complete each sentence telling how they varied from their normal routines yesterday.

1. Yo siempre hablo con mis padres, pero ayer...
2. Yo siempre escribo en inglés, pero ayer...
3. Tú siempre estudias por la mañana, pero ayer...
4. Alberto siempre compra café, pero ayer...
5. Los chicos siempre toman café, pero ayer...
6. Nosotros siempre comemos en la cafetería, pero ayer...
7. Adela siempre sale con su novio, pero ayer...
8. Ustedes siempre vuelven a las seis, pero ayer...
9. Yo siempre llego a la universidad a las ocho, pero ayer...
10. Yo siempre empiezo a trabajar a las tres, pero ayer...

Ⓒ Entreviste a su compañero(a)

Interview a classmate about his or her activities yesterday, using the following questions.

1. ¿A qué hora saliste de tu casa ayer?
2. ¿A qué hora llegaste a la universidad?
3. ¿Trabajaste mucho?
4. ¿Cuántas horas estudiaste?
5. ¿Dónde comiste? ¿Qué comiste?
6. ¿Qué tomaste?

7. ¿Compraste algo? ¿Qué?
8. ¿A qué hora volviste a tu casa?
9. ¿Qué película extranjera (*foreign*) viste?
10. ¿A qué hora cenaste?
11. ¿Leíste algo antes del fin de semana?
12. ¿A qué hora merendaste hoy?

Grammar
Tutorial

2 Preterite of *ser*, *ir*, and *dar*
(*El pretérito de* ser, ir *y* dar)

- The preterites of **ser, ir,** and **dar** are irregular.

ser (*to be*)	ir (*to go*)	dar (*to give*)
fui	fui	di
fuiste	fuiste	diste
fue	fue	dio
fuimos	fuimos	dimos
fuisteis	fuisteis	disteis
fueron	fueron	dieron

¡ATENCIÓN!

Note that **ser** and **ir** have identical preterite forms; however, there is no confusion as to meaning, because the context clarifies it.

—¿**Fuiste** a la tienda ayer?
—Sí, **fui** para comprar ropa. Papá me **dio** el dinero.

"***Did you go*** *to the store yesterday?*"
"*Yes,* ***I went*** *to buy clothes. Dad* ***gave*** *me the money.*"

—¿Quién **fue** tu profesor de español?
—El Dr. Vega.

"*Who* ***was*** *your Spanish professor?*"
"*Dr. Vega.*"

Ace
Practice
Test

▶ PRÁCTICA Y CONVERSACIÓN

A Minidiálogos

Complete the following dialogues, using the preterite of **ser, ir,** and **dar.** Then act them out with a partner, adding your own original lines of dialogue.

1. —¿Con quién _____ tú al cine?
   — _____ con mi hijo.
   —¿_____ (Uds.) por la mañana o por la tarde?
   — _____ por la tarde.

2. —¿Cuánto dinero _____ Uds. para la fiesta?
   —Yo _____ 10 dólares y Carlos _____ 5 dólares.
   —¿Luisa _____ a la fiesta con Roberto?
   —No, ella y Marisol _____ con Juan Carlos al cine.

3. —¿Quién _____ el profesor de literatura de Uds. en la universidad?
   —El Dr. Rivas.
   —¿Uds. no _____ estudiantes de la Dra. Torres?
   —No, no _____ estudiantes de ella.

B Entreviste a su compañero(a)

Interview a partner, using the following questions.

1. ¿Quién fue tu profesor(a) favorito(a) el año pasado?
2. ¿Fuiste a la biblioteca ayer? ¿A qué hora?
3. ¿Adónde fuiste el fin de semana pasado?
4. ¿Tus amigos fueron también?
5. ¿Cuándo diste una fiesta?
6. ¿Dónde la diste?
7. ¿Fueron tú y tus amigos al cine el sábado pasado?
8. ¿Fuiste de vacaciones el verano pasado? ¿Adónde fuiste?

C Queremos saber…

With a partner, prepare five questions to ask your instructor about his or her activities. Use the preterite of **ser, ir,** and **dar.**

3 Indirect object pronouns

(Los pronombres usados como complemento indirecto)

- In addition to a subject and direct object, a sentence can have an indirect object.[1]

  Ella les da el **dinero a los muchachos.**

  ↑   ↑   ↑   ↑

  S.   V.   D.O.   I.O.

  What does she give?   (**el dinero**)

  To whom does she give it?   (**a los muchachos**)

  In this sentence, **ella** is the subject who performs the action, **el dinero** is the direct object, and **a los muchachos** is the indirect object, the final recipient of the action expressed by the verb.

- Indirect object nouns are for the most part preceded by the preposition **a.**

- An indirect object usually tells to whom or for whom something is done. Compare these sentences:

  Yo voy a mandar**lo** a México.   (**lo:** *direct object*)
  *I'm going to send **him** to Mexico.*

  Yo voy a mandar**le** dinero.   (**le:** *indirect object*)
  *I'm going to send **him** money.*   (*I'm going to send money **to him.**)*

- An indirect object pronoun can be used with or in place of the indirect object. In Spanish, the indirect object pronoun includes the meaning *to* or *for*. The forms of the indirect object pronouns are shown in the following table.

FLASHBACK

You may want to review direct object pronouns before moving ahead. See pp. 133–134.

---

[1]See Appendix C.

Singular		Plural	
me	(to/for) me	**nos**	(to/for) us
te	(to/for) you (*fam.*)	**os**	(to/for) you (*fam.*)
le	(to/for) you (*form.*)	**les**	(to/for) you (*form., fam.*)
	(to/for) him		(to/for) them (*masc., fem.*)
	(to/for) her		

- Indirect object pronouns have the same form as direct object pronouns, except in the third person.

- Indirect object pronouns are usually placed in front of the conjugated verb.

    Le dimos una propina.　　　　　　*We gave **him** a tip.*

- When used with an infinitive or in the present progressive, however, the indirect object pronoun may either be placed in front of the conjugated verb or attached to the infinitive or the present participle.

    Le voy a escribir una carta.

    or:　　　　　　　　　　　　　　　　　*I'm going to write **you** a letter.*

    Voy a escribir**le** una carta.

    Les estoy diciendo la hora.

    or:　　　　　　　　　　　　　　　　　*I'm telling **them** the time.*

    Estoy diciéndo**les**[1] la hora.

    Le doy la información.　　　　　　*I give the information …*

    but:　　　　　　　　　　　　　　　　　*(to whom? to him? to her? to you?)*

    Le doy la información **a ella.**　　*I give the information **to her.***

¡ATENCIÓN!

The indirect object pronouns **le** and **les** require clarification when the context does not specify the gender or the person to which they refer. Spanish provides clarification by using the preposition **a** + *pronoun or noun.*

◀◀ FLASHBACK

It may be useful to review pronouns as objects of prepositions. See p. 120.

The prepositional phrase provides clarification or emphasis; it is not, however, a substitute for the indirect object pronoun. Although the prepositional form can be omitted, the indirect object pronoun must always be used.

　—¿Qué vas a comprar**le** a tu hija?　　*"What are you going to buy (for) your daughter?"*

　—**Le** voy a comprar un florero.　　　*"I'm going to buy **her** a vase."*

Ace
Practice
Test

▶ PRÁCTICA Y CONVERSACIÓN

Ⓐ Frutas para todos

Mom went to the market and bought fruit for everyone. Indicate for whom she bought each fruit, using indirect object pronouns. Clarify when necessary.

- **MODELO:** Mamá compró duraznos *para él.*

    *Mamá **le** compró duraznos **a él.***

---

[1]When an indirect object pronoun is attached to a present participle, an accent mark is added to maintain the correct stress.

1. Mamá compró manzanas *para mí.*
2. Mamá compró peras *para nosotros.*
3. Mamá compró uvas *para ella.*
4. Mamá compró una piña *para ti.*
5. Mamá compró melocotones *para Ud.*
6. Mamá compró una sandía *para ellos.*
7. Mamá compró cerezas *para Uds.*
8. Mamá compró fresas *para él.*
9. Mamá compró bananas *para Rodolfo.*
10. Mamá compró mangos *para Sofía.*

B Entreviste a su compañero(a)

Interview a partner, using the following questions.

1. ¿Cuándo vas a escribirles a tus amigos?
2. ¿Le escribiste a alguien ayer?
3. ¿Tú siempre le escribes a tu mejor amigo(a)?
4. ¿Tus padres te escribieron esta semana?
5. ¿Tus padres te dan dinero para comprar ropa?
6. ¿Tú vas a mandarle dinero a alguien? ¿A quién?
7. ¿Tus padres les hablan a Uds. en inglés o en español?
8. ¿Tú siempre les dices la verdad a tus padres?

C Son bilingües

What languages do the people below speak and what languages are spoken to them? With a partner, match each name to the most likely language.

alemán (*German*) italiano
español japonés
francés portugués
inglés ruso (*Russian*)

- **MODELO:** María del Pilar (a mí)

  María del Pilar me habla en español.

  Yo le hablo en español a ella.

1. Boris (a ti)
2. Giovanni (a ellos)
3. John (a mí)
4. El Sr. Kurosawa (a Uds.)
5. Monique y Pierre (a nosotros)
6. Hans (a Ud.)
7. Nelson (de Brasil) (a él)
8. Rosa y José (a ella)

D **Regalos** *(Presents)*

In groups of three or four, tell each other about four or five gifts that you bought your friends and relatives for Christmas (*la Navidad*) or a birthday and describe what they bought you.

> • **MODELO:** A mi mamá le compré una licuadora para su cumpleaños.
>
> *El día de mi cumpleaños, mi mamá me compró un escritorio.*

www
Grammar
Tutorial

4 The verb *gustar*

(El verbo gustar*)*

- The verb **gustar** means to like something or somebody (literally, *to be pleasing*). A special construction is required in Spanish to translate the English *to like*. Note that the equivalent of the English direct object becomes the subject of the Spanish sentence. The English subject then becomes the indirect object of the Spanish sentence.

Me gusta **tu** *casa.*	*I like **your house.***
↑ ↑	↑ ↑
I.O. S.	S. D.O.

	Your house is pleasing *to me*.
	↑ ↑
	S. I.O.

- **Gustar** is *always* used with an indirect object pronoun—in this example, **me.**

- The two most commonly used forms of **gustar** are the third-person singular **gusta** if the subject is singular or if the verb is followed by one or more infinitives, and the third-person plural **gustan** if the subject is plural.

Indirect Object Pronouns

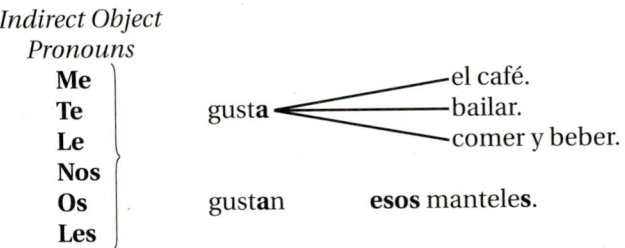

Me
Te   gusta — el café.
Le   — bailar.
Nos   — comer y beber.
Os   gusta**n**   **esos** mantele**s.**
Les

- Note that **gustar** agrees in number with the *subject* of the sentence, that is, the person or thing being liked.

Me **gustan las manzanas.**   ***Apples are*** *pleasing to me.*

- The person who does the liking is the indirect object.

Me gustan las manzanas.   *Apples are pleasing **to me**.*

—¿**Te** gusta este mantel rojo?
—No, no **me** gustan los manteles rojos.

"*Do **you** like this red tablecloth?*"
"*No, **I** don't like red tablecloths.*"

—¿**Les** gusta el francés?
—Sí, **nos** gusta mucho el francés, pero **nos** gusta más el español.

"*Do **you** like French?*"
"*Yes, **we** like French very much, but **we** like Spanish better.*"

¡ATENCIÓN!

Note that the words **más** and **mucho** immediately follow **gustar**.

- The preposition **a** + *a noun* or *pronoun* is used to clarify meaning or to emphasize the indirect object.

A Aurora (**A ella**) le gusta esa panadería, pero **a mí** no me gusta.

Aurora likes that bakery, but I don't like it.

A Beto y **a Rosa** les gusta ese restaurante.

Beto and Rosa like that restaurant.

Detalles culturales

En la cultura hispánica, los sobrenombres son muy populares. Roberto: **Beto;** Enrique: **Quique;** Dolores: **Lola.**

¿Qué sobrenombres son populares en Canadá? ¿Ud. tiene sobrenombre?

¡ATENCIÓN!

If the thing liked is an action, the second verb is an infinitive: **Me gusta patinar.**

▶ PRÁCTICA Y CONVERSACIÓN

A **¿Qué les gusta?**

Tell who likes what.

- **MODELO:** Yo / ese cine

  Me gusta ese cine.

1. Nosotros / más / estos floreros
2. Tú / visitar / tus tíos
3. Yo / mucho / cocinar
4. Ellos / mucho / La Habana
5. Él / no / mucho / ese parque de diversiones
6. Uds. / más / esas ciudades
7. Ella / ese club nocturno
8. Yo / mucho / los restaurantes italianos
9. Uds. / no / la música jazz
10. Mi mamá / mucho / esquiar

B **Entreviste a su compañero(a)**

Interview a classmate, asking the following questions.

1. ¿A ti te gusta más el invierno o el verano?
2. ¿Te gusta más venir a clase por la mañana o por la tarde?
3. ¿A ti te gusta más el rojo o el azul?
4. ¿Te gusta más vivir en una casa o en un apartamento?
5. ¿Te gustan más las ciudades grandes o las ciudades pequeñas?
6. ¿Te gustan más las peras o las manzanas?
7. ¿A tu mamá le gusta más bailar o cantar (*sing*)?
8. ¿A tus amigos les gusta más ir al cine o al teatro?

C **Los sábados**

With a partner, talk about what you, your parents, and your friends like and don't like to do on Saturdays.

> • **MODELO:** A mi papá…
>
> *A mi papá le gusta leer. No le gusta trabajar.*

1. A mí…

2. A mi mamá…

3. A mi papá…

4. A nosotros…

5. A mis amigos…

6. A mi mejor amigo(a)…

D **Preferencias…**

Look at these illustrations and say what these people like and what they don't like to do.

> • **MODELO:**

Juan

A Juan le gusta leer.

Inés

1. _____

Jorge *Mario*

2. _____

Yo

3. _____

Nosotras

4. _____

Tú

5. _____

Ud.

6. _____

Carmen

7. _____

E Queremos saber

With a partner, prepare three or four questions to ask your instructor about what he or she likes or doesn't like to do.

5 Reflexive constructions

(Construcciones reflexivas)

- The reflexive construction (e.g., *I introduce myself*) consists in Spanish of a reflexive pronoun and a verb.

- Reflexive pronouns[1] refer to the same person as the subject of the sentence does.

Subjects	Reflexive Pronouns	
yo	**me**	myself, to (for) myself
tú	**te**	yourself, to (for) yourself (*fam.*)
nosotros(as)	**nos**	ourselves, to (for) ourselves
vosotros(as)	**os**	yourselves, to (for) yourselves (*fam.*)
Ud.	**se**	yourself, to (for) yourself (*form.*)
Uds.		yourselves, to (for) yourselves (*form., fam.*)
él		himself, to (for) himself
ella		herself, to (for) herself
		itself, to (for) itself
ellos, ellas		themselves, to (for) themselves

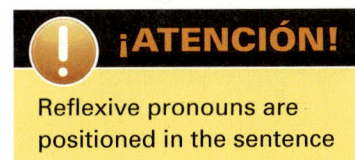

¡ATENCIÓN!

Reflexive pronouns are positioned in the sentence in the same manner as object pronouns.

- Note that except for **se,** reflexive pronouns have the same forms as the direct and indirect object pronouns.

- The third-person singular and plural **se** is invariable, that is, it does not show gender or number.

- Any verb that can act upon the subject can be made reflexive in Spanish with the aid of a reflexive pronoun.

Julia **le** prueba el vestido **a su hija.**
(*Julia tries the dress on her daughter.*)

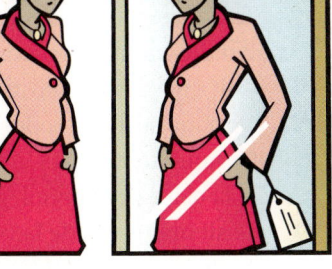

Julia **se prueba** el vestido.
(*Julia tries on the dress.*)

---

[1]See Appendix C.

vestirse (e > i) (*to dress oneself, to get dressed*)	
Yo **me visto.**	I dress myself.
Tú **te vistes.**	You dress yourself. (*fam.*)
Ud. **se viste.**	You dress yourself. (*form.*)
Él **se viste.**	He dresses himself.
Ella **se viste.**	She dresses herself.
Nosotros **nos vestimos.**	We dress ourselves.
Vosotros **os vestís.**	You dress yourselves. (*fam.*)
Uds. **se visten.**	You dress yourselves. (*form., fam.*)
Ellos **se visten.**	They (*masc.*) dress themselves.
Ellas **se visten.**	They (*fem.*) dress themselves.

- The following commonly used verbs are reflexive.

aburrirse *to get bored*	**irse** *to leave, to go away*
acostarse (o>ue) *to go to bed*	**lavarse** *to wash oneself*
afeitarse, rasurarse *to shave*	**levantarse** *to get up*
bañarse *to bathe*	**ponerse** *to put on*
despertarse (e>ie) *to wake up*	**probarse (o>ue)** *to try on*
divertirse (e>ie) *to have fun*	**quitarse** *to take off*
dormirse *to fall asleep*	**sentarse (e>ie)** *to sit down*

—¿A qué hora **se levantan** Uds.?
—Yo **me levanto** a las seis y Jorge **se levanta** a las ocho.

"What time do you get up?"
"I get up at six o'clock and Jorge gets up at eight."

—Uds. **se levantaron** muy tarde hoy.
—Sí, porque anoche **nos acostamos** a la medianoche.

"You got up very late today."
"Yes, because last night we went to bed at midnight."

Ace
Practice
Test

▶ PRÁCTICA Y CONVERSACIÓN

A  **Entreviste a su compañero(a)**

Interview a partner, using the following questions.

1. ¿A qué hora te despertaste esta mañana?
2. Generalmente, ¿te levantas temprano o tarde? ¿A qué hora te levantas?
3. ¿Te acuestas temprano? ¿Te acuestas antes de las once?
4. ¿Te bañas por la mañana o por la noche? ¿Con qué jabón (*soap*) te bañas?
5. ¿Puedes bañarte y vestirte en diez minutos?
6. ¿Con qué jabón te lavas las manos?
7. ¿Tu papá se afeita todos los días?
8. ¿Siempre te pruebas la ropa antes de comprarla?
9. En la clase de español, ¿prefieres sentarte cerca de la puerta o cerca de la pizarra?
10. ¿Te sientas cerca de la ventana? ¿Por qué?
11. ¿Te diviertes en la clase de español?
12. ¿En qué clase te aburres?

B ¿Qué pasó…?

Use your imagination to complete the following sentences.

1. Yo me levanté a las seis y Jorge…
2. Mi hermana se bañó por la noche y tú…
3. Yo me desperté temprano y Rosa…
4. Nosotras nos probamos los vestidos negros y ellas…
5. Tú te sentaste cerca de la puerta y ella…
6. Yo me vestí en diez minutos y tú…
7. Yo me afeité por la noche y él…
8. Nosotros nos acostamos a las once y Uds.…
9. Yo me aburrí en la fiesta y tú…
10. Yo me lavé las manos con jabón Dove y ellos…

C La rutina diaria

Look at the illustrations below. How would José describe his routine and that of his family?

1. Yo…

2. Mi papá…

3. Yo…

los sábados

4. Nosotros…

5. Mamá…

6. Nosotros…

7. Yo…

8. ¿Tú…?

D **¿Con qué frecuencia?** *(How often …?)*

In groups of three or four, talk about how often you do the following things. Use **siempre, todos los días, nunca, a veces,** and **frecuentemente.**

1. levantarse antes de las siete
2. despertarse muy tarde
3. bañarse por la noche
4. ponerse pijama para dormir
5. acostarse muy tarde
6. quejarse de sus profesores

RODEO Summary of the Pronouns *(Resumen de los pronombres)*

Subject	Direct Object	Indirect Object	Reflexive	Object of Prepositions
yo	me	me	me	mí
tú	te	te	te	ti
usted (*masc.*)	lo			usted
usted (*fem.*)	la	le	se	usted
él	lo			él
ella	la			ella
nosotros(as)	nos	nos	nos	nosotros(as)
vosotros(as)	os	os	os	vosotros(as)
ustedes (*masc.*)	los			ustedes
ustedes (*fem.*)	las	les	se	ustedes
ellos	los			ellos
ellas	las			ellas

▶ **PRÁCTICA**

A **Queridos padres**

Supply all the missing pronouns in the letter that Oscar wrote to his parents and read the letter aloud.

Queridos padres:

(1) _____ escribo para decir (2) _____ que estoy bien y estoy trabajando mucho.

Ayer hablé con Eva. (3) _____ está estudiando en la universidad y dice que quiere

conocer (4) _____ porque (5) _____ siempre (6) _____ hablo de

(7) _____. (8) _____ invitó a una fiesta que ella da esta noche.

Hoy (9) _____ levanté muy temprano y fui de compras. Para (10) _____, papá,

compré un reloj. A (11) _____, mamá, (12) _____ compré un vestido.

Para (13) _____, compré un par de zapatos para la fiesta de Eva.

¿Cómo está mi hermana? Hace mucho que no (14) _____ llamo por teléfono ni

(15) _____ escribo. ¡Ah! A (16) _____ (17) _____ compré un libro.

Bueno, ya son las seis y tengo que bañar (18) _____ y vestir (19) _____ para ir a

la fiesta.

(20) _____ quiero mucho.

Un abrazo,

Oscar

Sergio le envía un mensaje electrónico a su novia. ¿Qué le dice de sus planes para el sábado? ¿Va a salir con ella? ¿La va a llamar por teléfono?

▶ PRÁCTICA Y TRADUCCIÓN

You are becoming better as a translator. Put your knowledge to work translating the following sentences. Feel free to consult the vocabulary for **Lección 7**!

1. Elena gets up at seven o'clock in the morning and then she takes a shower.
2. Esteban likes going to the game with his friends.
3. The students visited the Museum of Modern Art.
4. On weekends, the family goes to a concert on the beach. They like doing activities together.
5. At seven years old, Zulema learned to swim. Now she is an excellent swimmer (**nadadora**).
6. Elena broke her leg in an accident.

Entre nosotros

Ace Practice Test

¡Conversemos!

Para conocernos mejor

Get to know your partner better by asking each other the following questions.

1. ¿Te gusta levantarte temprano? ¿A qué hora te levantaste hoy?
2. ¿A qué hora te acostaste anoche?
3. ¿Qué te gusta hacer los fines de semana? ¿Qué no te gusta hacer?
4. ¿Qué actividades planeas para este fin de semana?
5. Si te invitan a un concierto de música clásica, ¿tú vas?
6. ¿Te gusta más patinar o esquiar?
7. ¿Adónde fuiste el sábado pasado? ¿Con quién fuiste?
8. ¿Le escribiste a alguien? ¿A quién?
9. ¿Cuándo fue la última vez que tus padres te dieron dinero para comprar ropa?
10. ¿Fuiste alumno(a) de esta universidad el año pasado?

Una encuesta

Interview your classmates to identify who fits the following descriptions. Include your instructor, but remember to use the **Ud.** form when addressing him or her.

NOMBRE

1. Dio una fiesta el mes pasado.
2. Fue al zoológico el año pasado.
3. Va al cine todos los fines de semana.
4. Fue a un parque de diversiones el verano pasado.
5. Va a la playa frecuentemente.
6. Fue de picnic con sus amigos.
7. Sabe montar a caballo.
8. Le gusta escalar montañas.
9. Se queja de sus profesores a veces.
10. Se despierta muy temprano.

Y ahora…

Write a brief summary, indicating what you have learned about your classmates.

¿Cómo lo decimos?

What would you say in the following situations? What might the other person say? Act out the scenes with a partner.

1. You ask a friend three questions about his or her daily routine.
2. While leaving a movie theatre, you see a friend. Ask him what movie he saw and whether he liked it.
3. You and a friend are making plans for the weekend and are discussing activities that you like.

¿Qué pasa aquí?

These three friends are discussing the use of a new cell phone. All of them are making different suggestions. Imagine their conversation and find a humorous outcome to the situation.

Tres amigos y un teléfono celular nuevo

Para escribir

Un día típico

Describe a typical day in your life: what time you get up, what you generally eat, where you go, what you do, and so on.

Todo tiempo pasado fue mejor.

Is there an English equivalent to this saying? Do we all tend to see the past as better? Can you memorize the saying?

Un dicho

Las actividades al aire libre

© All Canada Photos / Alamy

Susana y Gloria son dos hermanas colombianas que hablan con Jaime y David, dos chicos de Venezuela. Los amigos viven en Canadá porque estudian en la Universidad de Victoria. Frecuentemente todos se juntan para ir a cenar, al cine o a la playa. Ahora están planeando un fin de semana.

Jaime   Cuando yo era chico, mi familia y yo siempre íbamos a acampar al Parque Nacional de Canaima, de modo que soy un experto en armar tiendas de campaña, en hacer fogatas…

Susana   En cambio Gloria y yo pasábamos nuestras vacaciones cerca de la playa. Siempre nadábamos y hacíamos surfing.

Gloria   ¡Ay, sí! Ya les dije que nosotras no acampábamos nunca. Normalmente nos hospedábamos en hoteles.

Jaime   ¡Les va a encantar dormir bajo las estrellas, en una bolsa de dormir!

David   Oye, tu amigo Alberto prometió prestarte sus bolsas de dormir. ¿Te las trajo?

Jaime   No, me las va a traer esta noche. También me va a prestar su caña de pescar.

David   ¡Ah! No hay nada como comer pescado frito que uno acaba de pescar.

Llegaron al parque el viernes por la tarde. Por la noche no durmieron muy bien y hoy están un poco cansados. Se levantaron muy temprano para hacer una caminata y ahora Jaime y David están tratando de pescar algo en el lago.

David   ¡Caramba! Dormí muy mal anoche. No quiero pasar mucho tiempo tratando de pescar algo.

Jaime   Pronto vamos a tener pescado para el almuerzo. ¡Te lo prometo!

David   Espero que sí, porque tengo mucha hambre. Jaime, ¿dónde pusiste el termo de café?

Jaime   Se lo di a Gloria esta mañana, porque ella me lo pidió. Oye, después de almorzar podemos alquilar una canoa para ir a remar.

Detalles culturales

El Parque Nacional de Canaima es una de las áreas naturales más importantes de Venezuela y su mayor atracción turística. Aquí se encuentran las cataratas del Salto Ángel. También existe en el parque una gran variedad de animales, muchos en peligro (*danger*) de extinción. Muchas de las plantas que hay en el parque son exclusivas de esta región.

¿Qué parques nacionales importantes hay en Canadá?

Dos horas más tarde.

David   ¿Por qué no llamamos a Gloria y a Susana y les decimos que no pudimos pescar nada?

Jaime   Buena idea. Estoy cansado de esto, no hay nada en este lago.

Susana y Gloria traen dos cestas de picnic.

Susana   Gloria y yo trajimos comida, por si acaso…

Gloria   Pollo frito, ensalada de papas, pastel de manzana…

David   ¡Excelente idea! ¡Vamos a comer!

¿Recuerda usted?

¿Verdadero o falso?

With a partner, decide whether the following statements about the dialogue are true (**verdadero**) or false (**falso**).

1. Los amigos viven en Canadá ahora.   ☐ V   ☐ F
2. Jaime sabe armar tiendas de campaña.   ☐ V   ☐ F
3. Gloria y su hermana siempre iban a acampar cuando eran niñas.   ☐ V   ☐ F
4. El amigo de David tiene bolsas de dormir.   ☐ V   ☐ F
5. A David y a Jaime no les gusta pescar.   ☐ V   ☐ F
6. El sábado todos se despertaron muy tarde.   ☐ V   ☐ F
7. Jaime es muy optimista.   ☐ V   ☐ F
8. Gloria tiene el termo de café.   ☐ V   ☐ F
9. A Jaime no le gusta remar.   ☐ V   ☐ F
10. Todos comieron pescado.   ☐ V   ☐ F

Y ahora… conteste

Answer these questions, basing your answers on the dialogue.

1. ¿Para qué se juntan, frecuentemente, los amigos?
2. ¿Adónde iban a acampar Jaime y su familia cuando él era chico?
3. ¿Dónde pasaban sus vacaciones Gloria y Susana?
4. Según (*According to*) Jaime, ¿qué les va a encantar a Gloria y a Susana?
5. ¿Cómo durmieron todos anoche?
6. ¿Qué le promete Jaime a David?
7. ¿Qué pueden hacer todos después de almorzar?
8. ¿Qué trajeron Susana y Gloria?

Para hablar del tema: Vocabulario

Audio
Flashcards

COGNADOS

la actividad	excelente
la canoa	el hotel
experto(a)	el termo

SUSTANTIVOS

la actividad al aire libre *outdoor activity*

la bolsa de dormir* *sleeping bag*

el campo *the countryside*

la caña de pescar *fishing rod*

la cesta *basket*

el coche *car*

la estrella *star*

la fogata *bonfire*

el lago *lake*

el remo *oar*

la tienda de campaña *tent*

VERBOS

acampar *to camp*

alquilar* *to rent*

armar *to pitch (a tent), to put together*

encantar¹ *to love, to like very much*

hospedarse *to stay (e.g., at a hotel)*

juntarse *to get together*

pasar *to spend (time)*

pescar *to fish, to catch a fish*

prestar *to lend*

prometer *to promise*

remar *to row*

tratar (de) *to try to*

vender *to sell*

ADJETIVOS

acostumbrado(a) *accustomed or used to*

chico(a), pequeño(a) *little*

frito(a) *fried*

OTRAS PALABRAS Y EXPRESIONES

acá *here*

acabar de + *infinitive* *to have just (done something)*

ahí *there*

bajo *under*

en cambio *on the other hand*

Espero que sí. *I hope so.*

frecuentemente, a menudo *often*

hacer una caminata *to go hiking*

ir a acampar *to go camping*

por si acaso *just in case*

pronto *soon*

tomarle el pelo a alguien *to pull someone's leg*

Vamos a comer. *Let's eat.*

De país a país

la bolsa de dormir el saco de dormir (*Col., Cono Sur*)

alquilar rentar (*Méx.*)

el velero el bote de vela (*Cuba, Arg.*)

el traje de baño la trusa (*Cuba*); el bañador (*Esp.*); la malla (*Cono Sur*)

---

¹Conjugated like **gustar**

Amplíe su vocabulario

Más sobre las actividades al aire libre

el palo de golf

jugar[1] al golf

la raqueta

jugar al tenis

el salvavidas

la arena

el mar

bucear

hacer surfing

la tabla de mar

el velero*

tomar el sol

el traje de baño*

el esquí acuático

---

[1]jugar (u>ue): juego, juegas, juega, jugamos, jugáis, juegan

Para practicar el vocabulario

A **Preguntas y respuestas**

Ace Practice Test

Match the questions in column *A* with the answers in column *B*.

A

1. ¿Tienes hambre?
2. ¿Vas a ir a acampar?
3. ¿Uds. se juntan para salir?
4. ¿Tú sabes armar tiendas de campaña?
5. ¿Dónde se hospedaron?
6. ¿Te gusta pescar?
7. ¿Compraste una caña de pescar?
8. ¿Dormiste en una bolsa de dormir?
9. ¿Dónde pusiste el café?
10. ¿Qué vendían esos hombres?
11. ¿Vas a ir en canoa?
12. ¿Dónde pusiste el pollo frito?

B

a. Sí, me encanta.
b. Sí, soy un experto.
c. Sí, bajo las estrellas.
d. En la cesta de picnic.
e. Sí, necesito la tienda de campaña.
f. En el termo.
g. En el hotel Hilton.
h. No, acabo de almorzar.
i. No, no me gusta remar.
j. No, me la prestaron.
k. Sí, frecuentemente.
l. Pescado.

B **¿Lógico o ilógico?**

With a partner, indicate whether each of the following statements is logical (**L**) or illogical (**I**).

1. Necesitamos el traje de baño para armar una tienda de campaña.
2. En la playa generalmente hay salvavidas.
3. Necesito el coche para hacer una fogata.
4. Voy a ir a bucear porque quiero tomar el sol.
5. Vamos a hacer esquí acuático en el lago.
6. Para remar usamos la tabla de mar.
7. Hicimos una caminata y ahora estamos muy cansados.
8. Traje los palos de golf para jugar al tenis.
9. Siempre dejamos el velero en el cuarto del hotel.
10. Anoche comimos arena.

C **Palabras y más palabras**

¿Qué palabra o frase corresponde a lo siguiente?

1. La necesito para pescar.
2. Las vemos en el cielo (*sky*).
3. pequeño
4. a menudo
5. La necesito para jugar al tenis.
6. opuesto de comprar
7. muy, muy bueno
8. Me gusta mucho.
9. quedarse (en un hotel)
10. Lo necesito para tomar el sol.

D Planes de vacaciones

You and a classmate play the roles of two friends who are planning a fun weekend. Talk about everything you can do.

Estas chicas fueron a acampar el fin de semana pasado. ¿Qué hicieron?

FLASHBACK

Remember the verb **gustar** from pp. 166–167. **Encantar** works the same way. With your friends, talk about the activities you like or love to do when you are on vacation.

Pronunciación

Pronunciation in context

In this lesson, there are some words or phrases that may be challenging to pronounce. Listen to your instructor and pronounce the following sentences.

1. **Pasábamos** nuestras **vacaciones** en ciudades grandes y **nos hospedábamos** en hoteles muy buenos.
2. Ya te dije que nosotras no estábamos **acostumbradas** a todas estas **actividades.**
3. **Se levantaron** muy temprano para **hacer** una caminata.
4. **Después** de almorzar podemos **alquilar** una canoa para ir a **remar.**
5. ¿Por qué no **llamamos** a Gloria y a Susana y les **decimos** que no pudimos pescar nada?

Grammar Tutorial

1 Preterite of some irregular verbs
(El pretérito de algunos verbos irregulares)

- The following Spanish verbs are irregular in the preterite.

tener	tuve, tuviste, tuvo, tuvimos, tuvisteis, tuvieron
estar	estuve, estuviste, estuvo, estuvimos, estuvisteis, estuvieron
poder	pude, pudiste, pudo, pudimos, pudisteis, pudieron
poner	puse, pusiste, puso, pusimos, pusisteis, pusieron
saber	supe, supiste, supo, supimos, supisteis, supieron
hacer	hice, hiciste, hizo, hicimos, hicisteis, hicieron
venir	vine, viniste, vino, vinimos, vinisteis, vinieron
querer	quise, quisiste, quiso, quisimos, quisisteis, quisieron
decir	dije, dijiste, dijo, dijimos, dijisteis, dijeron
traer	traje, trajiste, trajo, trajimos, trajisteis, trajeron
conducir[1]	conduje, condujiste, condujo, condujimos, condujisteis, condujeron
traducir[1]	traduje, tradujiste, tradujo, tradujimos, tradujisteis, tradujeron

¡ATENCIÓN!

The third-person singular of the verb **hacer** changes the **c** to **z** in order to maintain the original soft sound of the **c** in the infinitive. The **i** is omitted in the third-person plural ending of the verbs **decir, traer, conducir,** and **traducir.**

¡ATENCIÓN!

The preterite of **hay** (impersonal form of **haber**) is **hubo.**

—¿Qué **trajeron** Uds. ayer?
—**Trajimos** las cestas.

—Ayer no **viniste** a clase.
 ¿Qué **hiciste?**
—**Tuve** que trabajar.
 ¿**Hubo** un examen?
—No.

*"What **did you bring** yesterday?"*
*"**We brought** the baskets."*

*"**You did** not **come** to class yesterday.*
 *What **did you do**?"*
*"**I had** to work.*
 ***Was there** an exam?"*
"No."

---

[1]**conducir** = *to drive*; **traducir** = *to translate*.

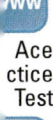

www
Ace
ctice
Test

▶ PRÁCTICA Y CONVERSACIÓN

A Minidiálogos

Complete the following exchanges, using the preterite of the verbs in parentheses. Then act them out with a partner.

1. —¿Dónde _____ (estar) tú la semana pasada?

—(Yo) _____ (estar) en el Parque Nacional de Canaima.

—¿Y tus padres?

—Ellos _____ (estar) en Caracas.

2. —¿Qué _____ (hacer) Roberto ayer?

—Él _____ (tener) que trabajar.

3. —¿Tus padres te _____ (traer) las bolsas de dormir?

—No, no _____ (poder) traerlas porque _____ (venir) en autobús.

4. —Cuando Uds. _____ (venir) al parque, ¿qué coche _____ (conducir)?

— _____ (conducir) el coche de papá.

5. —¿Dónde _____ (poner) Uds. la cesta de picnic?

—La _____ (poner) en la mesa.

—¿Sergio comió con Uds.?

—No, él no _____ (querer) comer con nosotros.

B La semana pasada

Rewrite this paragraph, changing all the verbs to the preterite to indicate that everything happened last week.

Tengo que limpiar mi apartamento porque Ana y Eva vienen a visitarme. Después hago una torta para ellas. Las chicas traen bolsas de dormir porque no quieren dormir en mi cuarto. Las ponen en la sala y miran televisión hasta tarde. Mi prima Julia está con nosotras hasta las diez, pero no puede quedarse a dormir porque tiene que ir a trabajar.

C Entreviste a su compañero(a)

Interview a partner, using the following questions.

1. ¿A qué hora viniste a la universidad ayer?

2. ¿Condujiste tu coche o viniste en ómnibus (*bus*)?

3. ¿Tuviste algún examen? ¿En qué clase?

4. ¿Estuviste en la biblioteca por la tarde?

5. ¿Trajiste algún libro de la biblioteca a la clase?

6. ¿Dónde pusiste tus libros?

7. ¿Hiciste la tarea (*homework*) de la clase de español?

8. ¿Pudiste terminarla?

9. ¿Estuviste en tu casa por la noche?

10. ¿Tuviste una fiesta en tu casa? (¿Quiénes vinieron?)

D **Queremos saber…**

In groups of three, prepare some questions for your instructor about what he or she did yesterday, last night, or last week. Use irregular preterite forms in your questions.

Grammar
Tutorial

2 ## Direct and indirect object pronouns used together

(Los pronombres de complemento directo e indirecto usados juntos)

- When an indirect object pronoun and a direct object pronoun are used together, the indirect object pronoun always comes first.

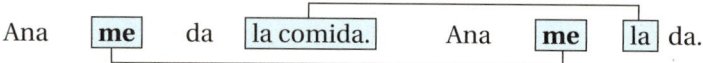

Ana [**me**] da [la comida.]   Ana [**me**] [la] da.

FLASHBACK

You may wish to review the direct object pronouns (pp. 133–134) and the indirect object pronouns (pp. 163–164) before using them together.

- With an infinitive, the pronouns can be placed either before the conjugated verb or after the infinitive.

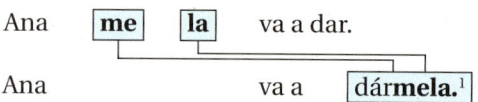

Ana [**me**] [**la**] va a dar.

Ana   va a [**dár**mela.¹]

*Ana is going to give **it to me.***

- With a present participle, the pronouns can be placed either before the conjugated verb or after the present participle.

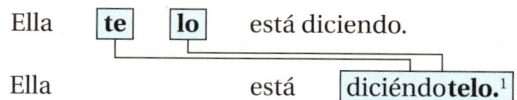

Ella [**te**] [**lo**] está diciendo.

Ella   está [diciéndo**telo**.¹]

*She is saying **it to you.***

- If both pronouns begin with **l,** the indirect object pronoun (**le** or **les**) is changed to **se.**

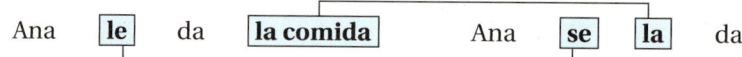

Ana [**le**] da [**la comida**]   Ana [**se**] [**la**] da.

For clarification, it is sometimes necessary to add **a él, a ella, a Ud., a Uds., a ellos,** or **a ellas.**

—¿A quién le dio la comida Ana?   *"To whom did Ana give the meal?"*
—**Se la** dio **a él.**   *"She gave **it to him.**"*

A proper name may also be given for clarification.

Se la dio **a Luis.**   *She gave **it to Luis.***

---

¹Note that the use of the written accent follows the standard rules for the use of accents. See Appendix A.

¿Cuál es tu número de teléfono?
¿Puedes dármelo?

Ace
ctice
Tests

▶ PRÁCTICA Y CONVERSACIÓN

Ⓐ Un tío generoso

We want to go camping, but we don't have anything that we need. Our generous uncle Ernesto provides everything. Rewrite the statements following the model.

- **MODELO:** No tenemos dinero. (dar)
  Él nos lo da.

1. Yo necesito una caña de pescar. (prestar)
2. Tú no tienes traje de baño. (comprar)
3. Nosotros necesitamos tablas de mar. (traer)
4. Daniel no tiene esquíes acuáticos. (prestar)
5. Mis hermanas quieren una cesta de picnic. (conseguir)
6. Mis primos necesitan unas raquetas de tenis. (comprar)

Ⓑ Excusas, excusas

What excuses would you give in response to these questions? Follow the model and use the cues provided.

- **MODELO:** —¿Por qué no le diste el dinero a Ada? (no estuvo aquí)
  —No se lo di porque no estuvo aquí.

1. ¿Por qué no me trajiste las raquetas? (no pude)
2. ¿Por qué no les mandaste los palos de golf? (no tuve tiempo)
3. ¿Por qué no te compró tu papá la canoa? (no quiso)

4. ¿Por qué no les dio Lupe el dinero a Uds.? (no vino a casa)

5. ¿Por qué te escribió Johnny la carta en inglés? (no sabe español)

6. ¿Por qué no les llevaste el pastel a los niños? (no lo hice)

 C Lo siento

With a partner, take turns asking and answering questions about what the following people want, saying you cannot help them. Use the verbs **mandar, dar, prestar, comprar, traer,** and **conseguir** and the cues provided.

- **MODELO:** —¿Qué quiere Elisa? (dinero)

  —*Elisa quiere dinero, ¿tú se lo puedes conseguir?*

  —*No, lo siento, yo no puedo conseguírselo.*

1. ¿Qué quiere Susana? (un traje de baño)

2. ¿Qué quiere David? (una caña de pescar)

3. ¿Qué quieren Susana y Gloria? (raquetas de tenis)

4. ¿Qué quiere Jaime? (una tabla de mar)

5. ¿Qué quiere Lucía? (palos de golf)

6. ¿Qué quieren Jaime y David? (comida)

D Comprando comestibles

You went to the market to get groceries for your family. Talk about your errands.

- **MODELO:** ¿Quién te dio la lista? (mi mamá)

  Mi mamá me la dio.

1. ¿Tu papá te escribió la lista de los comestibles? (sí)

2. ¿A quién le pediste el dinero? (a mi papá)

3. ¿A quién le trajiste las naranjas? (a mi mamá)

4. ¿A quién le compraste el helado? (a mi hermana)

5. ¿Quién te dio el dinero para comprar la leche? (mi hermano)

6. ¿Le trajiste la carne a tu hermana? (sí)

7. Nosotros te pedimos uvas. ¿Nos las compraste? (no)

8. ¿Dónde le compraste el pan a tu mamá? (la panadería)

 E Necesitamos ayuda *(help)*

With a partner, take turns indicating who does what for whom. Use the cues provided.

- **MODELO:** Raquel no sabe traducir las cartas. (Ana)

  Ana se las traduce.

1. Marta no tiene dinero para comprar una bolsa de dormir. (nosotros)

2. Tú no sabes armar la tienda de campaña. (yo)

3. Nosotras no sabemos hacer una fogata. (papá)

4. Yo no puedo comprar un velero. (mi abuelo)

5. Los chicos no pueden llevarle las raquetas a Teresa. (mi hermana)

6. Ud. no puede conseguir trabajo de salvavidas. (su padre)

③ Stem-changing verbs in the preterite
(Los verbos con cambio radical en el pretérito)

- As you will recall, **-ar** and **-er** verbs with stem changes in the present tense have no stem changes in the preterite. However, **-ir** verbs with stem changes in the present tense have stem changes in the third-person singular and plural forms of the preterite (**e > i** and **o > u**), as shown below.

servir (e > i)		dormir (o > u)	
serví	servimos	dormí	dormimos
serviste	servisteis	dormiste	dormisteis
s**i**rvió	**si**rvieron	d**u**rmió	d**u**rmieron

- Other **-ir** verbs that follow the same pattern are:

conseguir to get, to obtain
divertirse to have a good time
morir to die
pedir to order, to request or to ask for
seguir to continue, to follow
sentir(se) to feel

—¿Qué te **sirvieron** en la cafetería?
—Me **sirvieron** café y sándwiches.

*"What **did they serve** you at the cafeteria?"*
*"**They served** me coffee and sandwiches."*

—¿Cómo **durmió** Ud. anoche?
—**Dormí** muy bien.

*"How **did you sleep** last night?"*
*"**I slept** very well."*

—¿Se **divirtieron** ayer?
—Sí, nos **divertimos** mucho.

*"Did **you have a good time** yesterday?"*
*"Yes, **we had a** very **good time**."*

FLASHBACK

You have now seen all the preterite forms introduced. As a reminder, you will find the regular forms and the forms for **ser, ir,** and **dar** in **Lección 7,** pp. 160 and 162, and some irregular forms at the beginning of this lesson, p. 182.

¿Cómo dormiste anoche?

UNIVERSIDAD

Ace
Practice
Test

▶ PRÁCTICA Y CONVERSACIÓN

 A Minidiálogos

Complete the following exchanges by supplying the preterite of the verbs given. Then act them out with a partner.

1. dormir —¿Cómo _____ Uds. anoche?

—Yo _____ muy bien, pero mamá no _____ bien.

2. pedir —¿Qué _____ ellos?

—Ana _____ pastel y los niños _____ torta.

3. seguir —¿Hasta qué hora _____ hablando Uds.?

— _____ hablando hasta las doce.

4. servir —¿Qué _____ Uds. en la fiesta?

—_____ torta y café.

5. divertirse —¿_____ Uds. mucho?

—Yo _____ pero Julio no _____ mucho.

6. conseguir —¿_____ ellos el dinero?

—No, no lo _____ .

7. morir —Hubo un accidente, ¿no?

—Sí, y _____ mucha gente.

 B ¿Qué hicieron anoche?

With a partner, take turns describing what the following people did last night.

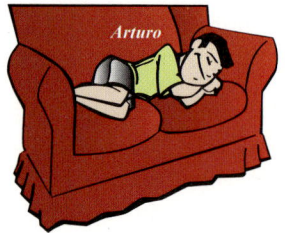

1. Arturo _____ en el sofá.

2. Ernesto le _____ dinero a Daniel.

3. Paco _____ a su mamá.

4. Mirta y Rafael _____ en la fiesta anoche.

5. El mozo le _____ el café a Juan.

6. Pilar _____ un trabajo nuevo.

C Fuimos a cenar

In groups of three, tell your classmates about a recent meal at a restaurant. Tell where you went and with whom, what you ordered, and whether or not you had a good time.

4 The imperfect tense
(El imperfecto de indicativo)

Forms of the imperfect

• There are two simple past tenses in the Spanish indicative: the preterite, which you have been studying, and the imperfect. To form the imperfect, add the following endings to the verb stem.

-ar *verbs*	-er *and* -ir *verbs*	
hablar	**comer**	**vivir**
habl- **aba**	com- **ía**	viv- **ía**
habl- **abas**	com- **ías**	viv- **ías**
habl- **aba**	com- **ía**	viv- **ía**
habl- **ábamos**	com- **íamos**	viv- **íamos**
habl- **abais**	com- **íais**	viv- **íais**
habl- **aban**	com- **ían**	viv- **ían**

Note that the endings of the **-er** and **-ir** verbs are the same. Observe the accent on the first-person plural form of **-ar** verbs: **hablábamos.** Note also that there is a written accent on the first **í** of the endings of the **-er** and **-ir** verbs.

—Tú siempre te **levantabas** a las seis, ¿no?
—Sí, porque mis clases **empezaban** a las siete y media y yo **vivía** lejos de la universidad.

*"You always **used to get up** at six, didn't you?"*
*"Yes, because my classes **started** at seven-thirty and I **lived** far from the university."*

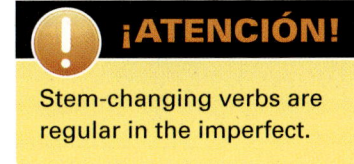
¡ATENCIÓN!

Stem-changing verbs are regular in the imperfect.

• Only three Spanish verbs are irregular in the imperfect tense: **ser, ir,** and **ver.**

ser	ir	ver
era	iba	veía
eras	ibas	veías
era	iba	veía
éramos	íbamos	veíamos
erais	ibais	veíais
eran	iban	veían

—Cuando yo **era** chica, siempre **iba** a acampar en el verano.
—Nosotros **íbamos** también.

*"When I **was** little, I always **went** camping in the summer."*
*"**We used to go** too."*

—¿Cuándo **veías** a tus amigos?
—Los **veía** sólo los sábados y los domingos.

*"When **did you see** your friends?"*
*"**I used to see** them only on Saturdays and Sundays."*

Uses of the imperfect

- The Spanish imperfect tense is equivalent to three English forms.

Yo **vivía** en Caracas.

$\begin{cases} I \textit{ used to live } in\ Caracas. \\ I \textit{ was living } in\ Caracas. \\ I \textit{ lived } in\ Caracas. \end{cases}$

- The imperfect is used to describe actions or events that the speaker views as in the process of happening in the past, with no reference to when they began or ended.

Empezábamos a estudiar cuando él vino.

*We **were beginning** to study when he came.*

- It is also used to refer to habitual or repeated actions in the past, again with no reference to when they began or ended.

—¿Uds. **hablaban** inglés cuando **vivían** en Bogotá?
—No, cuando **vivíamos** allí siempre **hablábamos** español.

*"**Did** you **speak** English when **you lived** in Bogotá?"*
*"No, when **we lived** there we always **spoke** Spanish."*

En mi casa, hablábamos español.

- It describes physical, mental, or emotional conditions in the past.

Mi casa **era** muy grande.

*My house **was** very big.*

No me **gustaba** estudiar.

*I **didn't like** to study.*

Yo no me **sentía** bien.

*I **wasn't feeling** well.*

- It expresses time and age in the past.

—¿Qué hora **era**?
—**Eran** las seis.

*"What time **was it**?"*
*"**It was** six o'clock."*

Julia **tenía** veinte años.

*Julia **was** twenty years old.*

- The imperfect is used to describe or set the stage in the past.

Mi novia **era** bonita.   *My girlfriend **was** pretty.*

Era muy tarde.   *It **was** very late.*

Ace
ctice
Test

▶ PRÁCTICA Y CONVERSACIÓN

A La vida cambia…

Things have changed; tell how they used to be.

1. Ahora vivo en…, pero cuando era niño(a)…
2. Ahora hablamos español, pero cuando éramos niños(as)…
3. Ahora comemos pescado, pero cuando éramos niños(as)…
4. Ahora mis padres no se divierten mucho, pero cuando tenían veinte años…
5. Ahora Julia no ve a sus tíos, pero cuando era niña…
6. Ahora tú vas al teatro, pero cuando eras niño(a)…
7. Ahora mi hermana no da fiestas, pero cuando tenía dieciocho años…
8. Ahora me gustan los vegetales, pero cuando era niño(a)…
9. Ahora mi mamá nada muy bien, pero cuando era pequeña…
10. Ahora Ud. se levanta a las nueve, pero cuando era pequeño(a)…

B Entreviste a su compañero(a)

Interview a partner, using the following questions.

1. ¿Dónde vivías cuando eras niño(a)?
2. ¿Con quién vivías?
3. ¿Tu casa era grande o pequeña?
4. ¿Cuántos dormitorios tenía?
5. ¿En qué idioma te hablaban tus padres?
6. ¿A qué escuela (*school*) ibas?
7. ¿Te gustaba estudiar?
8. ¿Qué te gustaba comer?
9. ¿Qué te gustaba hacer los sábados? ¿Y los domingos?
10. ¿Pasabas mucho tiempo con tus amigos los fines de semana?
11. ¿Sabías nadar? ¿Ibas a acampar?
12. ¿Jugabas al béisbol o al fútbol?

Detalles culturales

El béisbol es un deporte (*sport*) muy popular en Venezuela, Cuba, Puerto Rico y la República Dominicana. Muchos de los jugadores (*players*) de las Grandes Ligas de Canadá y los Estados Unidos son de estos países. En España y en la mayoría de los otros países latinoamericanos el deporte más popular es el fútbol (*soccer*).

¿Cuáles son los deportes más populares en Canadá?

C En el parque

Use your imagination to tell what was happening when you and your friends were seen in the park.

Anoche te vi en el parque con unos amigos.

1. ¿Qué hora era?
2. ¿Con quiénes estabas?
3. ¿De dónde venían Uds.?
4. ¿Adónde iban?

5. ¿De qué hablaban?
6. ¿Quién era la chica pelirroja?
7. ¿Quién era el muchacho alto y moreno?
8. ¿Esperaban a alguien?

D Queremos saber

With a partner, prepare five questions to ask your instructor about what he or she used to do when he or she was a teenager (**adolescente**).

5 Formation of adverbs
(La formación de los adverbios)

Grammar Tutorial

- Most Spanish adverbs are formed by adding **-mente** (the equivalent of the English *-ly*) to the adjective.

general	*general*	general**mente**	*generally*
reciente	*recent*	reciente**mente**	*recently*

—¿La fiesta de bienvenida es para Olga y sus amigas?
—No, es **especialmente** para Olga.

"The welcome party is for Olga and her friends?"
*"No, it's **especially** for Olga."*

- Adjectives ending in **-o** change the **-o** to **-a** before adding **-mente.**

lent**o**	*slow*	lent**amente**	*slowly*
rápid**o**	*rapid*	rápid**amente**	*rapidly*

Camina lentamente.

- If two or more adverbs are used together, both change the **-o** to **-a,** but only the last one in the sentence ends in **-mente.**

Habla clar**a** y lent**amente.**

She speaks clearly and slowly.

- If the adjective has an accent mark, the adverb retains it.

| **fá**cil | *easy* | **fá**cilmente | *easily* |

▶ PRÁCTICA Y CONVERSACIÓN

Ⓐ De adjetivos a adverbios

You can recognize the following Spanish adjectives because they are cognates. Change them to adverbs.

1. real
2. completo
3. raro
4. frecuente

5. posible
6. general
7. franco
8. normal

Ⓑ Lo entiendo perfectamente

Use some of the adverbs you have learned to complete the following sentences appropriately.

1. Ellos hablan _____ y _____ .
2. Viene a casa _____ .
3. Yo _____ estudio por la mañana.
4. _____, no quiero bailar con Ud.
5. Ellos vuelven mañana, _____ .
6. Los chicos escriben muy _____ .
7. _____ estoy muy cansado.
8. Yo no escribo cartas; _____ escribo mensajes electrónicos (*e-mail*).

Ⓒ ¿Cuándo…?

With a partner, talk about what you and your friends generally do, frequently do, and rarely do.

▶ PRÁCTICA Y TRADUCCIÓN

Based on the vocabulary and grammatical concepts studied in **Lección 8**, translate the following sentences.

1. David put the fishing rod in the car.
2. They bought a tennis racket and gave it to Laura.
3. Gilberto asked for a sleeping bag for his birthday.
4. You always went to the sea when you were a child, right?
5. Mrs. Rosales loves to speak Spanish. She speaks it easily and clearly.

Entre nosotros

¡Conversemos!

Para conocernos mejor

Get to know your partner better by asking each other the following questions.

1. ¿Esperas poder ir de vacaciones este verano? ¿Adónde quieres ir?
2. La última vez que fuiste de vacaciones, ¿te hospedaste en un hotel de cinco estrellas?
3. ¿Dónde pasaste las vacaciones el año pasado? ¿Te aburriste o te divertiste?
4. ¿Te juntas a veces con tus amigos para salir?
5. ¿Te gusta ir a acampar o prefieres ir a un buen hotel?
6. ¿Qué actividades al aire libre te gustaban cuando eras chico(a)?
7. ¿Ahora prefieres hacer esquí acuático, hacer surfing o bucear?
8. ¿Qué prefieres, mirar televisión o hacer una caminata?
9. Necesito tu raqueta de tenis, ¿puedes prestármela?
10. ¿Te gusta jugar al golf? ¿Tienes palos de golf?

Una encuesta

Interview your classmates to identify who does the following. Be sure to change the statements to questions. Include your instructor, but remember to use the **Ud.** form when addressing him or her.

Detalles culturales

En muchos países latinoamericanos y en España se usa el sistema de estrellas para clasificar los hoteles de lujo (*luxury*) y de primera clase.

¿Se hospeda Ud. a veces en hoteles de cinco estrellas?

NOMBRE

1. Hizo esquí acuático en un lago el año pasado. _____
2. Va a tratar de alquilar una cabaña (cabin) el verano próximo (next). _____
3. Jugó al golf o tenis el verano pasado. _____
4. Va a acampar a menudo. _____
5. Acaba de comer. _____
6. Pronto va a tener vacaciones. _____
7. Le gusta tomar el sol. _____
8. Compró un traje de baño recientemente. _____
9. Puede armar tiendas de campaña fácilmente. _____
10. Siempre les toma el pelo a sus amigos. _____

Y ahora…

Write a brief summary, indicating what you have learned about your classmates.

¿Cómo lo decimos?

What would you say in the following situations? What might the other person say? Act out the scenes with a partner.

1. You ask a friend if he or she prefers to go to the beach, to go hiking, or to go camping near a lake or a river (**río**) for a couple of days.

2. You are going on a camping trip for the first time. Tell a friend what items you need and what you need to learn to do.

3. Tell someone what your favourite outdoor activities are. Mention at least four.

¿Qué pasa aquí?

In groups of three or four, create a story about the people in the illustration. Say who they are and what their relationships are to one another. Also say what activities they are doing and what they will do later.

Para escribir

De vacaciones

Write a conversation between you and a friend, in which you are deciding what you are going to do when you have a couple of days off. One of you loves outdoor activities and the other doesn't. Try to compromise.

> **El que ríe último, ríe mejor.**
>
> Undoubtedly, you know the English version of this saying. Memorize it in Spanish, and use it at appropriate times.
>
> **Un dicho**

Lectura

Estrategia de lectura

What images or ideas do you associate with the colours green, red, and white? Scan the stanzas of the poem and make a list of the words associated with nature.

Vamos a leer

As you read the introduction to Martí and the stanzas of the poem, answer the following questions.

1. ¿En qué año nació (*was born*) el poeta?
2. ¿Dónde y en qué año murió?
3. ¿Cuáles son los temas principales de la poesía de Martí?
4. ¿Cómo se describe el poeta en la primera estrofa (*stanza*)?
5. ¿Qué quiere hacer Martí antes de morirse?
6. ¿Qué imágenes usa Martí para describir sus versos?
7. ¿Con quiénes quiere echar su suerte el poeta?
8. ¿Qué flor (*flower*) cultiva el poeta?
9. ¿Cultiva el poeta la rosa solamente para sus amigos o también para sus enemigos?
10. ¿Qué simboliza la rosa blanca?
11. Según este poema, ¿el poeta odia a sus enemigos?

campo… battlefield

José Martí (Cuba: 1853–1895) dedicó su vida y su obra a la independencia de Cuba, país donde murió en el campo de batalla° en 1895. Es famoso, no sólo como poeta y ensayista, sino también como orador.

Los poemas de Martí se caracterizan por la melodía, el ritmo y el uso de oraciones cortas, con las que expresa ideas muy profundas. Sus temas principales son la libertad, la justicia, la independencia de su patria y la defensa de los pobres y los oprimidos.°

oppressed

Video

Versos sencillos (Excerpts)[1]

JOSÉ MARTÍ

I

Yo soy un hombre sincero
de donde crece° la palma;   *grows*
y antes de morirme, quiero
echar° mis versos del alma.°   *to pour out / soul*

V

Mi verso es de un verde claro,°   *light*
y de un carmín encendido°:   *carmín... bright red*
mi verso es un ciervo herido°   *ciervo... wounded deer*
que busca en el monte amparo.°   *shelter*

III

Con los pobres de la tierra,°   *earth, land*
quiero yo mi suerte echar;°   *mi... to share my destiny*
el arroyo° de la sierra   *brook*
me complace° más que el mar.   *pleases*

XXXIX

Cultivo una rosa blanca,
en julio como en enero,
para el amigo sincero
que me da su mano franca.°   *open*

Y para el cruel que me arranca°   *tears out*
el corazón con que vivo,
cardo° ni ortiga° cultivo: *thistle / nettle*
cultivo la rosa blanca.

Díganos

Answer the following questions based on your own thoughts and experiences.

1. ¿Ha oído Ud. la canción *Guantanamera*?
2. Al final del poema, el poeta perdona (*forgives*) las ofensas de sus enemigos. ¿Haría Ud. (*Would you do*) lo mismo?

[1]Este poema es la letra de la canción *Guantanamera*.

Recuerdos

Pablo y Marisa están en la casa de los padres de ella. Marisa y su mamá invitan a Pablo a cenar y también a acampar con la familia ese fin de semana. El problema es que Pablo no sabe nada de acampar y ellas creen que él es un experto en actividades al aire libre.

El mundo hispánico

Photo courtesy of Margo Button, Victoria, BC

CUBA

- Cuba es la mayor de las islas del archipiélago de las Antillas. Tiene extensas costas en las cuales hay playas de gran belleza (*beauty*) muy populares. Los turistas que más visitan Cuba, "la Perla de las Antillas", son de Canadá.

- La Habana, la capital, fue declarada por la UNESCO Patrimonio de la Humanidad en 1982, y es la ciudad más grande del Caribe. La Habana Vieja, su sección antigua, se caracteriza por sus iglesias, plazas, fortalezas y edificios coloniales, como la Catedral y su plaza, y las fortalezas de El Morro y la Cabaña. La ciudad es muy vibrante, y en todas partes se ven cosas interesantes y se oye música excepcional.

- La música cubana o afrocubana es muy popular en todo el mundo. De Cuba vienen el son, el danzón, la rumba, la conga, el cha cha cha, el mambo y, en buena parte, la salsa.

- El deporte más popular del país es el béisbol, al que los cubanos llaman "la pelota".

- Las principales fuentes de ingreso (*sources of income*) del país son el turismo y el dinero que les envían a sus familiares más de un millón de cubanos que viven en el extranjero (*abroad*).

COLOMBIA

- Colombia es la única nación nombrada en honor de Cristóbal Colón.

- El Museo del Oro en Bogotá, la capital de Colombia, tiene una de las mejores colecciones de la artesanía precolombina, incluidos unos 30.000 objetos de oro.

- La música típica de Colombia es muy variada. Incluye la cumbia y el vallenato, que han alcanzado fama internacional. Shakira, Juanes y Carlos Vives son cantantes colombianos populares en Canadá y en los Estados Unidos.

- Colombia contribuye a la literatura y al arte mundial con dos grandes personajes: Gabriel García Márquez, que ganó el Premio Nobel de Literatura, y Fernando Botero, pintor y escultor famoso en todo el mundo.

Dos jóvenes se sientan en un muro con vista a la fortaleza de El Morro.

Shakira es una cantante muy popular en todas partes. Nació en Barranquilla, Colombia.

© Sean Nell / Shutterstock

NEL

CUBA

COLOMBIA

PUERTO RICO

VENEZUELA

LA REPÚBLICA DOMINICANA

PUERTO RICO

- Puerto Rico está muy densamente poblado, pero, desde 2003, hay más puertorriqueños que viven en los Estados Unidos, sobre todo en Nueva York, que los que viven en la isla.

- Hay muchos puertorriqueños que tienen fama en el cine y en el mundo de la música, entre ellos: Jennifer López, Ricky Martin, Jimmy Smits y Benicio del Toro.

- San Juan, la capital, es un centro de atracción turística por sus interesantes museos, sus edificios coloniales y las fortalezas de El Morro y San Cristóbal. Otros puntos de interés son sus playas y el Yunque, un bosque (*forest*) tropical.

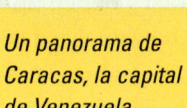
Una calle en el Viejo San Juan, en Puerto Rico

© James Marshall/The Image Works

Un panorama de Caracas, la capital de Venezuela

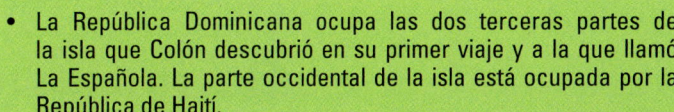

© Corbis Premium RF / Alamy

LA REPÚBLICA DOMINICANA

- La República Dominicana ocupa las dos terceras partes de la isla que Colón descubrió en su primer viaje y a la que llamó La Española. La parte occidental de la isla está ocupada por la República de Haití.

- La música típica del país es el merengue, pero además son populares otros ritmos del Caribe como la rumba y la salsa.

- Como en Cuba y en Puerto Rico, el béisbol es el deporte más popular de la isla y muchos jugadores famosos, como Albert Pujols, Manny Ramírez y Sammy Sosa, son dominicanos.

- Casi la mitad de la población del país vive en la capital, Santo Domingo, la primera ciudad europea fundada en el Nuevo Mundo. Aquí es donde nació el famoso diseñador, Oscar de la Renta.

VENEZUELA

- Cuando los conquistadores españoles llegaron al lago Maracaibo, las construcciones de los indígenas a orillas del lago les recordaron las de Venecia y por eso llamaron al país Venezuela, nombre que significa "pequeña Venecia".

- Canadá y Venezuela son dos de los mayores exportadores de petróleo del mundo. La mayor parte de su gran reserva de petróleo se encuentra debajo del lago Maracaibo. Este lago es el mayor de toda Sudamérica.

- El turismo canadiense a Venezuela ha crecido en los últimos años. A los turistas canadienses les gustan las playas venezolanas y las oportunidades de ecoturismo que existen ahora en Venezuela. La principal atracción turística del país es el Salto Ángel, mucho más alto que las cataratas del Niágara.

- En Caracas, la capital de Venezuela, nació Simón Bolívar, llamado el Libertador de América.

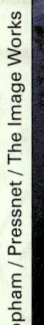

© Topham / Pressnet / The Image Works

El río Ozama en Santo Domingo, capital de la República Dominicana

Comentarios…

With a partner, discuss in Spanish what impressed you most about these countries, and compare them to Canada. Which places do you want to visit and why?

Tome este examen

LECCIÓN 7

A Preterite of regular verbs

Rewrite the following sentences, changing the verbs to the preterite.

1. Ellos comen tortilla y beben limonada.
2. Luis sale a las ocho y vuelve a las cinco.
3. Tú cierras la puerta y abres las ventanas.
4. Yo empiezo a las seis y termino a las ocho.
5. Nosotros leemos un poema y ella lee una novela.
6. Yo busco el dinero y no lo encuentro.
7. Yo llego temprano y comienzo a trabajar.
8. Yo compro carne aquí y pago menos.

B Preterite of *ser*, *ir*, and *dar*

Change the verbs in the following sentences to the preterite.

1. Ella va a la discoteca.
2. Dan mucho dinero.
3. ¿Ud. es mi profesor?
4. Yo voy más tarde.
5. Ellos son mis alumnos.
6. Doy muchas fiestas.
7. Yo soy su novio.
8. Nosotros vamos al cine.

C Indirect object pronouns

Answer the following questions in the negative.

1. ¿Te traen el jugo?
2. ¿Le das el dinero a él?
3. ¿Me vas a comprar los libros?
4. ¿Le vas a dar los cuadernos a Elsa?
5. ¿Le gusta el café a Ud.?
6. ¿Ellos les van a dar las invitaciones a Uds.?

D The verb *gustar*

Complete the following sentences with the Spanish equivalent of the words in parentheses.

1. _____ patinar, pero _____ nadar.   (*I like / I don't like*)
2. ¿ _____ esta película, Anita?   (*Do you like*)
3. _____ ese club.   (*My mother likes better*)
4. _____ levantarnos temprano.   (*We like*)
5. _____ bailar salsa.   (*My brother likes*)

E Reflexive constructions

Complete these sentences, using the verbs from the following list appropriately. Use each verb once.

acostarse   afeitarse   bañarse   levantarse   probarse   sentarse   vestirse

1. Mis hijos _____ muy temprano y _____ tarde.
2. Yo voy a _____ la barba (*beard*).
3. ¿Tú _____ el vestido (*dress*) antes de comprarlo?
4. Ella siempre _____ en esa silla.
5. Nosotros nunca _____ por la noche.
6. Él va a _____ ahora. Necesita el traje (*suit*) azul.

F Vocabulary

Complete the following sentences, using vocabulary from **Lección 7.**

1. Este _____ de semana voy a ir a la playa.
2. No me _____; me aburrí.
3. Ellos _____ a las siete de la mañana.
4. Mañana vamos a ir a un _____ de fútbol.
5. En el _____ Rex, ponen hoy una película muy buena.
6. El niño _____ el florero ayer.
7. En el _____ hay muchos animales.
8. Ellos van a ir a _____ montañas este verano.
9. Carlos fue a _____ a caballo.
10. Son las doce de la noche: es _____ .
11. Voy a _____ en el lago (*lake*).
12. Esta noche vamos a estudiar, en _____ de ir al teatro.

G Translation

Express the following in Spanish.

1. —Are you going to the theatre with your friends?
   —No, I can't. I have to study.
2. I get up at seven and go to bed at eleven.
3. Do your grandparents give you money to buy clothes?
4. We like Spanish very much, but we don't like studying mathematics.
5. I paid seventy-five dollars for a vase. Do you think it is a lot?

H Culture

Complete the following sentences, based on the cultural notes you have read.

1. El sobrenombre de Enrique es _____ .
2. Las películas americanas son muy _____ en el mundo hispano.

LECCIÓN **8**

A Preterite of some irregular verbs

Change the verbs in the following sentences to the preterite tense.

1. Ellos traen la raqueta y yo traigo la caña de pescar.
2. Tengo que ir al hotel.
3. ¿Qué hace él con la cesta?
4. Tú dices que sí y ellos dicen que no.
5. Laura viene al parque conmigo y tú vienes con Sergio.
6. Tú y yo estamos aquí y ellos están allá.
7. Ellas hacen el postre.
8. Yo sé toda la verdad.
9. Ellas conducen muy bien, pero yo conduzco muy mal.
10. Enrique no quiere ir a pescar.

B Direct and indirect object pronouns used together

Answer the following questions in the affirmative, replacing the direct objects with direct object pronouns.

1. ¿Me compraste *las raquetas*?
2. ¿Nos trajeron Uds. *los palos de golf*?
3. ¿Ellos te van a dar *el traje de baño*?   (*two ways*)
4. ¿Él les va a traer *los termos* a Uds.?   (*two ways*)
5. ¿Ella me va a comprar *la canoa*?   (*Use the* **Ud.** *form.*) (*two ways*)
6. ¿Ellos te traen *las cestas*?

C Stem-changing verbs in the preterite

Complete the following sentences in the preterite tense, using the verbs listed.

conseguir	divertirse	dormir
morir	pedir	seguir

1. Ana y Eva _____ mucho en la fiesta. Cuando volvieron a casa, _____ hablando y no _____ mucho por la noche.
2. Elsa _____ la comida y Juan se la trajo.
3. Hubo un accidente, pero no _____ nadie.
4. Roberto _____ el pescado en el mercado.

D The imperfect tense

Change the verbs in the following sentences to the imperfect.

1. ¿Tú vas al supermercado con tu papá?
2. Ella es muy bonita.
3. Ellos hablan español.
4. Nosotros no vemos a nuestros amigos.
5. Uds. nunca pescan en el lago.
6. Yo siempre como frutas por la mañana.

E Formation of adverbs

Write the following adverbs in Spanish.

1. easily
2. especially
3. slowly

4. rapidly
5. slowly and clearly
6. frankly

F Vocabulary

Complete the following sentences, using vocabulary from **Lección 8.**

1. ¿Qué actividades al _____ libre prefieres?
2. Voy a jugar al tenis; necesito la _____ .
3. Él no sabe _____ una tienda de campaña.
4. Voy a poner el pollo en la _____ de picnic.
5. No quiero ir en la canoa porque no sé _____ .
6. Ellos siempre me toman el _____ .
7. Un sinónimo de "a menudo" es _____ .
8. No me gusta hacer esquí _____ .
9. Cuando voy a la playa, me gusta _____ el sol.
10. Necesito mi _____ de mar.
11. Ellos van a _____ una caminata.
12. Me gusta mucho nadar. Me _____ .

G Translation

Express the following in Spanish.

1. On Saturday we couldn't go camping with our friends.
2. Ana lent me her racket. She lent it to me yesterday.
3. At the restaurant Eduardo and Marisol asked for coffee. The waiter served it to them.
4. When I was little, I often played outdoors.
5. The students like Professor Guzmán. She speaks slowly and clearly.
6. We have just returned from our vacation.
7. —Isabel, are you camping with us this weekend?
   —I hope so!
8. They bought a surfboard and a tennis racket at the store (*tienda*).

H Culture

Complete the following sentences, based on the cultural notes you have read.

1. Cuba es la _____ de las islas de las Antillas.
2. El único país nombrado en honor de Cristóbal Colón es _____ .
3. La música típica de la República Dominicana es el _____ .
4. El _____ es un bosque tropical de Puerto Rico.
5. Canadá y Venezuela son grandes exportadores de _____ .

UNIDAD

5

LECCIÓN 9
No tengo nada
que ponerme

LECCIÓN 10
Diligencias

© Pixonnet.com / Alamy

Una calle dedicada exclusivamente a los peatones (*pedestrians*) en la ciudad de Lima, Perú

Objetivos

LECCIÓN 9

▶ Shop for clothing and shoes, conveying your needs with regard to sizes and fit
▶ Talk about the weather
▶ Discuss past actions and events
▶ Talk about possession

LECCIÓN 10

▶ Open an account and cash cheques at the bank
▶ Mail letters and buy stamps at the post office
▶ Describe people and things
▶ Refer to actions, states, and events that have been completed in the past
▶ Tell others what to do

¿Qué hacemos hoy?

© Greg Stott / Alamy

Monumento Mitad del Mundo en la línea del ecuador, latitud 0°

Las playas de Punta del Este son muy populares durante el verano. Turistas de muchas partes del mundo las visitan.

© Domino/Lifesize/Getty Images

Maps courtesy of Patricia Isaacs, Parrot Graphics

© Michele Falzone / Alamy

Lago Titicaca, situado entre Bolivia y Perú

Represa hidroeléctrica de Itaipú, en el río Paraná

© Mike Goldwater / Alamy

No tengo nada que ponerme

© Fisher/Thatcher/Stone/Getty Images

Sara y Pablo son muy buenos amigos. Los dos son de Ecuador, pero ahora viven y estudian en Lima. Se conocieron en la facultad de medicina hace dos años. Ahora están en una tienda porque Pablo necesita comprar ropa y, según Sara, ella sabe exactamente lo que él necesita.

Sara	¿Por qué no te pruebas estos pantalones? No son muy caros y están de moda.
Pablo	¿Qué? Yo tenía unos pantalones como éstos cuando tenía quince años.
Sara	(*Se ríe.*) Bueno… todo vuelve… Tú usas talla mediana ¿no? Allí está el probador. Voy a buscarte una camisa.
Pablo	Quiero una camisa blanca de mangas largas y una de mangas cortas.
Sara	También necesitas un traje y una corbata para la boda de tu hermano… ¡y una chaqueta! Ya empezó el invierno y hace frío.
Pablo	Oye, todo esto me va a costar un ojo de la cara.
Sara	También tienes que comprar un regalo para tu mamá; me dijiste que era su cumpleaños.
Pablo	No sé qué comprarle. ¿Un vestido? ¿Una blusa y una falda? Pero… no sé qué talla usa.
Sara	No sé… quizá un par de aretes o una cadena de oro…
Pablo	Sí, como la tuya. A ella le gusta mucho. A ver cuánto puedo gastar.

Más tarde, en la zapatería.

Empleado	¿En qué puedo servirle, señor?
Pablo	Necesito un par de zapatos. Creo que calzo el número cuarenta y cuatro.
Sara	Las botas que compraste el mes pasado eran cuarenta y tres.
Pablo	Sí, pero como me quedaban chicas y me apretaban un poco, se las mandé a mi hermano.

Detalles culturales

En la mayoría de los países hispanos la talla de la ropa se basa en el sistema métrico. Por ejemplo, la medida (*measure*) del cuello (*collar*) y el largo de las mangas (*sleeves*) de una camisa se dan en centímetros. Una talla 10 en Canadá es equivalente a la 30 en España. Estas equivalencias varían de país a país.

La talla de la ropa, ¿se basa en el sistema métrico en Canadá?

Sara	Buena idea. ¡Los zapatos tienen que ser cómodos!
Pablo	(*Se ríe.*) Entonces, ¿por qué usas esas sandalias de tacones altos?
Sara	Las compré porque eran baratas, pero prefiero usar zapatos de tenis.
Pablo	Yo prefiero andar descalzo. Cuando era chico, me quitaba los zapatos en cuanto llegaba de la escuela.
Sara	Oye, ¿qué hora es?
Pablo	No sé. Eran las cuatro cuando salimos de la tienda. ¿Quieres ir a comer algo?
Sara	Bueno, voy a llamar a Teresa para decirle que no voy a cenar con ella.
Pablo	Bueno, tú llamas a tu compañera de cuarto y yo llamo al mío.

¿Recuerda usted?

¿Verdadero o falso?

With a partner, decide whether the following statements about the dialogues are true (**verdadero**) or false (**falso**).

1. Hace tres años que Sara y Pablo se conocieron. ☐ V ☐ F
2. Pablo se va a probar unos pantalones de talla mediana. ☐ V ☐ F
3. Pablo quiere comprar una camisa. ☐ V ☐ F
4. Pablo necesita un traje para su boda. ☐ V ☐ F
5. Pronto va a empezar el verano. ☐ V ☐ F
6. Pablo compró botas el mes pasado. ☐ V ☐ F
7. A Pablo le quedaban grandes las botas. ☐ V ☐ F
8. Pablo usa tacones altos. ☐ V ☐ F
9. A Pablo no le gustaba usar zapatos cuando era chico. ☐ V ☐ F
10. Pablo y Sara salieron de la tienda a las cinco. ☐ V ☐ F

Y ahora… conteste

Answer the following questions, basing your answers on the dialogue.

1. ¿De dónde son Sara y Pablo y dónde viven ahora?
2. ¿Qué dice Sara de los pantalones?
3. ¿Pablo quiere una camisa de mangas cortas o de mangas largas?
4. ¿Qué más dice Sara que necesita Pablo?
5. ¿Qué número calza Pablo?
6. ¿Qué tipo de zapatos prefiere usar Sara?
7. ¿Qué hacía Pablo en cuanto llegaba de la escuela?
8. ¿A quiénes van a llamar Sara y Pablo?

Detalles culturales

El sistema métrico decimal se usa en todos los países de habla hispana. La unidad básica del sistema es el metro.

¿Solamente se usa el sistema métrico en Canadá?

Para hablar del tema: Vocabulario

Audio
Flashcards

COGNADOS

la blusa

exactamente

la facultad

la medicina

el par

las sandalias

SUSTANTIVOS

el abrigo *coat*

los aretes* *earrings*

la bolsa *bag, purse*

la bota *boot*

la cadena *chain*

el calcetín (los calcetines) *socks*

la camisa *shirt*

la chaqueta* *jacket*

la corbata *tie*

el (la) empleado(a) *clerk*

la escuela *school*

el impermeable *raincoat*

la falda *skirt*

la manga *sleeve*

la nieve *snow*

el oro *gold*

los pantalones, el pantalón *pants*

— cortos *shorts*

el paraguas *umbrella*

el probador *fitting room*

el regalo *gift*

el tacón* *heel*

la talla *size (of clothing)*

la tienda *store*

el traje* *suit*

el vestido *dress*

la zapatería *shoe store*

el zapato *shoe*

VERBOS

apretar (e>ie) *to be tight*

buscar *to look for, to get*

calzar *to wear (a certain shoe size)*

gastar *to spend (i.e., money)*

usar *to wear, to use*

ADJETIVOS

alto(a) *high*

barato(a) *inexpensive, cheap*

cómodo(a) *comfortable*

corto(a) *short*

largo(a) *long*

mediano(a) *medium*

OTRAS PALABRAS Y EXPRESIONES

andar descalzo(a) *to go barefoot*

como *like*

costar un ojo de la cara *to cost an arm and a leg*

en cuanto *as soon as*

¿en qué puedo servirle? *How may I help you?*

estar de moda *to be in style*

lo que *what, that which*

no tener nada que ponerse *not to have anything to wear*

quedarle chico(a) (grande) a uno *to be too small (big) (on someone)*

quizás, tal vez *maybe, perhaps*

según *according to*

De país a país

los aretes los pendientes (*Esp.*); los aros (*Par., Arg.*); las caravanas (*Cono Sur*); las pantallas (*P.R.*)

la chaqueta la chamarra (*Méx.*)

el tacón el taco (*Arg.*)

el traje el vestido (*Colombia*)

el camisón la bata de dormir (*Cuba*)

el cinturón la correa (*P.R.*)

Amplíe su vocabulario

Más ropa *(More clothes)*

la **camiseta**

los **calzoncillos**

el **cinturón, cinto***

la **billetera, la cartera**

los **guantes**

el **chaleco**

el **pijama, los pijamas**

las **zapatillas**

el **camisón***

el **camisón***

la **bata**

el **suéter**

el **sombrero**

la **bufanda**

El tiempo *(The weather)*

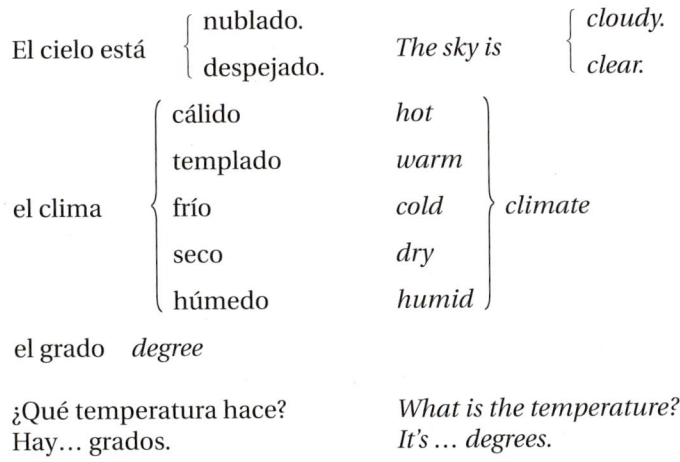

El cielo está	{ nublado.	The sky is	{ cloudy.
	despejado.		clear.

el clima	cálido	hot	
	templado	warm	
	frío	cold	climate
	seco	dry	
	húmedo	humid	

el grado   *degree*

¿Qué temperatura hace?   *What is the temperature?*
Hay… grados.   *It's … degrees.*

Para practicar el vocabulario

Ace Practice Test

A En la tienda y en la zapatería

Complete the following statements appropriately.

1. Pablo se va a probar la camisa de _____ cortas y también los _____ en el _____ .
2. La chaqueta no es _____; cuesta un _____ de la cara.
3. Cuando él _____ el traje azul, se pone una camisa blanca y una _____ roja.
4. Compré un _____ de botas, pero me _____ chicas; me _____ mucho.
5. Ella se puso una _____ blanca y una blusa negra. También se puso unas sandalias de _____ altos.
6. No uso talla grande ni chica. Uso talla _____ .
7. Busco unos aretes y una _____ de _____ para mi mamá.
8. No quiero usar zapatos en mi casa; prefiero andar _____ .
9. Voy a comprar el vestido. Está de _____ y no es muy caro. Cuesta solamente 50 dólares.
10. Tengo que comprar ropa. No _____ nada que _____ . ¿Vamos a la _____?

B ¿Qué se ponen?

Describe what Pablo and Sara usually wear, based on the cues provided.

Pablo

1. con el traje
2. debajo del pantalón
3. debajo de la camisa
4. para sujetarse (*hold*) los pantalones
5. para dormir
6. en las manos, cuando tiene frío
7. en los pies

Sara

1. cuando tiene frío
2. para dormir
3. en la cabeza
4. con el camisón
5. en los pies
6. en el cuello, cuando tiene frío

¿Y dónde ponen los dos el dinero?

FLASHBACK

See seasons of the year, p. 42.

C Hablando del tiempo

1. ¿Cómo es el clima de... ?
   - **a.** Nunavut
   - **b.** Winnipeg
   - **c.** Victoria
   - **d.** Ontario
   - **e.** Montreal
2. Va a llover (*rain*). ¿Cómo está el cielo?
3. El cielo no está nublado. ¿Cómo está?
4. ¿Qué temperatura hace hoy?

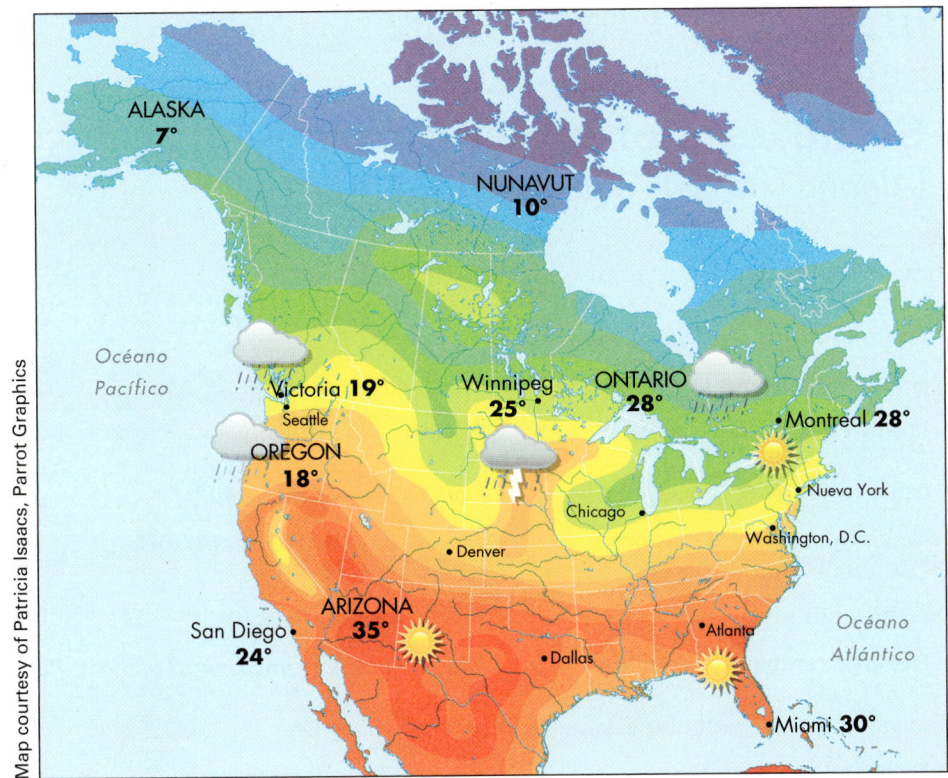

Map courtesy of Patricia Isaacs, Parrot Graphics

D El armario de la ropa

With a partner, discuss the items in the closet. According to these items, answer the following questions and create a brief story about the persons who own them.

1. ¿Cuáles son los colores favoritos de estas personas?
2. ¿Qué trabajo tienen?
3. ¿Son ordenados(as) o desordenados(as)?
4. ¿Cuántos años tienen?
5. ¿Dónde viven?

© Oleksiy Maksymenko / Alamy

Pronunciación

Pronunciation in context

In this lesson, there are some words or phrases that may be challenging to pronounce. Listen to your instructor and pronounce the following sentences.

1. **Se conocieron** en la **facultad** de **medicina** hace dos años.
2. **Ahora** están en una tienda porque Pablo necesita **comprar ropa.**
3. Necesito un par de **zapatos.** Creo que **calzo** el **número** cuarenta y cuatro.
4. Cuando era chico, **me quitaba** los zapatos en cuanto **llegaba** de la escuela.
5. Tú **llamas** a tu **compañera** de **cuarto** y yo llamo al mío.

Grammar Tutorial

① Some uses of *por* and *para*

(*Algunos usos de* por *y* para)

FLASHBACK

You will sometimes use an object of the preposition pronoun with **por** and **para**. To review, see p. 120.

The preposition **por** is used to express the following concepts.

- motion (*through, along, by, via*)

No puedo salir **por** la ventana.	*I can't go out **through** the window.*
Fuimos **por** la calle Quinta.	*We went **via** Fifth Street.*

- cause or motive of an action (*because of, on account of, on behalf of*)

No compré las sandalias **por** no tener dinero.	*I didn't buy the sandals **because** I didn't have any money.*
Lo hice **por** ti.	*I did it **on** your **behalf.***
Llegaron tarde **por** el tráfico.	*They arrived late **on account of** the traffic.*

- means, manner, unit of measure (*by, per*)

No me gusta viajar **por** tren.	*I don't like to travel **by** train.*
Va a setenta kilómetros **por** hora.	*She is doing seventy kilometres **per** hour.*
Cobran 100 dólares **por** noche.	*They charge a hundred dollars **per** night.*

- *in exchange for*

Pagamos cien dólares **por** las botas.	*We paid a hundred dollars **for** the boots.*

- period of time during which an action takes place (*during, in, for*)

Voy a quedarme aquí **por** un mes.	*I'm going to stay here **for** a month.*
Ella prepara la comida **por** la mañana.	*She prepares the meal **in** the morning.*

The preposition **para** is used to express the following concepts.

- destination

¿Cuándo sales **para** Quito?	*When are you leaving **for** Quito?*

- goal for a specific point in the future (*by* or *for* a certain time in the future)

Necesito la camisa y el pantalón **para** mañana.	*I need the shirt and the pants **for (by)** tomorrow.*

- whom or what something is for

La blusa es **para** ti.	*The blouse is **for** you.*

- objective or goal

Mi novio estudia **para** profesor.	*My boyfriend is studying **to be** a professor.*

- *in order to*

—Ayer fui a su casa.
—¿**Para** qué?
— **Para** hablar con él.

"Yesterday I went to his house."
*"What **for**?"*
*"**(In order) To** talk with him."*

▶ PRÁCTICA Y CONVERSACIÓN

A Minidiálogos

Supply **por** or **para** in each dialogue. Then act each one out with a partner.

1. —¿ _____ qué calle fuiste?
   —Fui _____ la calle Esperanza.
2. —¿ _____ cuándo necesitas los pantalones?
   —Los necesito _____ el sábado _____ la noche.
3. —¿Para qué fuiste al mercado?
   — _____ comprar frutas. Lo hice _____ ti, porque estabas muy cansada… Y no compré más carne _____ no tener más dinero.
4. —¿Cuánto pagaron Uds. _____ ese vestido?
   —Cien soles. Es _____ nuestra hija.
   —¿Cuándo sale ella _____ Cuzco?
   —El 3 de enero. Va a estar allí _____ dos meses. Va _____ visitar a su abuela.
   —¿Va _____ tren?
   —Sí.
5. —¿Ofelia está en la universidad?
   —Sí, estudia _____ profesora.

> ### Detalles culturales
>
> Sol: moneda peruana
>
> **¿Sabe Ud. cuáles son las monedas de otros países hispanos?**

B Cosas que pasan

Look at the illustrations and describe what is happening, using **por** or **para.**

1. Fuimos _____ a Lima.

2. Roberto salió _____ .

3. Marisa va a estar en Medellín _____ .

4. La torta es _____ Ana.

5. Jorge pagó _____ el vino.

6. Ana sale mañana _____ .

C Diferentes circunstancias

In groups of three, and using your imagination, add some details to the following circumstances. Use **por** or **para** and think of various possibilities.

- **MODELO:** Marisa compró un vestido.

  *Pagó 100 dólares **por** el vestido. El vestido es **para** su tía.*

1. Mi sobrino va a ir a Ecuador.
2. Mi prima está en la universidad.
3. Amalia trabaja de siete a once de la mañana.
4. Marité tiene una fiesta el sábado. Necesita comprar un vestido.
5. David compró una corbata.
6. Mi cuñado no pudo pagar la cuenta.
7. Este hotel es muy barato.
8. Julio conduce muy rápido (*fast*).
9. Ellos llegaron tarde a la fiesta.
10. Luis no pudo salir por la puerta.

Audio Flashcards

2 Weather expressions
(Expresiones para describir el tiempo)

 **¡ATENCIÓN!**

All of these expressions use the verb **hacer** followed by a noun.

- The following expressions are used when talking about the weather.

Hace (mucho) frío.	*It is (very) cold.*
Hace (mucho) calor.	*It is (very) hot.*
Hace (mucho) viento.	*It is (very) windy.*
Hace sol.	*It is sunny.*

—¿Qué tiempo **hace** hoy?　　　　*"What's the weather **like** today?"*
—**Hace buen (mal) tiempo.**　　　*"The weather is good (bad)."*

—¿Abro la ventana?　　　　　　　*"Shall I open the window?"*
—¡Sí! ¡**Hace** mucho **calor**!　　*"Yes! **It's** very **hot!**"*

Un muchacho camina contra el viento en un día de invierno con mucha nieve en Montreal, Quebec.

© icpix_can / Alamy

- The impersonal verbs **llover (o > ue)** (*to rain*) and **nevar (e > ie)** (*to snow*) are also used to describe the weather. They are used only in the third-person singular forms of all tenses, and in the infinitive, the present participle, and the past participle.

En Vancouver **llueve** mucho.	*It rains a lot in Vancouver.*
Creo que va a **nevar** hoy.	*I think it's going to snow today.*
Está **lloviendo;** no podemos salir.	*It's raining; we can't go out.*

- Other weather-related words are **lluvia** (*rain*) and **niebla** (*fog*).

Hay **niebla**.	*It's foggy.*
No me gusta **la lluvia.**	*I don't like rain.*

▶ PRÁCTICA Y CONVERSACIÓN

A **¿Qué tiempo hace?**

Describe the weather in each illustration.

1. _____

2. _____

3. _____

4. _____

Brrr...

5. _____

6. _____

B Minidiálogos

With a partner, complete the exchanges in a logical manner.

1. —¿Necesitas un paraguas?
   —Sí, porque _____ .
2. —¿No necesitas un abrigo?
   —No, porque _____ .
3. —¿Quieres un impermeable?
   —Sí, porque _____ mucho.
4. —¿No quieres llevar el suéter?
   —¡No! ¡Hace _____ !
5. —¿Vas a llevar el sombrero?
   —Sí, porque _____ .
6. —¿Necesitas un suéter y un abrigo?
   —Sí, porque _____ .
7. —¿Un impermeable? ¿Por qué? ¿Está lloviendo?
   —No, pero _____ .
8. —¡Qué _____ ! Necesito un paraguas y un impermeable.
9. —No hay vuelos (*flights*) porque hay mucha _____ .

C De viaje *(On a trip)*

A friend of yours from Lima is going to travel in Canada for a year. With a partner, discuss what kind of weather he's going to find in cities like St. John's, Mississauga, Saskatoon, and Kelowna.

Grammar
Tutorial

3 The preterite contrasted with the imperfect
(El pretérito contrastado con el imperfecto)

FLASHBACK

Before contrasting the preterite and the imperfect, it may be helpful to review the preterite on pp. 160, 162, 182, and 187 and the imperfect on pp. 189–191.

The difference between the preterite and imperfect tense can be visualized in the following way.

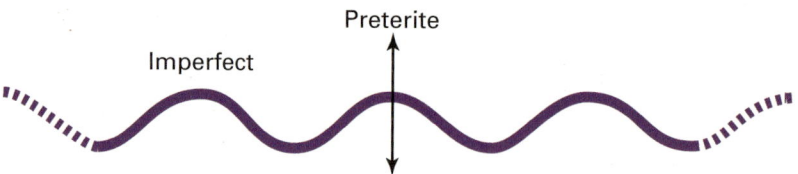

The wavy line representing the imperfect shows an action or event taking place over a period of time in the past. There is no reference as to when the action began or ended. The vertical line representing the preterite shows an action or event completed at a certain time in the past.

In many instances, the choice between the preterite and the imperfect depends on how the speaker views the action or event. The following table summarizes the most important uses of both tenses.

Preterite	Imperfect
• Reports past actions or events that the speaker views as completed. Ella **vino** ayer. • Sums up a condition or state viewed as a whole (and no longer in effect). **Estuve** cansada todo el día.	• Describes past actions or events in the process of happening, with no reference to their beginning or end. **Íbamos** al cine cuando… • Indicates a repeated or habitual action (*used to …, would*) Todos los días **íbamos** con él.[1] • Describes a physical, mental, or emotional state or condition in the past. **Estaba** muy cansada. • Expresses time and age in the past. **Eran** las dos. **Tenía** veinte años. • Is used in indirect discourse. Dijo que **venía**. • Describes in the past or sets the stage. Mi novia **era** muy bonita. **Hacía** frío y **llovía**.

—¿**Viste** a Eva ayer?
—Sí, **estaba** en el restaurante cuando la **vi**.

*"**Did you see** Eva yesterday?"*
*"Yes, **she was** at the restaurant when **I saw** her."*

—¿Qué te **dijo** Raúl?
—Dijo que **necesitaba** dinero.

*"What **did** Raúl **say** to you?"*
*"He said **he needed** money."*

¡ATENCIÓN!

Direct discourse:	Juan dijo: "Vengo mañana".
Indirect discourse:	Juan dijo que **venía** mañana.

---

[1]Note that this use of the imperfect corresponds to the English *would* used to describe a repeated action in the past. *Every day **we used to** go with him.* = *Every day **we would** go with him.* Do not confuse this with the English conditional *would*, as in: *If I had the time **I would go** with him.*

▶ PRÁCTICA Y CONVERSACIÓN

Ⓐ Pequeñas historias

Complete the following stories, using the appropriate form of the preterite or the imperfect of the verbs provided. Then read the stories aloud.

1. _____ (Ser) las once y _____ (hacer) frío cuando Ada _____ (llegar) a su casa anoche. La chica _____ (estar) cansada y no _____ (sentirse) bien. Su mamá _____ (levantarse) y le _____ (hacer) una taza de té.

2. Cuando yo _____ (ser) niño yo _____ (vivir) en Chile. Todos los veranos _____ (ir) a visitar a mis abuelos, que _____ (vivir) en el campo. El año pasado mi familia y yo _____ (mudarse) a Cuzco y mis abuelos _____ (venir) a vivir con nosotros.

3. Ayer Ana y Carlos _____ (ir) a la tienda La Peruana. Ana _____ (comprar) una camisa. El empleado les _____ (decir) que ellos _____ (tener) mucha ropa buena y barata. Ana y Carlos _____ (volver) a su casa a las siete, _____ (cenar) y _____ (acostarse). Ana no _____ (dormir) muy bien.

Ⓑ Entreviste a su compañero(a)

Interview a partner, using the following questions.

1. ¿Dónde vivías tú cuando eras niño(a)?

2. ¿Qué idioma hablabas tú cuando eras niño(a)?

3. ¿Tú siempre estudiabas mucho cuando eras niño(a)?

4. ¿Cómo era tu primer(a) novio(a)?

5. ¿En qué año comenzaste a estudiar en la universidad?

6. ¿De qué hablaste con tus amigos ayer?

7. ¿Tú estudiaste mucho anoche?

8. ¿Qué hora era cuando llegaste a la universidad hoy?

9. ¿Qué hacías cuando llegó el (la) profesor(a)?

10. ¿Qué te dijo el (la) profesor(a) que tenías que estudiar esta noche?

Ⓒ ¿Qué hacíamos… qué hicimos…?

With a partner, talk about what you used to do when you were in high school and then discuss what you did last week. Use the following phrases to start.

1. Cuando yo estaba en la escuela secundaria,
    a. todos los días yo…
    b. los fines de semana mi familia y yo…
    c. en mi clase de inglés mi profesor(a)…
    d. en la cafetería mis amigos y yo…
    e. mi mejor amigo(a) siempre…
    f. los viernes por la noche yo…

2. La semana pasada,
    a. el lunes por la mañana yo…
    b. en mi clase de español mi profesor(a)…
    c. el martes por la noche…
    d. el jueves por la tarde…
    e. el sábado mis amigos y yo…
    f. el domingo yo…

D Usted y sus amigos

Working with your classmates, fill in the blanks in the following table, adding information and comparing events that happened in the past.

	yo	amigo/a 1	amigo/a 2	amigo/a 3
En el año 2000				
Cada domingo				
Todos los fines de semana				
El 14 de febrero de 2010				
Todas las tardes				
En junio de 2010				

E Soy escritor *(I'm a writer)*

Use your imagination to finish the following story.

Eran las dos de la mañana y yo estaba durmiendo en mi apartamento.

Tocaron a la puerta y yo fui a abrir. Cuando la abrí, vi…

4 *Hace…* meaning *ago*

(Hace… *como equivalente del inglés* ago)

In sentences in the preterite and in some cases the imperfect, **hace** + *period of time* is equivalent to the English *ago*. When **hace** is placed at the beginning of the sentence, the construction is as follows.

> **Hace** + period of time + **que** + verb (*preterite*)
>
> **Hace** + **dos años** + **que** + la conocí.
>
> *I met her two years **ago**.*

An alternative construction is:

La conocí hace dos años.

FLASHBACK

You may remember a similar construction used to express in English, "have been …ing" (e.g., "I have been living in Mississauga for 3 years." "*Hace tres años que vivo en Mississauga*."). See p. 139.

¡ATENCIÓN!

To find out how long ago something took place, ask:

¿Cuánto tiempo hace que… + *verb in the preterite*?

—¿**Cuánto tiempo hace que viniste** a Guayaquil?   "**How long ago** did you come from Guayaquil"

—¿**Cuánto tiempo hace que** tú llegaste?   "**How long ago did** you arrive?"

—**Hace tres años que** llegué.   "I arrived **three years ago**."

▶ **PRÁCTICA Y CONVERSACIÓN**

A **¿Cuánto tiempo hace…?**

Say how long ago the following events took place.

- **MODELO:** Son las cuatro. Yo llegué a las tres.
  Hace una hora que yo llegué.

1. Estamos en noviembre. Los García celebraron su aniversario de bodas en septiembre.
2. Son las seis. Yo almorcé a la una.
3. Hoy es viernes. Esteban salió para Bolivia el martes.
4. Son las diez. Pedimos el postre a las diez menos cuarto.
5. Estamos en el año 2011. Vinimos a London, Ontario, en el año 2000.
6. Son las diez. Ellos empezaron a estudiar a las siete.

 B **¿Cuándo pasó eso?**

Discuss with a partner how long ago the following events happened in your life.

1. ¿Cuánto tiempo hace que empezaste a estudiar español?
2. ¿Cuánto tiempo hace que Uds. tomaron el último examen?
3. ¿Cuánto tiempo hace que hablaste con tus padres?
4. ¿Cuánto tiempo hace que le escribiste a un(a) amigo(a)?
5. ¿Cuánto tiempo hace que tu mejor amigo(a) te llamó por teléfono?
6. ¿Cuánto tiempo hace que estuviste en un buen restaurante?
7. ¿Cuánto tiempo hace que compraste ropa?
8. ¿Cuánto tiempo hace que saliste con tus amigos?

Detalles culturales

En las ciudades hispanas hay excelentes tiendas donde se puede comprar ropa hecha (*ready-to-wear*), pero muchas personas prefieren utilizar los servicios de un sastre (*tailor*) o de una modista (*dressmaker*).

¿Le gusta a Ud. la idea de tener una modista (un sastre)?

5 ## Possessive pronouns
(Pronombres posesivos)

- Possessive pronouns in Spanish agree in gender and number with the person or thing possessed. They are generally used with the definite article.

FLASHBACK

You may want to review possessive adjectives on pp. 35–36.

Singular		Plural		
Masc.	*Fem.*	*Masc.*	*Fem.*	
(el) mío	(la) mía	(los) míos	(las) mías	mine
(el) tuyo	(la) tuya	(los) tuyos	(las) tuyas	yours (*fam.*)
(el) suyo	(la) suya	(los) suyos	(las) suyas	yours (*form.*) his hers
(el) nuestro	(la) nuestra	(los) nuestros	(las) nuestras	ours
(el) vuestro	(la) vuestra	(los) vuestros	(las) vuestras	yours (*fam.*)
(el) suyo	(la) suya	(los) suyos	(las) suyas	yours (*form.*) theirs

Este zapato no puede ser suyo…

<table>
<tr><td></td><td>

¡ATENCIÓN!

Note that **los tuyos** substitutes for **los *libros* tuyos;** the noun has been deleted. Also note that after the verb **ser,** the article is usually omitted.

</td><td>

—Mis libros están aquí.
¿Dónde están los **tuyos**?
—Los **míos** están en la mesa.

—¿Estas invitaciones son **tuyas**?
—Sí, son **mías**.

</td><td>

"My books are here.
*Where are **yours**?"*
*"**Mine** are on the table."*

*"Are these invitations **yours**?"*
*"Yes, they're **mine**."*

</td></tr>
</table>

- Because the third-person forms of the possessive pronouns (**el suyo, la suya, los suyos, las suyas**) can be ambiguous, they can be replaced with the following for clarification.

el	de	⎫	**Ud.**
la	de	⎬	**él**
			ella
los	de		**Uds.**
las	de	⎭	**ellos**
			ellas

¿El diccionario? Es **suyo.** (*unclarified*)   *The dictionary? It's hers/his/theirs/yours.*
Es **el de ellas.** (*clarified*)   *(fem. pl. possessor)*

▶ PRÁCTICA Y CONVERSACIÓN

Ⓐ Todo es nuestro

Ace Practice Test

Supply the correct possessive pronoun to agree with each subject. Clarify when necessary.

- **MODELO:**   Yo tengo una camisa. Es _____.
  Es mía.

1. Nosotros tenemos un apartamento. Es _____ .
2. Ellos tienen una tienda. Es _____ . (Es _____ _____ _____ .)
3. Él tiene dos trajes. Son _____ . (Son _____ _____ _____ .)
4. Yo tengo una billetera. Es _____ .
5. Tú tienes dos cinturones. Son _____ .
6. Uds. tienen muchos zapatos. Son _____ . (Son _____ _____ _____ .)
7. Ella tiene dos camisones. Son _____ . (Son _____ _____ _____ .)
8. Nosotros tenemos una casa. Es _____ .

Ⓑ ¿De quién es…?

Who owns the following items? Answer the questions affirmatively.

1. Aquí hay una blusa verde. ¿Es tuya?
2. Yo encontré 100 dólares. ¿Son tuyos?
3. ¿La cartera roja es de tu mamá?
4. El libro que tú tienes, ¿es mío?
5. Las computadoras que están en mi escritorio, ¿son de ustedes?
6. Aquí hay un iPod. ¿Es de ustedes?

C Vamos a comparar

With a partner, make comparisons between the objects and people described. Use appropriate possessive pronouns when asking each other questions.

- **MODELO:** —Mi hermano tiene… años. ¿Cuántos años tiene el tuyo?
  —*El mío tiene dieciocho.*

1. Mi casa está en la calle…
2. Mis abuelos son de…
3. Mi mejor amigo(a) se llama…
4. Mis profesores son…
5. Mis padres están en…
6. Mis tías viven en…

▶ PRÁCTICA Y TRADUCCIÓN

The more you practise working on your translations, the more you will advance and become better. Here is another one. Use the vocabulary from **Lección 9** and all the grammatical concepts presented up to now. You are doing a great job!

1. When I was a little boy, I used to eat ice cream on Sundays.
2. Elena bought a new pair of shoes, but now they are tight. She needs another pair.
3. Ana and Virginia need new dresses for Angela's party. They don't have anything to wear and they don't have money to spend. They need inexpensive dresses.
4. Having comfortable shoes is important (in order) to walk long distances (**distancias**).
5. During the summer months, some days in Ontario are hot and humid.

Ace
Practice
Test

¡Conversemos!

Para conocernos mejor

Get to know your partner better by asking each other the following questions.

1. ¿Dónde conociste a tu mejor amigo(a)? ¿Cuántos años tenías cuando lo (la) conociste?
2. ¿Qué le compraste a tu mejor amigo(a) para su cumpleaños?
3. Cuando vas de compras, ¿prefieres ir solo(a) o con un(a) amigo(a)?
4. Yo compré mi ropa en la tienda _____. ¿Dónde compras tú la tuya?
5. ¿Cuándo fue la última vez que fuiste a la tienda? ¿Qué compraste?
6. Generalmente, ¿usas camisas (blusas) de mangas largas o de mangas cortas?
7. ¿Qué ropa te vas a poner mañana? ¿Te vas a poner sandalias o zapatos?
8. ¿Cuánto te costaron los zapatos? ¿Qué número calzas tú?
9. Si te gustan unos zapatos pero te quedan un poco chicos, ¿los compras?
10. ¿Qué te pones cuando hace mucho frío? ¿Te gustan más los climas fríos o los cálidos?

Una encuesta

Interview your classmates to identify who fits the following descriptions. Include your instructor, but remember to use the **Ud.** form when addressing him or her.

NOMBRE

1. Prefiere los climas cálidos. _____
2. Usa impermeable cuando llueve. _____
3. Le gusta viajar por tren. _____
4. Llegó tarde a clase por el tráfico. _____
5. Siempre dice que no tiene nada que ponerse. _____
6. Estudia para profesor(a). _____
7. Celebró su cumpleaños el mes pasado. _____
8. Nació (was born) en el mes de julio. _____
9. Compró algo para un amigo (una amiga) recientemente. _____
10. Gastó mucho dinero en ropa este mes. _____

Y ahora...

Write a brief summary, indicating what you have learned about your classmates.

¿Cómo lo decimos?

What would you say in the following situations? What might the other person say? Act out the scenes with a partner.

1. You are shopping for clothes in Lima. Tell the clerk what clothes you need, your size, and discuss colours and prices.
2. You go shopping for shoes, sandals, and boots. You try on several pairs, but have problems with them. You finally buy a pair of boots.
3. Your friends went to the store without you. Ask them what they bought and how much they spent.
4. You ask a new acquaintance from Ecuador where she lived when she was a child and what she liked to do. Give her the same information about you.

¿Qué dice aquí?

Look at the following ad and help a friend of yours who is shopping at **La Limeña,** in Lima. Answer his or her questions, using the information provided in the ad.

1. ¿Cómo se llama la tienda?
2. ¿En qué mes son las rebajas (*sales*)?
3. Tengo una hija de nueve años. ¿Qué puedo comprarle en la tienda?
4. Mi esposo necesita zapatos. ¿Qué tipo de zapatos están en liquidación?
5. Además de (*Besides*) los zapatos, ¿qué puedo comprar para mi esposo?
6. Vamos a ir a la playa (*beach*). ¿Qué puedo comprar para mis hijos?
7. Soy profesora y necesito más ropa para el trabajo. ¿Qué puedo comprar?

Las Rebajas de La Limeña

En Agosto más Ventajas

Ahora en La Limeña, Rebajas sobre Rebajas. Todo cuesta mucho menos.

Señoras
• Vestidos lisos y estampados, en poliéster-algodón
• Blusas, faldas, en distintos dibujos y colores
• Zapatos de tacón alto y sandalias

Caballeros
• Trajes y pantalones de sport y de vestir de lana
• Camisas de algodón, de mangas largas y mangas cortas
• Zapatos de cuero

Niños y Jóvenes
• Camisetas lisas y estampadas
• Para ellas, trajes de baño, lisos y de fantasía
• Para ellos, bañadores y pantalones cortos
• Playeros en distintos colores y en todas las tallas

Para escribir
¿Cómo eras tú?

Write a short narration about your life when you were twelve. Where were you living? What were you like? What did you like to do? Now, write seven brief journal entries of a diary as if you were twelve years old. Date each day and make sure you include different events that happened during the week. Be inventive. Use humour.

Lo barato sale caro.

Do you only buy clothes that are of good quality? If you do, you will agree with this saying. What does it mean? Can you memorize it?

Un dicho

Diligencias

Roberto ha estado muy ocupado últimamente y no ha tenido tiempo de ir al banco. Hoy, por fin, tiene un par de horas para hacer diligencias. Primero va al Banco Nacional de Asunción, Paraguay.

<table>
<tr><td>

Detalles culturales

Abrir una cuenta bancaria no es muy fácil en los países latinoamericanos, especialmente si es una cuenta corriente. La gente que puede ahorrar, generalmente deposita su dinero en la caja postal de ahorros, un servicio que las oficinas de correo ofrecen en algunos países.

¿Existe ese tipo de servicio en Canadá?

</td></tr>
</table>

Roberto	Buenas tardes. Dígame, ¿qué tengo que hacer para abrir una cuenta de ahorros?
Empleado	¿Tiene usted alguna otra cuenta en este banco?
Roberto	Sí, tengo una cuenta corriente.
Empleado	¿Quiere abrir una cuenta individual o una cuenta conjunta?
Roberto	Una cuenta individual.
Empleado	Bien, llene esta planilla, féchela y fírmela, por favor. ¿Cuánto va a depositar?
Roberto	Trescientos mil guaraníes.[1] También quiero cobrar este cheque por cuarenta mil guaraníes. ¿Cuál es el saldo de mi cuenta, por favor?
Empleado	Déjeme buscarlo en la computadora. A ver… quinientos mil guaraníes, señor.

Media hora más tarde, Roberto está en la oficina de correos. Está haciendo cola porque hay mucha gente.

Roberto	Les quiero mandar estas tres tarjetas postales a mis amigos en Canadá.
Empleada	Sí, señor. Son diez mil guaraníes.
Roberto	¿Cuánto cuesta enviar un paquete?
Empleada	Cien mil guaraníes. ¿Quiere mandar uno?
Roberto	No, voy a volver otro día.
Empleada	Bien, ¿necesita algo más, señor?

---

[1]Paraguayan currency

Roberto	Sí, deme estampillas para tres cartas.
Empleada	Aquí las tiene.
Roberto	Gracias. ¡Ah! ¿El correo está abierto mañana?
Empleada	No, señor. Está cerrado. Mañana es día feriado.

Roberto salió de la oficina de correos y trató de recordar dónde había estacionado su coche. Por fin lo encontró a una cuadra del correo. Como les había dicho a sus padres que iba a cenar con ellos, fue directamente a casa.

Detalles culturales

El uso de cheques no es tan común en Latinoamérica como en Canadá y en los Estados Unidos, pero muchos bancos tienen sus propias (*own*) tarjetas de crédito.

¿Paga Ud. siempre con cheques o prefiere pagar en efectivo o con tarjeta de débito o tarjeta de crédito?

¿Recuerda usted?

¿Verdadero o falso?

With a partner, decide whether the following statements about the dialogue are true (**verdadero**) or false (**falso**).

1. Roberto va a hacer algunas diligencias hoy. ☐ V ☐ F
2. Roberto va a abrir una cuenta corriente. ☐ V ☐ F
3. Roberto no tiene ninguna cuenta en el Banco Nacional. ☐ V ☐ F
4. Roberto va a depositar más de 100.000 guaraníes. ☐ V ☐ F
5. Roberto manda tarjetas postales. ☐ V ☐ F
6. Roberto manda un paquete también. ☐ V ☐ F
7. Roberto puede ir al correo mañana. ☐ V ☐ F
8. Roberto fue al correo en taxi. ☐ V ☐ F

Y ahora… conteste

Answer these questions, basing your answers on the dialogue.

1. ¿En qué ciudad está el Banco Nacional?
2. ¿Por qué no ha tenido tiempo Roberto para ir al banco?
3. ¿Qué tipo de cuenta quiere abrir Roberto?
4. ¿Dónde va a buscar el empleado el saldo de la cuenta de Roberto?
5. En el correo, ¿por qué tiene que hacer cola Roberto?
6. ¿Cuántas tarjetas postales quiere enviar Roberto?
7. ¿Por qué está cerrado el correo mañana?
8. ¿Dónde encontró Roberto su coche?

Detalles culturales

En muchos países de habla hispana, las estampillas sólo pueden comprarse en el correo o en tiendas especializadas que están autorizadas para venderlas.

¿Dónde puede Ud. comprar estampillas en Canadá?

Para hablar del tema: Vocabulario

Audio
Flashcards

COGNADOS

el banco
certificado(a)
el cheque
la computadora*

directamente
identificación
individual

SUSTANTIVOS

el (la) cajero(a) *teller, cashier*
la carta *letter*
el coche* *car*
la cuadra* *block*
la cuenta *account*
— conjunta *joint account*
— corriente *chequing account*
— de ahorros *savings account*
la estampilla* *stamp*
el dólar *dollar*
la gente[1] *people*
el giro postal *money order*

la hora *hour*
la oficina *office*
— de correos, el correo *post office*
el paquete *package*
el periódico, diario *newspaper*
la planilla *form*
el saldo *balance*
la tarjeta *card*
— de crédito *credit card*
— de débito *debit card*
— postal *postcard*

VERBOS

cobrar *to cash*
depositar *to deposit*
estacionar* *to park*

fechar *to date*
firmar *to sign*
llenar *to fill, to fill out*

ADJETIVOS

abierto(a) *open*
cerrado(a) *closed*
medio(a) *half*

ocupado(a) *busy*
otro(a) *another, other*

OTRAS PALABRAS Y EXPRESIONES

¿Algo más? *Anything else?*
Aquí las tiene. *Here you are.*
día feriado *holiday*
entre *between*
hacer cola *to stand in line*

hacer diligencias *to run errands*
por fin *finally*
primero *first*
últimamente *lately*

De país a país

la computadora el ordenador (*Esp.*)
el coche el carro (*Méx.*)
la cuadra la manzana (*Esp.*)
la estampilla el timbre (*Méx.*)
estacionar parquear (*Antillas*)

Detalles culturales

El uso del "Internet" o la "Red", como se llama en español, es cada día más popular en el mundo hispánico y muchas instituciones (empresas y organizaciones) tienen su propia página (*home page*).

En Canadá, ¿la mayoría de las instituciones tiene su propia página en la Red? ¿Cree Ud. que esto es importante? ¿Por qué?

---

[1] **Gente** (*People*) is considered singular in Spanish.

Amplíe su vocabulario

Más sobre el banco

ahorrar *to save*

archivar la información *to store information*

la caja de seguridad *safe-deposit box*

el cajero automático *automatic teller machine (ATM)*

la casa central *head quarters or main office*

en efectivo *in cash*

gratis *free (of charge)*

la libreta de ahorros *bankbook*

el talonario de cheques *cheque book*

solicitar un préstamo *to apply (ask) for a loan*

la sucursal *branch office*

la memoria *memory*

el laptop, la computadora portátil *laptop*

el ordenador personal, la computadora personal *personal computer*

navegar la Red *to surf the net*

tener acceso a la Red *to have access to the Internet*

Detalles culturales

Cada nación latinoamericana tiene un banco central encargado de (*in charge of*) emitir el dinero y de controlar la actividad de los bancos comerciales. En algunos países hay también sucursales de bancos extranjeros.

En Canadá, ¿qué institución está encargada de emitir el dinero?

Un poco de tecnología *(A little about technology)*

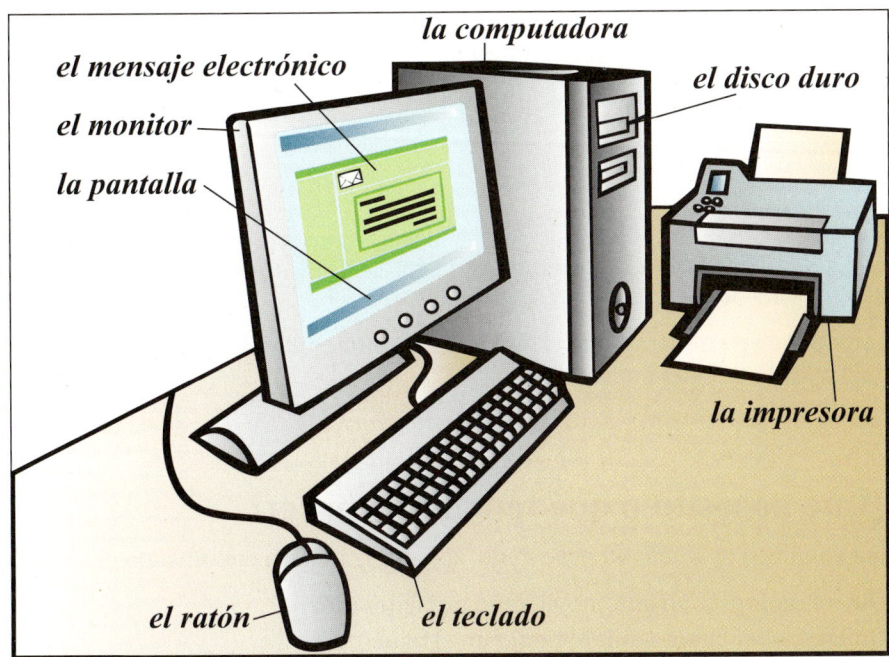

- el mensaje electrónico
- el monitor
- la pantalla
- la computadora
- el disco duro
- la impresora
- el ratón
- el teclado

Para practicar el vocabulario

Ace
Practice
Test

A Preguntas y respuestas

Match the questions in column *A* with the answers in column *B*.

A	B
1. ¿Cuál es el saldo de tu cuenta?	**a.** No, en una sucursal.
2. ¿Vas a depositar el cheque?	**b.** No, es un día feriado.
3. ¿Qué debo llenar?	**c.** No, abierto
4. ¿Qué vas a solicitar?	**d.** No, voy a cobrarlo.
5. ¿Necesitas algo más?	**e.** No, con un cheque.
6. ¿Trabajas hoy?	**f.** Quinientos dólares.
7. ¿Dónde pusiste el dinero?	**g.** Esta planilla.
8. ¿Trabajas en la casa central?	**h.** No, nada. Gracias.
9. ¿El banco está cerrado?	**i.** En la caja de seguridad.
10. ¿Pagas en efectivo?	**j.** Un préstamo.

B Rubén y Eva hacen diligencias

Complete the following description of Rubén and Eva's busy morning.

1. 8:15: Van al banco y abren una cuenta de _____ y una cuenta _____. Las cuentas no son individuales; son _____.

2. 8:50: Sacan dinero del _____ automático.

3. 10:15: Van al Departamento de Vehículos. Eva llena una _____ para sacar su licencia para conducir (*driver's licence*); la fecha y la _____.

4. 11:30: Van a la oficina de _____ y después de hacer _____ por unos cinco minutos mandan una carta _____ a La Paz. También envían un giro _____ y compran _____ para tres _____ postales.

5. 12:00: Van a buscar el coche que Rubén _____ a dos _____ del correo.

Detalles culturales

En España y en la mayoría de los países latinoamericanos una persona debe tener por lo menos (*at least*) 18 años para obtener una licencia de conducir y los exámenes para obtenerla son muy difíciles.

¿A qué edad se puede obtener una licencia para conducir en Canadá? ¿Es igual (*same*) en todas las provincias?

C ¿Qué necesito o qué tengo que hacer?

Say what you need or what you have to do, according to each circumstance.

1. Quieres comprar un automóvil, pero no tienes dinero.

2. Quieres saber cuánto dinero tienes en el banco.

3. Quieres ahorrar dinero.

4. Quieres guardar (*to keep*) documentos muy importantes en el banco.

5. En la sucursal del banco no tienen lo que necesitas.

6. No puedes pagar con un cheque ni con tu tarjeta de crédito.

D ¿Qué necesita hacer?

With a partner, take turns saying what parts of the computer you need to use or what you need to do, according to each circumstance. Use **Necesito** (+ *infinitive*)**...** or **Necesito usar...**

1. You need to write a report on the computer.
2. You need to print the report.
3. You need to read your e-mails.
4. You need to save a résumé.
5. You need to use a computer during a plane trip.
6. You need to look something up on the Internet.

Miguel está comprando ropa por Internet. ¿Qué va a comprar?

Pronunciación

Pronunciation in context

In this lesson, there are some words or phrases that may be challenging to pronounce. Listen to your instructor and pronounce the following sentences.

1. Hoy, por **fin,** tiene un par de **horas** para hacer **diligencias.**
2. ¿Qué tengo que **hacer** para abrir una cuenta de **ahorros**?
3. ¿Quiere abrir una cuenta **individual** o una cuenta **conjunta**?
4. Quiero mandar esta carta a **La Paz, certificada.**
5. Trató de **recordar** dónde había **estacionado** su coche.

Puntos para recordar

1 Past participles
(Los participios pasados)

In Spanish, regular past participles are formed by adding the following endings to the stem of the verb.

-ar *verbs*	-er *verbs*	-ir *verbs*
habl- **ado** (*spoken*)	com- **ido** (*eaten*)	recib- **ido** (*received*)

¡ATENCIÓN!

The past participle of **ir** is **ido.**

The following verbs have irregular past participles in Spanish.[1]

abrir	**abierto**	poner	**puesto**
decir	**dicho**	romper	**roto**
escribir	**escrito**	ver	**visto**
hacer	**hecho**	volver	**vuelto**
morir	**muerto**		

Past participles used as adjectives

In Spanish, most past participles can be used as adjectives. As such, they agree in number and gender with the nouns they modify.

—¿**Las cartas** están **firmadas**?   *"Are **the letters signed**?"*
—Sí, ya están **firmadas** y **fechadas.**   *"Yes, they are already **signed** and **dated.**"*

—¿**Las ventanas** están **abiertas**?   *"Are **the windows open**?"*
—No, están **cerradas.**   *"No, they're **closed.**"*

Ace Practice Test

▶ PRÁCTICA Y CONVERSACIÓN

A Participios pasados

Give the past participles of the following verbs.

1. decir
2. cerrar
3. hacer
4. beber
5. morir
6. poner
7. vivir
8. ver
9. recetar
10. volver
11. ir
12. tener
13. romper
14. abrir
15. parar
16. ser
17. escribir
18. buscar
19. leer
20. salir

---

[1]Verbs ending in **-er** and **-ir** whose stem ends in a strong vowel require an accent mark on the **i** of the **-ido** ending: **leer, leído; oír, oído; traer, traído; creer, creído.**

B ¿Qué pasa?

With a partner, take turns completing the description of each illustration, using the verb **estar** and the appropriate past participle.

1. El coche _____ en la esquina (*corner*).

2. Los niños _____.

3. El restaurante _____.

4. La ventana _____.

5. La puerta _____.

6. La carta _____ en español.

7. Los vestidos _____ en México.

8. El cuaderno _____.

9. La señora _____ cerca de la ventana.

C Preguntas de un turista

With a partner, take turns answering a tourist's questions.

1. ¿Los bancos están abiertos a las ocho de la mañana?

2. Hoy es feriado, ¿están abiertas las tiendas?

3. ¿El correo ya está cerrado a las ocho de la noche?

4. ¿En Canadá todos los letreros (*signs*) están escritos en inglés?

5. ¿Dónde están hechos estos manteles?

6. ¿Los restaurantes están cerrados los domingos?

www

nmar torial

2 Present perfect tense
(Pretérito perfecto)

- The present perfect tense is formed by using the present tense of the auxiliary verb **haber** with the past participle of the verb that expresses the action or state.

	Present Indicative of haber (*to have*)[1]	
he		hemos
has		habéis
ha		han

Formation of the Present Perfect Tense

	Present of haber	+	Past Participle	
yo	he		hablado	I have spoken
tú	has		comido	you (*fam.*) have eaten
Ud., él, ella	ha		vuelto	you (*form.*) have returned; he, she has returned
nosotros(as)	hemos		dicho	we have said
vosotros(as)	habéis		roto	you (*fam.*) have broken
Uds., ellos, ellas	han		hecho	you (*form., fam.*) have done, made; they have done, made

- The present perfect tense is equivalent to the use in English of the auxiliary verb *have + past participle*, as in *I have spoken*.

—¿Nora **ha ido** al correo?	*"**Has** Nora **gone** to the post office?"*
—No, no **ha podido** ir.	*"No, she **hasn't been** able to go."*

- Note that in Spanish, when the past participle is part of a perfect tense, its form does not vary for gender or number agreement.

Él **ha estacionado** aquí.	*"He **has parked** here."*
Ella **ha estacionado** aquí.	*"She **has parked** here."*

- Unlike English, the past participle in Spanish is never separated from the auxiliary verb **haber.**

Ella **nunca ha hecho** nada.	*She **has never done** anything.*
Él **siempre ha escrito** las cartas en inglés.	*He **has always written** the letters in English.*

POLICÍA

¿Sr. Soto? Hemos encontrado su coche.

---

[1]Note that the English verb *to have* has two equivalents in Spanish: **haber** (used as an auxiliary verb) and **tener.**

▶ PRÁCTICA Y CONVERSACIÓN

A Hoy llega mamá

Mrs. Aranda is coming home today after a business trip. With a partner, take turns saying what everybody has done to get ready for her homecoming. Use the cues provided.

- **MODELO:** Viviana / preparar / comida
  Viviana ha preparado la comida.

1. El Sr. Aranda / lavar / coche
2. Jorge / barrer / garaje
3. Yo / sacudir / muebles
4. Tú / hacer / una torta
5. Los niños / poner / mesa
6. Andrés / comprar / rosas
7. Raquel / pasar/ aspiradora
8. Rolando y yo / traer / bebidas

B Entreviste a su compañero(a)

Interview a classmate, using the following questions.

1. ¿Has ido al banco últimamente?
2. ¿Has pedido un préstamo recientemente?
3. ¿Has tenido que sacar dinero del cajero automático esta semana?
4. ¿Tus padres han abierto una cuenta conjunta contigo?
5. ¿Alguien te ha mandado tarjetas postales recientemente?
6. ¿Tú y tu familia han estado en Sudamérica alguna vez (*ever*)?
7. ¿Dónde has estacionado tu coche hoy?
8. ¿Has llegado tarde a clase?

C Lo que hemos hecho

In groups of three, discuss what you have done since yesterday. Include what you have eaten, whom you have seen and spoken to, and so on. Be prepared to report to the class something that all of you have done.

3 Past perfect (pluperfect) tense
(Pretérito pluscuamperfecto)

- The past perfect tense is formed by using the imperfect tense of the auxiliary verb **haber** with the past participle of the verb that expresses the action or state.

Imperfect of haber	
había	**habíamos**
habías	**habíais**
había	**habían**

Formation of the Past Perfect Tense

	Imperfect of haber	+	Past Participle	
yo	había		hablado	I had spoken
tú	habías		comido	you (*fam.*) had eaten
Ud., él, ella	había		vuelto	you (*form.*), he, she had returned
nosotros(as)	habíamos		dicho	we had said
vosotros(as)	habíais		roto	you (*fam.*) had broken
Uds., ellos, ellas	habían		hecho	you (*form., fam.*) had done, made; they had done, made

- The past perfect tense is equivalent to the use in English of the auxiliary verb *had + past participle*, as in *I had spoken*.

    In Spanish, as in English, this tense refers to actions, states, or events that were already completed before the start of another past action, state, or event.

—¿Uds. **habían estado** en Chile antes del año pasado?
—No, nunca **habíamos estado** allí.

*"**Had** you **been** in Chile before last year?"*
*"No, **we had** never **been** there."*

—¿Ricardo está aquí?
—Sí, cuando yo vine, él ya **había llegado.**

"Is Ricardo here?"
*"Yes, when I came, he **had** already arrived."*

Ace Practice Test

▶ PRÁCTICA Y CONVERSACIÓN

Ⓐ Minidiálogos

Complete the following exchanges with the past perfect of the verbs given.

1. —¿Qué _____ (hacer) el empleado?
   —Le _____ (traer) las estampillas.
2. —¿Tú ya _____ (ver) a Roberto?
   —Sí, yo ya _____ (hablar) con él.
3. —¿El niño _____ (romper) el florero?
   —Sí, y por eso tuve que comprar otro.
4. —Cuando papá vino a buscarnos, ¿Uds. ya _____ (ir) al correo?
   —No, no _____ (ir) todavía.
5. —¿Qué _____ (decir) tu mamá?
   —Que necesitaba su talonario de cheques.
6. —¿Adónde _____ (ir) Uds., a la casa central del banco?
   —No _____ (ir) a una sucursal.
7. —¿Dónde _____ (poner) tú los documentos?
   —Los _____ (poner) en la caja de seguridad.
8. —¿Qué le _____ (comprar) a Jorge Uds.?
   —Le _____ (comprar) una computadora personal.

B Están de vuelta

Your parents just got back from a vacation. Say what everybody had done by the time they came back.

1. yo
2. mi amiga
3. mis hermanos
4. mi tío y yo
5. tú
6. Uds.

C Antes de los 16

Find out which of the following things your partner had done before turning 16.

- **MODELO:**   conducir

  —*¿Habías conducido antes de cumplir dieciséis años?*

  —*Sí (No),…*

1. abrir una cuenta corriente
2. trabajar
3. tener novio(a)
4. vivir en otro país (*country*)
5. estudiar un idioma
6. terminar la escuela secundaria

ww

mmar
torial

4 Formal commands: *Ud.* and *Uds.*

(*Mandatos formales:* Ud. *y* Uds.*)*

- The command forms for **Ud.** and **Uds.**[1] are formed by dropping the **-o** of the first-person singular of the present indicative and adding **-e** and **-en** for **-ar** verbs and **-a** and **-an** for **-er** and **-ir** verbs.

FLASHBACK

You may wish to review the verbs that have irregular "yo" forms. See p. 84.

Infinitive	First-Person Sing. Present Indicative	Stem	Commands Ud.	Commands Uds.
habl**ar**	yo habl**o**	habl-	habl**e**	habl**en**
com**er**	yo com**o**	com-	com**a**	com**an**
abr**ir**	yo abr**o**	abr-	abr**a**	abr**an**
cerr**ar**	yo cierr**o**	cierr-	cierr**e**	cierr**en**
volv**er**	yo vuelv**o**	vuelv-	vuelv**a**	vuelv**an**
ped**ir**	yo pid**o**	pid-	pid**a**	pid**an**
dec**ir**	yo dig**o**	dig-	dig**a**	dig**an**

—¿Con quién debo hablar?
—**Hable** con el cajero.

"With whom must I speak?"
*"**Speak** with the teller."*

—¿Cuándo debemos volver?
—**Vuelvan** mañana.

"When must we come back?"
*"**Come back** tomorrow."*

[1]The command form for **tú** will be studied in **Lección 12.**

- The command forms of the following verbs are irregular.

	dar	estar	ser	ir
Ud.	**dé**	**esté**	**sea**	**vaya**
Uds.	**den**	**estén**	**sean**	**vayan**

—¿Vamos al correo ahora?   *"Shall we go to the post office now?"*
—No, no **vayan** ahora; **vayan** a las dos.   *"No, don't **go** now; **go** at two o'clock."*

- With all direct *affirmative* commands, object pronouns are placed after the verb and are attached to it, thus forming only one word. With all *negative* commands, the object pronouns are placed in front of the verb.

—¿Dónde pongo las cartas?   *"Where shall I put the letters?"*
—**Póngalas** aquí; **no las ponga** allí.   ***"Put them** here; **don't put them** there."*

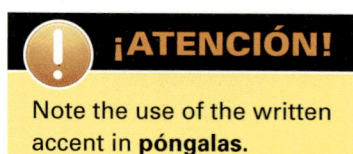

¡ATENCIÓN!

Note the use of the written accent in **póngalas**.

¡Digan la verdad! ¿No es fantástico ser bilingüe?

¡Guau, guau!

▶ PRÁCTICA Y CONVERSACIÓN

Ⓐ Instrucciones

A bank employee must give the customers certain instructions. Following the model, change each sentence to the appropriate command.

- **MODELO:** Tiene que llenar la planilla.
  Llene la planilla.

1. Tienen que fechar y firmar la planilla.
2. Tienen que hacer cola.
3. Tienen que estar aquí a las tres.
4. Tiene que hablar con el cajero.
5. Tiene que sentarse y esperar unos minutos.
6. Tiene que venir más tarde y traer el número de su cuenta.

7. Tiene que darle su nombre al gerente (*manager*).
8. Tiene que dejarme su número de teléfono.
9. Tienen que decirle que los cheques son gratis.
10. Tiene que volver mañana.

B Mamá (Papá) y nosotros

Two teenagers are helping their Mom (Dad) and asking what to do. Take the role of the parent and answer their questions. Use the command forms and the cues provided.

1. ¿Adónde vamos ahora? (al mercado)
2. ¿Qué compramos? (frutas)
3. ¿A quién le pedimos el dinero? (a su abuelo)
4. ¿Qué más traemos? (detergente)
5. ¿Qué coche llevamos? (el mío)
6. ¿A qué hora empezamos a cocinar? (a las tres)
7. ¿Qué hacemos de postre? (arroz con leche)
8. ¿Invitamos a cenar a Roberto o a Miguel? (Miguel)

C ¿Que sí o que no?

Andrés says yes to everything, while Ana always says no. With your partner, play the roles of Ana and Andrés. Answer each question as he or she would, using a formal command and a direct object pronoun to replace each direct object.

1. ¿Mando las cartas hoy? (Andrés)
2. ¿Compramos los sellos (*stamps*)? (Ana)
3. ¿Traigo el talonario de cheques? (Ana)
4. ¿Compramos las tarjetas postales? (Andrés)
5. ¿Llamo a Rafael? (Andrés)
6. ¿Llamamos a nuestros amigos? (Ana)
7. ¿Mando el giro postal? (Andrés)
8. ¿Hacemos las diligencias hoy? (Ana)

D A mi secretaria

Using commands, tell your secretary to do the following tasks.

1. *Escribirles* al Dr. López y al Dr. Smith. *Escribirle* al Dr. López en español y *escribirle* al Dr. Smith en inglés. *Decirles* que los documentos ya están listos. *Mandarles* las cartas hoy.
2. *Comprarle* (a él) papel y lápices.
3. *Darle* al Sr. Gómez su número de teléfono, pero no *darle* su dirección.
4. *No hablarles* a los empleados del nuevo horario.
5. *Llevarle* las planillas al Sr. Soto, pero *no llevarle* los cheques.
6. *No decirle* a la Sra. Castro que los cheques son gratis.

E Una nota

You and your partner are going to be gone for a few days, and you have two very irresponsible roommates. Write them a note telling them four things to do and four things not to do in your absence.

Grammar Tutorial

⑤ First-person plural commands

(El imperativo de la primera persona del plural)

- In Spanish, the first-person plural of an affirmative command (*let's verb*) can be expressed in two ways:

  - by using the first-person plural command, formed like the **Ud.** and **Uds.** commands, except with the addition of **"emos"** for **-ar** verbs and **"amos"** for **-er** and **-ir** verbs.

Preguntemos el precio de la computadora.	***Let's ask** the price of the computer.*

  - or, by using the expression **vamos a** + *infinitive*.

Vamos a preguntar el precio de la computadora.	***Let's ask** the price of the computer.*

- The verb **ir** does not use an irregular form in the first-person plural affirmative command, it just uses the present tense form.

Vamos al teatro.	***Let's go** to the theatre.*

- In a negative command, however, the irregular form is used.

No vayamos al teatro.	***Let's not go** to the theatre.*

- In all direct, affirmative commands, object pronouns are attached to the verb, and a written accent is then placed on the stressed syllable.

Comprémos**lo**.	*Let's buy **it**.*
Llamémos**los**.	*Let's call **them**.*

- If the pronouns **nos** or **se** are attached to the verb, the final **-s** of the verb is dropped before adding the pronoun.

Sentémo**nos** aquí.	***Let's sit** here.*
Vistámo**nos** ahora.	***Let's get dressed** now.*
Démo**selo** a los niños.	***Let's give it** to the children.*
—Vamos a Bolivia. —No, no vayamos a Bolivia; **quedémonos** en Perú.	*"Let's go to Bolivia."* *"No, let's not go to Bolivia;* ***let's stay** in Perú."*
—¿Dónde queda el Museo del Oro? —No sé. **Preguntémoselo** a ese señor.	*"Where's the Museum of Gold located?"* *"I don't know. **Let's ask** that gentleman."*

▶ PRÁCTICA Y CONVERSACIÓN

A **¿Qué hacemos?**

With a partner, take turns saying what you and your friends should do in the following situations. Use the first-person plural command. Use pronouns wherever possible.

1. Tenemos mucha hambre.
2. Estamos en un restaurante y necesitamos el menú.
3. No queremos salir hoy.
4. No sabemos qué hacer este fin de semana.
5. Un amigo quiere ir al banco.
6. Queremos saber el precio de una computadora.
7. Estamos cansados.
8. Hace mucho frío y vamos a salir.

B **¡Vamos a Paraguay!**

You and a classmate are making plans to go on a trip to Paraguay. Take turns answering the following questions, using the first-person plural command.

1. ¿A qué ciudad vamos?
2. ¿Cómo viajamos?
3. ¿Qué día y a qué hora salimos?
4. ¿Cuántas maletas (*suitcases*) llevamos?
5. ¿Nos hospedamos en un hotel o en una pensión?
6. ¿Pedimos una habitación (*room*) con vista (*view*) a la calle?
7. ¿Cuántos días nos quedamos en la ciudad?
8. ¿Comemos en un restaurante o en nuestra habitación?
9. ¿Dónde dejamos las joyas (*jewelry*)?
10. ¿Cuándo regresamos?

▶ PRÁCTICA Y TRADUCCIÓN

Based on the vocabulary and grammatical concepts studied in **Lección 10**, translate the following sentences.

1. The bank is closed but the post office is open.
2. I have signed the cheque but I haven't deposited it.
3. They had gone to the ATM because they needed to take out money.
4. Mr. Barajas, speak to the teller and tell him that you want a money order.
5. Let's go out tonight! Tomorrow is a holiday.

Entre nosotros

¡Conversemos!

Para conocernos mejor

Get to know your partner better by asking each other the following questions.

1. ¿En qué banco tienes tu cuenta de ahorros? ¿Y tu cuenta corriente?
2. ¿Usas el cajero automático a veces?
3. Cuando compras algo, ¿pagas en efectivo, con cheque o usas una tarjeta de débito?
4. ¿Vas a depositar dinero en tu cuenta de ahorros mañana?
5. ¿Tienes tu talonario de cheques contigo?
6. ¿Tú sabes cuál es el saldo de tu cuenta corriente?
7. ¿Tienes tus documentos importantes en una caja de seguridad?
8. Cuando vas al correo, ¿a veces tienes que hacer cola?
9. ¿Envías muchas tarjetas de Navidad (*Christmas*)?
10. ¿Usas un laptop o una computadora personal?
11. ¿Navegas mucho la Red?
12. ¿Cuántos mensajes electrónicos recibes al día?

Una encuesta

Interview your classmates to identify who fits the following descriptions. Include your instructor, but remember to use the **Ud.** form when addressing him or her.

NOMBRE

1. Hace sus diligencias los sábados.
2. Siempre manda tarjetas postales cuando viaja (he or she travels).
3. A veces envía cartas a sus amigos o padres.
4. Recuerda su número de Seguro Social (Social Insurance).
5. Tiene una cuenta corriente en el banco.
6. Deposita dinero en el banco todos los meses.
7. Necesita ahorrar más.
8. Tiene un laptop PC o Mac.
9. Navega la Red todos los días.
10. Manda muchos mensajes electrónicos.

Y ahora...

Write a brief summary, indicating what you have learned about your classmates.

¿Cómo lo decimos?

What would you say in the following situations? What might the other person say? Act out the scenes with a partner.

1. Ask for the information necessary to open a savings account.
2. You need to cash a cheque. Tell the teller how much you want to deposit in your chequing account, and how much cash you want.
3. You are in Asunción, and you need to send some letters and postcards to Canada. Tell the employee what you need.
4. You are teaching a computer class for beginners. In Spanish, identify the parts of a computer for your students.
5. You are at a computer lab at closing time. Tell the attendant three things you need to do before you leave.

¿Qué dice aquí?

Read the following ad, and answer the questions that follow.

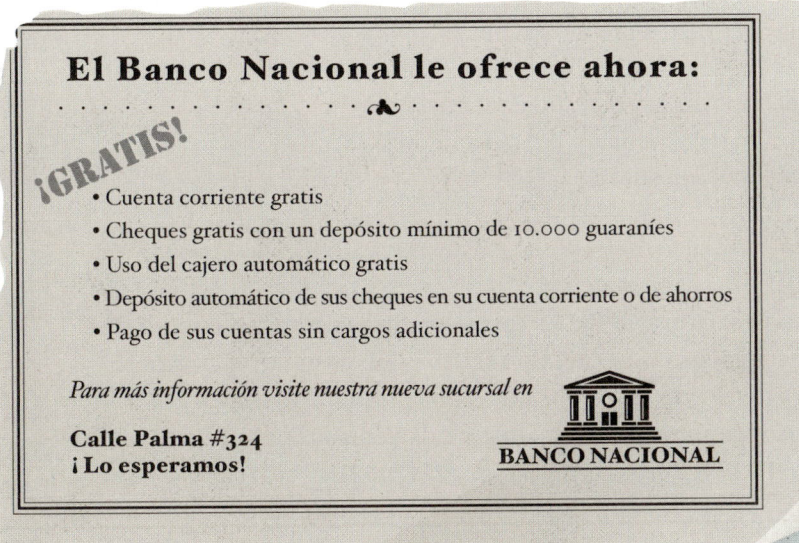

> ### El Banco Nacional le ofrece ahora:
>
> **¡GRATIS!**
> - Cuenta corriente gratis
> - Cheques gratis con un depósito mínimo de 10.000 guaraníes
> - Uso del cajero automático gratis
> - Depósito automático de sus cheques en su cuenta corriente o de ahorros
> - Pago de sus cuentas sin cargos adicionales
>
> *Para más información visite nuestra nueva sucursal en*
>
> **Calle Palma #324**
> **¡Lo esperamos!**
>
> **BANCO NACIONAL**

1. ¿Cuánto hay que pagar por tener una cuenta corriente?
2. ¿Cuánto se debe tener depositado para recibir los cheques gratis?
3. ¿Cuánto cobra el banco por el uso del cajero automático?
4. ¿En qué tipos de cuentas se pueden depositar los cheques automáticamente?
5. ¿Qué otro servicio ofrece gratis el banco?
6. ¿Dónde se puede obtener más información sobre los servicios que da el banco?
7. ¿Cómo se llama el banco? ¿Cuál es la dirección de la nueva sucursal?

Para escribir

En el banco

Write about your banking practices. Mention…

1. the name of your bank and types of accounts you have.
2. the interest (**interés**) your bank pays.
3. whether you need to pay for the cheques or if they are free.
4. whether you pay for purchases by cheque, debit, or credit card.
5. whether you save money, and why.

Lectura

Estrategia de lectura

Read the poem out loud and focus on the images that the verses evoke. Do you remember a tree where something special happened in your childhood? Or a place that brings good memories? Share some of those facts with a peer.

Vamos a leer

As you read the poem, find the answers to the following questions.

1. ¿A qué hora del día suceden los hechos del poema?
2. ¿Qué le había pasado a la poeta en ese árbol?
3. ¿Qué clase de árbol es?
4. Cuando susurramos (*whisper*), ¿por qué lo hacemos?
5. ¿Qué quiere decir que la brisa besaba al árbol?
6. ¿Qué leía a la sombra del árbol la poeta?
7. ¿En qué estación del año suceden los hechos?
8. ¿Qué clase de topografía existe alrededor del árbol?
9. ¿Por qué el título del poema es "Árbol enamorado"?
10. ¿Qué colores son los del otoño?

Photo courtesy of Nela Rio

Nela Río, es una escritora, artista e investigadora argentina-canadiense reconocida internacionalmente. Ha escrito ocho poemarios, numerosos poemas y cuentos. Parte de su obra ha sido traducida al inglés y al francés. Su estilo es comprometido y lírico. Entre otros libros, ha publicado: *Túnel de proa verde* **(1998 & 2003),** *Cuerpo Amado* **(2002) y** *En las noches que desvisten otras noches* **(2003). Río vive en Fredericton, Nuevo Brunswick.**

Árbol enamorado

¿Por qué esta tarde y a esta hora una imagen
entra en mi pensamiento invocando lejanías°?

No sé si erguido° para tocar el viento que disuelve° el tiempo
o como una certidumbre° del espacio ya sin bordes,
como un dedo lícito°, un árbol reclama
una tarde, una hora, mi mirada tocando sus hojas,
y aquel beso adolescente que ensayé° en su tronco°.

Te veo ahora. Eras joven, álamo° andino,
y yo te había dado° un nombre.
Te lo susurré entre las ramas°
y te estremeciste° como cuando te besaba la brisa.
Leía poemas apoyándome° en ti y me cubrías,
sombra amante, y te crecían brazos.

Y ahora, ¿qué buscas, enamorado? ¿Mis memorias?
Tu deseo vigilante, ansioso de altura, entra en mí
y juntos, formamos la eternidad que buscas.
Quédate en paz en tu paisaje de montañas,
deja que el otoño decida los colores del recuerdo.

to invoke a remote place

erect, straight / disolves
certainty
legal

I rehearsed / trunk

poplar
I had given you
branches
you trembled
leaning

Díganos

Answer the following questions, based on your own thoughts and experience.

1. ¿Escribe poemas usted?
2. ¿Por qué la gente escribe poemas?
3. ¿Sabe algún poema de memoria?
4. ¿Quién es su escritor(a) favorito(a)?
5. ¿Por qué le gusta ese(a) escritor(a)?
6. ¿Puede recomendar un libro de ese(a) autor(a)?

Un día funesto

Marisa, Teresa y Pablo han tenido un día difícil en el que todo les fue mal (*went badly for them*). ¿Qué van a hacer? Los tres están demasiado cansados. ¿Encuentran una solución…?

El mundo hispánico

Estas enormes tortugas les dieron nombre a las famosas Islas Galápagos.

La Plaza del Estudiante en La Paz, Bolivia

© Stuart Westmorland/Corbis

ECUADOR

- Ecuador es uno de los países con la mayor diversidad ecológica. Por eso la constitución de 2008 de Ecuador asegura los Derechos de la Naturaleza, algo que es único en el mundo.

- Las islas Galápagos, que son parte de Ecuador y están situadas frente a las costas del país, son una de las zonas ecológicas mejor conservadas del mundo. Charles Darwin hizo la mayor parte de sus estudios sobre la evolución de las especies en las islas Galápagos. Estas islas atraen a muchos turistas.

- A 35,4 kilómetros de Quito, la capital de Ecuador, está el monumento La Mitad del Mundo, que marca el sitio exacto por donde pasa la línea del ecuador.

- Quito está situada en las laderas (*hillsides*) del volcán Pichincha, a más de 2.743 metros de altura sobre el nivel del mar. Por eso, aunque la ciudad está muy cerca de la línea del ecuador, su clima es templado (*mild*) y agradable. Quito es la capital más antigua de Sudamérica, y todavía mantiene su aspecto colonial, con sus calles estrechas (*narrow*) y sus viejas iglesias.

© Amy Johnson

BOLIVIA

- Bolivia, llamada así en honor del Libertador Simón Bolívar, es un país de superlativos. Tiene la capital (La Paz), el aeropuerto y el lago navegable (el lago Titicaca) más altos del mundo, y unas de las ruinas más antiguas. En realidad, La Paz es una de las dos capitales de Bolivia; la otra es Sucre.

- Los indios quechua y aymará, que constituyen más de la mitad de su población, mantienen su cultura y sus lenguas tradicionales.

- Bolivia es uno de los más atractivos destinos turísticos por sus bellísimos paisajes andinos, que le han valido el nombre de "el Tibet de América", y por las ruinas milenarias de Tiahuanaco.

Machu Picchu es el más conocido de los símbolos del Imperio Inca.

PERÚ

- Perú es el tercer país más grande de Sudamérica. Su territorio es un poco más grande que la provincia de Ontario, y su población es de unos 28 millones de habitantes.

- Las principales atracciones turísticas del país son Cuzco, la antigua capital de los Incas, y las impresionantes ruinas de Machu Picchu, situadas en las montañas cerca de Cuzco a una altura de 2.350 metros. Machu Picchu fue una fortaleza incaica que después de la conquista quedó perdida hasta 1911, cuando fue descubierta por el arqueólogo estadounidense Hiram Bingham.

- Tal vez (*Perhaps*) la mayor contribución peruana a la alimentación del mundo fue la papa. Se dice que hay más de 4.000 tipos de papas y en Perú se encuentran muchos tipos que no existen en otros lugares.

- En 2010 el escritor peruano, Mario Vargas Llosa, ganó el Premio Nobel de Literatura.

© Eitan Simanor/Alamy

ECUADOR

BOLIVIA

PERÚ

PARAGUAY

URUGUAY

PARAGUAY

- Asunción, la capital de Paraguay, es una ciudad de más de dos millones de habitantes en la que se mezclan los edificios coloniales con modernas construcciones.

- La mayoría de los paraguayos hablan dos idiomas: el español y el guaraní.

- En la frontera de Paraguay, Argentina y Brasil están las famosas cataratas de Iguazú, nombre guaraní que significa "agua grande".

© Dave G. Houser/Post-Houserstock/Corbis

Iguazú, una de las cataratas más espectaculares del mundo

© Richard Wareham Fotografie / Alamy

Diego Forlán del equipo de fútbol uruguayo en el partido contra Corea del Sur el 26 de junio de 2010. Forlán ganó el premio como mejor jugador del Mundial 2010.

URUGUAY

- Uruguay, uno de los países más pequeños de Sudamérica, ha contribuido mucho al mundo de la literatura hispana. Unos de sus grandes escritores son Juana de Ibarbourou, Horacio Quiroga, Mario Benedetti, Cristina Peri Rossi y Eduardo Galeano.

- Uruguay es uno de sólo 5 países que ha ganado la Copa Mundial de la FIFA dos veces o más.

- Montevideo, la capital, es una de las ciudades más cosmopolitas de Hispanoamérica, y es el centro administrativo, económico y cultural del país. Allí vive casi la mitad de su población, que es de unos tres millones y medio de habitantes.

- Punta del Este, uno de los centros turísticos más famosos de América Latina, es muy popular por sus hermosas playas y por los festivales de cine que allí se celebran.

Comentarios...

With a partner, discuss, in Spanish, what impressed you the most about these five countries, and compare them to Canada. Which places do you want to visit and why?

Tome este examen

LECCIÓN 9

A Some uses of *por* and *para*

Complete each sentence, using **por** or **para.**

1. El vestido es _____ ti, mamá.
2. ¿Cuánto pagaron _____ los aretes?
3. Yo no trabajo _____ la mañana.
4. Los chicos salieron _____ la puerta principal.
5. Ellos fueron al club nocturno _____ bailar.
6. Necesito la falda _____ mañana _____ la tarde.
7. El sábado salimos _____ Lima. Vamos _____ avión (*airplane*). Vamos a estar allí _____ una semana.
8. En ese hotel cobran 100 dólares _____ noche.

B Weather expressions

Complete each sentence with the appropriate word(s).

1. En verano _____ mucho _____ en Ontario.
2. En invierno en Yukón _____ mucho _____ y _____ mucho.
3. En Vancouver _____ todo el año.
4. Hoy no hay vuelos (*flights*) porque _____ mucha _____ .
5. Necesito la sombrilla porque _____ mucho _____ .

C The preterite contrasted with the imperfect

Complete each sentence, using the preterite or the imperfect tense of the verbs in parentheses.

1. Ayer nosotros _____ (celebrar) nuestro aniversario.
2. _____ (Ser) las cuatro de la tarde cuando yo _____ (salir) del restaurante. _____ (Llegar) a mi casa a las cinco.
3. El mozo me _____ (decir) que la especialidad de la casa _____ (ser) cordero y yo lo _____ (pedir).
4. Cuando Raúl _____ (ser) pequeño _____ (vivir) aquí.
5. Jorge _____ (estar) en el café cuando yo lo _____ (ver).
6. Ella no _____ (ir) a la fiesta anoche porque _____ (estar) muy cansada. _____ (Preferir) quedarse en su casa.
7. Ayer yo _____ (hacer) las reservaciones.
8. Nosotros _____ (estar) almorzando cuando tú _____ (llamar).

D *Hace*… meaning *ago*

Indicate how long ago everything took place.

1. Llegué a las seis. Son las nueve.
2. Ellos vinieron en marzo. Estamos en julio.
3. Empecé a trabajar a las dos. Son las dos y media.
4. Terminaron el domingo. Hoy es viernes.
5. Llegaste en 2001. Estamos en el año 2011.

E Possessive pronouns

Complete each sentence, giving the Spanish equivalent of the word in parentheses.

1. Mi vestido es mejor que _____ , María. (*yours*)
2. Las camisas azules son _____ . (*mine*)
3. Yo voy a invitar a mis amigos. ¿Tú vas a invitar a _____? (*yours*)
4. Estos zapatos son _____. (*ours*)
5. Mi abuelo es de México. _____ es de Cuba. (*Theirs*)
6. Ese libro no es _____; es _____ . (*mine / hers*)

F Vocabulary

Complete the following sentences, using vocabulary from **Lección 9.**

1. Estos zapatos no son caros, son muy _____.
2. Voy a la _____ para comprar unas sandalias.
3. Estudia en la _____ de medicina.
4. Necesito un _____ de botas.
5. Necesito una camisa de _____ largas.
6. ¿En que puedo _____ , Srta.?
7. Este traje no está de _____ ahora.
8. No me gusta andar _____. Siempre uso zapatos.
9. Voy a comprar ropa porque no tengo nada que _____.
10. Los aretes me costaron un _____ de la _____.
11. ¿Qué número _____ Ud.?
12. En el verano, el clima de Manitoba no es seco, es _____.

G Translation

Express the following in Spanish.

1. Yesterday I went to his house to talk to him.
2. Where did you used to live when you were a child?
3. When was the last time that you went to the store?
4. —What did the professor say?
   —She said that we had to study more.
5. The weather is not good today. It's raining and I need a raincoat.

H Culture

Complete the following sentences, based on the cultural notes you have read.

1. En los países hispanos se usa el sistema _____ decimal.
2. La moneda de Perú es el _____.

LECCIÓN 10

A Past participles

Complete each sentence, using the past participle of the verb in parentheses.

1. Las puertas están _____. (cerrar)
2. La oficina está _____. (abrir)
3. El florero está _____. (romper)
4. Los niños están _____. (dormir)
5. Las cartas están _____ en italiano. (escribir)
6. La cena ya está _____. (hacer)

B Present perfect tense

Complete each sentence, using the present perfect of the verb in parentheses.

1. El cajero no _____. (llegar)
2. Yo no _____ las cartas. (leer)
3. Como los niños no _____, nosotros no _____ salir. (volver / poder)
4. El perro _____. (died)
5. Ustedes no _____ el postre. (traer)
6. Tú se lo _____ antes. (decir)

C Past perfect (pluperfect) tense

Indicate what had taken place by the time Ana arrived home, using the past perfect tense.

Ana llegó a su casa a las diez.

1. Los chicos volvieron a casa.
2. Yo firmé la planilla.
3. Tú hiciste los cheques.
4. Nosotros escribimos las cartas.
5. Carlos puso el dinero en su cuenta.
6. Uds. fueron al banco.

D Formal commands

Complete each sentence, using the command form of the verb in parentheses. Use the **Ud.** or **Uds.** form, as needed.

1. _____ a su esposa, Sr. García. (Llamar)
2. _____, Sr. Vega. (Caminar)
3. _____ en seguida, señoritas. (Salir)
4. _____ aquí a las dos, señora. (Estar)
5. No _____ ahora, Sr. Sosa. (venir)
6. _____ a la izquierda, señores. (Ir)
7. No _____ Ud. ahora. (hacerlo)
8. Señor, no _____ su número de teléfono. (dar)
9. Chicos, _____ buenos, por favor. (ser)
10. _____ aquí. Srta. Pérez. (Ponerla)

E First-person plural commands

Rewrite the following sentences using the first-person plural commands instead of the **ir a** construction.

1. Vamos a salir.
2. No vamos a ir al club.
3. Vamos a comer en un restaurante.

4. Hace frío, vamos a ponernos el abrigo.
5. Vamos a pagar la cuenta con una tarjeta de crédito.
6. Si el camarero es bueno, vamos a dejarle una propina grande.
7. Después, vamos a beber un café. Vamos a beberlo en un café pequeño.
8. No vamos a llegar a casa muy tarde.

F Vocabulary

Complete the following sentences, using vocabulary from **Lección 10.**

1. Ud. debe _____ y _____ esta planilla.
2. ¿Cuánto dinero va a _____ en su cuenta?
3. El banco no está _____ hoy, porque es un día _____.
4. Quiero saber cuál es el _____ de mi cuenta corriente.
5. Mi esposa y yo queremos abrir una cuenta de ahorros _____.
6. Estacioné mi coche a dos _____ de aquí.
7. Tengo que hacer _____ porque hay mucha gente en el banco.
8. Necesito mi _____ de cheques.
9. No tengo mi dinero en el banco central, sino en una _____.
10. Ellos van a sacar dinero del _____ automático con su tarjeta de _____.
11. Necesito dinero. Voy a solicitar un _____ en el banco.
12. No quiero pagar con cheque, prefiero pagar en _____.
13. Tengo mis documentos en una _____ de seguridad.
14. Necesito comprar _____ para estas cartas.
15. Hoy tengo que hacer muchas _____.

G Translation

Express the following in Spanish.

1. In the classroom the door is open, but the windows are closed.
2. —Gustavo, have you written the letters?
   —Yes, but I have to buy stamps.
3. Isabel had never gone to Argentina before last year.
4. Mrs. Peña, please sign the cheque and deposit it today.
5. —Where do we go to open a chequing account?
   —Go to the bank!
6. I need a laptop. Let's go buy it at the university's computer store.
7. They take out one hundred dollars from the ATM.

H Culture

Complete the following sentences, based on the cultural notes you have read.

1. Las islas _____ son una de las zonas ecológicas mejor conservadas.
2. Machu Picchu y _____ son las principales atracciones turísticas de Perú.
3. Bolivia tiene dos capitales: La Paz y _____.
4. La capital de Paraguay es _____.
5. Una ciudad muy importante en Uruguay es _____. Es muy popular con los turistas por sus hermosas playas.

UNIDAD

6

LECCIÓN 11
¡Buen viaje!

LECCIÓN 12
¿Dónde nos hospedamos?

Photri MicroStock™/De La Puente Imagen

Situado entre lagos, ríos y glaciares, está el hotel Llao Llao en Bariloche, Argentina.

Objetivos

LECCIÓN 11

▶ Handle routine travel arrangements
▶ Discuss tour features and prices
▶ Request information regarding stopovers, plane changes, gate numbers, and seating
▶ Express wants, needs, feelings, and reactions

LECCIÓN 12

▶ Register at a boarding house, discuss room prices, accommodations, and service
▶ Tell others what to do
▶ Express future and hypothetical events
▶ Ordinal numbers

De vacaciones

© Peter Adams Photography Ltd / Alamy

Map courtesy of Patricia Isaacs, Parrot Graphics

El obelisco en la famosa Avenida 9 de Julio en Buenos Aires, Argentina

Jardines del Generalife, en el Palacio de la Alhambra, Granada

© Theo Allofs/Corbis

Vista del Lago Pehoé, Parque Nacional Torres del Paine, en la Patagonia

© Patrick Ward/CORBIS

¡Buen viaje!

Héctor Rivas y su esposa, Sofía Vargas, viven en Santiago, la capital de Chile. Ahora están planeando sus vacaciones de verano. No pueden ponerse de acuerdo porque ella quiere pasar un mes en Viña del Mar, y él quiere ir a Buenos Aires y a Mar del Plata.

Héctor	Espero que hoy podamos decidir lo que vamos a hacer, porque tenemos que ir a la agencia de viajes para comprar los pasajes.
Sofía	Yo te sugiero que averigües lo que cuestan dos pasajes de ida y vuelta a Buenos Aires, por avión. Podemos ahorrar dinero si vamos a Viña del Mar en coche…
Héctor	¡Pero hemos estado en Viña del Mar muchas veces! ¡Estoy un poco cansado de hacer siempre lo mismo!
Sofía	¡Y yo temo que el viaje a Buenos Aires nos cueste mucho dinero!
Héctor	Yo busqué información en Internet. Hay paquetes que incluyen vuelo directo a Buenos Aires, hotel y algunas excursiones.
Sofía	Siento no poder compartir tu entusiasmo, Héctor, pero viajar a otro país es complicado… Necesitamos pasaporte…
Héctor	Eso no es problema. Un momento… ¿Es porque no quieres viajar en avión?
Sofía	Bueno… en parte… un poco.
Héctor	¡Pero, mi amor! Todo va a salir bien. No te preocupes.
Sofía	Está bien, tengo confianza en ti.

Detalles culturales

Viña del Mar es el más conocido de los balnearios (*resorts*) de Chile, y uno de los centros turísticos más populares de Sudamérica. Allí hay numerosas playas, parques, hoteles y casinos. La ciudad es también un centro comercial e industrial importante.

¿Cuál es un famoso balneario de Canadá?

Sofía decidió ir a Buenos Aires en avión. El día del viaje, hablan con el agente de la aerolínea en el aeropuerto.

Agente	¿Qué asientos desean? ¿De ventanilla o de pasillo?
Héctor	Dos asientos juntos.
Sofía	Cerca de la salida de emergencia.
Héctor	El avión no hace escala, ¿verdad?
Agente	No, señor. ¿Cuántas maletas tienen?
Sofía	Cinco maletas y dos bolsos de mano.
Agente	Tienen que pagar exceso de equipaje.
Héctor	Pero, Sofía, ¿has puesto toda nuestra ropa en las maletas?
Sofía	¡Es que no sabía qué llevar!
Agente	La puerta de salida es la número tres. ¡Buen viaje!

En la puerta número tres.

"Última llamada para los pasajeros del vuelo 340 a Buenos Aires. Suban al avión, por favor."

Héctor y Sofía le dan las tarjetas de embarque a la auxiliar de vuelo, suben al avión y ponen los bolsos de mano en el compartimento de equipajes.

Sofía	Tenemos que abrocharnos el cinturón de seguridad. ¡Espero que el piloto tenga mucha experiencia!

¿Recuerda usted?

¿Verdadero o falso?

With a partner, decide whether the following statements about the dialogue are true (**verdadero**) or false (**falso**).

1. Sofía quiere pasar las vacaciones en Chile. ☐ V ☐ F
2. Héctor piensa comprar los pasajes por Internet. ☐ V ☐ F
3. Sofía dice que es más barato viajar en coche. ☐ V ☐ F
4. Héctor y Sofía han pasado muchas vacaciones en Viña del Mar. ☐ V ☐ F
5. A Sofía le encanta viajar en avión. ☐ V ☐ F
6. Héctor y Sofía quieren dos asientos de ventanilla. ☐ V ☐ F
7. El vuelo a Buenos Aires es directo. ☐ V ☐ F
8. Héctor y Sofía viajan con poco equipaje. ☐ V ☐ F
9. Héctor y Sofía no llevan bolsos de mano. ☐ V ☐ F
10. Sofía espera que el piloto sepa lo que está haciendo. ☐ V ☐ F

Y ahora... conteste

Answer these questions, basing your answers on the dialogue.

1. ¿Dónde quiere pasar sus vacaciones Héctor?
2. ¿De qué está cansado Héctor?
3. ¿Qué incluyen los paquetes?
4. ¿Qué le dice Héctor a Sofía para calmarla?
5. En el avión, ¿dónde quiere sentarse Sofía?
6. ¿Qué tienen que pagar Héctor y Sofía?
7. ¿Cuál es el número del vuelo?
8. ¿Qué le dan Héctor y Sofía a la auxiliar de vuelo?

Para hablar del tema: Vocabulario

Audio
Flashcards

COGNADOS

la aerolínea
el aeropuerto
la agencia
el (la) agente
la capital
complicado(a)
directo(a)

la emergencia
el entusiasmo
la experiencia
la información
los nervios
el pasaporte
el piloto

SUSTANTIVOS

la agencia de viajes *travel agency*
la demora *delay*
la excursión *tour*
la llamada *call*
el (la) médico(a) *medical doctor, MD*
el país *country, nation*
el paquete *package*
el pasaje* *ticket*
— de ida *one-way ticket*

— de ida y vuelta *round-trip
  ticket*
la pastilla *pill*
la puerta de salida *gate*
la salida *exit*
la tarjeta de embarque* *boarding
  pass*
el viaje *trip*
el vuelo *flight*

VERBOS

ahorrar *to save*
averiguar *to find out*
cansarse *to get tired*
compartir *to share*
dejar *to let*
incluir *to include*

sentir (e>ie) *to regret*
subir, abordar *to board*
sugerir (e>ie) *to suggest*
temer *to fear, to be afraid*
viajar *to travel*

ADJETIVOS

querido(a) *dear*

OTRAS PALABRAS Y EXPRESIONES

abrocharse el cinturón de seguridad
  to fasten the seat belt
¡Buen viaje! *Have a good trip!*
en parte *in part*
exceso de equipaje *excess luggage*
hacer escala *to make a stop over*

lo mismo *the same thing*
ponerse de acuerdo *to come to an
  agreement, to agree upon*
tomar una decisión *to make a
  decision*
¿verdad? *right?*

Amplíe su vocabulario

Más sobre los viajes

el bolso de mano *carry-on luggage*
¿A cuánto está el cambio de moneda?
   What's the rate of exchange?
cancelar *to cancel*
el cheque de viajero *traveller's cheque*
(de) clase turista *tourist class*
confirmar *to confirm*

el crucero *cruise*
la lista de espera *waiting list*
los lugares de interés *places of interest*
el maletín *small suitcase, hand luggage*
(de) primera clase *first class*

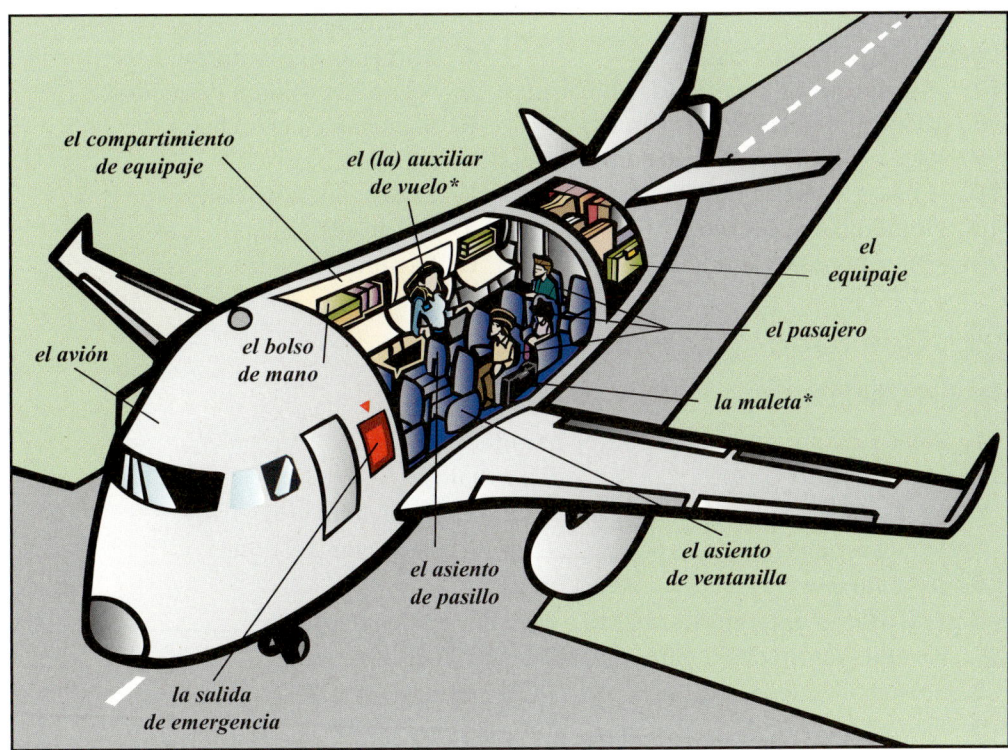

el compartimiento de equipaje
el (la) auxiliar de vuelo*
el equipaje
el avión
el bolso de mano
el pasajero
la maleta*
el asiento de pasillo
el asiento de ventanilla
la salida de emergencia

Para practicar el vocabulario

Ace Practice Test

A Preguntas y respuestas

With a partner, match the questions in column *A* with the answers in column *B*.

A

1. ¿Dónde compraste los pasajes?
2. ¿Es un vuelo directo?
3. ¿Quieres un asiento de pasillo?
4. ¿Qué te dio el médico?
5. ¿Tienen que pagar exceso de equipaje?
6. ¿A qué país van a viajar?
7. ¿A quién le doy la tarjeta de embarque?
8. ¿Dónde pongo el bolso de mano?
9. ¿Qué deben hacer los pasajeros?
10. ¿Cuál es la puerta de salida?
11. ¿Tomaron una decisión?
12. ¿A qué hora sale el avión?

B

a. A la auxiliar de vuelo.
b. Una medicina.
c. No sé, voy a averiguar.
d. No, hace escala.
e. En el compartimiento de equipaje.
f. Abrocharse el cinturón.
g. No, no se pusieron de acuerdo.
h. Sí, tienen cinco maletas.
i. A Chile.
j. En la agencia de viajes.
k. No, de ventanilla.
l. La número cuatro.

B ¿Qué hago? ¿Adónde voy?

Complete the following sentences.

1. Van a _____ el vuelo porque hay mucha niebla.
2. Los pasajes de _____ clase son más caros.
3. ¿Cuáles son los _____ de interés en la ciudad donde Ud. vive?
4. Vamos a viajar. Tenemos que _____ la reservación del hotel.
5. ¿A cómo está el _____ de _____?
6. ¿Vas a llevar tu tarjeta de crédito o vas a llevar cheques de _____?
7. No tenemos mucho dinero. Vamos a viajar en clase _____ .
8. Solamente puede llevar un _____ con Ud. en el avión.
9. Este verano vamos a hacer un _____ por el Caribe.
10. No hay pasaje para hoy pero podemos ponerlo en la lista de _____ .

C Definiciones

Write the words or phrases that correspond to the following.

1. Air Canada, West Jet
2. Allí tomamos el avión.
3. pasaporte
4. que no hace escala
5. Argentina, por ejemplo
6. maletas y bolsos de mano
7. subir
8. dar una sugerencia
9. lo que le decimos a una persona que va a viajar
10. donde ponemos el bolso de mano durante el vuelo

D En la agencia de viajes

With a partner, play the roles of a travel agent and someone getting a round-trip ticket to Buenos Aires. The "traveller" asks pertinent questions, talks about date of travel, and reserves a seat.

© Peter Barritt / Alamy

¿A qué ciudad sudamericana van los pasajeros de este avión? ¿De dónde vienen? ¿Qué quieren hacer allí?

Pronunciación

Pronunciation in context

In this lesson, there are some words or phrases that may be challenging to pronounce. Listen to your instructor and pronounce the following sentences.

1. Tenemos que ir a la **agencia de viajes** para comprar los **pasajes.**
2. Yo te **sugiero** que **averigües** lo que cuestan dos pasajes de ida y vuelta.
3. Hay **paquetes** que **incluyen** vuelo directo a Buenos Aires, hotel y algunas **excursiones.**
4. El día del viaje, hablan con el **agente** de la **aerolínea** en el **aeropuerto.**
5. Héctor y Sofía le dan las tarjetas a la **auxiliar** de vuelo.

Grammar Tutorial

① Introduction to the subjunctive mood
(Introducción al modo subjuntivo)

FLASHBACK

The subjunctive form is similar to the Ud. commands. You may review this concept on pp. 237–238.

Until now, you have been using verbs in the indicative mood. The indicative is used to express factual, definite events. By contrast, the subjunctive is used to reflect the speaker's feelings or attitudes toward events, or when the speaker views events as uncertain, unreal, or hypothetical. Because expressions of volition, doubt, surprise, fear, and the like all represent reactions to the speaker's perception of reality, they are followed in Spanish by the subjunctive.

Present subjunctive forms of regular verbs

To form the present subjunctive, add the following endings to the stem of the first-person singular of the present indicative, after dropping the **o.** Note that the endings for the **-er** and **-ir** verbs are identical.

-ar verbs	-er verbs	-ir verbs
habl- **e**	com- **a**	viv- **a**
habl- **es**	com- **as**	viv- **as**
habl- **e**	com- **a**	viv- **a**
habl- **emos**	com- **amos**	viv- **amos**
habl- **éis**	com- **áis**	viv- **áis**
habl- **en**	com- **an**	viv- **an**

The following table shows how to form the first-person singular of the present subjunctive.

Verb	First-Person Sing. (Indicative)	Stem	First-Person Sing. (Subjunctive)
habl**ar**	hablo	habl-	habl**e**
aprend**er**	aprendo	aprend-	aprend**a**
escrib**ir**	escribo	escrib-	escrib**a**
conoc**er**	conozco	conozc-	conozc**a**
dec**ir**	digo	dig-	dig**a**
hac**er**	hago	hag-	hag**a**
tra**er**	traigo	traig-	traig**a**
ven**ir**	vengo	veng-	veng**a**

A Formas del subjuntivo I

Give the present subjunctive forms of the following verbs.

1. *yo:* comer, venir, hablar, hacer, salir
2. *tú:* decir, ver, traer, trabajar, escribir
3. *él:* vivir, aprender, salir, estudiar, ver
4. *nosotros:* escribir, caminar, poner, desear, tener
5. *ellos:* salir, hacer, llevar, conocer, ver

Present subjunctive forms of stem-changing and irregular verbs

- Verbs ending in **-ar** and **-er** undergo the same stem changes in the present subjunctive as in the present indicative.

recomendar (e > ie)		recordar (o > ue)	
recom**ie**nde	recom**e**nd**emos**	rec**ue**rde	rec**o**rd**emos**
recom**ie**nd**es**	recom**e**nd**éis**	rec**ue**rd**es**	rec**o**rd**éis**
recom**ie**nde	recom**ie**nd**en**	rec**ue**rde	rec**ue**rd**en**

entender (e > ie) (*to understand*)		volver (o > ue)	
ent**ie**nda	ent**e**nd**amos**	v**ue**lva	v**o**lv**amos**
ent**ie**nd**as**	ent**e**nd**áis**	v**ue**lv**as**	v**o**lv**áis**
ent**ie**nda	ent**ie**nd**an**	v**ue**lva	v**ue**lv**an**

- For verbs ending in **-ir,** the three singular forms and the third-person plural form undergo the same stem changes in the present subjunctive as in the present indicative. However, in addition, observe that unstressed **e** changes to **i** and unstressed **o** changes to **u** in the first- and second-person plural forms.

mentir (*to lie*)		dormir	
m**ie**nta	m**i**nt**amos**	d**ue**rma	d**u**rm**amos**
m**ie**nt**as**	m**i**nt**áis**	d**ue**rm**as**	d**u**rm**áis**
m**ie**nta	m**ie**nt**an**	d**ue**rma	d**ue**rm**an**

- The following verbs are irregular in the present subjunctive.

dar	estar	saber	ser	ir
dé	esté	sepa	sea	vaya
des	estés	sepas	seas	vayas
dé	esté	sepa	sea	vaya
demos	estemos	sepamos	seamos	vayamos
deis	estéis	sepáis	seáis	vayáis
den	estén	sepan	sean	vayan

Ace
Practice
Test

▶ PRÁCTICA

A **Formas del subjuntivo II**

Give the present subjunctive forms of the following verbs.

1. *yo:* dormir, ir, cerrar, sentir, ser
2. *tú:* mentir, volver, ir, dar, recordar
3. *ella:* estar, saber, perder, dormir, ser
4. *nosotros:* pensar, recordar, dar, morir, cerrar
5. *ellos:* preferir, dar, ir, saber, dormir

Uses of the subjunctive (Usos del subjuntivo)

- The Spanish subjunctive is used in subordinate, or dependent, clauses. The subjunctive is also used in English, although not as often as in Spanish. For example:

Sugiero	que **llegue** mañana.	*I suggest*	*that **he arrive** tomorrow.*
Main clause	**Dependent clause**	**Main clause**	**Dependent clause**

The expression that requires the use of the subjunctive is in the main clause: *I suggest.* The subjunctive appears in the dependent clause: *that he arrive tomorrow.*

- There are four main conditions that call for the use of the subjunctive in Spanish.

  - *Volition:* demands, wishes, advice, persuasion, and other impositions of will

    Ella **quiere** que yo lo llame. | ***She wants** me to call him.*

    Te **aconsejo** que no **hagas** ese viaje. | ***I advise** you not to **take** that trip.*

  - *Emotion:* pity, joy, fear, surprise, hope, and so on

    Me **sorprende** que **llegues** tan temprano. | ***I am surprised** that **you are arriving** so early.*

  - *Unreality:* expectations, indefiniteness, uncertainty, nonexistence

    —¿**Hay alguien** aquí que **hable** español? | *"**Is there anyone** here who **speaks** Spanish?"*

    —No, **no hay nadie** que lo **sepa**. | *"No, **there is no one** who **knows** it."*

- *Doubt and denial:* negated facts, disbelief

No es verdad que Rosa **sea** azafata.

It isn't true that Rosa is a flight attendant.

Dudo que **tengas** dinero.

I doubt that you have money.

Roberto **niega** que ella **sea** su esposa.

Roberto denies that she is his wife.

2 Subjunctive with verbs of volition
(El subjuntivo con verbos que indican voluntad o deseo)

All expressions of will require the use of the subjunctive in subordinate clauses. Note that the subject in the main clause must be different from the subject in the subordinate clause. Some verbs of volition that require the use of the subjunctive are:

aconsejar (*to advise*)	mandar (*to order*)	querer
decir	necesitar	recomendar
desear	pedir	sugerir

Mi	madre	**quiere**	que	yo	**trabaje.**
My	*mother*	*wants*		*me*	*to work.*

—¿Qué **quieres** que **haga**?

—**Quiero** que **vayas** al aeropuerto.

"What do you want me to do?"

"I want you to go to the airport."

—Necesito hablar con un médico.

—Te **sugiero** que **hables** con el Dr. Paz.

"I need to talk with a doctor."

"I suggest that you talk with Dr. Paz."

 ¡ATENCIÓN!

Note that the infinitive is used following verbs of volition if there is no change of subject: **Quiero comer.**

¿Qué querés que te mande de África?

Detalles culturales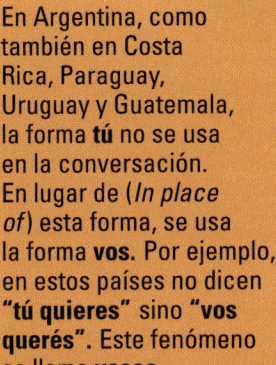

En Argentina, como también en Costa Rica, Paraguay, Uruguay y Guatemala, la forma **tú** no se usa en la conversación. En lugar de (*In place of*) esta forma, se usa la forma **vos.** Por ejemplo, en estos países no dicen **"tú quieres"** sino **"vos querés".** Este fenómeno se llama **voseo.**

¿Existen formas formales e informales para referirse a diferentes personas en Canadá?

- Certain verbs of volition (**mandar, sugerir, aconsejar,** and **pedir**) are often preceded by an indirect object pronoun, which indicates the subject of the verb in the subjunctive.

Te sugiero que **vayas** al médico.
Le aconsejo que **venga** temprano.

I suggest that you go to the doctor.
I advise you to come early.

Ace
Practice
Test

▶ PRÁCTICA Y CONVERSACIÓN

Ⓐ Minidiálogos

Complete the following dialogues, using either the subjunctive or the infinitive, as appropriate. Then act them out with a partner.

1. —Marcos quiere que (nosotros) _____ (ir) a su casa esta noche. ¿Tú quieres _____ (ir)?

—No, hoy me quiero _____ (acostar) temprano porque no me siento bien.

—Te sugiero que _____ (tomar) dos aspirinas antes de acostarte.

—No quiero _____ (tomar) aspirina porque soy alérgica a la aspirina.

2. —Necesito que tú me _____ (traer) las maletas hoy.

—No puedo porque mamá quiere que la _____ (llevar) a la agencia de viajes.

3. —Sofía me aconseja que _____ (ir) al médico, pero yo no quiero _____ (ir) hoy.

—Pues yo te sugiero que lo _____ (ver) lo más pronto posible (*as soon as possible*).

4. —Elena quiere que yo le _____ (comprar) un pasaje, pero yo no deseo _____ (ir) a la agencia de viajes ahora.

—En ese caso te sugiero que le _____ (decir) que no puedes ir.

5. —Adela, quiero que hoy _____ (volver) antes de las nueve y que te _____ (acostar) temprano porque mañana tienes que levantarte a las cinco.

—¿Por qué quieres que nos _____ (levantar) a las cinco?

—Porque mamá quiere que nosotros _____ (estar) en el aeropuerto a las seis.

Ⓑ Nadie está de acuerdo

Complete each sentence creatively, using a verb in the infinitive or the subjunctive, as appropriate.

- **MODELO:** Yo quiero volver en agosto, pero mi padre quiere que…

  Yo quiero volver en agosto, pero mi padre quiere que vuelva en julio.

1. Luis quiere que yo hable sobre Chile, pero yo quiero…

2. El médico les aconseja que tomen la medicina ahora, pero yo les aconsejo que…

3. Yo quiero ir a casa, pero mis amigos quieren…

4. Ellos le sugieren que pase todo el día aquí, pero ella quiere…

5. Mi esposo quiere que yo haga un crucero por el Mediterráneo, pero yo prefiero…

6. Ellos quieren ir al aeropuerto, pero nosotros queremos que…

7. Nora quiere viajar en avión, pero yo le sugiero que…

8. Los niños se quieren acostar a las once, pero su mamá quiere que…

 C **Deseos y sugerencias** *(Wishes and suggestions)*

With a partner, take turns completing the following according to the illustrations below.

1. Ana quiere

_____.

2. Te sugiero

_____.

3. Te aconsejo

_____.

4. Olga quiere que Paco le

_____.

5. La doctora le recomienda

_____.

6. Pablo no quiere que su mamá

_____.

D **¿Qué queremos?**

Say what you and these people want (or don't want) everybody to do. Compare notes with your partner.

1. Yo quiero que mi mamá…
2. Mis padres no quieren que yo…
3. La novia de Julio quiere que él…
4. El profesor quiere que nosotros…
5. El médico quiere que mi padre…
6. Tu papá no quiere que tú…
7. Yo quiero que mis abuelos…
8. Nosotros no queremos que ellos…

 E **Soluciones**

In groups of three, advise each of the following people what to do according to each circumstance. Use **sugerir, recomendar,** or **aconsejar.**

1. Julio no quiere viajar en avión.
2. A la Sra. Ruiz no le gusta viajar a otros países.
3. Mireya está muy nerviosa (*nervous*).
4. Ramiro quiere comprar un pasaje a Chile.
5. Aurora no quiere pagar exceso de equipaje.
6. A Nora no le gustan los asientos de ventanilla.
7. Enrique no quiere un vuelo que haga escala.
8. Rosario no puede viajar en primera clase.

  Grammar Tutorial

3 Subjunctive with verbs of emotion
(El subjuntivo con verbos que expresan emoción)

• In Spanish, the subjunctive mood is always used in the subordinate clause when the verb in the main clause expresses the emotions of the subject, such as fear, joy, pity, hope, regret, sorrow, surprise, and anger. Again, the subject in the subordinate clause must be different from the subject in the main clause for the subjunctive to be used.

• Some verbs of emotion that call for the subjunctive are **temer** *(fear),* **esperar** *(hope),* **alegrarse (de)** *(to be glad),* and **sentir** *(to regret).*

—Mañana salgo para Quito.   *"Tomorrow I leave for Quito."*
—**Espero** que **te diviertas** mucho.   *"**I hope** you have a very **good time.**"*

—**Temo** no **poder** ir de vacaciones con ustedes este verano.   *"**I'm afraid** that **I can**not go on vacation with you this summer."*
—**Espero** que **puedas** ir con nosotros el verano que viene.   *"**I hope** that **you can** go with us next summer."*

Ace
ctice
Test

▶ PRÁCTICA Y CONVERSACIÓN

A Minidiálogos

Complete the following exchanges, using the subjunctive or the infinitive, as appropriate. Then act them out with a partner.

1. —Temo que Estela no _____ (ir) a la fiesta, porque tiene que trabajar.

   —Siento mucho que _____ (tener) que trabajar; pero espero que _____ (poder) ir la próxima vez.

2. —Me alegro de _____ (estar) aquí con Uds.

   —Y nosotros nos alegramos de que tú _____ (estar) aquí. Esperamos que te _____ (divertir) mucho.

3. —Necesito comprar un pasaje hoy. Espero que _____ (haber) una agencia de viajes cerca.

   —Hay una agencia cerca, pero temo que no _____ (estar) abierta a esta hora.

4. —Temo no _____ (poder) ir al aeropuerto a buscar a Rita. Espero que Ud. _____ (poder) ir.

   —Rita va a sentir mucho que tú no _____ (estar) allí.

5. —Espero que Jorge no _____ (dejar) de ir hoy al banco.

   —Ojalá que le _____ (dar) el préstamo que pidió.

B Emociones

Complete each sentence in an original manner. Use the subjunctive or the infinitive, as appropriate.

1. Ojalá que yo…
2. Siento mucho no poder…
3. Me alegro de que mi papá…
4. Temo no…
5. Mi amigo(a) espera…
6. El (La) profesor(a) siente que nosotros…
7. Mi madre se alegra de…
8. Tememos que las clases…

C ¿Cómo reaccionas…?

React appropriately to a friend's statements.

1. Mi mamá está enferma (*sick*).
2. Mi papá está mejor.
3. No puedo ir contigo.
4. Son las cinco. Tengo que estar en casa a las cinco y media.
5. Quiero comprar un coche, pero es muy caro.
6. El mes próximo voy a México de vacaciones.

D Amigos y parientes

In groups of three, tell two or three things you hope your friends and relatives will do and one or two things you fear they can't or won't do.

4 Subjunctive to express doubt, denial, and disbelief

(El subjuntivo para expresar duda, negación e incredulidad)

Grammar Tutorial

Doubt

When the verb of the main clause expresses uncertainty or doubt, the verb in the subordinate clause is in the subjunctive.

—Te esperan a las cinco y son las cuatro y media.
—**Dudo** que yo **pueda** estar ahí a esa hora.

"They expect you at five and it is four-thirty."
*"**I doubt** that **I can** be there at that time."*

—Podemos tomar el desayuno a las once.
—**Dudo** que lo **sirvan** después de las diez.
—Estoy segura de que lo sirven hasta las once.

"We can have breakfast at eleven."
*"**I doubt** that **they serve** it after ten."*
"I am sure that they serve it until eleven."

Ace
ctice
Test

▶ PRÁCTICA Y CONVERSACIÓN

A ¿Cómo responde…?

Respond to each of the following statements, beginning with the suggested phrases.

1. —Estoy seguro de que va a llegar tarde.
   —Bueno, dudo que…
2. —Dudo que tenga un pasaje de ida y vuelta.
   —Pues yo estoy seguro(a) de que…
3. —No estoy seguro de que el vuelo salga a las seis.
   —Pues yo no dudo que…
4. —Dudo que la auxiliar de vuelo esté en el avión.
   —¿Sí? Yo estoy casi seguro(a) de que…
5. —Dudo que Pablo necesite el pasaporte para viajar a Calgary.
   —Yo tampoco estoy seguro(a) de que…

B En el aeropuerto

With a partner, read the following statements and take turns expressing doubt or certainty about them. Use **dudo, no dudo, estoy seguro(a),** and **no estoy seguro(a).**

1. Todos los vuelos salen a las diez.
2. Las auxiliares de vuelo trabajan solamente tres horas al día.
3. El piloto puede viajar sin pasaporte.
4. La salida de emergencia del avión está siempre rota.
5. Cualquier (*any*) persona puede viajar en primera clase.
6. Si no tienes un pasaje, puedes viajar en avión sin problemas.
7. Los pilotos ganan muy poco dinero.
8. Si llegas tarde el avión te espera.

C ¿Lo dudas…?

With a partner, take turns telling each other three or four things about yourself. Give some false information to see if your partner doubts or doesn't doubt what you say.

- **MODELO:**   —Tengo ocho clases este semestre.
  —Dudo que tengas ocho clases.
  (Estoy seguro[a] de que no tienes ocho clases.)

Denial

When the main clause denies or negates what is expressed in the subordinate clause, the subjunctive is used.

—Ana **niega** que Carlos **sea** su novio.
"Ana **denies** that Carlos **is** her boyfriend."

—Sí, dice que son amigos…
"Yes, she says that they are friends …"

—Ellos trabajan mucho y siempre tienen dinero.
"They work hard and always have money."

—Es verdad que trabajan mucho, pero **no es cierto** que siempre **tengan** dinero.
"It's true that they work hard, but **it's not true** that **they** always **have** money."

> **¡ATENCIÓN!**
>
> Notice that when the main clause does not deny what is said in the subordinate clause, the indicative is used.

—**Es verdad** que **trabajan** mucho.
"**It's true** that **they work** hard."

▶ PRÁCTICA Y CONVERSACIÓN

  ¿Es verdad o no?

With a partner, take turns saying whether each of the following statements is true or not.

- **MODELO:** Toda la gente tiene reacciones alérgicas a todo.
  Sí, es verdad que toda la gente **tiene** reacciones alérgicas a todo.
  No es verdad que toda la gente **tenga** reacciones alérgicas a todo.

1. Los pilotos no saben qué hacer en caso de emergencia.
2. Generalmente hay muchas personas en el aeropuerto de Toronto.
3. Las auxiliares de vuelo saben más que los pilotos.
4. Los paramédicos van en las ambulancias.
5. Los pilotos no cobran (*earn*) mucho.
6. Hoy hace mucho frío.
7. Está lloviendo.
8. Hoy hace buen tiempo.

Disbelief

The verb **creer** is followed by the subjunctive in negative sentences, where it expresses disbelief.

> **¡ATENCIÓN!**
>
> **Creer** is followed by the indicative in affirmative sentences, where it expresses belief.

—¿Teresa va al aeropuerto hoy?
"Is Teresa going to the airport today?"

—No, **no creo** que **vaya** hoy.
"No, **I don't think she's going** today."

—¿Qué le va a pedir el agente?
"What is the agent going to ask for?"

—**Creo** que le **va** a pedir la tarjeta de embarque.
"**I think** he **is** going to ask her for the boarding pass."

Dudo que tenga aire acondicionado.

▶ PRÁCTICA Y CONVERSACIÓN

A El Sr. Contreras

Mr. Contreras always contradicts everyone. How would he react to these statements?

- **MODELO:** Creo que esa aerolínea es muy buena.
  No creo *que (esa aerolínea)* ***sea*** *muy buena.*

1. No creo que el pasaje sea caro.
2. Creo que todos los aviones tienen aire acondicionado.
3. Creo que tiene que viajar en primera clase.
4. No creo que estén allí.
5. No creo que él necesite el pasaporte.
6. Creo que necesita hacer escala.

B En la universidad

Use your imagination to complete each statement, using the subjunctive or the indicative, as appropriate. Compare your statements to those of your partner.

1. Yo creo que el profesor (la profesora)…
2. No es verdad que yo…
3. Es cierto que los estudiantes…
4. No creo que en la cafetería de la universidad…
5. No es verdad que la clase de español…
6. No es cierto que los canadienses…
7. Dudo que yo…
8. No estoy seguro(a) de que esta universidad…

C Opiniones

Use the illustrations to complete the following sentences.

1. Yo no creo que el papá de Beto…

2. Dudo que Paquito…

3. No es verdad que Carlos…

4. Rita cree que el hotel Granada…

bañadera

5. No es cierto que el baño…

6. No es verdad que Esteban siempre…

D Viajando

The following statements are made by someone who doesn't necessarily know what he or she is talking about. With a partner, take turns saying whether or not you think the comments are true. Use **creo, no creo, dudo, estoy seguro(a), es verdad,** or **no es verdad.**

1. Hay vuelos directos de Montreal a Madrid.

2. El pasaje a Madrid cuesta 200 dólares.

3. Los estudiantes siempre viajan en primera clase.

4. Puedo viajar por España en tren.

5. Todas las ciudades españolas son muy pequeñas.

6. Hay hoteles elegantes en Barcelona.

7. En los hoteles de Madrid, todas las habitaciones tienen vista al mar.

8. Podemos viajar de Charlottetown a Madrid en tren.

5 # Some uses of the prepositions *a, de,* and *en*

(Algunos usos de las preposiciones a, de *y* en*)*

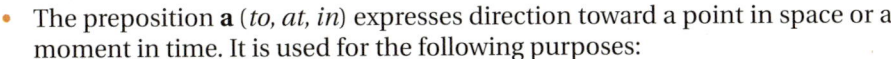

FLASHBACK

You may wish to review pronouns as objects of prepositions, p. 120.

- The preposition **a** (*to, at, in*) expresses direction toward a point in space or a moment in time. It is used for the following purposes:

  - to indicate the time (hour) of day

    A las cinco salimos para Lima.   *At five we leave for Lima.*

  - after verbs of motion, when followed by an infinitive, a noun, or a pronoun

    Siempre vengo **a** comprar aquí.   *I always come to buy here.*

  - after the verbs **empezar, comenzar, enseñar,** and **aprender,** when followed by an infinitive

    Ellos empezaron **a** salir.   *They began to go out.*

    Te enseñé **a** bailar el tango.   *I taught you to dance the tango.*

  - after the verb **llegar**

    Cuando él llegó **a** su casa, le dieron los pasajes.   *When he arrived **at** his house, they gave him the tickets.*

Una pareja da clases de tango en San Telmo, Buenos Aires.

© Ilene Perlman / Alamy

Detalles culturales

El tango tuvo su origen en los suburbios de Buenos Aires a finales del siglo (*century*) XIX. Para muchos, Argentina es la tierra del tango, y éste se considera la música típica del país, pero hoy la música argentina es muy variada e incluye diferentes tipos de ritmos.

¿Hay un tipo de música típica en Canadá?

- before a direct object noun that refers to a specific person. It may also be used to personify an animal or a thing

Yo no conozco **a** ese médico.	*I don't know that doctor.*
Bañé **a** mi perro.	*I bathed my dog.*

 ¡ATENCIÓN!

If the direct object is not a definite person, the personal **a** is not used.

Busco un buen médico.	*I'm looking for a good doctor.*

- The preposition **de** (*of, from, about, with, in*) indicates possession, material, and origin. It is also used in the following ways:

  - to refer to a specific period of the day or night when telling time

El sábado pasado trabajamos hasta las ocho **de** la noche.	*Last Saturday we worked until 8 P.M.*

  - after the superlative to express *in* or *of*

Orlando es el más simpático **de** la familia.	*Orlando is the nicest **in** the family.*

  - to describe personal physical characteristics

Es morena, **de** ojos negros.	*She is brunette, **with** dark eyes.*

  - as a synonym for **sobre** or **acerca de** (*about*)

Hablaban **de** todo menos **del** viaje.	*They were talking **about** everything except **about** the trip.*

- The preposition **en** (*at, in, on, inside, over*) in general situates someone or something within an area of time or space. It is used for the following purposes:

  - to refer to a definite place

Él siempre se queda **en** casa.	*He always stays **at** home.*

  - as a synonym for **sobre** (*on*)

Está sentada **en** la silla.	*She is sitting **on** the chair.*

  - to indicate means of transportation

Nunca he viajado **en** ómnibus.	*I have never travelled **by** bus.*

ice
est

▶ PRÁCTICA Y CONVERSACIÓN

Ⓐ La carta de Isabel

Complete the following letter, adding the missing prepositions **a, de,** or **en.**

Querida Alicia:

Como te prometí, te escribo en seguida. Ayer llegamos (1) _____ Quito. Es una

(2) _____ las ciudades más antiguas (3)_____ Sudamérica. Llegamos (4)_____

las tres (5)_____ la tarde y fuimos (6)_____ buscar hotel. (7)_____ el hotel

conocimos (8)_____ unos chicos muy simpáticos que nos invitaron a salir con ellos.

Yo salí con Carlos, que es alto, moreno, (9)_____ ojos verdes. Me ha dicho que me va

(10)_____ enseñar (11)_____ bailar salsa. Espero aprender (12)_____ bailar otros

bailes también. Mañana vamos (13)_____ ir (14)_____ visitar los museos. Vamos

(15)_____ ir (16)_____ el coche (17)_____ Carlos.

Bueno, (18)_____ la próxima carta espero poder contarte más (19)_____ mi vida

(20)_____ esta hermosa ciudad.

Isabel

Ⓑ Entre amigos

Use the illustrations to complete the following information about a group of friends. Use appropriate prepositions.

1. Delia va a…

2. Sergio y Toña están…

3. Beatriz es rubia…

4. Teresa se quedó…

NEL · doscientos setenta y cinco **275**

¡BUEN VIAJE! ·

Rogelio

5. Rogelio quiere ir al club…

Tito

6. Tito salió de su casa…

Gloria · Beto · Lolo · Julio

7. Julio es… grupo.

Caracas, mañana.

Eva

8. Eva llega…

 C **Charlemos** *(Let's chat)*

With a partner, talk about someone you met recently or someone you went out with. Include information about where you went, what time you left and returned home, what the person is like, and what you talked about. Your partner will ask you pertinent questions and make comments.

Mario llama a su esposa antes de su vuelo a Alberta. ¿Qué le quiere decir?

© CBW / Alamy

You are almost an expert! Use the vocabulary from **Lección 11** in order to help with the translation.

1. Ana and her husband bought tickets for a cruise. They saved money for two years to travel.
2. Usually, people who don't want to pay for excess luggage need to bring fewer clothes.
3. Flight attendants ask all passengers for the boarding pass as they board the plane.
4. Travelling in tourist class is cheaper than travelling in first class, but is not as comfortable.
5. To travel with another person, you need to agree on the destination.

Entre nosotros

Ace
Practice
Test

¡Conversemos!

Para conocernos mejor

Get to know your partner better by asking each other the following questions.

1. ¿Adónde piensas ir de vacaciones el verano que viene? ¿Con quién vas?
2. ¿Prefieres viajar solo(a) o con tu familia?
3. ¿Compras los pasajes en una agencia de viajes o por Internet?
4. Generalmente, ¿viajas en clase turista o en primera clase?
5. ¿Prefieres un asiento de ventanilla o de pasillo?
6. ¿Hiciste un crucero el verano pasado?
7. ¿Cuántas maletas llevaste la última vez que viajaste?
8. ¿Has tenido que pagar exceso de equipaje alguna vez?
9. ¿Dónde pones tu bolso de mano cuando viajas?
10. ¿Conoces a alguien que trabaje de auxiliar de vuelo?

Una encuesta

Interview your classmates to identify who fits the following descriptions. Include your instructor, but remember to use the **Ud.** form when addressing him or her.

Detalles culturales

En los países hispanos no existe tanta separación entre (*among*) las generaciones como en Canadá. Los niños, los padres y los abuelos frecuentemente van juntos a viajes o a fiestas y reuniones.

Generalmente, ¿Ud. viaja con otros miembros de su familia o prefiere ir con sus amigos?

NOMBRE

1. Hace muchos viajes. _____
2. Le gusta viajar los fines de semana. _____
3. Conoce muchos lugares de interés en Canadá. _____
4. Prefiere volar por la noche. _____
5. Tuvo que hacer escala la última vez que viajó. _____
6. Necesita ahorrar más. _____
7. Siempre lleva cheques de viajero cuando va de viaje. _____
8. Lleva mucho equipaje cuando viaja. _____
9. No fue de vacaciones el año pasado. _____
10. Fue de excursión el mes pasado. _____

Y ahora...

Write a brief summary, indicating what you have learned about your classmates.

¿Cómo lo decimos?

What would you say in the following situations? What might the other person say? Act out the scenes with a partner.

1. You want to find out how much a round-trip ticket to Santiago costs.
2. You ask the travel agent to give you information on several types of tours.
3. You need to know if there are flights to Buenos Aires on Sundays.
4. A friend of yours is travelling abroad for the first time. Give him or her suggestions and advice about what to do and what not to do.

¿Qué dice aquí?

Answer the questions about the new flight of Aerolíneas del Sur using the information provided in the ad.

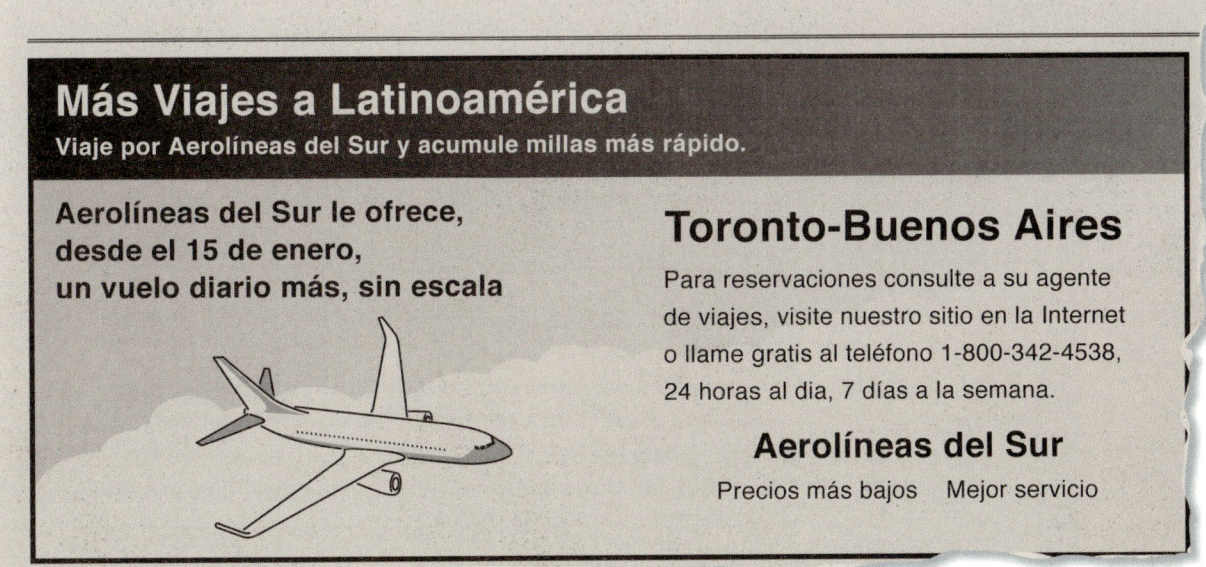

Más Viajes a Latinoamérica
Viaje por Aerolíneas del Sur y acumule millas más rápido.

Aerolíneas del Sur le ofrece, desde el 15 de enero, un vuelo diario más, sin escala

Toronto-Buenos Aires

Para reservaciones consulte a su agente de viajes, visite nuestro sitio en la Internet o llame gratis al teléfono 1-800-342-4538, 24 horas al dia, 7 días a la semana.

Aerolíneas del Sur

Precios más bajos   Mejor servicio

1. ¿Qué compañía ofrece más viajes a Latinoamérica?
2. ¿Qué puedo acumular si viajo por Aerolíneas del Sur?
3. ¿De qué ciudad sale el nuevo vuelo?
4. ¿Había antes vuelos a Buenos Aires desde Toronto? ¿Cuándo comienza el nuevo vuelo?
5. Si tomo ese vuelo, ¿tengo que hacer escala?
6. ¿Qué puedo hacer para obtener más información y para hacer la reservación?
7. ¿Puedo llamar cualquier (*any*) día y a cualquier hora?
8. ¿Qué ventajas me ofrece Aerolíneas del Sur?

Para escribir

Un viaje especial

Think about a destination in a region of Argentina where you would like to go on holidays for one week. After you have selected the place, research the attractions the region offers and map out the different activity options for each day. Upon completion of your research, prepare a brochure that needs to include the following information of the region: pictures, products produced, key destinations to visit, best restaurants and hotels, and any other information you may think is pertinent. Prepare the brochure in Spanish and be ready to fly away!

Martes 13, no te cases ni te embarques.

This saying advises you not to get married or get on a ship … on what day? If you are superstitious, you now have two days to worry about! Remember the saying in Spanish.

Un dicho

¿Dónde nos hospedamos?

Estrella y Mariana, dos chicas argentinas, están de vacaciones en Viña del Mar, Chile.

Estrella   Tenemos que encontrar un hotel que no sea muy caro y que quede cerca de la playa.

Mariana   ¡Estrella! ¡No hicimos reservaciones! ¡Y no hay ningún hotel que tenga habitaciones libres!

Estrella   No seas pesimista. A ver… queremos un hotel que tenga aire acondicionado, teléfono, televisor, servicio de habitación y, si es posible, vista al mar.

Mariana   ¡Qué optimista! Hay muchos hoteles que tienen todo eso, pero están llenos. Hay un montón de turistas, y un montón de convenciones.

Estrella   ¡Espera! Ahí hay un hotel…

Mariana   Pero, dime una cosa: ¿No ves que es un hotel de lujo? Probablemente cobran cincuenta mil pesos por noche. Nosotras necesitamos uno que cobre mucho menos…

Estrella   Pero tú tienes una tarjeta de crédito, ¿no? Bueno, ven. Vamos a buscar un taxi que nos lleve a un hotel que no esté en la playa. Allí va a haber hoteles más baratos…

Mariana   O una pensión. ¡Acuérdate de que las pensiones son más baratas…!

Estrella y Mariana están hablando con el Sr. Ruiz, el dueño de la pensión.

Estrella   ¿Tiene un cuarto libre para dos personas?

Sr. Ruiz   Sí, hay uno disponible en el segundo piso, con dos camas chicas. Cobramos 48.000 pesos por semana…

Mariana   ¿Eso incluye las comidas?

Sr. Ruiz   Sí, es pensión completa.

Estrella   ¿Los cuartos tienen baño privado y televisor?

Sr. Ruiz   No, señorita. Hay tres baños en el segundo piso. Tienen bañadera y ducha con agua caliente y fría… y hay un televisor en el comedor.

Mariana   *(A Estrella)* ¿Por qué no nos quedamos aquí? La pensión parece limpia y está en un lugar céntrico.

Estrella   ¿Hay alguna playa que esté cerca de aquí?

Sr. Ruiz   Sí, hay una a cuatro cuadras. ¡Ah!, señorita, necesito el número de su pasaporte.

Detalles culturales

En los países hispanos, los hoteles y restaurantes generalmente aceptan tarjetas de crédito como Visa o MasterCard.

¿Cuáles son las tarjetas de crédito que más se usan en Canadá?

Detalles culturales

Las pensiones son muy populares en los países de habla hispana. Son más económicas que los hoteles y generalmente el precio incluye el cuarto y las comidas.

¿Dónde se hospeda Ud. cuando viaja?

Mariana	(*A Estrella*) ¡Uf! Estoy muy cansada. Ayúdame con las maletas, ¿quieres? Aquí no hay botones. Lo primero que voy a hacer es dormir un rato.
Estrella	Bueno, pero después te voy a mostrar unos folletos sobre Buenos Aires.
Mariana	¡Caramba! ¡Ya estás planeando nuestras próximas vacaciones!

¿Recuerda usted?

 ### ¿Verdadero o falso?

With a partner, decide whether the following statements about the dialogue are true (**verdadero**) or false (**falso**).

1. Estrella y Mariana son de Argentina. ☐ V ☐ F
2. A Estrella le gusta estar cerca de la playa. ☐ V ☐ F
3. Mariana dice que los hoteles no tienen habitaciones libres. ☐ V ☐ F
4. Mariana quiere hospedarse en un hotel de lujo. ☐ V ☐ F
5. Las chicas llevaron su coche a Viña del Mar. ☐ V ☐ F
6. El señor Ruiz es el botones. ☐ V ☐ F
7. En la pensión hay un cuarto libre. ☐ V ☐ F
8. Las chicas tienen que pagar extra por la comida. ☐ V ☐ F
9. A Mariana le gusta la pensión. ☐ V ☐ F
10. El botones lleva las maletas al cuarto. ☐ V ☐ F

Y ahora… conteste

Answer these questions, basing your answers on the dialogue.

1. ¿En qué ciudad están de vacaciones las chicas?
2. ¿Qué están buscando ellas?
3. ¿Estrella quiere un cuarto con vista al jardín?
4. ¿Por qué están llenos los hoteles?
5. ¿En qué piso está la habitación disponible?
6. ¿Qué tienen los baños?
7. ¿Qué es lo primero que va a hacer Mariana?
8. ¿Qué le va a mostrar Estrella a Mariana?

Para hablar del tema: Vocabulario

Audio
Flashcards

COGNADOS

la convención
el (la) optimista
el (la) pesimista
posible
privado(a)

probablemente
la reservación
el taxi
el (la) turista

SUSTANTIVOS

el aire acondicionado *air conditioning*
la bañadera* *bathtub*
el botones *bellhop*
la cama *bed*
— chica *twin bed*
la cédula de identidad* *I.D. card*
la ducha* *shower*
el (la) dueño(a), propietario(a) *owner*
el folleto *brochure*

el lugar *place*
el lujo *luxury*
la pensión *boarding house*
la persona *person*
el piso *floor*
**el servicio de habitación
  (cuarto)** *room service*
el televisor *TV set*
la vista al mar *ocean or sea view*

VERBOS

acordarse (de) (o>ue) *to remember*
ayudar *to help*

cobrar *to charge*
enseñar, mostrar (o>ue) *to show*
parecer (yo parezco) *to seem*

ADJETIVOS

caliente *hot*
céntrico(a) *central*
libre, disponible *vacant, available*
limpio(a) *clean*

lleno(a) *full*
próximo(a) *next*
segundo(a) *second*

OTRAS PALABRAS Y EXPRESIONES

allí *there*
dime una cosa *tell me something*
el próximo día (lunes, mes, año...)
  next day (Monday, month, year...)
en seguida *right away*
hoy mismo *this very day*
la pensión completa *room and board*
la próxima semana *next week*
otra vez *again*
por *per*

por suerte, afortunadamente
  luckily, fortunately
lo primero *the first thing*
¿Quieres? *Will you?*
si *if*
sobre *about*
un montón de *a bunch of, many*
un rato *a while*
va a haber *there is going to be*

Amplíe su vocabulario

Más sobre los hoteles

Quiero una habitación con vista
- al jardín *garden*
- a la piscina* *swimming pool*
- al patio
- al mar *sea*
- a la playa *beach*

Quiero una habitación
- interior
- exterior

desocupar *to vacate*
no funciona *it doesn't work*
ocupado(a) *occupied*
el precio *price*
el puesto* de revistas *magazine stand*
el sofá-cama *sleeper sofa*
la tienda de regalos *souvenir shop*
el vestíbulo *lobby*

el inodoro

el lavabo

la cama doble

el ascensor*

la calefacción

el sofá-cama

Para practicar el vocabulario

A Preguntas y respuestas

Match the questions in column *A* with the answers in column *B*.

A

1. ¿Tenemos que ir a un restaurante?
2. ¿Hay cuartos libres?
3. ¿Elsa es argentina?
4. ¿Tu habitación es interior?
5. ¿Tiene aire acondicionado?
6. ¿Va a haber una fiesta?
7. ¿El baño tiene bañadera?
8. ¿Qué estás leyendo?
9. ¿Viste a Susana?
10. ¿Cuál es el problema?
11. ¿Qué documento necesita?
12. ¿Cuándo llegan?

B

a. No, con vista al mar.
b. Sí, pero yo no pienso ir.
c. Sí, y calefacción.
d. Un folleto sobre Cuzco.
e. No, el hotel está lleno.
f. Sí, y hablamos por un rato.
g. Sí, es de Buenos Aires.
h. El inodoro no funciona.
i. Sí, porque el hotel no tiene servicio de habitación.
j. No, tiene ducha.
k. La semana próxima.
l. Una cédula de identidad.

B En el hotel

With a partner, indicate whether the following statements are logical (**L**) or illogical (**I**). If it is illogical, say why.

1. Mi cuarto está en el quinto (*fifth*) piso. Voy a tomar el ascensor.
2. Voy a llamar al empleado del hotel porque ni el inodoro ni el baño funcionan.
3. Hace mucho calor. Necesitamos poner la calefacción.
4. El baño tiene agua fría y caliente.
5. Es muy barato porque es un hotel de lujo.
6. No queremos comer en un restaurante. Preferimos el servicio de habitación.
7. No puedo llevar todas las maletas al cuarto. Necesito que me ayudes.
8. El precio no incluye las comidas; es pensión completa.

C ¿Cuál es la solución?

What is the solution to these problems?

1. Quiero leer *Maclean's* pero no hay una copia en mi habitación.
2. No me gustan las habitaciones interiores.
3. Somos tres y sólo hay una cama doble en el cuarto.
4. Quiero comprar algo para llevarles a mis padres.
5. No sé cuánto cobran en el hotel.
6. No quiero recibir a mi amigo(a) en la habitación del hotel.
7. Tengo que subir a mi cuarto, que está en el décimo (*tenth*) piso.
8. Nos dieron una habitación con vista al patio, pero a nosotros nos gusta ver el mar.

D Minidiálogos

Complete the following short exchanges in a logical manner, using vocabulary from **Lección 12.**

1. —¿Tienes mucho que hacer?

—Sí. Tengo un _____ de cosas que hacer.

2. —¿Dónde compraste la revista?

—En el _____.

3. —¿Necesitan una cama chica?

—No, una _____.

4. —¿Quién lleva las maletas al cuarto?

—El _____.

5. —¿Están en un hotel?

—No, en una _____.

Silvia está de vacaciones en Lima. ¿En qué tipo de hotel está hospedada?

Pronunciación

Pronunciation in context

In this lesson, there are some words or phrases that may be challenging to pronounce. Listen to your instructor and pronounce the following sentences.

1. A ver… queremos un hotel que tenga **aire acondicionado.**

2. Vamos a buscar un taxi que nos lleve a Santiago. **Allí va a haber** hoteles más baratos.

3. ¿Por qué no nos quedamos aquí? La **pensión** parece limpia y está en un lugar **céntrico.**

4. Necesito el número de su **cédula** de **identidad.**

5. Bueno, pero después te voy a mostrar unos **folletos** sobre **Buenos Aires.**

Grammar
Tutorial

1 Subjunctive to express indefiniteness and nonexistence

(El subjuntivo para expresar lo indefinido y lo no existente)

- The subjunctive is always used in the subordinate clause when the main clause refers to something or someone that is indefinite, unspecified, hypothetical, or nonexistent.

—**¿Hay alguna excursión** que **incluya** el hotel?
"Is there any tour that includes the hotel?"

—No, **no hay ninguna** que lo **incluya**.
"No, there is not any that includes it."

—**Necesito un secretario** que **hable** francés.
"I need a secretary who speaks French."

—**No conozco a nadie** que **hable** francés.
"I don't know anyone who speaks French."

—**Estamos buscando un restaurante** donde sirvan comida italiana.
"We're looking for a restaurant where they serve Italian food."

—**Hay varios restaurantes** donde **sirven** comida italiana.
"There are several restaurants where they serve Italian food."

> **! ¡ATENCIÓN!**
>
> If the subordinate clause refers to existent, definite, or specified persons or things, the indicative is used instead of the subjunctive.

PRÁCTICA Y CONVERSACIÓN

Ace
Practice
Test

 A **Minidiálogos**

 Complete the following dialogues, using the indicative or the subjunctive, as appropriate. Then act out the dialogues with a partner.

1. —¿Hay algún hotel que _____ (quedar) cerca de la playa?

—Sí, el hotel El Sol _____ (quedar) a una cuadra de la playa.

2. —¿Sabes si hay algún cuarto libre que _____ (tener) vista al mar?

—No, pero hay uno que _____ (tener) vista a la piscina.

3. —¿Hay alguien aquí que no _____ (tener) pasaporte?

—No, todos _____ (tener) pasaporte y visa.

4. —Necesito un botones que _____ (poder) llevar las maletas.

—No hay ninguno que no _____ (estar) ocupado.

B Vienen los argentinos

A family from Argentina has recently moved into your neighbourhood. Answer their questions.

1. ¿Hay alguien que quiera vender su casa?
2. ¿Hay algún restaurante que sirva comida argentina?
3. ¿Hay alguien que sepa español y quiera trabajar de secretario(a)?
4. ¿Hay algún mercado que venda productos de Sudamérica?
5. Nuestro hijo es agente de viajes. ¿Sabe Ud. de alguna agencia que necesite empleados?
6. Queremos vender nuestro coche. ¿Conoce Ud. a alguien que necesite un auto?

C En la pensión

Use your imagination to complete each statement.

1. Nuestro cuarto tiene vista al jardín, pero preferimos uno…
2. El baño tiene bañadera, pero yo quiero uno…
3. Esta pensión no incluye las comidas, pero yo necesito una…
4. Esta pensión es buena pero no está en un lugar céntrico; queremos una…
5. Este folleto es sobre Viña del Mar, pero nosotras necesitamos uno…

D Dime una cosa

You and a classmate want to find out about each other's relatives and friends. Ask each other questions about the following, always beginning with:

¿Hay alguien en tu familia o entre tus amigos que…?

1. jugar al béisbol
2. viajar a México todos los veranos
3. bailar muy bien
4. tener una piscina en su casa
5. celebrar su aniversario de bodas este mes
6. ser muy optimista
7. conocer España
8. hablar portugués
9. saber varios idiomas
10. trabajar para un hotel
11. ser empleado(a) de banco
12. ser argentino(a)

E Nuestro viaje a España

In groups of three or four, play the role of very wealthy and lazy travellers who want to make arrangements for a trip to Spain. Say what you need people to do for you.

- **MODELO:** *Necesitamos a alguien que vaya a la agencia de viajes.*

Grammar Tutorial

2 Familiar commands

(Las formas imperativas de tú *y de* vosotros*)*

**FLASHBACK**

Review the formal commands and first-person plural commands on pp. 237, 238, and 240.

- Regular affirmative commands in the **tú** form have exactly the same forms as the third-person singular (**él** form) of the present indicative.

Verb	Present Indicative Third-Person Sing.	Familiar Command *(tú)*
hablar	él habla	**habla**
comer	él come	**come**
abrir	él abre	**abre**
cerrar	él cierra	**cierra**
volver	él vuelve	**vuelve**
pedir	él pide	**pide**
traer	él trae	**trae**

—¿Qué quieres que haga ahora?   *"What do you want me to do now?"*
—**Compra** los billetes para el viaje.   *"**Buy** the tickets for the trip."*

—¿Vas a poner el equipaje aquí?   *"Are you going to put the luggage here?"*
—Sí, **tráeme** las maletas y el bolso de mano.   *"Yes, **bring me** the suitcases and the carry-on bag."*

**¡ATENCIÓN!**

As with the formal commands, direct, indirect, and reflexive pronouns are always placed *after* an affirmative command and are attached to it. A written accent must be placed on the stressed syllable.

- Eight Spanish verbs are irregular in the affirmative command for the **tú** form. They are listed below.

decir	**di**	salir	**sal**
hacer	**haz**	ser	**sé**
ir	**ve**[1]	tener	**ten**
poner	**pon**	venir	**ven**

—**Dime,** ¿a qué hora quieres que venga?   *"**Tell me,** at what time do you want me to come?"*
—**Ven** a las ocho.   *"**Come** at eight."*

—**Haz**me un favor: **pon** estos folletos en la mesa.   *"**Do** me a favour: **put** these brochures on the table."*
—Sí, en seguida.   *"Yes, right away."*

- The affirmative command form for **vosotros** is formed by changing the final **r** of the infinitive to **d**.

Infinitive	Familiar Command (vosotros)
habla**r**	habla**d**
come**r**	come**d**
escribi**r**	escribi**d**
i**r**	i**d**
sali**r**	sali**d**

---

[1]Note that **ir** and **ver** have the same affirmative **tú** command, **ve.**

- When the affirmative command of **vosotros** is used with the reflexive pronoun **os,** the final **d** is dropped.

bañar	baña**d**	**bañaos**
poner	pone**d**	**poneos**
vestir	vesti**d**	**vestíos**[1]

Bañaos antes de cenar.   *Bathe before dinner.*

Poneos los zapatos.   *Put your shoes on.*

Vestíos aquí.   *Get dressed here.*

- Only one verb doesn't drop the final **d** when the **os** is added.

irse	**¡Idos!**	*Go away!*

- The negative commands of **tú** and **vosotros** use the corresponding forms of the present subjunctive.

hablar	no **hables** tú	no **habléis** vosotros
vender	no **vendas** tú	no **vendáis** vosotros
decir	no **digas** tú	no **digáis** vosotros
salir	no **salgas** tú	no **salgáis** vosotros

—**No vayas** a la agencia de viajes hoy.   *"**Don't go** to the travel agency today."*
—Entonces voy mañana.   *"Then I'll go tomorrow."*

—**No** me **esperes** para comer.   *"**Don't wait for** me to eat."*
—¡**No** me **digas** que hoy también   *"**Don't tell** me you have to work*
tienes que trabajar!   *today also!"*

¡ATENCIÓN!

In a negative command, all object pronouns are placed before the verb.

No **me** esperes para comer.

▶ PRÁCTICA Y CONVERSACIÓN

A **Órdenes**

Using command forms, tell your friend what to do.

- **MODELO:**   Tienes que hablar con el dueño ahora.
                 Habla con el dueño ahora.

1. Tienes que llamarme este fin de semana.
2. Tienes que hacer las camas.
3. Tienes que tener paciencia con él.
4. Tienes que decirle que no venga hoy.
5. Tienes que ir a la agencia de viajes y comprar los pasajes.
6. Tienes que salir en seguida.
7. Tienes que quedarte aquí.
8. Tienes que venir dentro de quince días.

B   Now make all of the commands above negative.

---

[1]Note that the **-ir** verbs take a written accent over the **i** when the reflexive pronoun **os** is added.

C A mi hermanito

You are going away for the day. Tell your younger brother what to do and what not to do.

1. levantarse temprano y bañarse
2. preparar el desayuno
3. no tomar refrescos
4. hacer la tarea
5. no abrirle la puerta a nadie
6. limpiar su cuarto
7. no mirar la televisión y no traer a sus amigos a la casa
8. traer pan y ponerlo en la mesa
9. ir al mercado y comprar frutas
10. llamar a papá y decirle que venga temprano

 ## D Haz esto… haz lo otro… *(Do this… do that…)*

With a partner, take turns giving two commands, one affirmative and one negative, that the following people would likely give.

1. una madre (un padre) a su hijo de quince años
2. un(a) estudiante a su compañero(a) de cuarto (de clase)
3. un muchacho a su novia (una muchacha a su novio)
4. un(a) doctor(a) a una niña
5. un(a) profesor(a) a un estudiante
6. un esposo a su esposa (una esposa a su esposo)

RODEO Summary of the Command Forms
(Resumen de las formas del imperativo)

Usted	Ustedes	Tú		Nosotros
		Affirmative	*Negative*	
hable	hablen	habla	no hables	hablemos
coma	coman	come	no comas	comamos
abra	abran	abre	no abras	abramos
cierre	cierren	cierra	no cierres	cerremos
vaya	vayan	ve	no vayas	vamos¹

Grammar Tutorial

3 Verbs and prepositions
(Verbos y preposiciones)

The prepositions **con, de,** and **en** can be used with verbs to form certain expressions. Some of the idioms are as follows:

casarse con	to marry, to get married (to)
comprometerse con	to get engaged to
soñar con	dream about
acordarse de	to remember
alegrarse de	to be glad

¹Remember that the affirmative command uses the indicative form **vamos**, but the negative command uses the subjunctive form **no vayamos**.

darse cuenta de	to realize
enamorarse de	to fall in love with
olvidarse de	to forget
confiar en	to trust
convenir en	to agree on
entrar en (a)	to go (come) into
fijarse en	to notice
insistir en	to insist on

—Celia **se comprometió con** David.
—Yo creía que iba a **casarse con** Alberto.
—No, ella se **enamoró de** David.

"Celia got engaged to David."
"I thought she was going to marry Alberto."
"No, she fell in love with David."

—**Insistieron en** venir esta noche.
—Sí, no **se dieron cuenta de** que teníamos que trabajar.

"They insisted on coming tonight."
"Yes, they didn't realize that we had to work."

Ace
ctice
Test

▶ PRÁCTICA Y CONVERSACIÓN

A **Lo que pasa…**

Look at the pictures below and complete each statement.

1. Marisa decidió _____ _____ Daniel.

2. Mirta y Raúl _____ . Piensan casarse en junio.

3. Graciela no _____ el número de teléfono de Pepe.

4. Marisol _____ _____ ver a Tito.

Yo voy contigo.
Sí, voy contigo.
Voy contigo.

5. Rodolfo _____ la casa de Eva.

6. Pedro _____ ir con Alina.

 B ## Entreviste a su compañero(a)

Interview your partner by asking the following questions.

1. ¿En quién confías?

2. ¿Esperas casarte en el futuro? ¿Con quién?

3. ¿Algún amigo tuyo se ha comprometido últimamente? ¿Con quién?

4. ¿Te fijaste en el tiempo hoy? ¿Qué tiempo hace?

5. ¿Te acordaste de traer tus libros a clase? ¿De qué te olvidaste?

6. ¿Te alegras de estar en esta universidad? ¿Por qué sí o no?

7. ¿A qué hora entró el (la) profesor(a) en la clase?

8. ¿Sueñas con viajar a un país hispano? ¿A cuál?

Grammar Tutorial

4 # Ordinal numbers
(Números ordinales)

primero(a)[1]	first		**sexto(a)**	sixth
segundo(a)[1]	second		**séptimo(a)**	seventh
tercero(a)[1]	third		**octavo(a)**	eighth
cuarto(a)	fourth		**noveno(a)**	ninth
quinto(a)	fifth		**décimo(a)**	tenth

- Ordinal numbers agree in gender and number with the nouns they modify.

  el segundo **chico**   la segunda **chica**

  los primeros **días**   las primeras **semanas**

- Ordinal numbers are seldom used after **décimo.**

 ¡ATENCIÓN!

The ordinal numbers **primero** and **tercero** drop the final **-o** before masculine singular nouns.

el **primer**[2] día   el **tercer**[3] año

---
[1] abbreviated 1°, 2°, 3°, and so on
[2] abbreviated 1er
[3] abbreviated 3er

—Nosotros estamos en el **segundo** piso. ¿Y Uds.?
—Estamos en el **tercer** piso.

"We are on the **second** floor. And you?"
"We are on the **third** floor."

▶ PRÁCTICA Y CONVERSACIÓN

Ⓐ Los meses del año

With a partner, quiz each other on the order of the first ten months of the year. Follow the model.

- **MODELO:** —Septiembre.
  —*Septiembre es el noveno mes del año.*

Ⓑ ¿Cómo se expresa en español?

Complete the sentences below expressing the ordinal numbers indicated in Spanish.

1. El día de Canada es el _____ (1st) día de julio.
2. Yo no conozco a la _____ (3rd) chica que entró.
3. Nosotros vivimos en la _____ (5th) calle a la derecha.
4. ¿Tú tienes el _____ (7th) libro que escribió ese autor?
5. Ellos están en el _____ (10th) piso del hotel.
6. Anita fue la _____ (2nd) estudiante que terminó el examen.
7. Decidieron quedarse en la _____ (4th) pensión que encontraron.
8. Roberto compró el _____ (8th) suéter que se probó.

© Stockbyte / Getty Images

Todos los hoteles están llenos. ¿Dónde va a poder hospedarse Carmen?

Grammar Tutorial

5 Future tense

(Futuro)

- Most Spanish verbs are regular in the future, and the infinitive serves as the stem of almost all verbs. The endings are the same for all three conjugations.

¡ATENCIÓN!

Note that all the endings, except that of the **nosotros(as)** form, take accent marks.

Formation of the Future Tense			
Infinitive		*Stem*	*Endings*
trabajar	yo	trabajar-	**é**
aprender	tú	aprender-	**ás**
escribir	Ud., él, ella	escribir-	**á**
entender	nosotros(as)	entender-	**emos**
ir	vosotros(as)	ir-	**éis**
dar	Uds., ellos, ellas	dar-	**án**

— ¿Adónde **irán** Uds. esta tarde?   *"Where **will** you **go** this afternoon?"*
— **Iremos** al museo de arte.   *"**We will go** to the art gallery."*

- A small number of Spanish verbs are irregular in the future tense. These verbs have an irregular stem; however, the endings are the same as those for regular verbs.

FLASHBACK

Review the present indicative of **haber** on p. 234. Compare the endings with those of the future tense. What are the similarities?

Irregular Future Stems		
Infinitive	*Stem*	*First-Person Sing.*
decir	dir-	**diré**
hacer	har-	**haré**
haber	habr-	**habré**
querer	querr-	**querré**
saber	sabr-	**sabré**
poder	podr-	**podré**
poner	pondr-	**pondré**
salir	saldr-	**saldré**
tener	tendr-	**tendré**
venir	vendr-	**vendré**

—¿A qué hora **saldrán** para el concierto?
—**Saldremos** a las siete.

—¿**Podrás** venir mañana?
—Sí, **vendré** después de comer.

*"At what time **will you leave** for the concert?"*
*"**We will leave** at seven."*

*"**Will you be able** to come tomorrow?"*
*"Yes, **I will come** after I eat."*

 ¡ATENCIÓN!

The future of **hay** (impersonal form of **haber**) is **habrá**.

¿**Habrá** una conferencia?

Will there be a lecture?

Uses of the future tense

- The English equivalent of the Spanish future tense is *will* or *shall* plus a verb. As you have already learned, Spanish also uses the construction **ir a** plus an infinitive, or the present tense with a time expression, to refer to future actions, events, or states.

  Esta noche **iremos** al cine.

  *Tonight **we will go** to the movies.*

  Esta noche **vamos a ir** al cine.

  *Tonight **we're going to go** to the movies.*

  Esta noche **vamos** al cine.

  *Tonight **we're going** to the movies.*

- Unlike English, the Spanish future is *not* used to express willingness. In Spanish, willingness is expressed by the verb **querer**.

  —¿**Quieres** llamar a Eva?
  —Ahora no puedo.

  *"**Will you** call Eva?"*
  "I can't now."

Ace
Practice
Test

▶ PRÁCTICA Y CONVERSACIÓN

A ¿Qué harán?

Rewrite the following sentences, using the future tense. Follow the model.

• **MODELO:** Voy a viajar a Sudamérica en mayo.

Viajaré a Sudamérica en mayo.

1. Clara, Rebeca y yo vamos a buscar un hotel barato.
2. El botones va a llevar las maletas a la habitación.
3. Después Clara va a poder tomar una siesta.
4. Rebeca va a escribir unas tarjetas postales.
5. Yo voy a salir a dar un paseo.
6. A las siete nosotras vamos a ir a un restaurante para cenar.
7. El próximo día vamos a pagar con una tarjeta de crédito.
8. Clara y Rebeca van a regresar a Canadá pero yo voy a seguir viajando en Sudamérica.

B El verano pasado

The following paragraph describes what happened last summer. Change all the verbs to the future to indicate what will happen in the upcoming summer.

En el verano, mi familia y yo **fuimos** a California. **Estuvimos** en San Diego por una semana. **Alquilamos** un apartamento cerca de la playa y unos amigos madrileños **vinieron** a quedarse con nosotros. Diego **y** Jaime **hicieron** surfing. Mi padre **pasó** un par de días pescando, y Gloria y yo **buceamos, tomamos** el sol y por la noche **salimos** con unos amigos. **Nos divertimos** mucho pero **tuvimos** que volver para empezar las clases.

 C Planes para las vacaciones

In groups of three, tell each other three or four things you plan to do during your summer vacation, using the future tense. Your classmates may ask for more details.

 6 Conditional tense
(Condicional)

Grammar
Tutorial

• Like the future, the Spanish conditional uses the infinitive as the stem for most verbs and has only one set of endings for all three conjugations.

FLASHBACK

The endings of the conditional tense are the same as the endings for -er/-ir verbs in the imperfect. See p. 189.

Formation of the Conditional Tense

Infinitive		Stem	Endings
trabajar	yo	trabajar-	**ía**
aprender	tú	aprender-	**ías**
escribir	Ud., él, ella	escribir-	**ía**
dar	nosotros(as)	dar-	**íamos**
hablar	vosotros(as)	hablar-	**íais**
preferir	Uds., ellos, ellas	preferir-	**ían**

—Me **gustaría** ir al parque.
—Nosotros **preferiríamos** ir a
 la piscina.

*"I **would like** to go to the park."*
*"We **would prefer** to go to the pool."*

—Voy a invitar a Julia.
—Yo no la **invitaría.**

"I'm going to invite Julia."
*"I **would** not **invite** her."*

• The verbs that are irregular in the future tense have the same irregular stems in the
 conditional. The endings are the same as those for regular verbs.

Irregular Conditional Stems		
Infinitive	*Stem*	*First-Person Sing.*
decir	dir–	**diría**
hacer	har–	**haría**
haber	habr–	**habría**
querer	querr–	**querría**
saber	sabr–	**sabría**
poder	podr–	**podría**
poner	pondr–	**pondría**
salir	saldr–	**saldría**
tener	tendr–	**tendría**
venir	vendr–	**vendría**

—¿Qué **podría** hacer yo para ayudarte?
—**Podrías** lavar los platos.

*"What **could** I do to help you?"*
*"You **could** wash the dishes."*

 **¡ATENCIÓN!**

The conditional of **hay** (impersonal form of **haber**) is **habría**.

Dijo que **habría** una reunión.   *He said **there would be** a meeting.*

No sé… yo no lo lavaría aquí.

Uses of the conditional

- The Spanish conditional is equivalent to the English *would* plus a verb.

  —¿Qué **harías** tú?   *"What **would** you **do**?"*
  —Yo **iría** a una pensión.   *"I **would** go to a boarding house."*

- In Spanish, the conditional is also used to soften a request or to express politeness.

  —¿**Podrías** venir un momento?   *"**Could you** come for a minute?"*
  —Sí, en seguida.   *"Yes, right away."*

www
Ace
Practice
Test

▶ PRÁCTICA Y CONVERSACIÓN

Ⓐ ¿Qué harían ustedes?

You and your friends are not like your sister and her friends. Say what you would do differently from them.

- **MODELO:** Mi hermana viaja en primera clase.
  Yo viajaría en segunda clase para ahorrar dinero.

1. Mi hermana pide una cama chica. Yo _____ una cama doble.
2. Ella y sus amigas compran revistas en una tienda. Nosotros las _____ en un kiosko.
3. Mi hermana nada en la piscina. Yo _____ en el mar.
4. Ella y sus amigas salen a un restaurante por la noche. Nosotros _____ a una discoteca.
5. Mi hermana hace una paella para la cena. Yo _____ arroz con pollo.
6. Ella y sus amigas ponen música canadiense. Nosotros _____ música latina.
7. Mi hermana se acuesta a las once. Yo me _____ a las doce.
8. Mi hermana y sus amigas estudian por la noche. Yo _____ por la mañana.

Ⓑ Un millón de dólares

With a partner, name at least five things you would do if you were given a million dollars. Try to use a variety of verbs.

Ⓒ Recomendaciones

In groups of three or four, decide what you would recommend to a friend who is planning a trip to South America. Where should she/he go? What type of hotel would you recommend? What should she/he eat? What activities should she/he do? Compare your recommendations with those of other groups, and select the best ones.

RODEO — Summary of the Tenses of the Indicative (*Resumen de los tiempos del indicativo*)

Simple Tenses

	-ar	-er	-ir
Presente	hablo	como	vivo
Pretérito	hablé	comí	viví
Imperfecto	hablaba	comía	vivía
Futuro	hablaré	comeré	viviré
Condicional	hablaría	comería	viviría

Compound Tenses

Pretérito perfecto	**he** hablado	**he** comido	**he** vivido
Pretérito pluscuamperfecto	**había** hablado	**había** comido	**había** vivido

▶ PRÁCTICA Y CONVERSACIÓN

Ⓐ Entreviste a su compañero(a)

Interview your partner, asking the following questions.

1. ¿Cuánto tiempo hace que estudias español?
2. ¿En qué año empezaste a estudiar español?
3. ¿Quién fue tu profesor(a) de español el semestre pasado?
4. ¿Habías hablado con el (la) profesor(a) antes de comenzar esta clase?
5. ¿Sabías un poco de español antes de venir a la universidad?
6. ¿Continuarás estudiando español?
7. ¿Qué tendrás que hacer para hablar español perfectamente?
8. ¿Has visitado algún país de habla hispana?
9. ¿En qué país de habla hispana te gustaría vivir?
10. ¿Qué ciudades interesantes de Canadá has visitado?
11. ¿Qué te gustaba hacer cuando estabas en la escuela secundaria?
12. ¿Qué películas has visto últimamente?
13. ¿Qué tuviste que hacer hoy antes de venir a la clase?
14. ¿Vives cerca o lejos de la universidad?

▶ PRÁCTICA Y TRADUCCIÓN

Based on the vocabulary and grammatical concepts studied in **Lección 12,** translate the following sentences.

1. They need a room that is big and has air conditioning.
2. Paquito, tomorrow get up early and make your bed.
3. Claudia fell in love with Daniel the third month of classes.
4. I will go to Bolivia next year and I'll be able to speak Spanish. [use future form]
5. Tito wants a hotel with a pool. I would prefer a small boarding house.

Entre nosotros

¡Conversemos!

Ace
Practice
Test

Para conocernos mejor

Get to know your partner better by asking each other the following questions.

1. Cuando viajas, ¿te hospedas en un hotel o en una pensión?
2. Generalmente, ¿haces reservaciones en los hoteles antes de viajar?
3. ¿Prefieres un hotel que esté en un lugar céntrico o uno que quede lejos de todo?
4. Cuando vas a un hotel, ¿tú llevas tus maletas al cuarto o las lleva el botones?
5. Cuando vas a un hotel, ¿qué tipo de cuarto prefieres?
6. Si tu cuarto en el hotel está en el segundo piso, ¿usas el ascensor o la escalera (*stairs*)?
7. Cuando vas a un hotel, ¿a qué hora desocupas el cuarto?
8. ¿Tu casa tiene aire acondicionado y calefacción?
9. ¿Tenías televisor en tu cuarto cuando eras niño(a)?
10. En tu cuarto, ¿tienes una cama chica o una cama doble?

Una encuesta

Interview your classmates to identify who fits the following descriptions. Include your instructor, but remember to use the **Ud.** form when addressing him or her.

NOMBRE

1. Tiene una piscina en su casa.
2. Tiene un sofá-cama en su casa.
3. Generalmente usa la ducha y no la bañadera.
4. Compró algo en una tienda de regalos la semana pasada.
5. Piensa viajar el próximo verano.
6. Probablemente va a viajar con su familia.
7. Nunca paga más de 100 dólares por noche en un hotel.
8. Fue a una convención el año pasado.
9. Es una persona pesimista.
10. Tiene un montón de cosas que hacer.

Y ahora…

Write a brief summary indicating what you have learned about your classmates.

¿Cómo lo decimos?

What would you say in the following situations? What might the other person say? Act out the scenes with a partner.

1. You need a room for two people with a private bathroom and air conditioning. Find out the price, when you have to check out, whether the room overlooks the street, and whether the hotel has room service.

2. At a boarding house, find out what meals the price includes.

3. A friend will be staying at your house while you are away. Tell him or her what to do.

¿Qué dice aquí?

Answer the questions about the Hotel Tabaré. Base your answers on the information provided in the ad.

HOTEL TABARÉ   *En el centro de Madrid*

★ ★ ★ ★ _____

- ✔ *Habitaciones dobles y sencillas con baño privado*
- ✔ *Aire acondicionado y TV por cable*
- ✔ *Acceso a Internet y servicio de Fax*
- ✔ *Restaurante con comida típica e internacional*
- ✔ *Servicio de habitación las 24 horas del día*
- ✔ *Música en vivo sábados y domingos, de 8 a 11 de la noche*
- ✔ *Piscina y gimnasio*
- ✔ *Amplio estacionamiento*

Se aceptan tarjetas de crédito y cheques de viajeros

Avenida Artigas, 214 • A 20 minutos del aeropuerto • ☎ 990-73-32

---

1. ¿Cómo se llama el hotel? ¿Está en un lugar céntrico? ¿Es un hotel de lujo?
2. ¿Cómo son las habitaciones?
3. ¿Vamos a tener calor en la habitación?
4. ¿Podemos ver la tele en nuestro cuarto?
5. Si necesitamos mandar mensajes electrónicos, ¿podemos hacerlo desde el hotel?
6. ¿Qué clase de comida sirven? ¿Tienen servicio de habitación?
7. Nos gusta hacer ejercicio y nadar todos los días, ¿podemos hacerlo en el hotel?
8. ¿El hotel está cerca del aeropuerto? ¿Podemos dejar el coche en el hotel?
9. ¿Con qué podemos pagar en el hotel?

Para escribir

En un hotel

Write a conversation between you and a hotel clerk. Make reservations and ask about prices and accommodations.

> **No hay mal que por bien no venga.**
>
> There is an English equivalent of this saying. Your challenge is to find out what it is.
>
> **Un dicho**

Lectura

Estrategia de lectura

Before you read the fable of the canary (*el canario*) and the crow (*el cuervo*), think about what you know about the characteristics of these two types of birds and try to predict what might happen.

Vamos a leer

As you read the fable, try to find the answers to the following questions.

1. ¿Qué es lo que caracteriza las fábulas de Iriarte?
2. ¿Cuáles son las características de los personajes de las fábulas?
3. ¿Qué talento tenía el canario? ¿Quién lo elogió?
4. ¿Qué causó esta aprobación en otros pájaros?
5. ¿Qué hizo el cuervo para desacreditar al canario?
6. ¿Qué comparación hizo el cuervo?
7. ¿Qué hizo el águila cuando el canario dejó de cantar?
8. ¿Qué pasó cuando el canario cantó?
9. ¿Qué le pidió el águila al dios Júpiter?
10. ¿Qué pasó cuando el cuervo trató de cantar? ¿Cuál es la moraleja (*moral*) de la fábula?

La obra más importante de Iriarte fue *Fábulas literarias.* Sus fábulas se caracterizan por la originalidad de sus temas. En la que se presenta aquí, los personajes son animales: un canario, un cuervo, un ruiseñor y un águila. El autor trata de demostrar que no se debe tratar de desacreditar a otros.

 Video

NEL

El canario y el cuervo

UNA FÁBULA DE TOMÁS IRIARTE

Había una vez un canario que cantaba muy bien. ¡Todos aplaudían cuando lo escuchaban! Un ruiseñor° extranjero, generalmente acreditado, lo elogió° mucho, animándolo con su aprobación.

La aprobación del ruiseñor causó la envidia de otros pájaros° que no cantaban tan bien como él. Al fin, un cuervo° que no podía lucirse° por su canto, empezó a hablar mal del canario. Como no podía decir nada malo de su canto, trató de desacreditarlo acusándolo de cosas que nada tenían que ver° con su manera de cantar. Los otros pájaros envidiosos aprobaron y repitieron las acusaciones del cuervo.

El cuervo, animado, empezó a decir que el canario era un borrico° y que lo que había en él no era verdadera música sino un rebuzno.° "¡Cosa rara!" —decían algunos. "El canario rebuzna; el canario es un borrico".

El canario, muy triste, dejó de° cantar, pero el águila,° reina° de las aves,° le dijo que quería oírlo cantar para ver si, en efecto, rebuznaba o no, porque si era verdad que rebuznaba, quería excluirlo del número de sus vasallos,° los pájaros. Cuando el canario cantó, lo hizo tan bien que todos aplaudieron, incluyendo el águila. Entonces el águila, indignada por la calumnia° del cuervo, le pidió a su señor, el dios Júpiter, justicia para el canario. El dios condescendió, diciéndole al cuervo: "Quiero escuchar tu canto". Cuando el cuervo trató de cantar, sólo se oyeron horribles chillidos.°

Moraleja: El que para desacreditar a otro recurre a medios injustos, se desacredita a sí mismo.°

nightingale
praised
birds
crow / shine

tenían... *had to do*

donkey
braying

stopped / eagle / queen
birds

subjects

slander

screeches

a... *himself*

TOMÁS de IRIARTE, *Fábulas literarias*

Díganos

Answer the following questions, based on your own thoughts and experiences.

1. ¿Qué cosas hace Ud. bien?
2. ¿Recibe frecuentemente la aprobación de sus supervisores, sus profesores y sus amigos?
3. ¿Conoce a personas envidiosas que tratan de desacreditar a otros?
4. ¿Qué hace Ud. cuando ve que algunas personas son injustas?
5. ¿Qué trata de hacer para animar a sus parientes y amigos a desarrollar (*develop*) sus talentos?

¡Suban al avión!

Marisa tiene la oportunidad de viajar a Miami con su mamá, que tiene dos pasajes. El problema es que la señora tiene miedo de viajar en avión. Marisa le pide a Pablo que la ayude a convencer a su mamá de que ella puede viajar en avión.

El mundo hispánico

© Robert Frerck/Odyssey Productions

CHILE

- La cordillera de los Andes atraviesa (*goes through*) el país de norte a sur. En este país encontramos algunas de las montañas más altas de Sudamérica, y por eso son muy populares los deportes de invierno. Muy cerca de la capital, Santiago, hay excelentes lugares para esquiar.

- Chile exporta tanta fruta que se le considera la frutería del mundo. Sus vinos tienen fama internacional.

- Dos escritores chilenos de fama internacional son Pablo Neruda y Gabriela Mistral, ganadores del Premio Nobel de Literatura. Otra escritora chilena de gran fama es Isabel Allende, autora de *La casa de los espíritus,* entre otras novelas.

- En octubre de 2010, 33 mineros fueron rescatados de una mina donde estuvieron por 69 días en la región de Copiapó, en el desierto de Atacama. Ingenieros canadienses ayudaron en el rescate.

ARGENTINA

- Argentina, por su extensión, es el país de habla hispana más grande. La mayor parte de sus habitantes son de origen europeo, principalmente italianos.

- En este país se encuentra el pico más alto del mundo occidental: el Aconcagua.

- Su capital, Buenos Aires, es la ciudad más grande del hemisferio sur. En esta ciudad hay más de cuarenta universidades y la ciudad tiene una vida cultural muy activa. Hay numerosos museos y teatros muy importantes; el Teatro Colón es uno de los más famosos del mundo. La ciudad tiene muchos parques muy hermosos y la Avenida 9 de Julio es la más ancha del mundo.

- De Argentina viene el tango, un baile muy popular en todas partes del mundo.

Vista panorámica de Santiago, Chile

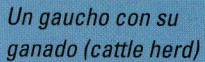

Un gaucho con su ganado (cattle herd)

© Kit Houghton/CORBIS

NEL

 **CHILE**  **ARGENTINA** **ESPAÑA**

ESPAÑA

- Por su situación geográfica entre el resto de Europa y África, España siempre ha poseído considerable valor (*value*) estratégico, y en su suelo se mezclaron (*mixed*) y fundieron (*melted*) diversos grupos étnicos provenientes (*coming*) de una gran variedad de civilizaciones; entre ellas, las más importantes fueron la romana, la judía y la árabe (*Arabic*).

- Madrid, la capital, es una ciudad moderna, de gran movimiento. Hoy en día es uno de los centros de negocios más importantes del mundo. Sus grandes avenidas, centros culturales, plazas y museos son puntos de atracción turística. En Madrid está el Museo del Prado, uno de los mejores del mundo. Allí se conserva la colección más grande de las obras de pintores españoles como Murillo, Velázquez, El Greco y Goya, entre otros.

- En el norte de España están Barcelona, la segunda ciudad más grande del país, y Pamplona, conocida por sus encierros y sus corridas de toros el día de San Fermín.

- En el sur de España se encuentran Granada, Sevilla y Córdoba, ciudades de gran belleza donde se ve la influencia árabe. La Alhambra de Granada, la Giralda de Sevilla y la Mezquita (*Mosque*) de Córdoba son verdaderas joyas arquitectónicas.

- España es rica en tradiciones. Cada provincia tiene sus propios trajes regionales, música, artesanía y cocina típicas. Por ejemplo, Andalucía es famosa por el cultivo del olivo y también por la música y la danza conocida por todo el mundo, el flamenco.

- España ha aportado (*exerted*) su influencia al mundo tanto en el campo de la ciencia como en el de la cultura, y ha obtenido premios Nobel en ambos campos. En la literatura, España se ha destacado desde la Edad Media. Entre sus numerosos escritores está Miguel de Cervantes, creador de *Don Quijote,* una de las obras literarias que más ha influido en todo el mundo. Tres grandes pintores del siglo XX, conocidos mundialmente, son españoles: Salvador Dalí, Joan Miró y Pablo Picasso.

- El 11 de julio de 2010, España ganó la Copa Mundial de fútbol por primera vez.

©Mark Antman / The Image Works

El Templo de la Sagrada Familia, en Barcelona

Comentarios...

With a partner, discuss, in Spanish, what impressed you the most about these three countries and compare them to Canada. Which places do you want to visit and why?

Tome este examen

LECCIÓN 11

Ⓐ Subjunctive with verbs of volition

Write sentences in the present tense, using the elements given below. Use the present subjunctive or the infinitive, as appropriate, and add any necessary words.

1. Yo / querer / ella / ir / Viña del Mar
2. Nosotros / desear / viajar / avión
3. Ella / sugerirme / ir / Buenos Aires
4. El agente / querer / venderme / el pasaje
5. Ellos / aconsejarnos / comprar / seguro (*insurance*)
6. Yo / no querer / llevar / muchas maletas
7. Ellos / no querer / ella / llevarlos / en su coche
8. Nosotros / no querer / ir / contigo
9. ¿Tú / sugerirme / venir / luego?
10. Ella / necesitar / Uds. / darle / la maleta

Ⓑ Subjunctive with verbs of emotion

Rewrite the following sentences, beginning each with the phrase in parentheses and using the subjunctive or the infinitive, as appropriate.

1. Ella se va pronto. (Espero…)
2. Los pasajes son muy caros. (Elsa teme…)
3. Yo estoy aquí. (Me alegro de…)
4. Ella se va de vacaciones. (Ella espera…)
5. Mamá se siente bien hoy. (Esperamos…)
6. Ellos no pueden ir a la fiesta. (Siento…)

Ⓒ Subjunctive to express doubt

Complete the following sentences, using the subjunctive or the indicative of the verbs in parentheses.

1. Estoy seguro de que el avión _____ (salir) a las seis de la mañana.
2. Dudo que este hotel _____ (tener) servicio de habitación.
3. No estoy seguro de que Ana _____ (venir) con nosotros a Madrid.
4. Ellos no dudan que mi mamá _____ (servir) el almuerzo a la una.

Ⓓ Subjunctive to express disbelief and denial

Rewrite each sentence using the subjunctive or the indicative, as appropriate.

1. Están llamando a los pasajeros. (No es cierto que…)
2. El piloto nos va a ayudar a pagar el exceso de equipaje. (No creo que…)
3. Ella prefiere venir con nosotros. (Es verdad que ella…)
4. Cobran $1.000 por el pasaje de Toronto a Buenos Aires. (Creo que…)

E Some uses of the prepositions *a, de,* and *en*

Complete with **a, de,** or **en,** as necessary.

1. Anoche llamé ___ mi hermano por teléfono y hablamos ___ nuestros planes para el fin de semana. Pensamos ir ___ Chile.

   Él quiere viajar ___ tren pero yo prefiero ir ___ coche. Mi hermana no quiere ir con nosotros; prefiere quedarse ___ casa porque no tiene con quién dejar ___ su perro.

2. Ayer Marta llegó ___ la agencia ___ las ocho y media ___ la mañana, pero no empezó ___ trabajar hasta las diez.

3. Mi hija es muy bonita; es morena, ___ ojos verdes y yo pienso que es la más inteligente ___ todos mis hijos.

F Vocabulary

Complete the following sentences, using vocabulary from **Lección 11.**

1. No quiero un _____ de pasillo; quiero uno de _____.
2. Voy a poner el bolso de _____ en el _____ de equipaje.
3. Voy a la _____ de viajes para comprar los pasajes.
4. Tiene que darle la tarjeta de _____ a la _____ de vuelo.
5. Tengo que pagar _____ de equipaje porque tengo cuatro maletas.
6. Quiero sentarme cerca de la _____ de emergencia.
7. Los paquetes _____ el pasaje, el hotel y algunas _____.
8. ¿A cuánto está el _____ de moneda?
9. No podemos viajar hoy. Tenemos que _____ la reservación.
10. Cuando viajo siempre llevo cheques de _____.
11. Este verano vamos a hacer un _____ por el Caribe.
12. Necesito una lista de los _____ de interés de la _____ de Chile.

G Translation

Express the following in Spanish.

1. I hope that Sofia finds a good seat on the plane.
2. I hope that we arrive safely at Buenos Aires. (use **ojalá**)
3. I need you to bring me the package.
4. It's very hot in Caracas in the summer. We need a hotel with air conditioning.
5. Is there anyone in the class who speaks Chinese (**chino**)?

H Culture

Complete the following sentences based on the cultural notes you have read.

1. En Argentina se usa la forma _____ en lugar de **tú**.
2. La música típica de Argentina es el _____.
3. En los países hispanos no existe tanta _____ entre las generaciones como en Canadá.

LECCIÓN 12

A Subjunctive to express indefiniteness and nonexistence

Rewrite each sentence, using the subjunctive or the indicative, as appropriate.

1. El agente habla español. (Necesitamos un agente que…)
2. Ese viaje incluye el hotel. (Aquí no hay ningún viaje que…)
3. No hay ningún pasaje que no sea caro. (Tenemos unos pasajes que…)
4. No hay ningún vuelo que salga a las seis. (Hay varios vuelos que…)
5. Hay una señora que puede reservar los pasajes. (¿Hay alguien que…?)

B Familiar commands

Change the following negative commands to the affirmative.

1. No compres el televisor.
2. No se lo digas.
3. No viajes mañana.
4. No salgas con esa persona.
5. No pongas la maleta debajo del asiento.
6. No lo invites.
7. No te vayas.
8. No vengas entre semana.
9. No regreses tarde.
10. No hagas la reservación.
11. No me traigas el folleto.
12. No le pidas los pasaportes ahora.

C Verbs and prepositions

Complete each sentence with the Spanish equivalent of the words in parentheses.

1. Olga _____ Daniel pero _____ Luis. (*fell in love with / she married*)
2. Mi papá _____ que yo compre los billetes hoy. (*insists on*)
3. Paco, _____ buscar los pasaportes. _____ que viajas el lunes. (*don't forget / Remember*)
4. Yo _____ que mis padres _____ él. (*didn't realize / didn't trust*)

D Ordinal numbers

Write the ordinal numbers that correspond to the following.

2nd. _____   8th. _____   3rd. _____
7th. _____   4th. _____   6th. _____
5th. _____   9th. _____   10th. _____
1st. _____

E Future tense

Complete each sentence using the future form of the verb in the first sentence.

1. Hoy leo el periódico. Mañana _____ una revista.
2. Hoy Antonio le escribe a su padre. Mañana le _____ a su hermano.
3. Nosotros tenemos que trabajar. Mañana _____ el día libre.
4. Tú sales por la noche. Mañana _____ por la tarde.
5. Hoy ellos juegan al básquetbol. Mañana _____ al hockey.
6. La profesora nos dicen que hay un examen. Mañana nos _____ que tenemos una tarea fácil.
7. Julio y tú ponen la mesa para la cena. Mañana no _____ la mesa, yo la _____.
8. Nos divertimos en la clase. Mañana _____ en una fiesta.

F Conditional tense

Fill in with the conditional form of the verb indicated.

Con mil dólares:

1. Isabel _____ (viajar) a México.
2. Usted _____ (ir) a España.
3. Tú _____ (poder) tomar una clase de fotografía.
4. Carlos _____ (venir) de Halifax a visitarnos.
5. Nosotros _____ (comer) en restaurantes buenos.
6. El profesor _____ (descansar) por dos semanas.
7. Mis padres _____ (buscar) un televisor nuevo.
8. Y, yo, ¡no _____ (saber) qué hacer!

G Vocabulary

Complete the following sentences, using vocabulary from **Lección 12.**

1. El baño no tiene bañadera; tiene _____.
2. El _____ no funciona. Tiene que _____ por la escalera.
3. Tengo mucho frío y este cuarto no tiene _____.
4. Mi esposo(a) y yo queremos una _____ doble.
5. El _____ de la pensión incluye todas las comidas.
6. Hay mucha gente porque hay un _____ de convenciones.
7. ¿A qué hora debemos _____ el cuarto?
8. Mi cuarto no es con _____ a la calle; es interior.
9. La pensión no tiene _____ de habitación.
10. Quiero una habitación exterior con _____ acondicionado.
11. Primero fui al _____ de revistas y después a la tienda de _____.
12. Un sinónimo de **dueño** es _____.
13. Reservé un hotel con pensión _____.
14. No hay ninguna habitación _____. El hotel está lleno.
15. ¿En qué _____ está tu habitación?

H Translation

Express the following in Spanish.

1. We want a hotel that has a sea view and a pool.
2. Is there a restaurant in this city that serves Mexican food?
3. Rosita, put the plates on the table and don't watch television.
4. Last year Carlos got married to Gloria.
5. His room is on the third floor of the boarding house.
6. I'm dreaming about going to Spain. I will leave next month.
7. My friend is staying at a luxury hotel, but I would look for a small hotel and I would save my money.

I Culture

Circle the correct answer, based on the cultural notes you have read.

1. La capital de España es (Barcelona / Madrid).
2. La Avenida 9 de Julio en Buenos Aires es la (menos / más) ancha del mundo.
3. Barcelona es la (primera / segunda) ciudad más grande de España.

Un poco más *(Material suplementario)*

Grammar
Tutorial

1 Subjunctive with certain conjunctions
(El subjuntivo con ciertas conjunciones)

Subjunctive after conjunctions of time

The subjunctive is used after conjunctions of time when the main clause refers to a future action or is a command. Some conjunctions of time are:

cuando	when	**tan pronto como**	as soon as
hasta que	until	**en cuanto**	as soon as

Note in the following examples that the action in the subordinate clause has not yet taken place.

—¿Vamos a la pensión ahora?
—No, vamos a esperar **hasta que venga** Eva.
—Bueno, llámeme **en cuanto llegue.**

"Are we going to the boarding house now?"
"No, we're going to wait **until Eva comes.**"
"Okay, call me **as soon as she arrives.**"

—¿Cuándo vas a comprar las maletas?
—**Cuando** mi papá me **dé** el dinero.

"When are you going to buy the suitcases?"
"**When** my dad **gives** me the money."

—¿Ya llamaste a Rodolfo?
—Sí, lo llamé **en cuanto llegué.**

"Did you already call Rodolfo?"
"Yes, I called him **as soon as I arrived.**"

—¿Cuándo llamas a Rodolfo?
—Siempre lo llamo **cuando llego** del trabajo.

"When do you call Rodolfo?"
"I always call him **when I arrive from work.**"

<table>
<tr><td>

!¡ATENCIÓN!

If the action has already taken place or if the speaker views the action of the subordinate clause as a habitual occurrence, the indicative is used after the conjunction of time.

</td></tr>
</table>

Conjunctions that always take the subjunctive

Certain conjunctions by their very meaning imply uncertainty or condition; they are therefore always followed by the subjunctive. Examples include:

a menos que	unless	**con tal (de) que**	provided that
antes de que	before	**para que**	in order that, so that
en caso de que	in case	**sin que**	without

—Voy a llamar a la agencia de viajes **para que** me manden los boletos.
—Llámelos **antes de que se vayan.**

"I'm going to call the travel agency **so that they'll send** me the tickets."
"Call them **before they leave.**"

—No puedo comprar los libros libros **sin que** tú me **des** el dinero.
—Puedo dártelo ahora.

"I can't buy the books **without you giving** me the money."
"I can give it to you now."

▶ **PRÁCTICA Y CONVERSACIÓN**

A Minidiálogos

Complete the following dialogues, using the indicative or the subjunctive of each verb.
Then act them out with a partner.

1. **irse / llegar**
   —¿Podemos limpiar el cuarto ahora?
   —No, no podemos limpiarlo hasta que mi compañero de cuarto _____.
   —¿Cuándo se va?
   —En cuanto _____ el taxi.

2. **salir / comprar**
   —¿Cuándo van al cine?
   —En cuanto _____ la nueva película de Almodóvar.
   —Te daré dinero para que nos _____ entradas.

3. **llamar**
   —¿Cuándo van a venir tus amigos?
   —Tan pronto como yo los _____.

4. **traer**
   —¿Cuándo cantaron?
   —No cantaron hasta que yo _____ la torta de cumpleaños.

5. **hablar / ver**
   —Cuando Ud. _____ con el profesor, dígale que el estudiante no se siente bien.
   —Voy a decírselo en cuanto lo _____.

6. **venir / estar**
   —¿Tú puedes escribirle a Gloria antes de que ella _____ de Montreal?
   —Sí, a menos que (ella) no _____ en casa.

B Entreviste a su compañero(a)

Interview your partner, using the following questions.

1. ¿Siempre desayunas en cuanto te levantas?
2. ¿Siempre te lavas la cabeza cuando te bañas?
3. ¿Tú puedes salir de tu casa sin que nadie te vea?
4. ¿Qué le vas a decir a tu mejor amigo(a) cuando lo (la) veas?
5. ¿Tú llegas a veces a clase antes de que llegue el profesor (la profesora)?
6. ¿Qué recomiendas que hagan tus amigos para que tengan un buen semestre en la universidad?
7. ¿A veces te quedas en la biblioteca hasta que la cierran?
8. ¿Qué vas a hacer tan pronto como llegues a tu casa?

2 The imperfect subjunctive
(El imperfecto de subjuntivo)

Forms

- To form the imperfect subjunctive of all Spanish verbs—regular and irregular—drop the **-ron** ending of the third-person plural of the preterite and add the following endings to the stem.

Imperfect Subjunctive Endings	
-ra	-'ramos
-ras	-rais
-ra	-ran

¡ATENCIÓN!

Notice that an accent mark is required in the **nosotros(as)** form:

[...] que nosotros habláramos

[...] que nosotros fuéramos

¡ATENCIÓN!

The imperfect subjunctive of **hay** (impersonal form of **haber**) is **hubiera**.

Forms of the Imperfect Subjunctive

Verb	Third-Person Preterite	Stem	First-Person Sing. Imperf. Subjunctive
			(-ra form)
hablar	habla**ron**	habla-	**hablara**
aprender	aprendie**ron**	aprendie-	**aprendiera**
vivir	vivie**ron**	vivie-	**viviera**
dejar	deja**ron**	deja-	**dejara**
ir	fue**ron**	fue-	**fuera**
saber	supie**ron**	supie-	**supiera**
decir	dije**ron**	dije-	**dijera**
poner	pusie**ron**	pusie-	**pusiera**
pedir	pidie**ron**	pidie-	**pidiera**
estar	estuvie**ron**	estuvie-	**estuviera**

Ace
Practice
Test

▶ PRÁCTICA

Ⓐ Conjugación

Supply the imperfect subjunctive forms of the following verbs.

1. *que yo:* llenar, comer, vivir, decir, ir, admitir
2. *que tú:* dejar, atender, abrir, poner, estar, elegir
3. *que él:* volver, dormir, pedir, tener, alquilar, traer
4. *que nosotros:* ver, ser, entrar, saber, hacer, pedir
5. *que ellas:* leer, salir, llegar, sentarse, aprender, poder

Uses

• The imperfect subjunctive is always used in a subordinate clause when the verb of the main clause calls for the subjunctive and is in the past or the conditional.

—¿Por qué no compraste los billetes?   *"Why didn't you buy the tickets?"*
—**Temía** que no **pudiéramos** viajar hoy.   *"I was afraid we wouldn't be able to travel today."*

Mamá me dijo que pusiera la mesa, pero no me dijo dónde...

- When the verb of the main clause is in the present, but the subordinate clause refers to the past, the imperfect subjunctive is often used.

—Oscar es un muchacho muy simpático
—¡Sí! **Me alegro** de que **viniera** a vernos ayer.

"Oscar is a very charming young man."
*"Yes! **I'm glad** (that) **he came** to see us yesterday."*

▶ PRÁCTICA Y CONVERSACIÓN

 Instrucciones

Indicate what Dr. Peña told some of her students to do. Follow the model.

- **MODELO:** Leticia, habla más español.
  Le dijo a Letecia que hablara más español.

1. Julio, compra el libro para la clase.
2. Elena y Sara, pidan las respuestas correctas.
3. Tina, ve a la pizarra.
4. Ignacio, escribe las traducciones.
5. Paquito, no llegues tarde mañana.
6. Miguel y Pablo, tráiganle el cuaderno a Marisa.
7. Estudiantes, espérenme unos minutos.
8. Todos, asistan a clase y sepan el vocabulario.
9. Juanito, no discutas con Julio.
10. Estudiantes, traigan las tareas a clase.

B Primera cita

In groups of three, talk about what your parents told you to do and not to do when you went out on your first date.

Grammar
Tutorial

③ **If-clauses** *(Cláusulas que comienzan con* si*)*

- When a clause introduced by **si** refers to a situation that is hypothetical or contrary to fact, **si** is always followed by the imperfect subjunctive.

Contrary-to-fact

—**Si** yo **tuviera** dinero, le daría 1.000 dólares a mi hijo.

—**Si** yo **fuera** tú, no le daría nada.

*"If I **had** money, I would give my son a thousand dollars."*

*"If I **were** you, I wouldn't give him anything."*

Hypothetical

Si yo **hablara** con el Primer Ministro…

Si yo **tuviera** dinero, le **daría** 1.000 dólares a mi hijo.

*If I **were to speak** to the Prime Minister…*

*If I **had** money, **I would give** a thousand dollars to my son.*

- When the *if*-clause refers to something that is likely to happen or possible, the indicative is used.

—¿**Puedes** llevar a mi amigo al aeropuerto?

—Lo llevaré si **tengo** tiempo.

*"**Can you** take my friend to the airport?"*

*"I will take him if **I have** time."*

- The imperfect subjunctive is always used after the expression **como si** (*as if*) because it implies a condition that is contrary to fact.

—Marcos dice que necesito más dinero.

—Sí, él habla **como si supiera** algo de tus problemas económicos.

"Marcos says that I need more money."

*"Yes, he talks **as if he knew** something about your financial problems."*

¡ATENCIÓN!

Note that the imperfect subjunctive is used in the *if*-clause, while the conditional is used in the main clause.

¡ATENCIÓN!

The present subjunctive is never used in an *if*-clause.

Ace
Practice
Test

▶ PRÁCTICA Y CONVERSACIÓN

Ⓐ ¿Promesas o excusas?

Complete each of the following statements with the correct form of the verb in parentheses. Use the imperfect subjunctive or the present indicative.

1. Si yo _____ (tener) tiempo te llevaré al aeropuerto.
2. Si nosotros _____ (poder), compraríamos las entradas al concierto.
3. Si Elba _____ (comprar) los ingredientes, haremos paella.
4. Si mis padres me _____ (dar) dinero, yo podría pagar por todos mis libros.
5. Si tú _____ (venir) temprano, podemos ir al cine.
6. Si Uds. _____ (traer) a Nora, saldríamos todos juntos.

Ⓑ Si…

Look at the pictures on the next page. They represent what these people would do if they could. See the modelo.

- **MODELO:** Yo no tengo dinero. Si…

  Si yo tuviera dinero, viajaría.

1. Ellos no tienen hambre. Si…

2. Nosotros no podemos estudiar hoy. Si…

3. Tú tienes que trabajar. Si no…

4. Uds. no van a la fiesta. Si…

5. Hoy es sábado. Si…

6. El coche funciona. Si…

7. Laura no está enferma. Si…

8. La señora Soto no tiene el periódico. Si…

C **Si las cosas fueran diferentes**

In groups of three or four, discuss what you would do if circumstances in your lives were different. Include place of residence, schooling, work, and so on.

RODEO Summary of the Uses of the Subjunctive
(*Resumen de los usos del subjuntivo*)

Subjunctive vs. Infinitive

Use the subjunctive . . .

1. After verbs of volition (when there is a change of subject).

   Yo quiero que **él salga.**

2. After verbs of emotion (when there is a change of subject).

   Me alegro de que **tú estés** aquí.

3. After impersonal expressions (when there is a subject).

   Es necesario que **él estudie.**

Use the infinitive . . .

1. After verbs of volition (where there is no change of subject).

   Yo quiero **salir.**

2. After verbs of emotion (when there is no change of subject).

   Me alegro de **estar** aquí.

3. After impersonal expressions (when speaking in general).

   Es necesario **estudiar.**

Subjunctive vs. Indicative

Use the subjunctive . . .

1. To refer to something indefinite or nonexistent.

   Busco una casa que **sea** grande.
   No hay nadie que lo **sepa.**

2. If the action is to occur at some indefinite time in the future as a condition of another action.

   Cenarán cuando él **llegue.**

3. To express doubt, disbelief, and denial.

   Dudo que **pueda** venir.
   Niego que él **esté** aquí.
   No creo que él **venga.**

4. In an *if*-clause, to refer to something contrary to fact, impossible, or very improbable.

   Si **pudiera,** iría.
   Si el presidente me **invitara** a la Casa Blanca, yo aceptaría.

Use the indicative …

1. To refer to something that exists or is specific.

   Tengo una casa que **es** grande.
   Hay alguien que lo **sabe.**

2. If the action has been completed or is habitual.

   Cenaron cuando él **llegó.**
   Siempre cenan cuando él **llega.**

3. When there is no doubt, disbelief, or denial.

   No dudo que **puede** venir.
   No niego que él **está** aquí.
   Creo que él **viene.**

4. In an *if*-clause, when referring to something that is factual, probable, or very possible.

   Si **puedo,** iré.
   Si Juan me **invita** a su casa, aceptaré.

► PRÁCTICA Y CONVERSACIÓN

A La carta de Marisa

Marisa wrote this letter to her parents from Sevilla. Complete it, using the subjunctive, indicative, or infinitive of the verbs that appear in parentheses.

Sevilla, 10 de junio

Queridos papá y mamá:

Recibí la tarjeta que me mandaron de Acapulco. Me alegro de que se (1) _____ (estar) divirtiendo; cuando yo (2) _____ (volver) a México el año próximo, yo quiero (3) _____ (ir) con Uds. También me gustaría que Uds. (poder) (4) _____ visitar Sevilla, porque es una ciudad magnífica.

Ana y yo encontramos un piso que (5) _____ (estar) en el centro, cerca de la universidad. Si Uds. (6) _____ (decidir) venir a visitarme, tenemos un dormitorio extra. No creo que los padres de Ana (7) _____ (poder) venir, como nos habían dicho, porque no les dan vacaciones.

Mamá, es verdad que la comida de aquí (8) _____ (ser) muy buena, pero no hay nadie que (9) _____ (cocinar) tan bien como tú, así que en cuanto yo (10) _____ (llegar) a casa, quiero que me (11) _____ (hacer) tu famoso pollo con mole[1].

Ayer fuimos con unos amigos a visitar la mezquita y después fuimos a un café en el barrio Santa Cruz. ¡Me estoy enamorando de Sevilla! Si (12) _____ (poder), me quedaría a vivir aquí. ¡No se rían! Ya sé que no puedo vivir lejos de Uds.

Díganle a Héctor que quiero que me (13) _____ (escribir) y me (14) _____ (contar) cómo le va en la universidad.

Besos,

Marisa

B ¿Qué recuerdan Uds.?

With a partner, prepare five or six questions about Marisa's letter. Then join two classmates and ask them your questions and answer theirs.

---

[1]**Mole**, a sauce made with many spices and unsweetened chocolate, is used in Mexican cuisine.

4 Compound tenses of the indicative

Grammar Tutorial

Future perfect (*El futuro perfecto*)

- Forms

The future perfect tense in Spanish corresponds closely in formation and meaning to the same tense in English. The Spanish future perfect is formed with the future tense of the auxiliary verb **haber** + past participle of the main verb.

Formation of the Future Perfect Tense			
	Future of haber	+ *Past Participle*	
yo	**habré**	**terminado**	I will have finished
tú	**habrás**	**vuelto**	you (*fam.*) will have returned
Ud., él, ella	**habrá**	**comido**	you (*form.*), he, she will have eaten
nosotros(as)	**habremos**	**escrito**	we will have written
vosotros(as)	**habréis**	**dicho**	you (*fam.*) will have said
Uds., ellos, ellas	**habrán**	**salido**	you (*form., fam.*), they will have left

- Use

Like its English equivalent, the Spanish future perfect tense is used to express an action that will have taken place by a certain time in the future.

—¿Tus padres estarán aquí para el dos de junio?
—Sí, para esa fecha ya **habrán vuelto** de Madrid.

"Will your parents be here by June second?"
*"Yes, by that date **they will have returned** from Madrid."*

▶ PRÁCTICA Y CONVERSACIÓN

A Complete each sentence with the corresponding form of the future perfect tense.

1. Para junio nosotros _____ (volver) del viaje, pero Carlos no _____ (llegar) de México todavía.
2. Para las nueve yo _____ (servir) la cena y ellos _____ (comer).
3. ¿A qué hora _____ (terminar) tú el trabajo?
4. ¿Ya _____ (leer) Uds. la novela para la próxima semana?
5. Para las doce la secretaria _____ (escribir) todas las cartas.

B Interview a partner, using the following questions.

1. ¿Habremos terminado esta lección para la semana que viene?
2. ¿Las clases habrán terminado para el 15 de junio?
3. ¿Te habrás graduado (*graduate*) para el año que viene?

4. ¿Tú habrás vuelto a tu casa para las 10 de la noche?

5. ¿Tú y tu familia habrán terminado de cenar para las siete de la noche?

6. ¿Te habrás acostado para las once de la noche?

C Use your imagination to complete each statement, using the future perfect tense.

1. Para el próximo año yo…

2. Para diciembre mis padres…

3. Para el sábado mi mejor amigo(a)…

4. Para la próxima semana el (la) profesor(a)…

5. Para el verano nosotros(as)…

6. Para esta noche tú…

Conditional perfect *(El condicional perfecto)*

- Forms

The conditional perfect tense is formed with the conditional of the verb **haber** + *past participle* of the main verb.

Formation of the Conditional Perfect Tense			
	Conditional of haber	+ *Past Participle*	
yo	**habría**	**hablado**	I would have spoken
tú	**habrías**	**comido**	you (*fam.*) would have eaten
Ud., él, ella	**habría**	**vuelto**	you (*form.*), he, she would have returned
nosotros(as)	**habríamos**	**dicho**	we would have said
vosotros(as)	**habríais**	**roto**	you (*fam.*) would have broken
Uds., ellos, ellas	**habrían**	**hecho**	you (*form., fam.*), they would have done, made

- Uses

The conditional perfect (expressed in English by *would have* + past participle of the main verb) is used:

- To indicate an action that *would have taken place* (*but didn't*), if a certain condition had been true.

  De haber sabido[1] que venía, lo **habría llamado.**
  Had I known that he was coming, I would have called him.

- To refer to a future action in relation to the past.

  Él dijo que para mayo **habrían terminado** la clase.
  He said that by May they would have finished the class.

---

[1]**De haber sabido** is an impersonal expression.

A Complete each sentence, using the conditional perfect tense of the verbs given in parentheses.

1. De haber sabido que él no estaba aquí, yo no _____ (venir).
2. De haber sabido que yo no tenía dinero, él me lo _____ (comprar).
3. Él dijo que para mayo nosotros _____ (volver).
4. Carlos nos dijo que para septiembre tú _____ (terminar).
5. De haber sabido que Uds. tenían los libros, ellos se los _____ (pedir).
6. Él me dijo que para esta noche ellos _____ (llamar).

B Using the conditional perfect tense and the cues provided, tell what you and the other people would have done differently.

- **MODELO:** Tú fuiste de vacaciones a México. (yo)

  Yo habría ido a España.

1. Ellos comieron hamburguesas. (yo)
2. Teresa salió con Ernesto. (tú)
3. Yo preparé pollo para la cena. (ellos)
4. Uds. estuvieron en México por una semana. (nosotras)
5. Nosotros invitamos a muchas personas. (Marta)
6. Yo escribí las cartas en español. (Uds.)

 C With a classmate, discuss what you did last summer. Say whether you would have done the same thing as your partner or if you would have done something different.

⑤ Compound tenses of the subjunctive

Grammar
Tutorial

Present perfect subjunctive (El pretérito perfecto de subjuntivo)

- Forms

  The present perfect subjunctive tense is formed with the present subjunctive of the auxiliary verb **haber** + *past participle* of the main verb.

Formation of the Present Perfect Subjunctive		
Present Subjunctive of haber	+	**Past Participle**
yo **haya**		**hablado**
tú **hayas**		**comido**
Ud., él, ella **haya**		**vivido**
nosotros(as) **hayamos**		**hecho**
vosotros(as) **hayáis**		**ido**
Uds., ellos, ellas **hayan**		**puesto**

A Conjugation

For each subject below, conjugate the following verbs in the present perfect subjunctive.

1. *que yo:* escuchar, oír, divertirse, decir
2. *que tú:* llenar, despertarse, volver, pedir
3. *que ella:* celebrar, poner, estacionar, escribir
4. *que nosotros:* hacer, decidir, vestirse, ayudar
5. *que ellos:* conversar, abrir, morir, irse

- Uses

  The Spanish present perfect subjunctive tense is used in the same way as the present perfect tense in English, but only in sentences that call for the subjunctive in the subordinate clause.

—Espero que Eva **haya comprado** el libro.	*"I hope (that) Eva **has bought** the book."*
—Sí, y también que **haya comprado** un cuaderno.	*"Yes, and she **has** also **bought** a notebook."*
—Álvaro prometió llevar a los niños al cine.	*"Álvaro promised to take the children to the movies."*
—Dudo que lo **haya hecho.**	*"I doubt that he **has done** it."*

► PRÁCTICA Y CONVERSACIÓN

A Rewrite the following sentences, using the cues in parentheses. Make any necessary changes.

- **MODELO:** Ha llevado el coche al taller de mecánica.

  Espero que haya llevado el coche al taller de mecánica.

1. Ha estado aquí sólo un momento. (Dudo)
2. Han comprado una casa nueva. (Espero)
3. Ha podido celebrar su aniversario. (No creo)
4. Has perdido parte del interés. (Es posible)
5. No hemos comprado la alfombra. (Siento)
6. Me he divertido mucho en la fiesta. (No es verdad)
7. Han pasado unos días felices. (Me alegro de)
8. Le han dado la dirección del teatro. (Espero)
9. Le han mandado el dinero. (No creo)
10. Han ido al concierto. (No es cierto)

B Complete the following dialogues by supplying the present perfect subjunctive of the verbs given. Then act them out with a partner.

1. —Espero que los chicos _____ (volver).

—Dudo que ya _____ (regresar) porque es muy temprano.

—Temo que _____ (tener) un accidente.

—Tú te preocupas demasiado.

2. —¿Hay alguien que _____ (estar) en Madrid alguna vez?

—No, aquí no hay nadie que _____ (ir) a España.

3. —Siento que Uds. no _____ (poder) terminar el trabajo.

—No es verdad que no lo _____ (terminar).

4. —¿Ellos van a vivir en Edmonton?

—Sí, pero no creo que ya _____ (alquilar) un apartamento.

5. —Me alegro de que tú _____ (conseguir) el puesto.

—Yo también.

C Use your imagination to complete each statement, using the present perfect subjunctive tense.

1. Me alegro mucho de que mis padres…

2. Siento mucho que los invitados…

3. Espero que la clase de español…

4. No creo que los estudiantes…

5. No es cierto que yo…

6. Me sorprende que el concierto…

7. Dudo que el (la) profesor(a)…

8. No es verdad que él…

WWW

Grammar
Tutorial

Pluperfect subjunctive *(El pluscuamperfecto de subjuntivo)*

• Forms

The Spanish pluperfect subjunctive is formed with the imperfect subjunctive of the auxiliary verb **haber** + *past participle* of the main verb.

Formation of the Pluperfect Subjunctive Tense		
Imperfect Subjunctive of haber	+	*Past Participle*
yo	**hubiera**	**hablado**
tú	**hubieras**	**comido**
Ud., él, ella	**hubiera**	**vivido**
nosotros(as)	**hubiéramos**	**visto**
vosotros(as)	**hubierais**	**hecho**
Uds., ellos, ellas	**hubieran**	**vuelto**

• Use

The Spanish pluperfect subjunctive tense is used in the same way the past perfect is used in English, but in sentences in which the main clause calls for the subjunctive.

Yo dudaba que ellos **hubieran llegado.**

*I doubted that they **had arrived.***

Yo esperaba que tú **hubieras pagado** tus cuentas.

*I was hoping that you **had paid** your bills.*

▶ PRÁCTICA

A Rewrite the following sentences, using the cues in parentheses. Make any necessary changes.

- **MODELO:** Él se alegra de que ellos hayan hecho el trabajo. (Él se alegró)

  Él se alegró de que ellos hubieran hecho el trabajo.

1. Nosotros sentimos que hayas estado solo en Lima. (Nosotros sentíamos)
2. Yo espero que Uds. hayan hecho el trabajo. (Yo esperaba)
3. Siente que yo no haya podido venir el sábado. (Sintió)
4. No creo que hayas comprado esas sábanas. (No creí)
5. Me sorprende que no hayas cambiado el pasaje. (Me sorprendió)
6. Me alegro de que hayamos conseguido la reservación. (Me alegré)
7. Es probable que ellos hayan tenido que transbordar. (Era probable)
8. No es verdad que él haya llegado tarde. (No era verdad)

B Write the following sentences in Spanish.

1. We were hoping that they had done the work.
2. I was sorry you had been sick.
3. They were glad that he had bought the tickets for the trip.
4. I didn't think that they hadn't gotten a discount.
5. We were glad that you had brought your driver's licence.

C Use the pluperfect subjunctive to finish the following in an original manner.

1. Mis padres se alegraron de que yo…
2. Yo esperaba que mis amigos…
3. Ellos sintieron que nosotros…
4. Aquí no había nadie que…
5. ¿Había alguien en esa familia que…?
6. Mi compañero de cuarto dudaba que yo…

Appendices

Appendix A: Spanish Sounds

Vowels

There are five distinct vowels in Spanish: **a, e, i, o, u.** Each vowel has only one basic, constant sound. The pronunciation of each vowel is constant, clear, and brief. The length of the sound is practically the same whether it is produced in a stressed or unstressed syllable.[1]

While producing the sounds of the English stressed vowels that most closely resemble the Spanish ones, the speaker changes the position of the tongue, lips, and lower jaw, so that the vowel actually starts as one sound and then *glides* into another. In Spanish, however, the tongue, lips, and jaw keep a constant position during the production of the sound.

English: ban*a*na   **Spanish:** ban*a*na

The stress falls on the same vowel and syllable in both Spanish and English, but the English stressed *a* is longer than the Spanish stressed **a.**

English: ban*a*na   **Spanish:** ban*a*na

Note also that the English stressed *a* has a sound different from the other *a*'s in the word, while the Spanish **a** sound remains constant.

a   in Spanish sounds similar to the English *a* in the word *father.*

alta   casa   palma   Ana   cama   Panamá   alma   apagar

e   is pronounced like the English *e* in the word *get.*

mes   entre   este   deje   ese   encender   teme   prender

i   has a sound similar to the English *e* in the word *me.*

fin   ir   sí   sin   dividir   Trini   difícil

o   is similar to the English *o* in the word *no,* but without the glide.

toco   como   poco   roto   corto   corro   solo   loco

u   is pronounced like the English *oo* sound in the word *shoot* or the *ue* sound in the word *Sue.*

su   Lulú   Úrsula   cultura   un   luna   sucursal   Uruguay

Diphthongs and triphthongs

When unstressed **i** or **u** falls next to another vowel in a syllable, it unites with that vowel to form what is called a *diphthong.* Both vowels are pronounced as one syllable. Their sounds do not change; they are only pronounced more rapidly and with a glide. For example:

tr**ai**ga	Lid**ia**	tr**ei**nta	s**ie**te	**oi**go	ad**ió**s
Aurora	ag**ua**	b**ue**no	antig**uo**	c**iu**dad	L**ui**s

A *triphthong* is the union of three vowels, a stressed vowel between two unstressed ones (**i** or **u**) in the same syllable. For example: Parag**uay,** estud**iéi**s.

NOTE: Stressed **i** and **u** do not form diphthongs with other vowels, except in the combinations **iu** and **ui**. For example: **rí**-o, sa-**bí**-ais.

In syllabication, diphthongs and triphthongs are considered a single vowel; their components cannot be separated.

[1]In a stressed syllable, the prominence of the vowel is indicated by its loudness.

Consonants

p Spanish **p** is pronounced in a manner similar to the English *p* sound, but without the puff of air that follows after the English sound is produced.

pesca	pude	puedo	parte	papá
postre	piña	puente	Paco	

k The Spanish **k** sound, represented by the letters **k** and **c** before **a, o, u,** or a consonant, and **qu,** is similar to the English *k* sound, but without the puff of air.

casa	comer	cuna	clima	acción	que
quinto	queso	aunque	quiosco	kilómetro	kilo

t Spanish **t** is produced by touching the back of the upper front teeth with the tip of the tongue. It has no puff of air as in the English *t.*

todo	antes	corto	Guatemala	diente
resto	tonto	roto	tanque	

d The Spanish consonant **d** has two different sounds depending on its position. At the beginning of an utterance and after **n** or **l,** the tip of the tongue presses the back of the upper front teeth.

día	doma	dice	dolor	dar	
anda	Aldo	caldo	el deseo	un	domicilio

In all other positions, the sound of **d** is similar to the *th* sound in the English word *they,* but softer.

medida	todo	nada	nadie	medio
puedo	moda	queda	nudo	

g The Spanish consonant **g** is similar to the English *g* sound in the word *guy* except before **e** or **i.**

goma	glotón	gallo	gloria	lago	alga
gorrión	garra	guerra	angustia	algo	Dagoberto

j The sound of Spanish **j** (or **g** before **e** and **i**) is similar to a strongly exaggerated English *h* sound.

gemir	juez	jarro	gitano	agente
juego	giro	bajo	gente	

b, v There is no difference in sound between Spanish **b** and **v.** Both letters are pronounced alike. At the beginning of an utterance or after **m** or **n, b** and **v** have a sound identical to the English *b* sound in the word *boy.*

vivir	beber	vamos	barco	enviar
hambre	batea	bueno	vestido	

When pronounced between vowels, the Spanish **b** and **v** sound is produced by bringing the lips together but not closing them, so that some air may pass through.

sábado	autobús	yo voy	su barco

y, ll In most countries, Spanish **ll** and **y** have a sound similar to the English sound in the word *yes.*

el llavero	un yelmo	el yeso	su yunta	llama	yema
oye	trayecto	trayectoria	mayo	milla	bella

NOTE: When it stands alone or is at the end of a word, Spanish **y** is pronounced like the vowel **i.**

rey	hoy	y	doy	buey	muy	voy	estoy	soy

r   The sound of Spanish **r** is similar to the English *r* sound in the word *rabbit*.

crema	aroma	cara	arena	aro
harina	toro	oro	eres	portero

rr Spanish **rr** and also **r** in an initial position and after **n, l,** or **s** are pronounced with a very strong trill. This trill is produced by bringing the tip of the tongue near the alveolar ridge and letting it vibrate freely while the air passes through the mouth.

rama	carro	Israel	cierra	roto
perro	alrededor	rizo	corre	Enrique

s   Spanish **s** is represented in most of the Spanish world by the letters **s, z,** and **c** before **e** or **i.** The sound is very similar to the English sibilant *s* in the word *sink*.

sale	sitio	presidente	signo
salsa	seda	suma	vaso
sobrino	ciudad	cima	canción
zapato	zarza	cerveza	centro

h   The letter **h** is silent in Spanish.

hoy	hora	hilo	ahora
humor	huevo	horror	almohada

ch Spanish **ch** is pronounced like the English *ch* in the word *chief*.

hecho	chico	coche	Chile
mucho	muchacho	salchicha	

f   Spanish **f** is identical in sound to the English *f*.

difícil	feo	fuego	forma
fácil	fecha	foto	fueron

l   Spanish **l** is similar to the English *l* in the word *let*.

dolor	lata	ángel	lago	sueldo
los	pelo	lana	general	fácil

m   Spanish **m** is pronounced like the English *m* in the word *mother*.

mano	moda	mucho	muy
mismo	tampoco	multa	cómoda

n   In most cases, Spanish **n** has a sound similar to the English *n*.

nada	nunca	ninguno	norte
entra	tiene	sienta	

The sound of Spanish **n** is often affected by the sounds that occur around it. When it appears before **b, v,** or **p,** it is pronounced like an **m.**

tan bueno	toman vino	sin poder
un pobre	comen peras	siguen bebiendo

ñ   Spanish **ñ** is similar to the English *ny* sound in the word *canyon*.

señor	otoño	ñoño	uña
leña	dueño	niños	años

x   Spanish **x** has two pronunciations depending on its position. Between vowels the sound is similar to English *ks*.

examen	exacto	boxeo	éxito
oxidar	oxígeno	existencia	

When it occurs before a consonant, Spanish **x** sounds like *s*.

expresión	explicar	extraer	excusa
expreso	exquisito	extremo	

NOTE: When **x** appears in **México** or in other words of Mexican origin, it is pronounced like the Spanish letter **j**.

Rhythm

Rhythm is the variation of sound intensity that we usually associate with music. Spanish and English each regulate these variations in speech differently, because they have different patterns of syllable length. In Spanish the length of the stressed and unstressed syllables remains almost the same, while in English stressed syllables are considerably longer than unstressed ones. Pronounce the following Spanish words, enunciating each syllable clearly.

es-tu-dian-te	bue-no	Úr-su-la
com-po-si-ción	di-fí-cil	ki-ló-me-tro
po-li-cí-a	Pa-ra-guay	

Because the length of the Spanish syllables remains constant, the greater the number of syllables in a given word or phrase, the longer the phrase will be.

Linking

In spoken Spanish, the different words in a phrase or a sentence are not pronounced as isolated elements but combined together. This is called *linking*.

Pepe come pan.		Pe-pe-co-me-pan
Tomás toma leche.		To-más-to-ma-le-che
Luis tiene la llave.		Luis-tie-ne-la-lla-ve
La mano de Roberto.		La-ma-no-de-Ro-ber-to

1. The final consonant of a word is pronounced together with the initial vowel of the following word.

Carlos anda		Car-lo-san-da
un ángel		u-nán-gel
el otoño		e-lo-to-ño
unos estudios interesantes		u-no-ses-tu-dio-sin-te-re-san-tes

2. A diphthong is formed between the final vowel of a word and the initial vowel of the following word. A triphthong is formed when there is a combination of three vowels (see rules for the formation of diphthongs and triphthongs on page 324).

su hermana		suher-ma-na
tu escopeta		tues-co-pe-ta
Roberto y Luis	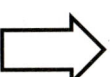	Ro-ber-toy-Luis
negocio importante		ne-go-cioim-por-tan-te
lluvia y nieve		llu-viay-nie-ve
ardua empresa		ar-duaem-pre-sa

3. When the final vowel of a word and the initial vowel of the following word are identical, they are pronounced slightly longer than one vowel.

Ana alcanza	A-n*a*l-can-za	tiene eso	tie-n*e*-so
lo olvido	l*o*l-vi-do	Ada atiende	Ad*a*-tien-de

The same rule applies when two identical vowels appear within a word.

crees	cr*e*s
Teherán	T*e*-rán
coordinación	c*o*r-di-na-ción

4. When the final consonant of a word and the initial consonant of the following word are the same, they are pronounced like one consonant with slightly longer than normal duration.

| el lado | e-*la*-do | tienes sed | tie-ne-*s*ed |
| Carlos salta | Car-lo-*s*al-ta | | |

Intonation

Intonation is the rise and fall of pitch in the delivery of a phrase or sentence. In general, Spanish pitch tends to change less than English, giving the impression that the language is less emphatic.

As a rule, the intonation for normal statements in Spanish starts in a low tone, raises to a higher one on the first stressed syllable, maintains that tone until the last stressed syllable, and then goes back to the initial low tone, with still another drop at the very end.

| Tu amigo viene mañana. | José come pan. |
| Ada está en casa. | Carlos toma café. |

Syllable formation in Spanish

Below are general rules for dividing words into syllables:

Vowels

1. A vowel or a vowel combination can constitute a syllable.

   a-lum-no   a-bue-la   Eu-ro-pa

2. Diphthongs and triphthongs are considered single vowels and cannot be divided.

   bai-le   puen-te   Dia-na   es-tu-diáis   an-ti-guo

3. Two strong vowels (**a, e, o**) do not form a diphthong and are separated into two syllables.

   em-ple-ar   vol-te-ar   lo-a

4. A written accent on a weak vowel (**i** or **u**) breaks the diphthong, separating the vowels into two syllables.

   trí-o   dú-o   Ma-rí-a

Consonants

1. A single consonant forms a syllable with the vowel that follows it.

   po-der   ma-no   mi-nu-to

   NOTE: ch, ll, and **rr** are considered single consonants: **a-ma-ri-llo, co-che, pe-rro.**

2. When two consonants appear between two vowels, they are separated into two syllables.

   al-fa-be-to   cam-pe-ón   me-ter-se   mo-les-tia

   EXCEPTION: When a consonant cluster composed of **b, c, d, f, g, p,** or **t** with **l** or **r** appears between two vowels, the cluster joins the following vowel: **so-bre, o-tros, ca-ble, te-lé-gra-fo.**

3. When three consonants appear between two vowels, only the last one goes with the following vowel.

   ins-pec-tor   trans-por-te   trans-for-mar

   EXCEPTION: When there is a cluster of three consonants in the combinations described in rule 2, the first consonant joins the preceding vowel and the cluster joins the following vowel: **es-cri-bir, ex-tran-je-ro, im-plo-rar, es-tre-cho.**

Accentuation

In Spanish, all words are stressed according to specific rules. Words that do not follow the rules must have a written accent to indicate the change of stress. The basic rules for accentuation are as follows.

1. Words ending in a vowel, **n,** or **s** are stressed on the next-to-the-last syllable.

   hi-jo   **ca**-lle   **me**-sa   fa-**mo**-sos
   flo-**re**-cen   **pla**-ya   **ve**-ces

2. Words ending in a consonant, except **n** or **s,** are stressed on the last syllable.

   ma-**yor**   a-**mor**   tro-pi-**cal**   na-**riz**   re-**loj**   co-rre-**dor**

3. All words that do not follow these rules must have a written accent.

   ca-**fé**   sa-**lió**   rin-**cón**   fran-**cés**   sa-**lón**
   án-gel   **lá**-piz   **dé**-bil   a-**zú**-car   **Víc**-tor
   sim-**pá**-ti-co   **lí**-qui-do   **mú**-si-ca   e-**xá**-me-nes   de-**mó**-cra-ta

4. Pronouns and adverbs of interrogation and exclamation have a written accent to distinguish them from relative pronouns.

   ¿Qué comes?   *What are you eating?*
   La pera que él no comió.   *The pear that he did not eat.*

   ¿Quién está ahí?   *Who is there?*
   El hombre a quien tú llamaste.   *The man whom you called.*

   ¿Dónde está él?   *Where is he?*
   En el lugar donde trabaja.   *At the place where he works.*

5. Words that have the same spelling but different meanings take a written accent to differentiate one from the other.

el	*the*	él	*he, him*	te	*you*	té	*tea*
mi	*my*	mí	*me*	si	*if*	sí	*yes*
tu	*your*	tú	*you*	mas	*but*	más	*more*

Appendix B: Verbs

Regular verbs

Model *-ar, -er, -ir* verbs

INFINITIVE

amar (*to love*)   comer (*to eat*)   vivir (*to live*)

PRESENT PARTICIPLE

amando (*loving*)   comiendo (*eating*)   viviendo (*living*)

PAST PARTICIPLE

amado (*loved*)   comido (*eaten*)   vivido (*lived*)

Simple Tenses

Indicative Mood

Present

(*I love*)		(*I eat*)		(*I live*)	
amo	amamos	como	comemos	vivo	vivimos
amas	amáis	comes	coméis	vives	vivís
ama	aman	come	comen	vive	viven

Imperfect

(*I used to love*)		(*I used to eat*)		(*I used to live*)	
amaba	amábamos	comía	comíamos	vivía	vivíamos
amabas	amabais	comías	comíais	vivías	vivíais
amaba	amaban	comía	comían	vivía	vivían

Preterite

(*I loved*)		(*I ate*)		(*I lived*)	
amé	amamos	comí	comimos	viví	vivimos
amaste	amasteis	comiste	comisteis	viviste	vivisteis
amó	amaron	comió	comieron	vivió	vivieron

Future

(*I will love*)		(*I will eat*)		(*I will live*)	
amaré	amaremos	comeré	comeremos	viviré	viviremos
amarás	amaréis	comerás	comeréis	vivirás	viviréis
amará	amarán	comerá	comerán	vivirá	vivirán

Conditional

(*I would love*)		(*I would eat*)		(*I would live*)	
amaría	amaríamos	comería	comeríamos	viviría	viviríamos
amarías	amaríais	comerías	comeríais	vivirías	viviríais
amaría	amarían	comería	comerían	viviría	vivirían

Subjunctive Mood

Present

([*that*] I [*may*] love)		([*that*] I [*may*] eat)		([*that*] I [*may*] live)	
ame	amemos	coma	comamos	viva	vivamos
ames	améis	comas	comáis	vivas	viváis
ame	amen	coma	coman	viva	vivan

Imperfect

([that] I [might] love)	([that] I [might] eat)	([that] I [might] live)
am**ara(-ase)**	com**iera(-iese)**	viv**iera(-iese)**
am**aras(-ases)**	com**ieras(-ieses)**	viv**ieras(-ieses)**
am**ara(-ase)**	com**iera(-iese)**	viv**iera(-iese)**
am**áramos(-ásemos)**	com**iéramos(-iésemos)**	viv**iéramos(-iésemos)**
am**arais(-aseis)**	com**ierais(-ieseis)**	viv**ierais(-ieseis)**
am**aran(-asen)**	com**ieran(-iesen)**	viv**ieran(-iesen)**

Imperative Mood

(love)	(eat)	(live)
am**a** (tú)	com**e** (tú)	viv**e** (tú)
am**e** (Ud.)	com**a** (Ud.)	viv**a** (Ud.)
am**emos** (nosotros)	com**amos** (nosotros)	viv**amos** (nosotros)
am**ad** (vosotros)	com**ed** (vosotros)	viv**id** (vosotros)
am**en** (Uds.)	com**an** (Uds.)	viv**an** (Uds.)

Compound Tenses

PERFECT INFINITIVE

haber amado	**haber comido**	**haber vivido**

PERFECT PARTICIPLE

habiendo amado	**habiendo comido**	**habiendo vivido**

Indicative Mood

Present Perfect

(I have loved)		(I have eaten)		(I have lived)	
he amado	hemos amado	he comido	hemos comido	he vivido	hemos vivido
has amado	habéis amado	has comido	habéis comido	has vivido	habéis vivido
ha amado	han amado	ha comido	han comido	ha vivido	han vivido

Past Perfect (Pluperfect)

(I had loved)	(I had eaten)	(I had lived)
había amado	había comido	había vivido
habías amado	habías comido	habías vivido
había amado	había comido	había vivido
habíamos amado	habíamos comido	habíamos vivido
habíais amado	habíais comido	habíais vivido
habían amado	habían comido	habían vivido

Future Perfect

(I will have loved)	(I will have eaten)	(I will have lived)
habré amado	habré comido	habré vivido
habrás amado	habrás comido	habrás vivido
habrá amado	habrá comido	habrá vivido
habremos amado	habremos comido	habremos vivido
habréis amado	habréis comido	habréis vivido
habrán amado	habrán comido	habrán vivido

Conditional Perfect

(I would have loved)	(I would have eaten)	(I would have lived)
habría amado	habría comido	habría vivido
habrías amado	habrías comido	habrías vivido
habría amado	habría comido	habría vivido
habríamos amado	habríamos comido	habríamos vivido
habríais amado	habríais comido	habríais vivido
habrían amado	habrían comido	habrían vivido

Subjunctive Mood

Present Perfect

([that] I [may] have loved)	*([that] I [may] have eaten)*	*([that] I [may] have lived)*
haya amado	haya comido	haya vivido
hayas amado	hayas comido	hayas vivido
haya amado	haya comido	haya vivido
hayamos amado	hayamos comido	hayamos vivido
hayáis amado	hayáis comido	hayáis vivido
hayan amado	hayan comido	hayan vivido

Past Perfect (Pluperfect)

([that] I [might] have loved)	*([that] I [might] have eaten)*	*([that] I [might] have lived)*
hubiera(-iese) amado	hubiera(-iese) comido	hubiera(-iese) vivido
hubieras(-ieses) amado	hubieras(-ieses) comido	hubieras(-ieses) vivido
hubiera(-iese) amado	hubiera(-iese) comido	hubiera(-iese) vivido
hubiéramos(-iésemos) amado	hubiéramos(-iésemos) comido	hubiéramos(-iésemos) vivido
hubierais(-ieseis) amado	hubierais(-ieseis) comido	hubierais(-ieseis) vivido
hubieran(-iesen) amado	hubieran(-iesen) comido	hubieran(-iesen) vivido

Stem-changing verbs

The *-ar* and *-er* stem-changing verbs

Stem-changing verbs are those that have a spelling change in the root of the verb. Verbs that end in **-ar** and **-er** change the stressed vowel **e** to **ie,** and the stressed **o** to **ue.** These changes occur in all persons, except the first- and second-persons plural of the present indicative, present subjunctive, and imperative.

Infinitive	Indicative	Imperative	Subjunctive
cerrar (*to close*)	cierro cierras cierra	— cierra cierre	cierre cierres cierre
	cerramos cerráis cierran	cerremos cerrad cierren	cerremos cerréis cierren
perder (*to lose*)	pierdo pierdes pierde	— pierde pierda	pierda pierdas pierda
	perdemos perdéis pierden	perdamos perded pierdan	perdamos perdáis pierdan
contar (*to count;* *to tell*)	cuento cuentas cuenta	— cuenta cuente	cuente cuentes cuente
	contamos contáis cuentan	contemos contad cuenten	contemos contéis cuenten

Infinitive	Indicative	Imperative	Subjunctive
volver (*to return*)	vuelvo vuelves vuelve	— vuelve vuelva	vuelva vuelvas vuelva
	volvemos volvéis vuelven	volvamos volved vuelvan	volvamos volváis vuelvan

Verbs that follow the same pattern are:

acordarse	to remember	despertar(se)	to wake up	pensar	to think; to plan
acostar(se)	to go to bed	empezar	to begin	probar	to prove; to taste
almorzar	to have lunch	encender	to light; to	recordar	to remember
atravesar	to go through		turn on	rogar	to beg
cocer	to cook	encontrar	to find	sentar(se)	to sit down
colgar	to hang	entender	to understand	soler	to be in the
comenzar	to begin	llover	to rain		habit of
confesar	to confess	mover	to move	soñar	to dream
costar	to cost	mostrar	to show	tender	to stretch; to
demostrar	to demonstrate,	negar	to deny		unfold
	show	nevar	to snow	torcer	to twist

The *-ir* stem-changing verbs

There are two types of stem-changing verbs that end in **-ir:** one type changes stressed **e** to **ie** in some tenses and to **i** in others, and stressed **o** to **ue** or **u;** the second type changes stressed **e** to **i** only in all the irregular tenses.

Type I: -ir:e > ie or i / o > ue or u

These changes occur as follows.

Present Indicative: all persons except the first- and second-persons plural change **e** to **ie** and **o** to **ue.** *Preterite:* third person, singular and plural, changes **e** to **i** and **o** to **u.** *Present Subjunctive:* all persons change **e** to **ie** and **o** to **ue,** except the first- and second-persons plural, which change **e** to **i** and **o** to **u.** *Imperfect Subjunctive:* all persons change **e** to **i** and **o** to **u.** *Imperative:* all persons except the first- and second-persons plural change **e** to **ie** and **o** to **ue;** first-person plural changes **e** to **i** and **o** to **u.** *Present Participle:* changes **e** to **i** and **o** to **u.**

Infinitive	Indicative		Imperative	Subjunctive	
	Present	Preterite		Present	Imperfect
sentir (*to feel*)	siento sientes siente	sentí sentiste sintió	siente sienta	sienta sientas sienta	sintiera(-iese) sintieras sintiera
Present Participle sintiendo	sentimos sentís sienten	sentimos sentisteis sintieron	sintamos sentid sientan	sintamos sintáis sientan	sintiéramos sintierais sintieran
dormir (*to sleep*)	duermo duermes duerme	dormí dormiste durmió	duerme duerma	duerma duermas duerma	durmiera(-iese) durmieras durmiera
Present Participle durmiendo	dormimos dormís duermen	dormimos dormisteis durmieron	durmamos dormid duerman	durmamos durmáis duerman	durmiéramos durmierais durmieran

Other verbs that follow the same pattern are:

advertir	*to warn*	divertir(se)	*to amuse (oneself)*	preferir	*to prefer*
arrepentirse	*to repent*			referir	*to refer*
consentir	*to consent; to pamper*	herir	*to wound, hurt*	sugerir	*to suggest*
		mentir	*to lie*		
convertir(se)	*to turn into*	morir	*to die*		

Type II: -ir: e > i

The verbs in the second category are irregular in the same tenses as those of the first type. The only difference is that they have just one change: **e > i** in all irregular persons.

Infinitive	Indicative		Imperative	Subjunctive	
pedir (*to ask for, request*)	**Present**	**Preterite**		**Present**	**Imperfect**
	pido	pedí		pida	pidiera(-iese)
	pides	pediste	pide	pidas	pidieras
Present Participle pidiendo	pide	pidió	pida	pida	pidiera
	pedimos	pedimos	pidamos	pidamos	pidiéramos
	pedís	pedisteis	pedid	pidáis	pidierais
	piden	pidieron	pidan	pidan	pidieran

Verbs that follow this pattern:

competir	*to compete*	impedir	*to prevent*	repetir	*to repeat*
concebir	*to conceive*	perseguir	*to pursue*	seguir	*to follow*
despedir(se)	*to say good-bye*	reír(se)	*to laugh*	servir	*to serve*
elegir	*to choose*	reñir	*to fight*	vestir(se)	*to dress*

Orthographic-changing verbs

Some verbs undergo a change in the spelling of the stem in some tenses in order to maintain the sound of the final consonant. The most common ones are those with the consonants **g** and **c.** Remember that **g** and **c** in front of **e** or **i** have a soft sound, and in front of **a, o,** or **u** have a hard sound. In order to keep the soft sound in front of **a, o,** or **u, g** and **c** change to **j** and **z,** respectively. In order to keep the hard sound of **g** or **c** in front of **e** and **i, u** is added to the **g (gu)** and the **c** changes to **qu.** The following are the most important verbs of this type that are regular in all tenses but change in spelling.

1. Verbs ending in **-gar** change **g** to **gu** before **e** in the first-person singular of the preterite and in all persons of the present subjunctive.

> **pagar**   *to pay*
> *Preterite:*   pa**gu**é, pagaste, pagó, etc.
> *Pres. Subj.:*   pa**gu**e, pa**gu**es, pa**gu**e, pa**gu**emos, pa**gu**éis, pa**gu**en

Verbs that follow the same pattern: **colgar, jugar, llegar, navegar, negar, regar, rogar.**

2. Verbs ending in **-ger** or **-gir** change **g** to **j** before **o** and **a** in the first-person singular of the present indicative and in all the persons of the present subjunctive.

proteger   *to protect*
Pres. Ind.:   protejo, proteges, protege, etc.
Pres. Subj.:   proteja, protejas, proteja, protejamos, protejáis, protejan

Verbs that follow the same pattern: **coger, corregir, dirigir, elegir, escoger, exigir, recoger.**

3. Verbs ending in **-guar** change **gu** to **gü** before **e** in the first-person singular of the preterite and in all persons of the present subjunctive.

averiguar   *to find out*
Preterite: averigüé, averiguaste, averiguó, etc.
Pres. Subj.:   averigüe, averigües, averigüe, averigüemos, averigüéis, averigüen

The verb **apaciguar** follows the same pattern.

4. Verbs ending in **-guir** change **gu** to **g** before **o** and **a** in the first-person singular of the present indicative and in all persons of the present subjunctive.

conseguir   *to get*
Pres. Ind.:   consigo, consigues, consigue, etc.
Pres. Subj.:   consiga, consigas, consiga, consigamos, consigáis, consigan

Verbs that follow the same pattern: **distinguir, perseguir, proseguir, seguir.**

5. Verbs ending in **-car** change **c** to **qu** before **e** in the first-person singular of the preterite and in all persons of the present subjunctive.

tocar   *to touch; to play (a musical instrument)*
Preterite: toqué, tocaste, tocó, etc.
Pres. Subj.:   toque, toques, toque, toquemos, toquéis, toquen

Verbs that follow the same pattern: **atacar, buscar, comunicar, explicar, indicar, pescar, sacar.**

6. Verbs ending in **-cer** or **-cir** preceded by a consonant change **c** to **z** before **o** and **a** in the first-person singular of the present indicative and in all persons of the present subjunctive.

torcer   *to twist*
Pres. Ind.:   tuerzo, tuerces, tuerce, etc.
Pres. Subj.:   tuerza, tuerzas, tuerza, torzamos, torzáis, tuerzan

Verbs that follow the same pattern: **convencer, esparcir, vencer.**

7. Verbs ending in **-cer** or **-cir** preceded by a vowel change **c** to **zc** before **o** and **a** in the first-person singular of the present indicative and in all persons of the present subjunctive.

conocer   *to know, be acquainted with*
Pres. Ind.:   conozco, conoces, conoce, etc.
Pres. Subj.:   conozca, conozcas, conozca, conozcamos, conozcáis, conozcan

Verbs that follow the same pattern: **agradecer, aparecer, carecer, entristecer** (to sadden),**establecer, lucir, nacer, obedecer, ofrecer, padecer, parecer, pertenecer, reconocer, relucir.**

8. Verbs ending in **-zar** change **z** to **c** before **e** in the first-person singular of the preterite and in all persons of the present subjunctive.

rezar   *to pray*
Preterite: recé, rezaste, rezó, etc.
Pres. Subj.:   rece, reces, rece, recemos, recéis, recen

Verbs that follow the same pattern: **abrazar, alcanzar, almorzar, comenzar, cruzar, empezar, forzar, gozar.**

9. Verbs ending in **-eer** change the unstressed **i** to **y** between vowels in the third-person singular and plural of the preterite, in all persons of the imperfect subjunctive, and in the present participle.

creer *to believe*	
Preterite:	creí, creíste, creyó, creímos, creísteis, creyeron
Imp. Subj.:	creyera(-ese), creyeras, creyera, creyéramos, creyerais, creyeran
Pres. Part.:	creyendo
Past Part.:	creído

Verbs that follow the same pattern: **leer, poseer.**

10. Verbs ending in **-uir** change the unstressed **i** to **y** between vowels (except **-quir**, which has the silent **u**) in the following tenses and persons.

huir *to escape; to flee*	
Pres. Part.:	huyendo
Pres. Ind.:	huyo, huyes, huye, huimos, huís, huyen
Preterite:	huí, huiste, huyó, huimos, huisteis, huyeron
Imperative:	huye, huya, huyamos, huid, huyan
Pres. Subj.:	huya, huyas, huya, huyamos, huyáis, huyan
Imp. Subj.:	huyera(-ese), huyeras, huyera, huyéramos, huyerais, huyeran

Verbs that follow the same pattern: **atribuir, concluir, constituir, construir, contribuir, destituir, destruir, disminuir, distribuir, excluir, incluir, influir, instruir, restituir, sustituir.**

11. Verbs ending in **-eír** lose the **e** in all but the first- and second-persons plural of the present indicative, in the third-person singular and plural of the preterite, in all persons of the present and imperfect subjunctive, and in the present participle.

reír *to laugh*	
Pres. Ind.:	río, ríes, ríe, reímos, reís, ríen
Preterite:	reí, reíste, rió, reímos, reísteis, rieron
Pres. Subj.:	ría, rías, ría, riamos, riáis, rían
Imp. Subj.:	riera(-ese), rieras, riera, riéramos, rierais, rieran
Pres. Part.:	riendo

Verbs that follow the same pattern: **sonreír, freír.**

12. Verbs ending in **-iar** add a written accent to the **i,** except in the first- and second-persons plural of the present indicative and subjunctive.

fiar(se) *to trust*	
Pres. Ind.:	(me) fío, (te) fías, (se) fía, (nos) fiamos, (os) fiáis, (se) fían
Pres. Subj.:	(me) fíe, (te) fíes, (se) fíe, (nos) fiemos, (os) fiéis, (se) fíen

Verbs that follow the same pattern: **ampliar, criar, desviar, enfriar, enviar, guiar, telegrafiar, vaciar, variar.**

13. Verbs ending in **-uar** (except **-guar**) add a written accent to the **u,** except in the first- and second-persons plural of the present indicative and subjunctive.

actuar *to act*	
Pres. Ind.:	actúo, actúas, actúa, actuamos, actuáis, actúan
Pres. Subj.:	actúe, actúes, actúe, actuemos, actuéis, actúen

Verbs that follow the same pattern: **acentuar, continuar, efectuar, exceptuar, graduar, habituar, insinuar, situar.**

14. Verbs ending in **-ñir** lose the **i** of the diphthongs **ie** and **ió** in the third-person singular and plural of the preterite and all persons of the imperfect subjunctive. They also change the **e** of the stem to **i** in the same persons and in the present indicative and present subjunctive.

teñir   *to dye*

Pres. Ind.:	tiño, tiñes, tiñe, teñimos, teñís, tiñen
Preterite:	teñí, teñiste, ti**ñó,** teñimos, teñisteis, ti**ñe**ron
Pres. Subj.:	tiña, tiñas, tiña, tiñamos, tiñáis, tiñan
Imp. Subj.:	ti**ñe**ra(-ese), ti**ñe**ras, ti**ñe**ra, ti**ñé**ramos, ti**ñe**rais, ti**ñe**ran

Verbs that follow the same pattern: **ceñir, constreñir, desteñir, estreñir, reñir.**

Some common irregular verbs

Only tenses with irregular forms are given below.

adquirir   *to acquire*

Pres. Ind.:	adquiero, adquieres, adquiere, adquirimos, adquirís, adquieren
Pres. Subj.:	adquiera, adquieras, adquiera, adquiramos, adquiráis, adquieran
Imperative:	adquiere, adquiera, adquiramos, adquirid, adquieran

andar   *to walk*

Preterite:	anduve, anduviste, anduvo, anduvimos, anduvisteis, anduvieron
Imp. Subj.:	anduviera (anduviese), anduvieras, anduviera, anduviéramos, anduvierais, anduvieran

avergonzarse   *to be ashamed, embarrassed*

Pres. Ind.:	me avergüenzo, te avergüenzas, se avergüenza, nos avergonzamos, os avergonzáis, se avergüenzan
Pres. Subj.:	me avergüence, te avergüences, se avergüence, nos avergoncemos, os avergoncéis, se avergüencen
Imperative:	avergüénzate, avergüéncese, avergoncémonos, avergonzaos, avergüéncense

caber   *to fit; to have enough room*

Pres. Ind.:	quepo, cabes, cabe, cabemos, cabéis, caben
Preterite:	cupe, cupiste, cupo, cupimos, cupisteis, cupieron
Future:	cabré, cabrás, cabrá, cabremos, cabréis, cabrán
Conditional:	cabría, cabrías, cabría, cabríamos, cabríais, cabrían
Imperative:	cabe, quepa, quepamos, cabed, quepan
Pres. Subj.:	quepa, quepas, quepa, quepamos, quepáis, quepan
Imp. Subj.:	cupiera (cupiese), cupieras, cupiera, cupiéramos, cupierais, cupieran

caer   *to fall*

Pres. Ind.:	caigo, caes, cae, caemos, caéis, caen
Preterite:	caí, caíste, cayó, caímos, caísteis, cayeron
Imperative:	cae, caiga, caigamos, caed, caigan
Pres. Subj.:	caiga, caigas, caiga, caigamos, caigáis, caigan
Imp. Subj.:	cayera (cayese), cayeras, cayera, cayéramos, cayerais, cayeran
Past Part.:	caído

conducir   *to guide; to drive* (All verbs ending in **-ducir** follow this pattern.)

Pres. Ind.:	conduzco, conduces, conduce, conducimos, conducís, conducen
Preterite:	conduje, condujiste, condujo, condujimos, condujisteis, condujeron
Imperative:	conduce, conduzca, conduzcamos, conducid, conduzcan
Pres. Subj.:	conduzca, conduzcas, conduzca, conduzcamos, conduzcáis, conduzcan
Imp. Subj.:	condujera (condujese), condujeras, condujera, condujéramos, condujerais, condujeran

convenir   *to agree* (see **venir**)

dar *to give*
Pres. Ind.: doy, das, da, damos, dais, dan
Preterite: di, diste, dio, dimos, disteis, dieron
Imperative: da, dé, demos, dad, den
Pres. Subj.: dé, des, dé, demos, deis, den
Imp. Subj.: diera (diese), dieras, diera, diéramos, dierais, dieran

decir *to say, tell*
Pres. Ind.: digo, dices, dice, decimos, decís, dicen
Preterite: dije, dijiste, dijo, dijimos, dijisteis, dijeron
Future: diré, dirás, dirá, diremos, diréis, dirán
Conditional: diría, dirías, diría, diríamos, diríais, dirían
Imperative: di, diga, digamos, decid, digan
Pres.Subj.: diga, digas, diga, digamos, digáis, digan
Imp.Subj.: dijera (dijese), dijeras, dijera, dijéramos, dijerais, dijeran
Pres. Part.: diciendo
Past Part.: dicho

detener *to stop; to hold; to arrest* (see **tener**)

entretener *to entertain, amuse* (see **tener**)

errar *to err; to miss*
Pres. Ind.: yerro, yerras, yerra, erramos, erráis, yerran
Imperative: yerra, yerre, erremos, errad, yerren
Pres.Subj.: yerre, yerres, yerre, erremos, erréis, yerren

estar *to be*
Pres. Ind.: estoy, estás, está, estamos, estáis, están
Preterite: estuve, estuviste, estuvo, estuvimos, estuvisteis, estuvieron
Imperative: está, esté, estemos, estad, estén
Pres. Subj.: esté, estés, esté, estemos, estéis, estén
Imp. Subj.: estuviera (estuviese), estuvieras, estuviera, estuviéramos, estuvierais, estuvieran

haber *to have*
Pres. Ind.: he, has, ha, hemos, habéis, han
Preterite: hube, hubiste, hubo, hubimos, hubisteis, hubieron
Future: habré, habrás, habrá, habremos, habréis, habrán
Conditional: habría, habrías, habría, habríamos, habríais, habrían
Pres. Subj.: haya, hayas, haya, hayamos, hayáis, hayan
Imp. Subj.: hubiera (hubiese), hubieras, hubiera, hubiéramos, hubierais, hubieran

hacer *to do, make*
Pres.Ind.: hago, haces, hace, hacemos, hacéis, hacen
Preterite: hice, hiciste, hizo, hicimos, hicisteis, hicieron
Future: haré, harás, hará, haremos, haréis, harán
Conditional: haría, harías, haría, haríamos, haríais, harían
Imperative: haz, haga, hagamos, haced, hagan
Pres. Subj.: haga, hagas, haga, hagamos, hagáis, hagan
Imp. Subj.: hiciera (hiciese), hicieras, hiciera, hiciéramos, hicierais, hicieran
Past Part.: hecho

imponer *to impose; to deposit* (see **poner**)

ir *to go*
Pres. Ind.: voy, vas, va, vamos, vais, van
Imp. Ind.: iba, ibas, iba, íbamos, ibais, iban
Preterite: fui, fuiste, fue, fuimos, fuisteis, fueron
Imperative: ve, vaya, vayamos, id, vayan
Pres. Subj.: vaya, vayas, vaya, vayamos, vayáis, vayan
Imp. Subj.: fuera (fuese), fueras, fuera, fuéramos, fuerais, fueran

jugar   *to play*

Pres. Ind.:	juego, juegas, juega, jugamos, jugáis, juegan
Imperative:	juega, juegue, juguemos, jugad, jueguen
Pres. Subj.:	juegue, juegues, juegue, juguemos, juguéis, jueguen

obtener   *to obtain* (see **tener**)

oír   *to hear*

Pres. Ind.:	oigo, oyes, oye, oímos, oís, oyen
Preterite:	oí, oíste, oyó, oímos, oísteis, oyeron
Imperative:	oye, oiga, oigamos, oíd, oigan
Pres. Subj.:	oiga, oigas, oiga, oigamos, oigáis, oigan
Imp. Subj.:	oyera (oyese), oyeras, oyera, oyéramos, oyerais, oyeran
Pres. Part.:	oyendo
Past Part.:	oído

oler   *to smell*

Pres. Ind.:	huelo, hueles, huele, olemos, oléis, huelen
Imperative:	huele, huela, olamos, oled, huelan
Pres. Subj.:	huela, huelas, huela, olamos, oláis, huelan

poder   *to be able to*

Preterite:	pude, pudiste, pudo, pudimos, pudisteis, pudieron
Future:	podré, podrás, podrá, podremos, podréis, podrán
Conditional:	podría, podrías, podría, podríamos, podríais, podrían
Imperative:	puede, pueda, podamos, poded, puedan
Imp. Subj.:	pudiera (pudiese), pudieras, pudiera, pudiéramos, pudierais, pudieran
Pres. Part.:	pudiendo

poner   *to place, put*

Pres.Ind.:	pongo, pones, pone, ponemos, ponéis, ponen
Preterite:	puse, pusiste, puso, pusimos, pusisteis, pusieron
Future:	pondré, pondrás, pondrá, pondremos, pondréis, pondrán
Conditional:	pondría, pondrías, pondría, pondríamos, pondríais, pondrían
Imperative:	pon, ponga, pongamos, poned, pongan
Pres. Subj.:	ponga, pongas, ponga, pongamos, pongáis, pongan
Imp. Subj.:	pusiera (pusiese), pusieras, pusiera, pusiéramos, pusierais, pusieran
Past Part.:	puesto

querer   *to want, wish; to like, love*

Preterite:	quise, quisiste, quiso, quisimos, quisisteis, quisieron
Future:	querré, querrás, querrá, querremos, querréis, querrán
Conditional:	querría, querrías, querría, querríamos, querríais, querrían
Imp. Subj.:	quisiera (quisiese), quisieras, quisiera, quisiéramos, quisierais, quisieran

resolver   *to decide on, to solve*

Past Part.:	resuelto

saber   *to know*

Pres. Ind.:	sé, sabes, sabe, sabemos, sabéis, saben
Preterite:	supe, supiste, supo, supimos, supisteis, supieron
Future:	sabré, sabrás, sabrá, sabremos, sabréis, sabrán
Conditional:	sabría, sabrías, sabría, sabríamos, sabríais, sabrían
Imperative:	sabe, sepa, sepamos, sabed, sepan
Pres. Subj.:	sepa, sepas, sepa, sepamos, sepáis, sepan
Imp. Subj.:	supiera (supiese), supieras, supiera, supiéramos, supierais, supieran

salir   *to leave; to go out*

Pres. Ind.:	salgo, sales, sale, salimos, salís, salen
Future:	saldré, saldrás, saldrá, saldremos, saldréis, saldrán
Conditional:	saldría, saldrías, saldría, saldríamos, saldríais, saldrían

Imperative: sal, salga, salgamos, salid, salgan
Pres. Subj.: salga, salgas, salga, salgamos, salgáis, salgan

ser *to be*
Pres. Ind.: soy, eres, es, somos, sois, son
Imp. Ind.: era, eras, era, éramos, erais, eran
Preterite: fui, fuiste, fue, fuimos, fuisteis, fueron
Imperative: sé, sea, seamos, sed, sean
Pres.Subj.: sea, seas, sea, seamos, seáis, sean
Imp. Subj.: fuera (fuese), fueras, fuera, fuéramos, fuerais, fueran

suponer *to assume* (see **poner**)

tener *to have*
Pres. Ind.: tengo, tienes, tiene, tenemos, tenéis, tienen
Preterite: tuve, tuviste, tuvo, tuvimos, tuvisteis, tuvieron
Future: tendré, tendrás, tendrá, tendremos, tendréis, tendrán
Conditional: tendría, tendrías, tendría, tendríamos, tendríais, tendrían
Imperative: ten, tenga, tengamos, tened, tengan
Pres. Subj.: tenga, tengas, tenga, tengamos, tengáis, tengan
Imp. Subj.: tuviera (tuviese), tuvieras, tuviera, tuviéramos, tuvierais, tuvieran

traducir *to translate* (see **conducir**)

traer *to bring*
Pres. Ind.: traigo, traes, trae, traemos, traéis, traen
Preterite: traje, trajiste, trajo, trajimos, trajisteis, trajeron
Imperative: trae, traiga, traigamos, traed, traigan
Pres. Subj.: traiga, traigas, traiga, traigamos, traigáis, traigan
Imp. Subj.: trajera (trajese), trajeras, trajera, trajéramos, trajerais, trajeran
Pres. Part.: trayendo
Past Part.: traído

valer *to be worth*
Pres. Ind.: valgo, vales, vale, valemos, valéis, valen
Future: valdré, valdrás, valdrá, valdremos, valdréis, valdrán
Conditional: valdría, valdrías, valdría, valdríamos, valdríais, valdrían
Imperative: vale, valga, valgamos, valed, valgan
Pres.Subj.: valga, valgas, valga, valgamos, valgáis, valgan

venir *to come*
Pres. Ind.: vengo, vienes, viene, venimos, venís, vienen
Preterite: vine, viniste, vino, vinimos, vinisteis, vinieron
Future: vendré, vendrás, vendrá, vendremos, vendréis, vendrán
Conditional: vendría, vendrías, vendría, vendríamos, vendríais, vendrían
Imperative: ven, venga, vengamos, venid, vengan
Pres. Subj.: venga, vengas, venga, vengamos, vengáis, vengan
Imp. Subj.: viniera (viniese), vinieras, viniera, viniéramos, vinierais, vinieran
Pres. Part.: viniendo

ver *to see*
Pres. Ind.: veo, ves, ve, vemos, veis, ven
Imp. Ind.: veía, veías, veía, veíamos, veíais, veían
Preterite: vi, viste, vio, vimos, visteis, vieron
Imperative: ve, vea, veamos, ved, vean
Pres. Subj.: vea, veas, vea, veamos, veáis, vean
Imp. Subj.: viera (viese), vieras, viera, viéramos, vierais, vieran
Past Part.: visto

volver *to return*
Past Part.: vuelto

Appendix C: Glossary of Grammatical Terms

adjective: A word that is used to describe a noun: *tall* girl, *difficult* lesson.

adverb: A word that modifies a verb, an adjective, or another adverb. It answers the questions "How?" "When?" "Where?": She walked *slowly.* She'll be here *tomorrow.* She is *here.*

agreement: A term applied to changes in form that nouns cause in the words that surround them. In Spanish, verb forms agree with their subjects in person and number (**yo** habl**o, él** habl**a**, etc.). Spanish adjectives agree in gender and number with the noun they describe. Thus, a feminine plural noun requires a feminine plural ending in the adjective that describes it (cas**as** amarill**as**), and a masculine singular noun requires a masculine singular ending in the adjective (libr**o** negr**o**).

auxiliary verb: A verb that helps in the conjugation of another verb: I *have* finished. He *was* called. She *will* go. He *would* eat.

command form: The form of the verb used to give an order or direction: *Go! Come back! Turn* to the right!

conjugation: The process by which the forms of the verb are presented in their different moods and tenses: I *am*, you *are*, he *is*, she *was*, we *were*, etc.

contraction: The combination of two or more words into one: *isn't, don't, can't.*

definite article: A word used before a noun indicating a definite person or thing: *the* woman, *the* money.

demonstrative: A word that refers to a definite person or object: *this, that, these, those.*

diphthong: A combination of two vowels forming one syllable. In Spanish, a diphthong is composed of one *strong* vowel (**a, e, o**) and one *weak* vowel (**u, i**) or two weak vowels: **ei, au, ui.**

exclamation: A word used to express emotion: *How* strong! *What* beauty!

gender: A distinction of nouns, pronouns, and adjectives, based on whether they are masculine or feminine.

indefinite article: A word used before a noun that refers to an indefinite person or object: *a* child, *an* apple.

infinitive: The form of the verb generally preceded in English by the word *to* and showing no subject or number: *to do, to bring.*

interrogative: A word used in asking a question: *Who? What? Where?*

main clause: A group of words that includes a subject and a verb and that by itself has complete meaning: *They saw me. I go now.*

noun: A word that names a person, place, or thing: *Ann, London, pencil*, etc.

number: Number refers to singular and plural: *chair, chairs.*

object: Generally a noun or a pronoun that is the receiver of the verb's action. A direct object answers the question "What?" or "Whom?": We know *her.* Take *it.* An indirect object answers the question "To whom?" or "To what?": Give *John* the money. Nouns and pronouns can also be objects of prepositions: The letter is *from Rick.* I'm thinking *about you.*

past participle: Past forms of a verb: *gone, worked, written*, etc.

person: The form of the pronoun and of the verb that shows the person referred to: *I* (first-person singular), *you* (second-person singular), *she* (third-person singular), etc.

possessive: A word that denotes ownership or possession: This is *our* house. The book isn't *mine.*

preposition: A word that introduces a noun or pronoun and indicates its function in the sentence: They were *with* us. She is *from* Manitoba.

pronoun: A word that is used to replace a noun: *she, them, us*, etc. A **subject pronoun** refers to the person or thing spoken of: *They* work. An **object pronoun** receives the action of the verb: They arrested *us* (direct object pronoun). She spoke to *him* (indirect object pronoun). A pronoun can also be the object of a preposition: The children stayed with *us.*

reflexive pronoun: A pronoun that refers back to the subject: *myself, yourself, himself, herself, itself, ourselves*, etc.

subject: The person, place, or thing spoken of: *Robert* works. *Our car* is new.

subordinate clause: A clause that has no complete meaning by itself but depends on a main clause: They knew *that I was here.*

tense: The group of forms in a verb that show the time in which the action of the verb takes place: *I go* (present indicative), *I'm going* (present progressive), *I went* (past), *I was going* (past progressive), *I will go* (future), *I would go* (conditional), *I have gone* (present perfect), *I had gone* (past perfect), *that I may go* (present subjunctive), etc.

verb: A word that expresses an action or a state: We *sleep.* The baby *is* sick.

Appendix D: Answer Key to Tome este examen

Lección 1

A. 1. los / unos 2. los / unos 3. el / un 4. las / unas 5. la / una 6. la / una 7. los / unos 8. los / unos

B. 1. nosotras 2. ellos 3. ella 4. ustedes 5. ellas 6. él 7. usted 8. tú

C. 1. soy / es 2. son 3. somos 4. son 5. eres 6. es

D. 1. El alumno es canadiense. 2. Los lápices son verdes. 3. Las mesas son blancas. 4. Es un hombre español. 5. Las profesoras son inglesas. 6. Los muchachos son ricos. 7. Es una mujer inteligente. 8. Los señores son muy simpáticos.

E. 1. De-í-a-zeta 2. Jota-i-eme-é-ene-e-zeta 3. Ve-a-ere-ge-a-ese 4. Pe-a-ere-ere-a 5. Efe-e-ele-i-ú 6. A-ce-u-eñe-a

F. 1. ocho 2. catorce 3. veintiséis 4. once 5. treinta y cinco 6. diez 7. trece 8. cero 9. veintiocho 10. diecisiete 11. treinta y nueve 12. quince

G. 1. llama / dónde 2. gusto 3. dice 4. cuarto / muy 5. alumnos (estudiantes) 6. habla 7. está 8. Saludos 9. es 10. nada

H. 1. Buenos días, señorita Moreno. ¿Cómo está (Ud.)? 2. Sergio habla con Ana en la clase. 3. ¿Cuál es tu número de teléfono? 4. Lupe es inteligente y simpática. 5. ¿Cómo es Viviana?

I. 1. es 2. solteras

Lección 2

A. 1. tomas 2. habla (conversa) 3. hablamos 4. deseo 5. estudia 6. trabajan 7. necesita 8. terminamos

B. 1. a. ¿Hablan ellos inglés con los estudiantes? b. Ellos no hablan inglés con los estudiantes. 2. a. ¿Es ella de México? b. Ella no es de México. 3. a. ¿Terminan Uds. hoy? b. Uds. no terminan hoy.

C. 1. tu 2. su 3. nuestra 4. mis 5. sus 6. nuestros 7. su 8. su

D. 1. las 2. los 3. el 4. las 5. los 6. el 7. la 8. la

E. 1. ochenta bolígrafos 2. cuarenta y seis mochilas 3. setenta y dos relojes 4. treinta y tres ventanas 5. doscientas sillas 6. ciento quince cuadernos 7. sesenta y ocho estudiantes 8. cincuenta mapas 9. noventa y cinco computadoras

F. 1. Es la una 2. a las nueve y media de la mañana 3. por la tarde 4. Son 5. a las tres menos cuarto (a las dos y cuarenta y cinco)

G. martes / miércoles / viernes / sábado

1. el primero de marzo 2. el diez de junio 3. el trece de agosto 4. el veintiséis de diciembre 5. el tres de septiembre 6. el veintiocho de octubre 7. el diecisiete de julio 8. el cuatro de abril 9. el dos de enero 10. el cinco de febrero

1. invierno 2. primavera 3. otoño 4. verano

H. 1. hora 2. horario / Aquí 3. solamente (sólo) 4. taza / vaso 5. toman 6. semestre 7. primavera 8. asignatura (materia) 9. copa 10. jugo

I. 1. —Clara, ¿qué clases tomas? / —Tomo inglés, historia y español. 2. El profesor Salinas es de México. Es nuestro profesor de biología. 3. Martina desea estudiar, pero Jorge desea una taza de café. 4. —¿Qué hora es? / —Son las diez y media. 5. El primero de julio es el Día de Canadá.

J. 1. 1.000.000 2. El Salvador 3. Toronto

Lección 3

A. 1. escribe 2. vivimos 3. deben 4. corres 5. bebo 6. come 7. abre 8. Reciben

B. 1. la amiga de Pedro 2. la ropa de Paco 3. la casa de la señora Peña 4. los hermanos de Eva

C. 1. vienes 2. venimos / tenemos 3. tienen / vienen 4. vengo / tengo 5. tiene 6. tiene

D. 1. tengo mucho calor. 2. tiene mucha hambre. 3. tiene mucha sed. 4. tienes mucho frío. 5. tenemos mucho sueño. 6. tienen mucho miedo. 7. tengo mucha prisa.

E. 1. a. esas b. esos 2. a. esta b. este 3. a. aquel b. aquella 4. a. esa b. ese 5. a. estos b. estas

F. 1. quinientos sesenta y siete   2. setecientos noventa   3. mil   4. trescientos cuarenta y cinco   5. seiscientos quince   6. ochocientos setenta y cuatro   7. novecientos sesenta y cinco   8. ochocientos veinticinco   9. cuatrocientos ochenta y uno   10. trece mil ochocientos dieciséis

G. 1. trabajos   2. rato   3. Quién   4. césped (zacate)   5. cosas   6. poner   7. sacudir   8. puerta / abrir   9. sacar   10. vienen / momento   11. bebo / sed   12. pasar

H. 1. Juan tiene que sacar la basura.   2. —Tenemos mucha hambre. / —¿Por qué no comen?   3. Héctor come mucho, pero no lava los platos.   4. —¿Cuántos años tienes (tiene)? / —Tengo dieciocho años.   5. Esta casa es grande. Aquélla (Aquella) es pequeña.

I. 1. Los hombres ayudan con los trabajos de la casa.   2. La comida mexicana es popular en todo el mundo.   3. Son populares en Rusia, Japón y Canadá.

Lección 4

A. 1. salgo   2. conduzco   3. traduzco   4. hago   5. quepo   6. traigo

B. 1. conoces / Sabes   2. sé   3. conocemos   4. conocen   5. sabe

C. 1. Yo conozco a la tía de Julio.   2. Luis tiene tres tíos y dos tías.   3. Ana lleva a su prima a la fiesta.   4. Uds. conocen San Salvador.

D. 1. No conocemos al Sr. Vega.   2. Es la hermana del profesor.   3. Venimos del club.   4. Voy al laboratorio.   5. Vengo de la playa.

E. 1. doy   2. está   3. vamos   4. estás   5. están   6. va   7. dan   8. voy

F. 1. ¿Dónde vas a estudiar?   2. ¿Qué van a comer Uds.?   3. ¿Con quién va a ir Roberto?   4. ¿A qué hora va a terminar Ud.?   5. ¿Cuándo van a trabajar ellos?

G. 1. discos   2. algo   3. castaños   4. pelirroja   5. estatura   6. cumpleaños   7. soltera   8. pareja   9. entremeses   10. bailar   11. levantan / Salud   12. éxito

H. 1. El novio de mi prima tiene ojos verdes.   2. (Yo salgo) Salgo mucho por la noche pero no conduzco.   3. —Tina, ¿(tú) conoces a Roberto? —Sí, y también sé dónde (él) vive.   4. Los hijos del señor Rivera van al club.   5. Vamos a dar una fiesta mañana porque es mi cumpleaños.

I. 1. Tenochtitlán   2. momias   3. primavera   4. El Salvador

Lección 5

A. 1. estamos sirviendo   2. estoy leyendo   3. está bailando   4. estás comiendo   5. está durmiendo

B. 1. es / está   2. está / Es   3. son   4. estás   5. es   6. es   7. estamos   8. Son   9. son   10. están

C. 1. prefieres / quiere   2. empiezan (comienzan)   3. pensamos   4. prefieren   5. queremos   6. entiendo

D. 1. mucho mayor que   2. tan alto como   3. la más inteligente de   4. tan bien como   5. el mejor de   6. mucho más bonita que

E. 1. conmigo / contigo /con ellos (ellas)   2. para ti / para mí / para ella

F. 1. pagar / propina   2. sopa / coctel   3. tostado / mantequilla / mermelada   4. asado   5. especialidad   6. helado   7. puré / ensalada   8. travieso   9. jamón   10. hamburguesa / caliente

G. 1. ¿Quién es más inteligente que Beto?   2. ¿Vas a ir a la fiesta conmigo o con Andrea?   3. Prefiero comer frutas y vegetales.   4. La sopa en la cafetería está muy sabrosa hoy. / Hoy la sopa está muy sabrosa en la cafetería.   5. Carlos Alberto tiene más de veinte años.

H. 1. después de   2. principal

Lección 6

A. 1. recuerdo   2. vuelve   3. cuestan   4. puedo   5. encontramos   6. podemos   7. duerme

B. 1. piden / consiguen   2. servimos   3. consigues / pides   4. dice   5. sirve / pide   6. digo   7. pedimos   8. consigue

C. 1. No, no voy a leerlos. (No, no los voy a leer.)   2. No, no lo (la) conoce.   3. No, no me llevan.   4. No, ella no te llama mañana.   5. No, no lo necesito.   6. No, no la tengo.   7. No, ellos no nos conocen.   8. No, no las conseguimos.

D. 1. Tengo algo aquí.   2. ¿Quiere algo más?   3. Siempre vamos al supermercado.   4. Quiero (o) la pluma roja o la pluma verde.   5. Siempre llamo a alguien.

E. 1. Hace cinco años que (yo) vivo en Honduras.   2. ¿Cuánto tiempo hace que (Ud.) estudia español, Sr. Smith?   3. Hace dos horas que (ellos) escriben.   4. Hace dos días que (ella) no come.

F. 1. azúcar   2. chuletas   3. panadería   4. almorzamos   5. vuelven   6. muertos   7. recién   8. cerca   9. cangrejo / langosta   10. docena / salsa

G. 1. En el mercado compramos apio, zanahorias y pepinos. / Compramos apio, zanahorias y pepinos en el mercado.   2. ¡Estoy muerto(a) de hambre! ¿A qué hora sirven el almuerzo?   3. Hugo pide chuletas de cerdo. Las quiere con espaguetis.   4. Nunca habla con nadie.   5. —¿Cuánto tiempo hace que (tú) vives aquí? —Hace cuatro años que vivo aquí.   6. Ellos pueden venir a la fiesta el viernes.   7. No tenemos papel higiénico. Necesito ir al supermercado.   8. El señor Vega es un cocinero. Trabaja en un restaurante famoso.

H. 2. las operaciones del Canal   3. no tiene

Lección 7

A. 1. Ellos comieron tortilla y bebieron limonada.   2. Luis salió a las ocho y volvió a las cinco.   3. Tú cerraste la puerta y abriste las ventanas.   4. Yo empecé a las seis y terminé a las ocho.   5. Nosotros leímos un poema y ella leyó una novela.   6. Yo busqué el dinero y no lo encontré.   7. Yo llegué temprano y comencé a trabajar.   8. Yo compré carne aquí y pagué menos.

B. 1. fue   2. Dieron   3. fue   4. fui   5. fueron   6. Di   7. fui   8. fuimos

C. 1. No, no me traen el jugo.   2. No, no le doy el dinero a él.   3. No, no te voy a comprar los libros. (No, no voy a comprarte los libros).   4. No, no le voy a dar los cuadernos a Elsa. (No, no voy a darle los cuadernos a Elsa).   5. No, no me gusta el café.   6. No, no nos van a dar las invitaciones. (No, no van a darnos las invitaciones.)

D. 1. Me gusta / no me gusta   2. Te gusta   3. A mi mamá le gusta más   4. Nos gusta   5. A mi hermano le gusta

E. 1. se levantan / se acuestan   2. afeitarme   3. te pruebas   4. se sienta   5. nos bañamos   6. vestirse

F. 1. fin   2. divertí   3. se levantan   4. partido   5. cine   6. rompió   7. zoológico   8. escalar   9. montar   10. medianoche   11. nadar   12. vez

G. 1. —¿Va(s) a ir al teatro con tus (sus) amigos? —No, no puedo. Tengo que estudiar.   2. Me levanto a las siete y me acuesto a las once.   3. ¿Te dan tus abuelos dinero para comprar ropa? / ¿Te dan dinero tus abuelos para comprar ropa?   4. Nos gusta mucho el español, pero no nos gusta estudiar matemáticas.   5. Pagué setenta y cinco dólares por un florero. ¿Piensas que es mucho?

H. 1. Quique   2. populares

Lección 8

A. 1. trajeron / traje   2. Tuve   3. hizo   4. dijiste / dijeron   5. vino / viniste   6. estuvimos / estuvieron   7. hicieron   8. supe   9. condujeron / conduje   10. quiso

B. 1. Sí, te (se) las compré.   2. Sí, se los trajimos.   3. Sí, me lo van a dar. (Sí, van a dármelo.)   4. Sí, nos los va a traer. (Sí, va a traérnoslos.)   5. Sí, se la va a comprar. (Sí, va a comprársela.)   6. Sí, me las traen.

C. 1. se divirtieron, siguieron, durmieron   2. pidió   3. murió   4. consiguió

D. 1. ibas   2. era   3. hablaban   4. veíamos   5. pescaban   6. comía

E. 1. fácilmente   2. especialmente   3. lentamente   4. rápidamente   5. lenta y claramente   6. francamente

F. 1. aire   2. raqueta   3. armar   4. cesta   5. remar   6. pelo   7. frecuentemente   8. acuático   9. tomar   10. tabla   11. hacer   12. encanta

G. 1. El sábado no pudimos ir a acampar con nuestros amigos.   2. Ana me prestó su raqueta. Me la prestó ayer.   3. En el restaurante Eduardo y Marisol pidieron café. El (La) camarero(a) se lo sirvió.   4. Cuando era pequeño(a), frecuentemente (a menudo) jugaba al aire libre.   5. A los estudiantes les gusta la profesora Guzmán. Ella habla lenta y claramente.   6. Acabamos de regresar (volver) de nuestras vacaciones.   7. —Isabel, ¿acampas con nosotros este fin de semana? —¡Espero que sí!   8. Ellos compraron una tabla de mar y una raqueta de tenis en la tienda.

H. 1. mayor   2. Colombia.   3. merengue   4. Yunque   5. petróleo

Lección 9

A. 1. para   2. por   3. por   4. por   5. para   6. para / por   7. para / por / por   8. por

B. 1. hace / calor   2. hace / frío / nieva   3. llueve   4. hay / niebla   5. hace / sol

C. 1. celebramos   2. Eran / salí / Llegué   3. dijo / era / pedí   4. era / vivía   5. estaba / vi   6. fue / estaba / Prefirió   7. hice   8. estábamos / llamaste

D. 1. Hace tres horas que llegué.   2. Hace cuatro meses que ellos vinieron.   3. Hace media hora que empecé a trabajar.   4. Hace cinco días que (ellos) terminaron.   5. Hace diez años que tú llegaste.

E. 1. el tuyo   2. mías   3. los tuyos   4. nuestros   5. El suyo (El de ellos)   6. mío, suyo (de ella)

F. 1. baratos   2. zapatería   3. facultad   4. par   5. mangas   6. servirle   7. moda
8. descalzo   9. ponerme   10. ojo / cara   11. calza   12. húmedo

G. 1. Ayer fui a su casa para hablar con él.   2. ¿Dónde vivías cuando eras niño(a)?
3. ¿Cuándo fue la última vez que fuiste a la tienda?   4. —¿Qué dijo la profesora? —Dijo
que teníamos que estudiar más.   5. El tiempo no está bueno hoy. Está lloviendo y
necesito un impermeable.

H. 1. métrico   2. sol

Lección 10

A. 1. cerradas   2. abierta   3. roto   4. dormidos   5. escritas   6. hecha

B. 1. ha llegado   2. he leído   3. han vuelto/ hemos podido   4. ha muerto   5. han traído
6. has dicho

C. 1. habían vuelto   2. había firmado   3. habías hecho   4. habíamos escrito   5. había
puesto   6. habían ido

D. 1. Llame   2. Camine   3. Salgan   4. Esté   5. venga   6. Vayan   7. lo haga   8. dé
9. sean   10. Póngala

E. 1. Salgamos.   2. No vayamos al club.   3. Comamos en un restaurante.   4. Pongámonos
el abrigo.   5. Paguemos la cuenta con una tarjeta de crédito.   6. Dejémosle una propina
grande.   7. Bebamos un café. Bebámoslo en un café pequeño.   8. No lleguemos a casa
muy tarde.

F. 1. firmar / fechar   2. depositar   3. abierto / feriado   4. saldo   5. conjunta
6. cuadras   7. cola   8. talonario   9. sucursal   10. cajero (empleado) / débito
(crédito)   11. préstamo   12. efectivo   13. caja   14. estampillas (sellos)   15. diligencias

G. 1. En el aula la puerta está abierta, pero las ventanas están cerradas.   2. —Gustavo, ¿has
escrito las cartas? —Sí, pero tengo que comprar estampillas.   3. Isabel nunca había ido a
Argentina antes del año pasado.   4. Señora Peña, por favor firme el cheque y deposítelo
hoy.   5. —¿Adónde vamos para abrir una cuenta corriente? —¡Vayan al banco!
6. Necesito un laptop (una computadora portátil). Comprémoslo (Comprémosla) en la
tienda de computadoras de la universidad.   7. Sacan cien dólares del cajero automático.

H. 1. Galápagos   2. Cuzco   3. Sucre   4. Asunción   5. Punta del Este

Lección 11

A. 1. Yo quiero que ella vaya a Viña del Mar.   2. Nosotros deseamos viajar en avión.   3. Ella
me sugiere que yo vaya a Buenos Aires.   4. El agente quiere venderme el pasaje.   5. Ellos
nos aconsejan que compremos seguro.   6. Yo no quiero llevar muchas maletas.   7. Ellos
no quieren que ella los lleve en su coche.   8. Nosotros no queremos ir contigo.   9. ¿Tú
me sugieres que venga luego?   10. Ella necesita que Uds. le den la maleta.

B. 1. que ella se vaya pronto.   2. que los pasajes sean muy caros.   3. estar aquí.   4. irse de
vacaciones.   5. que mamá se sienta bien hoy.   6. que ellos no puedan ir a la fiesta.

C. 1. sale   2. tenga   3. venga   4. sirve

D. 1. estén llamando a los pasajeros   2. el piloto nos ayude a pagar el exceso de equipaje
3. prefiere venir con nosotros   4. cobran $1.000 dólares por el pasaje de Toronto a
Buenos Aires

E. 1. a / de / a / en / en /en / a   2. a / a / de / a   3. de / de

F. 1. asiento / ventanilla   2. mano / compartimiento   3. agencia   4. embarque (embarco) /
auxiliar   5. exceso   6. salida   7. incluyen / excursiones   8. cambio   9. cancelar
10. viajero   11. crucero   12. lugares / capital

G. 1. Espero que Sofía encuentre un buen asiento en el avión.   2. Ojalá que lleguemos
seguros (bien, sin problemas) a Buenos Aires.   3. Necesito que me traigas el paquete.
4. Hace mucho calor en Caracas en verano. Necesitamos un hotel con aire
acondicionado.   5. ¿Hay alguien en la clase que hable chino?

H. 1. vos   2. tango   3. separación

Lección 12

A. 1. hable español.   2. incluya el hotel.   3. no son caros.   4. salen a las seis.   5. pueda
reservar los pasajes?

B. 1. Compra el televisor.   2. Díselo.   3. Viaja mañana.   4. Sal con esa persona.   5. Pon la
maleta debajo del asiento.   6. Invítalo.   7. Vete.   8. Ven entre semana.   9. Regresa
tarde.   10. Haz la reservación.   11. Tráeme el folleto.   12. Pídele los pasaportes ahora.

C. 1. se enamoró de / se casó con   2. insiste en   3. no te olvides de / Acuérdate de
4. no me di cuenta de / no confiaban en

D. 2. segundo   7. séptimo   5. quinto   1. primero   8. octavo   4. cuarto   9. noveno
3. tercero   6. sexto   10. décimo

E. 1. leeré   2. escribirá   3. tendremos   4. saldrás   5. jugarán   6. dirá   7. pondrán /
pondré   8. nos divertiremos

F. 1. viajaría   2. iría   3. podrías   4. vendría   5. comeríamos   6. descansaría
7. buscarían   8. sabría

G. 1. ducha   2. ascensor (elevador) / subir   3. calefacción   4. cama   5. precio
6. montón   7. desocupar   8. vista   9. servicio   10. aire   11. puesto (kiosko) /
regalos   12. propietario   13. completa   14. libre   15. piso

H. 1. Queremos (Deseamos) un hotel que tenga vista al mar y una piscina.   2. ¿Hay un
restaurante en esta ciudad que sirva comida mexicana?   3. Rosita, pon los platos en la
mesa y no mires la televisión.   4. El año pasado Carlos se casó con Gloria.   5. Su cuarto
está en el tercer piso de la pensión.   6. Sueño con ir a España. Saldré (Voy a salir) el mes
próximo (el próximo mes).   7. Mi amigo se queda en un hotel de lujo, pero yo buscaría
un hotel pequeño y ahorraría mi dinero.

I. 1. Madrid   2. más   3. segunda

Vocabularies

These vocabulary lists includes all the words and expressions included in *Para hablar del tema* and in the *Lectura* sections. The number following each vocabulary item indicates the lesson in which it first appears.

All words are alphabetized in accordance with the Real Academia's 1994 decision that *ch* and *ll* are no longer considered separate letters of the alphabet.

The following abbreviations are used:

abbr.	abbreviation	*fam.*	familiar	*pl.*	plural
adj.	adjective	*form.*	formal	*prep.*	preposition
adv.	adverb	*indir. obj.*	indirect object	*pron.*	pronoun
Arg.	Argentina	*inf.*	infinitive	*refl. pron.*	reflexive pronoun
conj.	conjunction	*m.*	masculine	*rel. pron.*	relative pronoun
dir. obj.	direct object	*Méx.*	México	*sing.*	singular
Esp.	España	*neut. pron.*	neuter pronoun	*subj.*	subjunctive
f.	feminine	*obj.*	object	*v.*	verb

Spanish–English

A

a   at (with time of day), to, 2; — **la parrilla**   grilled, 5; — **menudo** often, 8; — **poco más de**   a little more than; ¿ — **qué hora?**   at what time?, 2; ¿— **quién(es)?**   whom, 4; — **veces** sometimes, 6; — **ver**   let's see, 6

abierto(a)   open, 10

abogado(a) *(m., f.)*   lawyer, 1

abordar   to board, 11

abrigo *(m.)*   coat, 9

abril   April, 2

abrir   to open, 3

abrochar: abrocharse el cinturón de seguridad   to fasten the seat belt, 11

abuela *(f.)*   grandmother, 4

abuelo *(m.)*   grandfather, 4

abuelos *(m. pl.)*   grandparents, 4

aburrido(a)   boring, 2

aburrirse   to be bored, 7

acá   here, 8

acabar de + *inf.*   to have just (done something), 8

acampar   to camp, 8

accidente *(m.)*   accident, 8

aceite *(m.)*   oil; — **de oliva**, 6

acompañado(a)   with someone else, accompanied, Unit 2

aconsejar   to advise, 11

acordarse (de) (o > ue)   to remember, 12

acostarse (o > ue)   to go to bed, 7

acostumbrado(a)   accustomed or used to, 8

actividad *(f.)*   activity, 8; — **al aire libre** outdoor activity, 8

actualmente   at present, 3

además *(adv.)*   besides, 2; — **de** *(prep.)* in addition to, 9

adiós   good-bye, 1

administración de empresas *(f.)* business administration, 2

¿adónde?   where (to)?, 4

advertencia *(f.)*   warning, Unit 5

aerolínea *(f.)*   airline, 11

aeropuerto *(m.)*   airport, 11

afeitarse   to shave, 7

afortunadamente   luckily/ fortunately, 12

agencia *(f.)*   agency, 11; — **de viajes** *(f.)*   travel agency, 11

agente *(m., f.)*   agent, 11

agosto   August, 2

agua (el) *(f.)*   water, 2; — **con hielo** *(f.)* ice water, 2; — **mineral**   mineral water, 2

aguacate *(m.)*   avocado, 6

aguafiestas *(m., f.)*   spoilsport, 2

águila (el) *(f.)*   eagle, Unit 6

ahí   there, 8

ahora   now, 4; — **mismo**   right now

ahorrar   to save *(money)*, 10

aire *(m.)*   air; — **acondicionado** *(m.)* air conditioning, 12

ají *(m.)*   green pepper, 6

al (a + el)   to the, 4; — **día**   a day, per day, 6; — **día siguiente**   (on) the following day, 5

alberca *(m.)*   swimming pool, 12

albóndiga *(f.)*   meatball, 6

alegrarse (de)   to be glad (about), 12

alemán *(m.)*   German *(language)*, 7

alfabeto *(m.)*   alphabet, 1

algo   something, anything, 5; — **¿más?** anything else?, 10; — **para comer (tomar)**   something to eat (drink), 5

algodón *(m.)*   cotton, Unit 2

alguien   someone, anyone, 6

algún, alguno(s), alguna(s)   any, some, 6; **en alguna parte**   anywhere, somewhere; **alguna vez**   ever, 6; **algunas veces**   sometimes, 6

allá   there, Unit 4

allí   there, 12

alma (el) *(f.)*   soul, Unit 4

almorzar (o > ue)   to have lunch, 6

almuerzo *(m.)*   lunch, 5

alquilar   to rent, 8

alto(a)   high, 9; tall, 1

alumno(a) *(m., f.)*   student, 1

amarillo(a)   yellow, 1

amigo(a) *(m., f.)*   friend, 2

amistad *(f.)*   friendship

amor   love; **mi amor**   darling, my love, 8

amparo *(m.)*   shelter, Unit 4

ampliar   to expand

analfabeto(a) *(m., f.)*   illiterate, Unit 3

anaranjado(a)   orange, 1

ancho(a)   wide, Unit 6

andar en bicicleta   to ride a bike, 7

anfitrión *(m.)*   host, 1

anfitriona *(f.)*   hostess, 1

animado(a)   in good spirits, 4

aniversario *(m.)*   anniversary, 5; — **de bodas** *(m.)*   wedding anniversary, 5

anoche   last night, 7

anotar   to write down

anteayer   the day before yesterday

antes   before, 4; — **de** *(prep.)*   before, 6

antiguo(a) old, Unit 4

antipático(a) unpleasant, 1

antojito *(m.)* snack, 6

antropología *(f.)* anthropology, 2

añadir to add, 6

año *(m.)* year, 2; **— escolar** *(m.)* school year, 2

aparatos electrodomésticos *(m. pl.)* home appliances, 3

apartamento *(m.)* apartment, 6

apellido *(m.)* last name, 1; **— de soltera** maiden name, Unit 2

apio *(m.)* celery, 6

apoyarse *(v.)* to lean, Unit 5

aprender (a) to learn (to), 11

apretar (e > ie) to be tight, 9

aquel(los), aquella(s) *(adj.)* that, those *(distant)*, 3

aquél, aquéllos, aquélla(s) *(pron.)* that (one), those *(distant)*, 3

aquello *(neut. pron.)* that, 3

aquí here, 5; **— está** here it is, 2; **— las tiene** here you are, 10

archivar la información to store information, 10

arena *(f.)* sand, 8

aretes *(m. pl.)* earrings, 9

argentino(a) Argentinian, 2

armar to pitch (a tent), to put together, 8

aros *(m. pl.)* earrings, 9

arrancar to tear out, Unit 4

arroyo *(m.)* brook, Unit 4

arroz *(m.)* rice, 5; **— con leche** rice pudding, 5

arte *(m.)* art, 2

asado(a) baked, roasted 5

ascensor *(m.)* elevator, 12

asegurado(a) insured

así que so, 7

asiento *(m.)* seat, 11; **— de pasillo** *(m.)* aisle seat, 11; **— de ventanilla** *(m.)* window seat, 11

asignatura *(f.)* course, subject, 2

asistir to attend, Unit 1

aspiradora *(f.)* vacuum cleaner, 3

aspirina *(f.)* aspirin, 11

aula (el) *(f.)* classroom, 2

aunque although, 4

auto *(m.)* automobile, 11

autobús *(m.)* bus, 8

automóvil *(m.)* automobile, 10

auxiliar de vuelo *(m., f.)* flight attendant, 11

ave (el) *(f.)* bird, Unit 6

avena *(f.)* porridge, 9

averiguar to find out, 11

avión *(m.)* plane, 11

ayer yesterday, 7

ayuda *(f.)* assistance, 6

ayudar to help, 12

azafata *(f.)* flight attendant, 11

azúcar *(m.)* sugar, 6

azul blue, 1

B

bailar to dance, 4; **¿Bailamos?** Shall we dance?, 4

bajar to go down (get off), 11

bajo *(prep.)* under, 8

bajo(a) short *(height)*, 5

balneario *(m.)* beach resort, 11

banana *(f.)* *(Cono Sur)* banana, 6

banco *(m.)* bank, 10

bañadera *(f.)* bathtub, 12

bañador *(m.)* bathing suit, 8

bañarse to bathe, 7

bañera *(f.)* *(Cono Sur)* bathtub, 12

baño *(m.)* bathroom, 3; *(Esp.)* bathtub, 12

barato(a) inexpensive, 9

barrer to sweep, 3

barrio *(m.)* neighbourhood, Unit 2

basura *(f.)* garbage, 3

bata *(f.)* robe, 9; **— de dormir** *(f.)* nightgown, 9

batería de cocina *(f. sing.)* kitchen utensils, 3

batido *(m.)* milkshake, 3

beber to drink, 3

bebida *(f.)* drink, 4

béisbol *(m.)* baseball, 7

biblioteca *(f.)* library, 1

bien fine, well, 1; **muy —** very well, 1; **no muy —** not very well, 4

bienvenido(a) welcome, 1

biftec *(m.)* steak, 5

billete *(m.)* *(Esp.)* ticket, 11

billetera *(f.)* wallet, 9

biología *(f.)* biology, 2

bisabuela *(f.)* great-grandmother

bisabuelo *(m.)* great-grandfather

bisnieta *(f.)* great-granddaughter

bisnieto *(m.)* great-grandson

bistec *(m.)* steak, 5

blanco(a) white, 1

blanquillo *(m.)* *(Méx.)* egg, 5

blusa *(f.)* blouse, 9

boca *(f.)* mouth, 7

boda *(f.)* wedding, 5

bolígrafo *(m.)* pen, 1

bolsa *(f.)* handbag, purse, 9; **— de dormir** *(f.)* sleeping bag, 8

bolso *(m.)* handbag, purse; **— de mano** *(m.)* carry-on bag, 11

bonito(a) pretty, 1

borrador *(m.)* eraser, 1

borrico *(m.)* donkey, Unit 6

bosque *(m.)* forest, Unit 4

bota *(f.)* boot, 9

bote de vela *(m.)* sailboat, 8

botella *(f.)* bottle, 2

botones *(m. sing.)* bellhop, 12

brazo *(m.)* arm, 7

brindar to toast, 4

brindis *(m.)* toast *(at a celebration)*, 4

brócoli *(m.)* broccoli, 6

bromear to joke, to kid, 7

bucear to scuba dive, 8

bueno... well . . ., okay, 1

bueno(a) good, 2; **buenas noches** good evening, good night, 1; **buenas tardes** good afternoon, 1; **buenos días** good morning, 1

bufanda *(f.)* scarf, 9

buscar to look for, to get, 9

C

caballería *(f.)* chivalry, Unit 5

caballero *(m.)* gentleman, 9; knight, Unit 5

caber to fit, 4

cabeza *(f.)* head, 7

cacerola *(f.)* saucepan, 3

cadena *(f.)* chain, 9

café *(m.)* *(adj.)* brown, 1; coffee, 2; **— con leche** coffee with milk; **café** *(m.)* restaurant, 5; **— al aire libre** outdoor café, 5

cafetera *(f.)* coffeepot, 3

cafetería *(f.)* cafeteria, 1, 2

caja de seguridad *(f.)* safe-deposit box, 10

cajero(a) *(m., f.)* teller, cashier 10; **— automático** *(m.)* automatic teller machine, 10

calcetín *(m.)* sock, 9

caldo *(m.)* soup *(Méx.)*, 5; broth

calefacción *(f.)* heating, 12

calidad *(f.)* quality, Unit 4

cálido(a) hot, 9

caliente hot, 12

calle *(f.)* street, 1

calumnia *(f.)* slander, Unit 6

calzar to wear a certain shoe size, 9

calzoncillos *(m. pl.)* undershorts, 9

cama *(f.)* bed, 12; **— chica (pequeña)** *(f.)* twin bed, 12; **— doble** *(f.)* double bed, 12; **— matrimonial** *(f.)* double bed

camarera *(f.)* waitress, 5

camarero *(m.)* waiter, 5

camarones *(m. pl.)* shrimp, 5

cambiar to change, 7

cambio *(m.)* change, 8; **en cambio** on the other hand, 8

cambio de moneda *(m.)* rate of exchange, 11; **¿a cómo está el —?** what's the rate of exchange?, 11

caminar to walk, 4

camisa *(f.)* shirt, 9

camiseta *(f.)* T-shirt, 9

camisón *(m.)* nightgown, 9

campo *(m.)* field, 2; **— de batalla** battlefield, Unit 4

canadiense Canadian, 1

cancelar to cancel, 11

cangrejo *(m.)* crab, 6

canoa *(f.)* canoe, 8

cansado(a) tired, 4

cansarse to get tired, 11
cantidad *(f.)* amount
caña de azúcar *(f.)* sugar cane, Unit 3
caña de pescar *(f.)* fishing rod, 8
capital *(f.)* capital, 11
cara *(f.)* face, 7
¡caramba! gee!, 1
caravanas *(Cono Sur)* earrings, 9
cardo *(m.)* thistle, Unit 4
carmelita brown, 1
carmín *(m.)* *(Cuba)* red, Unit 4
carne *(f.)* meat, 6
carnet de identidad *(m.)* I.D. (identification), 12
carnicería *(f.)* meat market, 6
caro(a) expensive, 6
carro *(m.)* automobile, 10
carta *(f.)* letter, 10
cartera *(f.)* handbag, purse, 9; wallet, 9
casa *(f.)* house, 3; **— central** main office, 10; **en —** at home, 5
casado(a) married, 4; **recién casados** *(m. pl.)* newlyweds, 6
casarse (con) to marry, to get married (to), 12
caso *(m.)* case, 3; **en ese —** in that case, 11
castaño brown *(hair or eyes)*, 4
catorce fourteen, 1
cebolla *(f.)* onion, 5, 6
cédula de identidad *(f.)* I.D. card, 12
celebrar to celebrate, 4
cena *(f.)* dinner, 5
cenar to have dinner (supper), 3
céntrico(a) central, 12
cerca (de) near, close 6; **— de aquí** near here, 12
cerdo *(m.)* pork, 6
cereal *(m.)* cereal
cereza *(f.)* cherry, 6
cero zero, 1
cerrado(a) closed, 10
cerrar (e > ie) to close, 5
certidumbre certainty, Unit 5
certificado(a) certified, registered 10
cerveza *(f.)* beer, 2
césped *(m.)* lawn, 3
cesta *(f.)* basket, 8
cesto de papeles *(m.)* wastebasket, 1
chaleco *(m.)* vest, 9
chamarra *(f.)* jacket, 9
champán *(m.)* champagne, 4
chaqueta *(f.)* jacket, 9
chau bye, 1
cheque *(m.)* cheque, 10; **— de viajero** *(m.)* traveller's cheque, 11
chica *(f.)* young woman, 1
chico *(m.)* young man, 1
chico(a) little, small, 8
chillido *(m.)* screech, Unit 6
china *(f.)* *(Puerto Rico)* orange, 2
chocolate *(m.)* chocolate; **— caliente** *(m.)* hot chocolate, 2

chorizo *(m.)* sausage
chuleta *(f.)* chop *(of meat)*, 6; **— de cerdo** pork chop, 6; **— de ternera** veal chop, 6
cielo *(m.)* sky, heaven 9; **el — está despejado** the sky is clear, 9; **el — está nublado** the sky is cloudy, 9
cien (ciento) one hundred, 2
ciencias políticas *(f. pl.)* political science, 2
cierto(a) true; **es —** it's true, 11
ciervo *(m.)* deer, Unit 4
cigüeña *(f.)* stork, Unit 2
cinco five, 1
cincuenta fifty, 2
cine *(m.)* movies, movie theatre, 7
cinto *(m.)* belt, 9
cinturón *(m.)* belt, 9
ciudad *(f.)* city, 3
claro(a) light, Unit 4
clase *(f.)* class, 1; **— de español (castellano)** Spanish class, 1; **— turista** tourist class, 11; **primera —** first class, 11
clima *(m.)* climate, 9
club *(m.)* club, 4; **— nocturno** *(m.)* nightclub, 7
cobrar to charge, 12; **— un cheque** to cash a cheque, 10; to earn, 11
cocina *(f.)* kitchen, 3; stove
cocinar to cook, 6
cocinero(a) *(m., f.)* cook, 6
coche *(m.)* car, 8, 10; automobile, 10
codo *(m.)* elbow, 7
colador *(m.)* strainer, 3
colar (o > ue) to strain, 3
color *(m.)* colour, 1
combinación *(f.)* slip
comedor *(m.)* dining room, 3
comenzar (e > ie) to start, to begin, 5
comer to eat, 3; **— algo** to have something to eat, 4
comestibles *(m. pl.)* groceries *(food items)*, 6
comida *(f.)* food, meal, 3
comido(a) eaten, 10
como like, 9
¿cómo? pardon, 1; how? 1; Excuse me? *(when one doesn't understand or hear what is being said)* 1; **¿— es…?** what is . . . like?, 5; **¿— está usted?** how are you? *(form.)*, 1; **¿— estás?** how are you? *(fam.)*, 1; **— no** of course, sure, Unit 6; **¿— se dice… ?** how do you say . . .?, 1; **¿— se llama usted?** what is your *(form.)* name?, 1; **¿— te llamas?** what is your *(fam.)* name?, 1
cómodo(a) comfortable, 9
compañero(a) de clase *(m., f.)* classmate, 1; **— de cuarto** *(m., f.)* roommate, 1
comparativo *(m.)* comparative, 5

compartimiento de equipajes *(m.)* luggage compartment, 11
compartir to share, 11
complacer to please, Unit 4
comprar to buy, 2
comprometerse (con) to get engaged (to), 12
computadora (personal) *(f.)* (personal) computer, 1
computadora portátil *(f.)* laptop, 1
con with, 1; **¿— quién?** with whom?, 2; **— razón** no wonder; **— vista a** overlooking (with a view of), 12
concierto *(m.)* concert, 7
condimentar to season (food)
conducir to drive, to conduct, 4
confiar en to trust, 12
confirmar to confirm, 11
conmigo with me, 3
conocer to know, to be familiar with, 4
conocido(a) known, 11
conseguir (e > i) to obtain, to get, 6
contabilidad *(f.)* accounting, 2
contento(a) happy, content, 4
contigo with you *(fam.)*, 5
convención *(f.)* convention, 12
convenir (en) to agree (on), 12
conversar to talk, to converse, 2
copa *(f.)* wineglass, 2, 5
corazón *(m.)* heart, 7
corbata *(f.)* tie, 9
cordero *(m.)* lamb, 6
correo *(m.)* post office, 10
correr to run, 3
correa belt, 9
cortar to cut, chop 3; **— el césped** to mow the lawn, 3; **—se el pelo** to get one's hair cut
corto(a) short, 9
cosa *(f.)* thing, 3; **cosas que hacer** things to do, 3
costar (o > ue) to cost, 6; **—un ojo de la cara** to cost an arm and a leg, 9
costilla *(f.)* steak, rib, 5
costumbre *(f.)* custom, 6
crecer to grow, Unit 4
creer to think, to believe, 3
crema *(f.)* cream, 5
criado(a) *(m., f.)* servant, 6
crucero *(m.)* cruise, 11
cuaderno *(m.)* notebook, 1
cuadra *(f.)* block, 10
¿cuál? *(pl. ¿cuáles?)* which?, what?, 1; **¿— es tu número de teléfono?** what's your phone number?, 1; **¿— es?** what is?/which one is?, 1
cualquier(a) any, 11; **en — momento** at any time
cuando when, 3
¿cuándo? when?, 2
¿cuánto(a)? how much?, 3; **¿por cuánto tiempo?** how long?
¿cuántos(as)? how many?, 2

cuarenta forty, 2

cuarto *(m.)* room, 3; — **de baño** *(m.)* bathroom, 3; **menos** — quarter to, 2; **y** — quarter past or after, 2

cuatro four, 1

cuatrocientos(as) four hundred, 3

cubano(a) *(m., f.)* Cuban, 5

cuchara *(f.)* spoon, 5

cucharita *(f.)* teaspoon, 5

cuchillo *(m.)* knife, 5

cuello *(m.)* neck, 7; collar, 9

cuenta *(f.)* account, 10; bill, cheque *(at a restaurant)*, 5; — **de ahorros** savings account, 10; — **conjunta** joint account, 10; — **corriente** chequing account, 10

cuerpo *(m.)* body, 7

cuervo *(m.)* crow, Unit 6

cumpleaños *(m. sing.)* birthday, 4

cuñada *(f.)* sister-in-law, 4

cuñado *(m.)* brother-in-law, 4

D

dar to give, 4; — **una película** to show a movie, 7

darse cuenta (de) to realize, 12

darse prisa to hurry up

de of, about, in, 2; from, with, 11; — **cortesía** polite, 1; ¿— **dónde eres?** where are you from?, 1; — **estatura mediana** of medium height, 4; —**modo (manera) que** so, 6; — **nada** you're welcome, 1

debajo de under, 9

deber to have to, must, 3

débil weak

decidir to decide, 4

décimo(a) tenth, 12

decir (e > i) to say, 6; to tell, 6; **dime una cosa** tell me something, 12

dedo *(m.)* finger, 7; — **del pie** toe, 7

dejar to leave (behind), 5; to let, 11; — **de** to stop, Unit 6

del (de + el) of the, 4

deletrear to spell, Unit 5

deletreo *(m.)* spelling, Unit 5

delgado(a) slender, thin, 1

demasiado(a) too much, Unit 5

demora *(f.)* delay, 11

demostrativo(a) demonstrative, 3

dentro de within, 12; — **quince días** in two weeks, 12

departamento *(m.)* apartment, 6; — **de caballeros** *(m.)* men's department, 9

dependiente(a) *(m., f.)* clerk, 9

deporte *(m.)* sport, Unit 2

depositar to deposit, 10

derecho(a) right, 7; **a la derecha** to the right, 7

desarrollar to develop, Unit 6

desastre *(m.)* disaster, 3

desayunar to have breakfast, 5

desayuno *(m.)* breakfast, 5

descalzo(a) barefoot; **andar** — to go barefoot, 9

descansar to rest, 3

descubierto(a) discovered, Unit 4

descuento *(m.)* discount

desde from, 11

desear to wish, to want, 2

desfallecer to faint, Unit 5

desgraciadamente unfortunately

desocupar to vacate, 12; — **el cuarto** to check out of a hotel room, 12

despedida *(f.)* farewell, 1

despejado(a) clear *(sky)*, 9

despertarse (e > ie) to wake, 7

después then, 3; later, 5; — **de** after, 6

detergente *(m.)* detergent, 6

día *(m.)* day, 1; **al** — **siguiente** next day, 5; — **feriado** holiday, 10

diario *(m.)* newspaper, diary, 10

dicho(a) said, 10

diciembre December, 2

diecinueve nineteen, 1

dieciocho eighteen, 1

dieciséis sixteen, 1

diecisiete seventeen, 1

diente *(m.)* tooth, 7

diez ten, 1

difícil difficult, 1

diligencia *(f.)* errand, 10

dime una cosa tell me something, 12

dinero *(m.)* money, 2

dirección *(f.)* address, 1

directamente directly, 10

disco: — compacto *(m.)* compact disc (CD), 4; — **duro** hard drive, 10

discoteca *(f.)* club, disco, 7

diseñar programas to design, write programs

disolver *(v.)* dissolve, Unit 5

disponible vacant, available, 12

divertirse (e > ie) to have fun, 7

doce twelve, 1, 2

docena *(f.)* dozen, 6

doctor (Dr.) *(m.)* doctor, 1;

doctora (Dra.) *(f.)* doctor, 1;

documento *(m.)* document, 10

dólar *(m.)* dollar, 10

domicilio *(m.)* address, 1

domingo *(m.)* Sunday, 2

don title of respect, used with a man's first name, 6

¿dónde? where?, 1; ¿ — **es?** Where is?, 1

doña title of respect, used with a woman's first name, 6

dormir (o > ue) to sleep, 6; —**se** to fall asleep, 7

dormitorio *(m.)* bedroom, 3

dos two, 1; **somos** — there are two of us

doscientos(as) two hundred, 2

ducha *(f.)* shower, 12

dueño(a) *(m., f.)* owner, proprietor, 12

durante during, 5

durar to last, 2

durazno *(m.)* peach, 6

E

echar to share; to pour out, Unit 4

educación física *(f.)* physical education, 2

efectivo *(m.)* cash, 10

ejercicio *(m.)* exercise, 4

el *(m. sing.)* the, 1

él he, 1; *(obj. of prep.)* him, 5

elegante elegant

elegir (e > i) to choose, 6

elevador *(m.)* elevator, 12

ella she, 1; *(obj. of prep.)* her, 5

ellas *(f.)* they, 1; *(obj. of prep.)* them, 5

ellos *(m.)* they, 1; *(obj. of prep.)* them, 5

elogiar to praise, Unit 6

emergencia *(f.)* emergency, 11

empezar (e > ie) to start, to begin, 5

empleado(a) *(m., f.)* clerk, 9

en in, on, at, 1; inside, 11; — **cambio** on the other hand, 8; — **casa** at home, 5;— **cuanto** as soon as, 9; — **efectivo** in cash, 10; — **español** in Spanish, 1; — **inglés** in English, 3; —**parte** in part, 11; — **seguida** right away, 12; — **vez de** instead of, 7

enamorado(a) in love, 4

enamorarse (de) to fall in love (with), 12

encantador(a) charming, 4

encantar to love, to like very much, 8

encendido(a) bright, Unit 4

encontrar (o > ue) to find, 6

encuesta *(f.)* survey, 1

enero January, 2

enfermo(a) sick, 12

ensalada *(f.)* salad, 3; — **mixta** *(f.)* mixed salad, 6

ensayar *(v.)* rehearse, Unit 5

ensayo *(m.)* essay, Unit 5

enseguida right away, 12

enseñar to teach, 1; to show, 12

entender (e > ie) to understand, 5

entonces then, 2; in that case, 5

entrar (en) to enter, to go (in), 7

entre between, 10; — **comidas** between meals; — **semana** during the week, Unit 6

entremeses *(m. pl.)* appetizers, finger food, 4

enviar to send, 4

equipaje *(m.)* luggage, 11

erguido erect, straight, Unit 5

escalar montañas to climb mountains, 7

esclusa *(f.)* lock *(in a canal)*, Unit 3

escoba *(f.)* broom

escoger to choose, 6

escribir to write, 3

escrito(a) written, 10

escritorio *(m.)* desk, 1

escuela *(f.)* school, 9

ese, esos, esa(s) *(adj.)* that, those *(nearby)*, 3

ése, ésos, ésa(s) *(pron.)* that (one), those, 3

eso *(neut. pron.)* that, 3

espaguetis *(m. pl.)* spaghetti, 6

espalda *(f.)* back, 7

español *(m.)* Spanish *(language)*, 1

español(a) *(m., f.)* Spanish *(person)*, 1

especialidad *(f.)* specialty, 5

especialmente especially, 3

esperar to wait, 5; to hope, 11; **espero que sí** I hope so, 8

esposa *(f.)* wife, 4

esposo *(m.)* husband, 4

esquí acuático *(m.)* waterski, 8

esquiar to ski, 7

esquina *(f.)* corner, 10

esta *(adj.)* this, 3; **— noche** tonight, 1

estacionar to park, 10

estación *(f.)* season, 2

estadio *(m.)* stadium, Unit 6

estado *(m.)* state, 2

estadounidense *(m., f.)* U.S. *(used to denote citizenship)*, 1

estampilla *(f.)* stamp, 10

estar to be, 4; **está bien** all right, okay, 6; **— a dieta** to be on a diet, 6; **— de moda** to be in style, 9; **— de vacaciones** to be on vacation, 5; **— en regla** to be in order; **— muerto(a) de hambre** to be starving, 6 **— seguro(a)** to be sure, 5

estatura *(f.)* height, 4; **de — mediana** of medium height, 4

este, estos, esta(s) *(adj.)* this, these, 3

éste, éstos, ésta(s) *(pron.)* this (one), these, 3

estéreo *(m.)* stereo, 5

esto *(neut. pron.)* this, 3

estómago *(m.)* stomach, 7

estrecho(a) narrow, Unit 4

estrella *(f.)* star, 8

estremecer *(v.)* tremble, Unit 5

estudiante *(m., f.)* student, 1

estudiar to study, 2

exactamante exactly, 9

excelente excellent, 8

excepto except, 6

exceso *(m.)* excess, 11; **— de equipaje** *(m.)* excess luggage *(charge)*, 11

excursión *(f.)* tour, excursion, 11

excusa *(f.)* excuse, 3

éxito *(m.)* success, 4; **todo un —** quite a success, 4

experto(a) expert, 8

expresión *(f.)* expression, 1

exterior *(m.)* exterior, 12

extranjero(a) foreigner, 7

extraño(a) *(m., f.)* stranger, 1

F

fácil easy, 8

fácilmente easily, 8

facultad *(f.)* college, faculty, 9

falda *(f.)* skirt, 9

falso(a) false, 1

familia *(f.)* family, 3

famoso(a) famous, 6

fantástico fantastic, 1

favorito(a) favourite, 3

febrero February, 2

fechar to date *(a document)*, 10

feliz happy, 4

feo(a) ugly, 1

fiesta *(f.)* party, 4; **— de bienvenida** welcome party, 8

fijarse en to check, to notice, 12

fin *(m.)* end; **— de semana** *(m.)* weekend, 7

finalmente finally, 6

firmar to sign, 10

física *(f.)* physics, 2

flan *(m.)* caramel custard, 5

flor *(f.)* flower, Unit 4

florero *(m.)* vase, 7

fogata *(f.)* bonfire, 8

folleto *(m.)* brochure, 12

fortaleza *(f.)* fortress, Unit 4

fracturar(se) to fracture

francés *(m.)* French *(language)*, 2

franco(a) open, Unit 4

frecuentemente often, 8

fregar (e > ie) to wash *(dishes)*

freír (e > i) to fry

fresa *(f.)* strawberry, 6

frío(a) cold, 9

frito(a) fried, 8

fruta *(f.)* fruit, 5

frutilla *(f.)* *(Cono Sur)* strawberry, 6

fuente de ingresos *(f.)* source of income, Unit 2

fumar to smoke; **sección de (no) —** *(f.)* (non) smoking section

funcionar to work, to function; **no funciona** it doesn't work, 12

fundado(a) founded, Unit 2

fútbol *(m.)* soccer

G

gamba *(f.)* shrimp, 5

ganado *(m.)* cattle, Unit 6

garaje *(m.)* garage, 3

gastar to spend *(money)*, 9

general general, 8

generalmente generally, 8

género *(m.)* gender, 1

gente *(f.)* people, 10

geografía *(f.)* geography, 2

geología *(f.)* geology, 2

gerente *(m., f.)* manager, 10

giro postal *(m.)* money order, 10

gobierno *(m.)* government, Unit 1

gordo(a) fat, 1

gracias thanks, 1; **muchas —** thank you very much, 1

grado *(m.)* degree *(temperature)*, 9;

hay... grados it's . . . degrees, 9

grande big, 5; **gran** big, great, Unit 2

gratis free (of charge), 10

gris grey, 1

gritar to shout, 4

grupo *(m.)* group, 2

guante *(m.)* glove, 9

guapo(a) handsome, good-looking, 1

guardar to keep, 10

guatemalteco(a) Guatemalan, 4

guerra *(f.)* war

gustar to like, to appeal, 7

gusto *(m.)* pleasure, 1; **el — es mío** the pleasure is mine, 1; **mucho —** it's a pleasure to meet you; how do you do?, 1; **al —** to taste

H

Habana *(f.)* Havana, 5

haber *(auxiliary verb)* to have, 10; **va a —** there is going to be, 12

había una vez once upon a time, 9

habitación *(f.)* room, 10

hablar to speak, 2; **habla** he. she speaks, 1

hacer to do, to make, 3; **hace...** . . . ago, 9; **— buen (mal) tiempo** to be good (bad) weather, 9; **— calor** to be hot, 9; **— cola** to stand in line, 10; **— diligencias** to run errands, 10; **— ejercicio** to exercise, 4; **— escala** to make a stop over, 11; **— frío** to be cold, 9; **— sol** to be sunny, 9; **— surfing** to surf, 8; **— una caminata** to go hiking, 8; **— viento** to be windy, 9

hambre *(f.)* hunger, 3; **tener —** to be hungry, 3

hamburguesa *(f.)* hamburger, 5

hasta until, 7; even; **— la vista** (I'll see you around, 1; **— luego** (I'll see you later, 1; **— mañana** (I'll see you tomorrow, 1

hay there is, there are, 1, 2

hecho(a) made, done, 10

heladera *(f.)* refrigerator, 3

helado *(m.)* ice cream, 5

helado(a) frozen, 2

herido(a) wounded, Unit 4

hermana *(f.)* sister, 3, 4

hermanastra *(f.)* stepsister

hermanastro *(m.)* stepbrother

hermano *(m.)* brother, 3, 4

hermoso(a) beautiful, Unit 2

hielo *(m.)* ice, 2

hija *(f.)* daughter, 4

hijastra *(f.)* stepdaughter

hijastro *(m.)* stepson

hijo *(m.)* son, 4

hijos *(m. pl.)* children, 3, 4

el (la) hispanocanadiense Hispanic-Canadian, 2

historia *(f.)* history, 2

hogar *(m.)* home, 3
hola hello, hi, 1
hombre *(m.)* man, 1
hombro *(m.)* shoulder, 7
hora *(f.)* hour, 10; time, 2; **¿qué — es?** what time is it?, 2; **¿a qué —?** at what time?, 2
horario de clases *(m.)* class schedule, 2
horno *(m.)* oven, 3; **al —** baked; **— de microondas** *(m.)* microwave oven, 3
horrible horrible, 1
hospedarse to stay, to lodge *(i.e., at a hotel)*, 8
hotel *(m.)* hotel, 8
hoy today, 2; **— mismo** this very day, 12
hubo there was, there were, 8
huevo *(m.)* egg, 5
húmedo(a) humid, 9

I

ida *(f.)***: de —** one-way, 11; **de — y vuelta** round-trip, 11
idea *(f.)* idea, 2
identificación *(f.)* identification, 10
idioma *(m.)* language, 2
iglesia *(f.)* church, Unit 2
impermeable *(m.)* raincoat, 9
importante important
importer *(v.)* matter 6; **importarle (a uno)** to matter, 7
impresora *(f.)* printer, 10
incluir to include, 11
individual individual, 10
información *(f.)* information, 11
informática *(f.)* computer science, 2
ingeniería *(f.)* engineering
inglés *(m.)* English *(language)*, 2
inglés(esa) *(m., f.)* English *(person)*, 1
ingreso *(m.)* income, Unit 2
inodoro *(m.)* toilet, 12
insistir en to insist on, 12
inteligente intelligent, 1
interés *(m.)* interest, 10
interesante interesting, 1
interior interior, 12
internacional international, 1
interrogativo(a) interrogative, 2
invierno *(m.)* winter, 2
invitación *(f.)* invitation, 4
invitado(a) *(m., f.)* guest, 4
invitar to invite, 4
invocando to invoke, Unit 5
ipod *(m.)* ipod, 1
ir to go, 4; **— a** + *inf.* to be going to, 4; **— a acampar** to go camping, 8; **— de compras** to go shopping, 9; **— de pesca** to go fishing, 8; **— (se) de vacaciones** to go on vacation, 8; **— se** to go away, 7
istmo *(m.)* isthmus, Unit 3
italiano *(m.)* Italian *(language)*, 2
izquierdo(a) left, Unit 5; **a la izquierda** to the left, Unit 5

J

jabón *(m.)* soap, 7
jamás never, 6
jamón *(m.)* ham, 5
jardín *(m.)* garden, 12
jefe(a) *(m., f.)* boss
jitomate *(m.)* *(Méx.)* tomato, 6
joven young, 1
joya *(f.)* jewel; *(pl.)* jewellery
juego *(m.)* game, 7
jueves *(m.)* Thursday, 2
jugador(a) *(m., f.)* player, 8
jugar (u > ue) to play *(i.e., a game)*, 8; **— al golf** to play golf, 8; **— al tenis** to play tennis, 8
jugo *(m.)* juice, 2; **— de manzana** *(m.)* apple juice, 2; **— de naranja** *(m.)* orange juice, 2; **— de tomate** *(m.)* tomato juice, 2; **— de toronja** *(m.)* grapefruit juice, 2; **— de uvas** *(m.)* grape juice, 2
julio July, 2
junio June, 2
juntarse to get together, 8
junto(a) next (to), Unit 3
juntos(as) together, 2
justo(a) fair, 7

K

kiosko *(m.)* kiosk, 12

L

la *(f. sing.)* the, 1; *(pron.)* her, you, it, 6
laboratorio de lenguas *(m.)* language lab, 4
ladera *(f.)* hillside, Unit 5
lago *(m.)* lake, 8
langosta *(f.)* lobster, 5, 6
lápiz *(m.)* pencil, 1
laptop *(m.)* laptop, 1
largo(a) long, 9
las *(f. pl.)* the, 1; *(pron.)* them, you, 6
Latinoamérica *(f.)* Latin America, 1
lavabo *(m.)* washbasin, 12
lavadora *(f.)* washing machine, 3
lavaplatos *(m. sing.)* dishwasher, 3
lavar to wash, 3; **—se** to wash (oneself), 7; **—se la cabeza** to wash one's hair, 7
le (to) him, (to) her, (to) you *(form.)*, 7
lección *(f.)* lesson, 1
leche *(f.)* milk, 2
lechuga *(f.)* lettuce, 6
lector(a) *(m., f.)* reader, Unit 5
leer to read, 3
lejanías remote place, Unit 5
lejía *(f.)* bleach, 6
lejos far (away), 8
lengua *(f.)* tongue, 7; language, 4
lentamente slowly, 8
lento(a) slow, 8
les (to) them, (to) you *(pl. form.)*, 7
letrero *(m.)* sign, 10
levantar to raise, 4; **levantarse** to get up, 7

libertad *(f.)* liberty, 2
libre off, 6; vacant, available, 12; free, 6
libreta de ahorros *(f.)* bankbook, 10
libro *(m.)* book, 1
licencia para manejar (conducir) *(f.)* driver's licence, 6, 10
lícito *(adj.)* legal, Unit 5
licuadora *(f.)* blender, 3
ligero(a) light, Unit 5
limonada *(f.)* lemonade, 3
limpiar to clean, 3; **— el polvo** to dust, 3
limpio(a) clean, 12
lindo(a) pretty, 1
liquidación *(f.)* sale, 9
lista *(f.)* list, 5; **— de espera** *(f.)* waiting list, 11
listo(a) ready, 10
literatura *(f.)* literature, 2
llamada *(f.)* call, 11
llamar to call, 4; **— a la puerta** to knock at the door, 3
llamarse to be named, 1; **¿cómo se llama?** what is your *(form.)* name?, 1; **¿cómo te llamas?** what is your *(fam.)* name?, 1; **me llamo...** my name is . . ., 1
llave *(f.)* key, 4
llegar to arrive, 3; **— tarde (temprano)** to be late (early)
llenar to fill, to fill out, 10
lleno(a) full, 12
llevar to take *(someone or something someplace)*, 4; to wear, 9
llover (o > ue) to rain, 9
lluvia *(f.)* rain, 9
lo him, you, it, 6; **— importante** the important thing; **— mismo** the same thing, 11; **— que** what, that, which, 9; **— siento** I'm sorry, 1
los *(m. pl.)* the, 1; *(pron.)* them, you *(form.)*, 6; **— (las) dos** both, 2
lucirse to shine, Unit 6
luego later, 1
lugar *(m.)* place, 12; **— de interés** *(m.)* place of interest, 11; **en — de** in place of, 11
lujo *(m.)* luxury, 12
luna de miel *(f.)* honeymoon, Unit 2
lunes *(m.)* Monday, 2
luz *(f.)* light, 1

M

madera *(f.)* wood, Unit 3
madrastra *(f.)* stepmother
madre *(f.)* mom, mother, 4
madrina *(f.)* godmother, 4
madrugada *(f.)* early morning (pre-dawn)
maestro(a) *(m., f.)* teacher, Unit 3
magnífico(a) great, 5
mal badly, poorly 5
maleta *(f.)* suitcase, 10

maletín *(m.)* hand luggage, small suitcase, 11
malla *(f.)* bathing suit, 8
malo(a) bad, 5
mamá *(f.)* mom, mother, 3
mami *(f.)* mommy
mandar to send, 4; to order, 11; **¿mande?** *(Méx.)* pardon?, 1
mandón(ona) bossy, 3
manejar to drive
manga *(f.)* sleeve, 9
mano *(f.)* hand, 1
manteca *(f.)* *(Cono Sur)* butter, 5
mantel *(m.)* tablecloth, 5
mantequilla *(f.)* butter, 5
manzana *(f.)* apple, 2; block, 10
mañana tomorrow; morning, 2
mapa *(m.)* map, 1
mar *(m.)* sea, 12
marca *(f.)* brand, 6
marisco *(m.)* shellfish, 6
marrón brown, 1
martes *(m.)* Tuesday, 2
marzo March, 2
más more, 5; **— de** more than, 5; **— despacio** slower, 1; **— o menos** more or less, so-so, 1; **— ...que** more . . . than, 5; **— tarde** later, 5
matar to kill; **— dos pájaros de un tiro** to kill two birds with one stone
matemáticas *(f. pl.)* mathematics, 2
materia *(f.)* course, subject, 2
mayo May, 2
mayor older, 5; **(el, la) —** oldest, 5
me *(obj. pron.)* me, 6; (to) me, 7; *(refl. pron.)* (to) myself, 7; **— gusta...** I like . . ., 7; **— llamo...** my name is . . ., 1; **— voy** I'm leaving, 2
media hermana *(f.)* half sister
mediano(a) medium, 9
medianoche *(f.)* midnight, 7
medicina *(f.)* medicine, 9
médico(a) *(m., f.)* doctor, M.D., 11
medida *(f.)* measure, 9
medio(a) half, 10; **media hora** half an hour, 3; **y media** half past, 2
medio hermano *(m.)* half brother
mediodía *(m.)* noon, 2; **al —** at noon
mejor better, 5; **(el, la) —** best, 5
melocotón *(m.)* peach, 6
melón de agua *(m.)* watermelon, 6
memoria *(f.)* memory, 10
menor younger, 5; **(el, la) —** youngest, 5
menos to, till, 2; less, 5; **— ...que** less . . . than, 5; **— mal** thank goodness
mensaje *(m.)* **electrónico** e-mail, 10
mensual monthly
mentir (e > ie) to lie, 11
menú *(m.)* menu, 5
mercado *(m.)* market, 6; **— al aire libre** *(m.)* outdoor market, 6
merendar to have an afternoon snack, 7

merienda *(f.)* afternoon snack
mermelada *(f.)* jam, marmalade, 5
mes *(m.)* month, 2
mesa *(f.)* table, 3
mesero(a) *(m., f.)* *(Méx.)* waiter, 5
mexicano(a) *(m., f.)* Mexican, 1
mezcla *(f.)* mixture, Unit 3
mezclar *(v.)* to mix
mi(s) my, 2
mí *(obj. of prep.)* me, 5
microcomputadora *(f.)* laptop, 10
mientras while, 6
miércoles *(m.)* Wednesday, 2
mil one thousand, 3
minuto *(m.)* minute, 6
mío(a), míos(as) *(pron.)* mine, 9
mirar to watch, to look at, 3
mismo(a) same, 6; **a sí —** him/herself, Unit 6
mochila *(f.)* backpack, 1
modo *(m.)* way, Unit 5; **de — que** so, 6
moler *(v.)* mash
momento *(m.)* moment, 3
moneda *(f.)* coin, Unit 2
monitor *(m.)* monitor, 10
montar: — a caballo to go horseback riding, 7; **— en bicicleta** to ride a bike, 7
montón: un montón de a bunch of, many, 12
morado(a) purple, 1
moreno(a) dark, brunet(te), 4
morir (o > ue) to die, 8
mostrar (o > ue) to show, 12
móvil *(m.)* cellular phone, 1
mozo *(m.)* waiter, 5
muchacha *(f.)* young girl, 1; maid
muchacho *(m.)* young man, 1
mucho(a) much; **— gusto** it's a pleasure to meet you; how do you do?, 1; **no mucho** not much, 1
muchos(as) many, 3; **muchas gracias** thank you very much, 1
mudarse to move (relocate), 9
muebles *(m. pl.)* furniture, 3
muerto(a) dead, 10; **estar — de hambre** to be starving, 6
mujer *(f.)* woman; 1
muñeca *(f.)* wrist, 7
museo *(m.)* museum, 7
música *(f.)* music, 2, 4
muy very, 1; **— bien** very well, 1

N

nacer to be born
nada nothing, 6; **de (por) —** you're welcome, 1; **— más** nothing else, 6
nadar to swim, 7
nadie nobody, no one, 6
naranja *(f.)* orange, 2
nariz *(f.)* nose, 7
navegar la Red to surf the 'net, 10
Navidad *(f.)* Christmas, 7

necesitar to need, 2
negativo(a) negative, 2
negro(a) black, 1
nevada *(f.)* snowfall
nevar (e > ie) to snow, 9
nevera *(f.)* refrigerator, 3
ni... ni neither . . . nor, 6
niebla *(f.)* fog, 9
nieta *(f.)* granddaughter, 4
nieto *(m.)* grandson, 4
nieve *(f.)* *(Méx.)* ice cream, 5
ningún, ninguno(a) none, not any, 6; no, 6
niño(a) *(m., f.)* child, 5
no no, not, 1; **— importa** it doesn't matter
noche *(f.)* night, 2; **esta —** tonight, 3
nocturno *(m.)* night *(adj.)*, 7
norteamericano(a) *(m., f.)* North American, 1
nos *(obj. pron.)* us, 6; (to) us, 7; (to) ourselves, 7; **nos vemos** I'll see you, 1
nosotros(as) we, 1; *(obj. of prep.)* us, 5
nota *(f.)* grade, 10
notar to notice
novecientos(as) nine hundred, 3
noventa ninety, 2
novia *(f.)* (steady) girlfriend, bride, 4
noviembre November, 2
novio *(m.)* (steady) boyfriend, bridegroom, 4
nublado(a) cloudy, 9
nuera *(f.)* daughter-in-law, 4
nuestro(s), nuestra(s) *(adj.)* our, 2; *(pron.)* ours, 9
nueve nine, 1
nuevo(a) new, 2
número *(m.)* number, 1; **— de teléfono** phone number, 1
nunca never, 6

O

o or; **o... o** either . . . or, 6
obra *(f.)* work *(e.g., of art)*, Unit 5
ochenta eighty, 2
ocho eight, 1
ochocientos(as) eight hundred, 3
octubre October, 2
ocupación *(f.)* occupation, 3
ocupado(a) busy, 3, 10; occupied, 12
oficina *(f.)* office; **— de correos** post office, 10
oído *(m.)* (inner) ear, Unit 4
ojalá I hope, 11
ojos *(m. pl.)* eyes, 4; **de — castaños** with brown eyes, 4
olvidar(se) (de) to forget, 12
ómnibus *(m.)* bus, 8
once eleven, 1
oprimido(a) oppressed, Unit 4
optimisto(a) optimist, 12
ordenador (personal) *(m.)* *(Esp.)* (personal) computer, 1

oreja *(f.)* (external) ear, 7
orilla *(f.)* shore, Unit 4
oro *(m.)* gold, 9
orquesta *(f.)* band, orchestra, 5
ortiga *(f.)* nettle, Unit 4
os *(fam. pl. obj. pron.)* you, 6; (to) you, 7; (to) yourselves, 7
oso *(m.)* bear, 9
otoño *(m.)* autumn, 2
otro(a) other, another, 10; **otra vez** again, 12
oye listen, 1

P

padrastro *(m.)* stepfather
padre *(m.)* dad, father, 4
padres *(m. pl.)* parents, 3, 4
padrino *(m.)* godfather, 4
pagar to pay, 5
país *(m.)* country, nation, 11
pájaro *(m.)* bird, Unit 2
palabra *(f.)* word, 1; — **cariñosa** *(f.)* term of endearment
palo de golf *(m.)* golf club, 8
palta *(f.)* *(Arg.)* avocado, 6
pan *(m.)* bread, 5; — **tostado** toast, 5
panadería *(f.)* bakery, 6
panqué *(m.)* pancake, 5
panqueque *(m.)* pancake, 5
pantalla *(f.)* screen, 10
pantallas *(f. pl.)* earrings, 9
pantalón *(m. sing.)*, pants, 9
pantalones *(m. pl.)* pants, trousers, 9
pantimedias *(f. pl.)* pantyhose
papa *(f.)* potato, 5; **—s fritas** french fries; **puré de papas** *(m. sing.)* mashed potatoes, 5
papá *(m.)* dad, father, 3
papel *(m.)* paper, 1; — **higiénico** toilet paper, 6
papi *(m.)* daddy
paquete *(m.)* package, 10, 11
par *(m.)* pair, 9; **un — de días** a couple of days
para in order to, for, 3;
paraguas *(m. sing.)* umbrella
parar to stop, 10
parecer to seem, 12
pareja *(f.)* couple, 4
parentesco *(m.)* relationship, 4
pariente(a) *(m., f.)* relative, 6
parque *(m.)* park, 7; — **de diversiones** amusement park, — **de atracciones** amusement park, 7
parquear park, 10
parrilla *(f.)* grill, 5; **a la —** grilled, 5
parte *(f.)* part, 2; **en —** in part, 11
partido *(m.)* game, 7; — **de básquetbol** *(m.)* basketball game
pasado(a) last, 7
pasaje *(m.)* ticket, 11; — **de ida** one-way ticket, 11; — **de ida y vuelta** round-trip ticket, 11

pasajero(a) *(m., f.)* passenger, 11
pasaporte *(m.)* passport, 11
pasar to happen, to spend time, 8; — **a formar parte de** to become part of; — **la aspiradora** to vacuum, 3; **pasarlo bien** to have a good time, 4; **pase** come in, 1
pase come in, 1
pastel *(m.)* pastry, cake, 4, pie, 5
pastilla *(f.)* pill, 11
patata *(f.)* *(Esp.)* potato, 5
patilla *(f.)* watermelon, 6
patinar to skate, 7; **ir a —** to go skating, 7
patio *(m.)* patio, 12
pecho *(m.)* chest, 7
pedazo *(m.)* piece
pedido *(m.)* order, 10
pedir (e > i) to ask for, to order, 5; to request, 6; — **turno** to make an appointment; — **un préstamo** to apply for a loan, 10
película *(f.)* movie, film, 7
pelirrojo(a) red-haired, 4
pelo *(m.)* hair, 8
pendientes *(m. pl.)* earrings, 9
pensar (e > ie) to think, 5; — **+ inf.** to plan to *(do something)*, 5
pensión *(f.)* boarding house, 12; — **completa** *(f.)* room and board, 12
peor worse, 5; **(el, la) —** worst, 5
pepino *(m.)* cucumber, 6
pequeño(a) small, 5; little, 8
pera *(f.)* pear, 6
perder (e > ie) to lose, 11
perdón sorry, 1; pardon me, 1
perdonar to forgive, Unit 4
perfecto(a) perfect, 1
periódico *(m.)* newspaper, Unit 5
permiso excuse me, 1, 6
pero but, 2
perro(a) *(m., f.)* dog, 4; — **caliente** *(m.)* hot dog, 5
persona *(f.)* person, 12
pertenecer to belong, 4
peruano(a) Peruvian, 12
pescadería *(f.)* fish market, 6
pescado *(m.)* fish, 5
pescar to fish, to catch a fish, 8
peso *(m.)* weight
petróleo *(m.)* oil, Unit 2
picado(a) chopped, 6
picnic *(m.)* picnic, 7
pie *(m.)* foot, 7
pijama *(m. sing.)*, **pijamas** *(m. pl.)* pajamas, 9
pilotes *(m. pl.)* stilts
pimienta *(f.)* pepper, 5
pimiento *(m.)* green pepper, 6
pintor(a) *(m., f.)* painter, 1
pintura *(f.)* painting
piña *(f.)* pineapple, 6
piscina *(f.)* swimming pool, 12

piso *(m.)* floor, 12; apartment, 6
pizarra *(f.)* chalkboard, 1
plan de ahorros *(m.)* savings plan, 10
plancha *(f.)* iron, 3
planchar to iron, 3
planear to plan, 4
planilla *(f.)* form, 10
plata *(f.)* silver, Unit 3; money, 2
plátano *(m.)* banana, 6
platicar *(Méx.)* talk, chat, 2
platillo *(m.)* saucer, 5
plato *(m.)* dish, plate, 3, 5
playa *(f.)* beach, 2, 12
pluma *(f.)* pen, 1
plumero *(m.)* duster, 3
pobre poor, 7
pobreza *(f.)* poverty
poco(a) little; **un —(de)** a little, 6
pocos(as) few, Unit 3
poder (o > ue) to be able to, can, 6
poema *(m.)* poem, 2
pollo *(m.)* chicken, 5
polvo *(m.)* powder, 3
ponche *(m.)* punch *(beverage)*, 5
poner to put, to place, 4; to turn on; — **la mesa** to set the table, 3; **—se** to put on, 7; — **una película** to show a movie, 7; **ponerse de acuerdo** to come to an agreement, 11
por for; per, 12; through, along, by, via; because of, on account of, on behalf of; in exchange for; during, in, for, 9; — **ciento** percent, Unit 2; — **favor** please, 1; — **fin** finally, 10; — **la tarde** in the afternoon, 2; — **noche** per night, 9; — **si acaso** just in case, 8; — **suerte** luckily/fortunately, 12; — **supuesto** of course; — **vía aérea** air mail, Unit 4
¿por qué? why?, 2
porque because, 2
posesivo(a) possessive, 2
posible possible, 12
postre *(m.)* dessert, 5; **de —** for dessert, 5
practicar to practice, 1
precio *(m.)* price, 12
preferir (e > ie) to prefer, 5
pregunta *(f.)* question, 1
preguntar to ask *(a question)*, 7
preocuparse to worry
preparar to prepare, 3; **—se** to get ready, 7
préstamo *(m.)* loan, 10
prestar to lend, 8
primavera *(f.)* spring, 2
primero *(adv.)* first, 10; **lo —** the first thing, 12
primero(a) first; **primera clase** *(f.)* first-class, 11; **primera vez** first time, 12
primo(a) *(m., f.)* cousin, 4
privado(a) private, 12
probablemente probably, 12

probador *(m.)* fitting room, 9
probar(se) (o > ue) to try (on), 7
problema *(m.)* problem, 2
profesor(a) *(m., f.)* professor, 1
programa *(m.)* program, 2
prometer to promise, 8
pronto soon, 8
propietario(a) *(m., f.)* owner, 12
propina *(f.)* tip *(for service)*, 5
propio(a) own, 2
próximo(a) next, 12; **— semana**
(f.) next week, 12; **— día (lunes,
mes, año...)** *(m.)* next day (Monday,
month, year . . .), 12
psicología *(f.)* psychology, 2
puerta *(f.)* door, 1; **— de salida** *(f.)*
boarding gate, 11
puertorriqueño(a) Puerto Rican, 2
pues then, 2; well, okay, 8; therefore
puesto(a) put, placed, 10
puesto de revistas *(m.)* magazine
stand, 12
pulgada *(f.)* inch
puré de papas *(m. sing.)* mashed
potatoes, 5

Q

que who, 2; that, 2; than, 5
¿qué? what?, 2; **¿en — puedo servirle?**
how may I help you?, 9; **¿— día es hoy?**
what day is today?, 2; **¿— fecha es hoy?**
what is today's date?, 2; **¿— hay de
nuevo?** what's new?, 1; **¿— hora es?**
what time is it?, 2; **¡— lástima!** too
bad!, what a pity!?, 2; **¿— quiere
decir...?** what does . . . mean?, 1;
¿— tal? How is it going?, 1;
¿— temperature hace? what's the
temperature?, 9; **¿— tiempo hace
hoy?** what's the weather like today?,
9; **¿— más?** what else?, 6; **¿— es?**
what is?, 1; **¿— pasa?** what's new/
what's happening?, 1
quebrado(a) broken, 10
quebrar to break, 7
quedar to fit, to suit, 12; **—le bien** to
fit; **—le grande/chico(a) (a uno o una)**
to be too big/small (on someone), 9
quedarse to stay, to remain, 8
quejarse to complain, 7
querer (e > ie) to want, to wish, 5; **—
decir** to mean, 1; **¿quieres?** will
you?, 12
querido(a) dear, 11
queso *(m.)* cheese
¿quién(es)? who?, 3; ¿A —? To whom?,
4; **¿con—?** with whom?, 2
química *(f.)* chemistry, 2
quince fifteen, 1; **— días** two
weeks, 12
quinientos(as) five hundred, 3
quitarse to take off, 7
quizás maybe, perhaps, 9

R

raíz *(f.)* root, 5
ramo *(m.)* branch, Unit 5
rápidamente rapidly, 8
rápido(a) fast, 8
raqueta *(f.)* racket, 8
rascacielos *(m.)* skyscraper
rasurarse to shave, 7
rato *(m.)* a while, 3; **al —** a while later;
un — a while, 3, 12
ratón *(m.)* mouse, 10
rebuzno *(m.)* braying, Unit 6
recámara *(f.)* *(Méx.)* bedroom, 3
receta *(f.)* recipe, 3
recibir to receive, 3; **recibido(a)**
received, 10
recién casados *(m. pl.)* newlyweds, 6
reciente recent, 8
recientemente recently, 8
recomendar (e > ie) to recommend, 11
recordar (o > ue) to remember, 6
refresco *(m.)* soft drink, pop, 6
refrigerador *(m.)* refrigerator, 3
regadera *(f.)* *(Méx.)* shower, 12
regalo *(m.)* gift, 9
regatear to bargain, 6
registro *(m.)* register
regresar to return
regular so-so, 1
reina *(f.)* queen, Unit 6
reírse to laugh, 7
reloj *(m.)* clock, watch, 1
remar to row, 8
remo *(m.)* oar, 8
rentar to rent, 8
repaso *(m.)* review
represa *(f.)* dam, Unit 5
**reproductor de discos
compactos** *(m.)* CD player
requisito *(m.)* requirement, 2
reservación *(f.)* reservation, 12
reservar to reserve, 12
resfriado *(m.)* cold
resfrío *(m.)* cold
residencia universitaria *(f.)* dormitory, 2
respuesta *(f.)* answer, reply, 1
restaurante *(m.)* restaurant, 5
revisar to check, Unit 1
revista *(f.)* magazine, 12
rico(a) rich, 1; tasty, 5
río *(m.)* river, 8
riquísimo(a) very tasty; delicious
rodeado(a) surrounded, Unit 4
rodilla *(f.)* knee, 7
rojo(a) red, 1
romper to break, 7
ropa *(f.)* clothes, 3; **— interior** *(f.)* underwear
rosado(a) pink, 1; rosé *(wine)*, 2
rostro *(m.)* face, Unit 5
roto(a) broken, 10
rubio(a) blond, 4
ruiseñor *(m.)* nightingale, Unit 6
ruso *(m.)* Russian *(language)*, 7

S

sábado *(m.)* Saturday, 2
saber to know *(a fact, how to do
something)*, 4
sabroso(a) tasty, rich, 5
sacar to take out, 3
saco de dormir *(m.)* sleeping bag, 8
sacudir to dust, 3
sal *(f.)* salt, 5
sala *(f.)* living room, 3;
— de estar *(f.)* family room, den
saldo *(m.)* balance, 10
salida *(f.)* exit, 11; **— de emergencia**
emergency exit, 11
salir to go out, to leave, 4
salsa *(f.)* sauce, 6; salsa *(dance)*, 4
salud *(f.)* health, 10; **¡—!** cheers, 4
saludar to greet, 1
saludo *(m.)* greeting, 1; **saludos a...**
say hi to . . ., 1
salvavidas *(m., f.)* lifeguard, 8
sandalia *(f.)* sandal, 9
sandía *(f.)* watermelon, 6
sándwich *(m.)* sandwich, 8
sartén *(f.)* frying pan, 3
se (to) herself, himself, itself, themselves, yourself, yourselves, 7;
— dice... you say . . ., 1
secadora *(f.)* dryer, clothes dryer, 3
sección *(f.)* section, Unit 4; **— de (no)
fumar** *(f.)* (non)smoking section
seco(a) dry, 9
seguir (e > i) to continue, 6; to
follow, 6
según according to, 9
segundo(a) second, 12
seguro(a) sure, 5
seguro *(m.)* insurance, 10 **— social**
(m.) guaranteed income
supplement, 10
seis six, 1
seiscientos(as) six hundred, 3
sello *(m.)* stamp, 10
selva *(f.)* rain forest, Unit 3
semana *(f.)* week, 7
semestre *(m.)* semester, 2; **este —** this
semester, 2
sentado(a) seated, 11
sentar(se) (e > ie) to sit down, 7
sentir (e > ie) to regret, 11; **lo siento**
I'm sorry, 1
señor (Sr.) *(m.)* Mr., sir, gentleman, 1
señora (Sra.) *(f.)* Mrs., lady, madam, 1
señorita (Srta.) *(f.)* miss, young lady, 1
septiembre September, 2
ser to be, 1; **— de** to be from, 1;
— la(s)... to be . . ., 2
servicio de habitación (cuarto)
(m.) room service, 12
servilleta *(f.)* napkin, 5
servir (e > i) to serve, 6; **¿en qué
puedo —le?** how may I help you?, 9
sesenta sixty, 2

setecientos(as) seven hundred, 3
setenta seventy, 2
si if, 12
sí yes, 1; — **mismo(a)** himself (herself), Unit 6
siempre always, 3
siete seven, 1
siglo *(m.)* century, 11
siguiente following, 5
silla *(f.)* chair, 1
simpático(a) charming, nice, fun to be with, 1
sin without, 5
sino but, 3
sistema *(m.)* system, 2
situación *(f.)* situation
sobre about, 12; — **todo** especially, Unit 3
sobrina *(f.)* niece, 4
sobrino *(m.)* nephew, 4
sociología *(f.)* sociology, 2
sofá *(m.)* sofa, 12
sofá-cama *(m.)* sleeper sofa, 12
solamente only, 2
solicitar un préstamo to apply for a loan, 10
sólo only, 2
solo(a) alone
soltero(a) single, 4
solución *(f.)* solution, 12
sombrero *(m.)* hat, 9
sombrilla *(f.)* parasol, Unit 5
sopa *(f.)* soup, 5
sorpresa *(f.)* surprise, 4; **¡qué —!** what a surprise, 4
Soy de... I am from . . ., 1
su(s) his, her, its, their, your *(form.)*, 2
subir to go up; to board *(a vehicle)*, 11
sucursal *(f.)* branch *(of a bank)*, 10
suegra *(f.)* mother-in-law, 4
suegro *(m.)* father-in-law, 4
suerte *(f.)* luck; destiny, Unit 4; **fue una —** it was a stroke of luck
suéter *(m.)* sweater, 9
suficiente sufficient
sugerir (e > ie) to suggest, 11
sujetar(se) to hold, 9
superlativo *(m.)* superlative, 5
supermercado *(m.)* supermarket, 6
suyo(s), suya(s) *(pron.)* his, hers, theirs, yours *(form.)*, 9

T

tabla de mar *(f.)* surfboard, 8
tablilla de anuncios *(f.)* bulletin board, 1
taco *(m.)* heel, 9
tacón *(m.)* heel, 9
tal vez maybe, perhaps, 9
talla *(f.)* size *(of clothing)*, 9
talonario de cheques *(m.)* cheque book, 10

tamaño *(m.)* size, Unit 4
también also, too, 2
tampoco neither, 6
tan as, so; — **...como** as . . . as, 5
tanto(a) so much, 5; **tantos(as)** so many, 6
tarde late, 5; **ya es —** it's already late, 2
tarde *(f.)* afternoon, 2; **esta —** this afternoon, 6; **más —** later, 5
tarea *(f.)* homework, 2
tarjeta *(f.)* card, 10; — **de crédito** *(f.)* credit card, 10; — **de embarque** *(f.)*, — **de embarco** *(f.)* *(Arg.)* boarding pass, 11; — **postal** *(f.)* postcard, 10
tarta *(f.)* cake, 4
taxi *(m.)* taxi, 12
taza *(f.)* cup, 2, 5
tazón *(m.)* bowl, 3
te *(pron. fam.)* you, 6; (to) you, 7; (to) yourself, 7; — **gusta** you *(fam.)* like, 7
té *(m.)* tea, 2; — **helado, frío** iced tea, 2
teatro *(m.)* theatre, 7
teclado *(m.)* keyboard, 10
tecnología *(f.)* technology, 10
teléfono *(m.)* telephone, 1; — **celular** cellphone, 1; **llamar por —** to phone, 6
telegrama *(m.)* telegram
telenovela *(f.)* soap opera, 3
televisión *(f.)* television, 2
televisor *(m.)* TV set, 12
tema *(m.)* theme, 2
temer to be afraid, to fear, 11
temperatura *(f.)* temperature, 9; **¿Qué — hace?** what is the temperature?, 9
templado(a) warm, 9
temprano early, 7
tenedor *(m.)* fork, 5
tener to have, 3; — **acceso a la Red** to have access to the Internet, 10; — **... años (de edad)** to be . . . years old, 3; — **calor** to be warm, 3; — **frío** to be cold, 3; — **ganas de...** to feel like . . ., Unit 3; — **(mucha) hambre** to be (very) hungry, 3; — **lugar** to take place, Unit 2; — **miedo** to be afraid, scared, 3; — **muchas cosas que hacer** to have many things to do, Unit 2; **no — nada que ponerse** not to have anything to wear, 9; — **prisa** to be in a hurry, 3; — **que** to have to, 3; — **que ver** to have to do, Unit 6; — **razón** to be right, 3; **no — razón** to be wrong, 3; — **(mucha) sed** to be (very) thirsty, 3; — **(mucho) sueño** to be (very) sleepy, 3
terminar to end, to finish, to get through, 2
termo *(m.)* thermos, 8
ternera *(f.)* veal, 6
terremoto *(m.)* earthquake
terrible terrible, 1
ti *(obj. of prep.)* you, 5

tía *(f.)* aunt, 4
tiempo *(m.)* time, 3; weather, 9
tienda *(f.)* store, 9; shop; — **de campaña** *(f.)* tent, 8; — **de regalos** *(f.)* souvenir shop, 12
tierra *(f.)* earth, land, Unit 4
timbre *(m.)* *(Méx.)* stamp, 10
tímido(a) shy, 5
tinto red *(wine)*, 2
tintorería *(f.)* dry cleaner's
tío *(m.)* uncle, 4
tipo *(m.)* type, 5
tiro *(m.)* shot
título *(m.)* title, 1
tiza *(f.)* chalk, 1
tobillo *(m.)* ankle, 7
tocar to play *(music, an instrument)*; to touch, 5; — **a la puerta** to knock at the door, 3
tocino *(m.)* bacon
todavía still, 3; yet, 3
todo everything, 12; **todo(a)** all, 3; — **un éxito** quite a success, 4
todos(as) all, 2
tomar to take *(a class)*, 2; to drink, 2; — **algo** to have something to drink; — **el sol** to sunbathe, 8; **tome asiento** have a seat, 1; — **una decisión** to make a decision, 11
tomarle el pelo a alguien to pull someone's leg, 8
tomate *(m.)* tomato, 2, 6
tonto(a) dumb, 1
tormenta *(f.)* storm
tornado *(m.)* tornado
toronja *(f.)* grapefruit, 2
torpeza *(f.)* stupidity, Unit 5
torta *(f.)* cake, 4; pancake, 5
tortilla *(f.)* omelette, 5
tostada *(f.)* toast
tostadora *(f.)* toaster, 3
trabajar to work, 2
trabajo *(m.)* work, 3; **los trabajos de la casa** housework, 3
traducir to translate, 4
traer to bring, 4
tráfico *(m.)* traffic, 9
tráiganos bring us, 5
traje *(m.)* suit, 9; — **de baño** *(m.)* bathing suit, 8
trasbordar to change planes, ships, etc.
tratar (de) to try, 8
travieso(a) mischievous, 5
trece thirteen, 1
treinta thirty, 1
tres three, 1
trescientos(as) three hundred, 3
trigueño(a) dark, brunet(te), 4
tronco *(m.)* trunk, Unit 5
trozo *(m.)* piece
trusa *(f.)* bathing suit, 8

tu(s)   your *(fam. sing.)*, 1
tú   you *(fam. sing.)*, 1
turista *(m., f.)*   tourist, 12; **clase —** tourist class, 11
tuyo(s), tuya(s) *(pron.)*   yours *(fam. sing.)*, 9

U

últimamente   lately, 10
último(a)   last *(in a series)*, 7
un(a)   a, an, 1
unir   to join, Unit 3
universidad *(f.)*   university, 1
universitario(a)   (related to) college or university, 1
uno   one, 1
unos(as)   some, 1
usar   to use, to wear, 9
usted (Ud.) *(form. sing.)*   you, 2; *(obj. of prep.)* you, 5
ustedes (Uds.) *(form. pl.)*   you, 2; *(obj. of prep.)* you, 5
útil   useful, 1
uva *(f.)*   grape, 2

V

vacaciones *(f. pl.)*   vacation; **estar de —** to be on vacation, 5; **ir(se) de —** to go on vacation, 5
vainilla *(f.)*   vanilla, 5
valija *(f.)*   suitcase, 11
valor *(m.)*   value, Unit 2
vamos   let's go, 4; **no —** we are not going, 2; **— a comer** let's eat, 8
vasallo(a) *(m., f.)*   subject *(vassal, subordinate, feudal tenant)*, Unit 6
vaso *(m.)*   glass, 2
vecino(a) *(m., f.)*   neighbour

vegetal *(m.)*   vegetable, 5
veinte   twenty, 1
velero *(m.)*   sailboat, 8
veliz *(m.)*   suitcase, 11
vendedor(a) *(m., f.)*   merchant, 6
vender   to sell, 8
venir (de)   to come (from), 3
venta *(f.)*   sale
ventana *(f.)*   window, 1
ventanilla *(f.)*   window *(bank, ticket, etc.)*, 11
ver   to see, 4
veranear   to spend the summer (vacationing)
verano *(m.)*   summer, 2
verdad *(f.)*   truth, 7; **es —** it's true, 11; **¿—?** right?, true?, 2
verdadero(a)   true, 1
verde   green, 1
verdulería *(f.)*   vegetable market
verdura *(f.)*   vegetable, 5
vermut *(m.)*   vermouth, 5
vestíbulo *(m.)*   lobby, 12
vestido *(m.)*   dress, suit, 9
vestir(se) (e > i)   to dress (oneself), to get dressed, 7
vez *(f.)*   time, occasion, 7; **a veces** sometimes, 6; **la última —** the last time, 7; **otra —** again, 12
vía aérea   airmail, Unit 4
viajar   to travel, 11
viaje *(m.)*   journey; trip, 11; **¡buen —!** have a nice trip!, 11; **de —** on a trip, 9
viajero(a) *(m., f.)*   traveller, 11
vida *(f.)*   life, 2; darling
viejo(a)   old, 1
viernes *(m.)*   Friday, 2

vinagre *(m.)*   vinegar
vino *(m.)*   wine, 2; **— blanco,** 2; **— rosado**   rosé wine, 2; **— tinto**   red wine, 2
visa *(f.)*   visa, 12
visita *(f.)*   visit, 7
visitar   to visit, 7
vista *(f.)*   view, 10; **— al mar**   ocean view, 12
visto(a)   seen, 10
vivir   to live, 3
vocabulario *(m.)*   vocabulary, 1
volver (o > ue)   to return, to go (come) back, 6
vosotros(as)   you *(fam. pl.)*, 1; you *(obj. of prep.)*, 5
vuelo *(m.)*   flight, 11
vuelto(a)   returned, 10
vuestro(s), vuestra(s) *(adj.)*   your *(fam. pl.)*, 2; yours, 9

Y

y   and, 1; past, after, 2; **— media**   half past, 2; **¿y tú?**   and you?, 1
ya   already, 4; **¡— es tarde!**   it's (already) late!, 2; **¡— voy!** I'm going!
yerno *(m.)*   son-in-law, 4
yo   I, 1

Z

zacate *(m.)*   *(Méx.)* lawn, 3
zanahoria *(f.)*   carrot, 6
zapatería *(f.)*   shoe store, 9
zapatilla *(f.)*   slipper, 9
zapato *(m.)*   shoe, 9
zoológico *(m.)*   zoo, 7
zumo *(m.)*   *(Esp.)* juice, 2

English–Spanish

A

a, an un(a), 1; — **day** al día, 6
about de, 2; sobre, 12
access to the Internet acceso a la Red, 10
accident accidente *(m.)*, 8
accompanied acompañado(a), Unit 2
according to según, 9
account cuenta *(f.)*, 10; **on — of** por, 9
accounting contabilidad *(f.)*, 2
accustomed acostumbrado(a), 8
activity actividad *(f.)*, 8; **outdoor —** actividad al aire libre, 8
add añadir, 6
address dirección *(f.)*, 1; domicilio *(m.)*, 1
advise *(v.)* aconsejar, 11
adviser consejero(a) *(m., f.)*, Unit 1
after después de, 6
afternoon tarde *(f.)*, 2; **this —** esta tarde, 6; **in the —** por la tarde, 2
again otra vez, 12
agency agencia *(f.)*, 11
agent agente *(m., f.)*, 11
ago hace..., 9
agree on convenir en, 12
agree upon ponerse de acuerdo, 11
air aire *(m.)*; **— conditioning** aire acondicionado, 12
airline aerolínea *(f.)*, 11
airmail por vía aérea, Unit 4
airport aeropuerto *(m.)*, 11
all todos(as), 2; todo(a), 3
alone solo(a)
along por, 9
alphabet alfabeto *(m.)*, 1
already ya, 4
also también, 2
although aunque, 4
always siempre, 3
amount cantidad *(f.)*
amusement park parque de diversiones *(m.)*, parque de atracciones *(m.)*, 7
and y, 1
ankle tobillo *(m.)*, 7
anniversary aniversario *(m.)*, 5
another otro(a), 10
anthropology antropología *(f.)*, 2
any algún, alguno(a), algunos(as), 6; cualquier(a), 11; **at — time** en cualquier momento; **anyone** alguien, 6
anything algo, 5; **— else?** ¿algo más?, 10
anywhere en alguna parte
apartment apartamento *(m.)*, 6; departamento *(m.)* *(Méx., Arg.)*, 6; piso *(m.)* *(Esp.)*, 6
appetizer entremés *(m.)*, 4
apple manzana *(f.)*, 2
apply for a loan solicitar (pedir) un préstamo, 10

April

April abril, 2
Argentinian argentino(a), 2
arm brazo *(m.)*, 7
arrive llegar, 3; **— late (early)** llegar tarde (temprano)
art arte *(m.)*, 2
as como, 9; **— much...** tanto(a)..., 5; **— soon as** en cuanto, tan pronto como, 9
ask (for) pedir (e > i), 6; **— (a question)** preguntar, 7
aspirin aspirina *(f.)*, 3
assistance ayuda *(f.)*, 6
at en, 1; a, 2; **— any time** en cualquier momento; **— home** en casa, 5; **— present** actualmente, 3; **— what time...?** ¿A qué hora...?, 2
attend asistir, Unit 1
August agosto, 2
aunt tía *(f.)*, 4
automatic teller machine cajero automático *(m.)*, 10
automobile coche *(m.)*, 8; automóvil *(m.)*, 10; auto *(m.)*, 11; carro *(m.)*, 10
autumn otoño *(m.)*, 2
available libre, 6; disponible, 12
avocado aguacate *(m.)*, 6; palta *(f.)* *(Arg.)*, 6

B

back espalda *(f.)*, 7
backpack mochila *(f.)*, 1
bacon tocino *(m.)*
bad malo(a), 5; **too —!** ¡qué lástima!
badly mal, 5
baked al horno; asado(a), 5
bakery panadería *(f.)*, 6
balance saldo *(m.)*, 10
banana plátano *(m.)*, 6; banana *(f.)* *(Cono Sur)*, 6
band orquesta *(f.)*, 5
bank banco *(m.)*, 10
bankbook libreta de ahorros *(f.)*, 10
barefoot descalzo(a), 9; **to go —** andar descalzo(a), 9
bargain *(v.)* regatear, 6
baseball béisbol *(m.)*, 7
basket cesta *(f.)*, 8
bathe bañarse, 7
bathing suit traje de baño *(m.)*, 8; trusa *(f.)*, bañador *(m.)*, malla *(f.)*, 8
bathroom baño *(m.)*, 3; cuarto de baño *(m.)*, 3
bathtub bañadera *(f.)*, 12; *(Cono Sur)* bañera *(f.)*, 12; *(Esp.)* baño *(m.)*, 12
battlefield campo de batalla *(m.)*, Unit 4
be ser, 1; estar, 4; **— able to** poder (o > ue), 6; **— acquainted with** conocer, 4; **— afraid, scared** tener miedo, 3, temer, 11; **— bored** aburrirse, 7; **— born** nacer; **— cold** tener frío, 3, hacer frío, 9; **— from** ser de, 1; **— going to** ir a + *inf.*, 4; **— good (bad) weather** hacer buen (mal) tiempo, 9; **— hot** tener calor, 3, hacer calor, 9; **— (very) hungry** tener (mucha) hambre, 3; **— in a hurry** tener prisa, 3; **— late (early)** llegar tarde (temprano); **— okay** estar bien, 6; **— pleasing** gustar, 7; **— right** tener razón, 3; **— (very) sleepy** tener (mucho) sueño, 3; **— sorry** sentir (e > ie), 1; **— sunny** hacer sol, 9; **— sure** estar seguro(a), 5; **— (very) thirsty** tener (mucha) sed, 3; **— tight** apretar (e > ie), 9; **— too big/small (on someone)** quedarle grande/chico(a) (a uno o una), 9; **— windy** hacer viento, 9; **— wrong** no tener razón, 3; **— ...years old** tener... años de edad, 3; **— in style** estar de moda, 9
beach playa *(f.)*, 2, 12; **— resort** balneario *(m.)*, 11
bear oso *(m.)*, 9
beautiful hermoso(a), Unit 2
because porque, 2; **— of** por, 9
bed cama *(f.)*, 12; **double —** cama doble *(f.)*, 12; **twin —** cama chica (pequeña) *(f.)*, 12
bedroom dormitorio *(m.)*, 3; recámara *(Méx.)* *(f.)*, 3
beer cerveza *(f.)*, 2
before antes *(adv.)*, 4; antes de *(prep.)*, 6
begin comenzar (e > ie), empezar (e > ie), 5
behalf: on — of por, 9
bellhop botones *(m. sing.)*, 12
belong pertenecer, 4
belt cinto *(m.)*, cinturón *(m.)*, *(P.R.)* correa *(f.)*, 9
besides además *(adv.)*, 2; además de *(prep.)*, 9
best (el, la) mejor, 5
better mejor, 5
between entre, 10; **— meals** entre comidas
beverage bebida *(f.)*, 4
big grande, 5; gran, Unit 2
bigger más grande, 5
biggest (el, la) más grande, 5
bill cuenta *(f.)*, 5, 10
biology biología *(f.)*, 2
bird ave *(f.)*, Unit 6; pájaro *(m.)*, Unit 2
birthday cumpleaños *(m. sing.)*, 4
black negro(a), 1
blackboard pizarra *(f.)*, 1
bleach lejía *(f.)*, 6
blender licuadora *(f.)*, 3
block cuadra *(f.)*, manzana *(f.)*, 10
blond rubio(a), 4
blouse blusa *(f.)*, 9
blue azul, 1

board (v.) abordar, 11
boarding gate puerta de salida (f.), 11
boarding house pensión (f.), 12
boarding pass tarjeta de embarque
 (f.), (Arg.) tarjeta de embarco (f.), 11
body cuerpo (m.), 7
bonfire fogata (f.), 8
book libro (m.), 1
boot bota (f.), 9
boring aburrido(a), 2
boss jefe(a) (m., f.)
bossy mandón(ona), 3
both los (las) dos, 2
bottle botella (f.), 2
bowl tazón (m.), 3
boy chico (m.), muchacho (m.), 1
boyfriend novio (m.), 4
branch (of a bank) sucursal (f.), 10;
 ramo (m.), Unit 5
brand marca (f.), 6
braying rebuzno (m.), Unit 6
bread pan (m.), 5
break romper, quebrar, 7
breakfast desayuno (m.), 5
bride novia, 4
bridegroom novio, 4
bring traer, 4; — **us** tráiganos, 5
broccoli brócoli (m.), 6
brochure folleto (m.), 12
broken quebrado(a), roto(a), 10
brook arroyo (m.), Unit 4
broom escoba (f.)
broth caldo (m.), sopa (f.) (Méx.), 5
brother hermano (m.), 3, 4
brother-in-law cuñado (m.), 4
brown marrón, café, carmelita 1; (hair
 or eyes) castaño, 4
brunet(te) moreno(a), 4
bulletin board tablilla de
 anuncios (f.), 1
bunch of (a) un montón de, 12
bus autobús (m.), 8; ómnibus (m.), 8
business administration
 administración de empresas (f.), 2
busy ocupado(a), 3, 10
but pero, 2; sino, 3
butter mantequilla (f.), manteca (f.)
 (Cono Sur), 5
buy comprar, 2
by por, 9
bye chau, 1

C

cafeteria cafetería (f.), 1, 2
cake torta (f.), 4; pastel (m.), tarta (f.), 4
call llamar, 4; llamada (f.), 11
camp (v.) acampar, 8; **to go
 camping** ir a acampar, 8
can (v.) poder (o > ue), 6
Canadian canadiense, 1
cancel cancelar, 11
canoe canoa (f.), 8
capital capital (f.), 11

car coche (m.), 8, 10; carro (m.),
 auto (m.), automóvil (m.), 10
caramel custard flan (m.), 5
card tarjeta (f.), 10; **credit —** tarjeta
 de crédito (f.), 10; **debit —** tarjeta de
 débito (f.), 10; **I.D. —** cédula de
 identidad (f.), 12
carrot zanahoria (f.), 6
carry-on bag bolso de mano (m.), 11
case caso (m.), 3; **in that —** entonces,
 5, en ese caso, 11
cash efectivo (m.), 10; **— (a cheque)**
 cobrar (un cheque), 10; **in —** en
 efectivo, 10
cashier cajero(a) (m., f.), 10
cattle ganado (m.), Unit 6
celebrate celebrar, 4
celery apio (m.), 6
cellphone teléfono celular (m.), 1
central céntrico(a), 12
century siglo (m.), 11
cereal cereal (m.)
certainty certidumbre, Unit 5
certified certificado(a), 10
chain cadena (f.), 9
chair silla (f.), 1
chalk tiza (f.), 1
chalkboard pizarra (f.), 1
champagne champán (m.), 4
change (v.) cambiar, 7; **— planes**
 trasbordar
charge (v.) cobrar, 12
charming simpático(a), 1,
 encantador(a), 4
chat platicar (Méx.), 2
cheap barato(a), 9
check out (of a hotel room)
 desocupar, 12
cheque (n.) cheque (m.), 10; cuenta (f.), 5
cheque book talonario de
 cheques (m.), 10
chequing account cuenta corriente (f.), 10
cheers! ¡salud!, 4
cheese queso (m.)
chemistry química (f.), 2
cherry cereza (f.), 6
chest pecho (m.), 7
chicken pollo (m.), 5
child niño(a) (m., f.), 5
children hijos (m. pl.), 3, 4
chivalry caballería (f.), Unit 5
chocolate chocolate (m.), 2
choose elegir (e > i), 6; escoger, 6
chop: pork — chuleta de cerdo (f.), 6;
 veal — chuleta de ternera (f.), 6
chopped picado(a), 6
Christmas Navidad (f.), 7
church iglesia (f.), 2
city ciudad (f.), 3
claim check comprobante (m.), Unit 6
class clase (f.), 1; **— schedule** horario
 de clases (m.), 2; **first —** primera
 clase, 11; **tourist —** clase turista, 11

classmate compañero(a) de clase
 (m., f.), 1
classroom aula (f.), 2
clean (v.) limpiar, 3; (adj.) limpio(a), 12
clear claro(a), 8; despejado(a), 9
clerk empleado(a) (m., f.), 9;
 dependiente(a) (m., f.), 9
climate clima (m.), 9
climb mountains escalar montañas, 7
clock reloj (m.), 1
close cerrar (e > ie), 5; cerca (de) 6;
 closed cerrado(a), 10
clothes ropa (f.), 3
cloudy nublado(a), 9
club club (m.), 4; **golf —** palo de golf
 (m.), 8; discoteca (f.), 7
coat abrigo (m.), 9
coffee café (m.), 2; **— with milk** café
 con leche
coffee pot cafetera (f.), 3
coin moneda (f.), Unit 2
cold frío(a), 9; resfriado (m.), resfrío (m.)
collar cuello (m.), 9
college facultad (f.), 9
colour color (m.), 1
come venir, 3; **— in** pase, 1; **to — to an
 agreement** ponerse de acuerdo, 11
comfortable cómodo(a), 9
compact disc (CD) disco
 compacto (m.), 4
complain quejarse, 7
computer computadora (f.), 10;
 ordenador (m.) (Esp.), 1; **— science**
 informática (f.), 2
concert concierto (m.), 7
conduct (v.) conducir, 4
confirm confirmar, 11
continue seguir (e > i), 6
convention convención (f.), 12
converse conversar, 2
cook (v.) cocinar, 6
cook (n.) cocinero(a), 6
corner esquina (f.), 10
cost costar (o > ue), 6; **— an arm and a
 leg** costar un ojo de la cara, 9
cotton algodón (m.), Unit 2
country país (m.), 11; **— side**
 campo (m.), 8
couple pareja (f.), 4; **a — of days** un
 par de días
course asignatura (f.), 1; materia (f.), 2
cousin primo(a) (m., f.), 4
crab cangrejo (m.), 6
cream crema (f.), 5
crow cuervo (m.), Unit 6
cruise crucero (m.), 11
Cuban cubano(a) (m., f.), 5
cucumber pepino (m.), 6
cup taza (f.), 2, 5
custom costumbre (f.), 6
cut cortar, 3

D

dad padre *(m.)*, 4; papá *(m.)*, 3
daddy papi *(m.)*
dam represa *(f.)*, Unit 5
dance *(v.)* bailar, 4; **shall we — ?** ¿Bailamos?, 4
dark moreno(a), trigueño(a), 4
darling mi vida, 8
date *(a document)* fechar, 10
daughter hija *(f.)*, 4
daughter-in-law nuera *(f.)*, 4
day día *(m.)*, 1; **— before yesterday** anteayer; **per —** al día, 6; **(on) the following (next) —** al día siguiente, 5
dead muerto(a), 10
dear querido(a), 11
December diciembre, 2
decide decidir, 4
deer ciervo *(m.)*, Unit 4
degree *(temperature)* grado *(m.)*, 9
delay demora *(f.)*, 11
delicious riquísimo(a)
demonstrative demostrativo(a), 3
department apartamento *(m.)*, 6
deposit *(v.)* depositar, 10
design programs diseñar programas
desk escritorio *(m.)*, 1
dessert postre *(m.)*, 5; **for —** de postre, 5
detergent detergente *(m.)*, 6
die morir (o > ue), 8
diet dieta *(f.)*, 6
difficult difícil, 1
dining room comedor *(m.)*, 3
dinner cena *(f.)*, 5; **have —** cenar, 3
directly directamente, 10
disaster desastre *(m.)*, 3
disco discoteca *(f.)*, 7
discount descuento *(m.)*
discovered descubierto(a), Unit 4
dish plato *(m.)*, 3, 5
dishwasher lavaplatos *(m.)*, 3
disk disco *(m.)*, 4
dissolve disolver *(v.)*, Unit 5
do hacer, 3
doctor doctor(a) *(m., f.)*, 1; médico(a) *(m., f.)*, 11
document documento *(m.)*, 10
dog perro(a), 4; **hot —** perro caliente *(m.)*, 5
dollar dólar *(m.)*, 10
done hecho(a), 10
donkey borrico *(m.)*, Unit 6
door puerta *(f.)*, 1
dormitory residencia universitaria *(f.)*, 2
double bed cama doble *(f.)*, 12
dozen docena *(f.)*, 6
dress vestido *(m.)*, 9; **— (oneself)** vestir(se) (e > i), 7
drink *(v.)* tomar, 2; beber, 3; bebida *(f.)*, 4
drive *(v.)* conducir, manejar, 4; *(n.)* **hard —** disco duro *(m.)*, 10

driver's licence licencia para conducir (manejar) *(f.)*, 6, 10
dry seco(a), 9; **— cleaner's** tintorería *(f.)*
dryer *(clothes)* secadora *(f.)*, 3
dumb tonto(a), 1
during por, 9; durante, 5; **— the week** entre semana, Unit 6
dust *(v.)* sacudir, 3; limpiar el polvo, 3
duster plumero *(m.)*, 3

E

eagle águila *(f.)*, Unit 6
ear *(external)* oreja *(f.)*, 7; *(internal)* oído *(m.)*, Unit 4
early temprano, 7; **— morning** madrugada *(f.)*
earn *(v.)* cobrar, 11
earrings arretes *(m. pl.)*, 9; *(Par., Arg.)* aros *(m. pl.)*, 9; *(Cono Sur)* caravanas *(f. pl.)* 9; *(P.R.)* pantallas *(f. pl.)*, 9; *(Esp.)* pendientes *(m. pl.)*, 9
earth tierra *(f.)*, Unit 4
earthquake terremoto *(m.)*
easily fácilmente, 8
easy fácil, 8
eat comer, 3
eaten comido(a), 10
egg huevo *(m.)*, 5; blanquillo *(m.)* *(Méx.)*, 5
eight ocho, 1
eight hundred ochocientos(as), 3
eighteen dieciocho, 1
eighty ochenta, 2
either . . . or o... o, 6
elbow codo *(m.)*, 7
elderly mayor
elegant elegante
elevator ascensor *(m.)*, 12; elevador *(m.)*, 12
eleven once, 1
e-mail mensaje electrónico *(m.)*, 10
emergency emergencia *(f.)*, 11; **— exit** salida de emergencia *(f.)*, 11
end *(v.)* terminar, 2
engineering ingeniería *(f.)*
English *(language)* inglés *(m.)*, 2; *(person)* inglés(esa) *(m., f.)*, 1
enter entrar (en), 7
enthused animado(a), 4
eraser borrador *(m.)*, 1
errand diligencia *(f.)*, 10; **to run —s** hacer diligencias, 10
especially sobre todo, Unit 3; especialmente, 3
essay ensayo *(m.)*, Unit 5
ever alguna vez, 6
everything todo, 12; **— is in order** todo está en regla
exactly exactamente, 9
excellent excelente, 8
except excepto, 6
excess exceso *(m.)*, 11; **— luggage (charge)** exceso de equipaje *(m.)*, 11

excursion excursión *(f.)*, 11
excuse excusa *(f.)*, 3; **— me** permiso, 6; perdón, 1, **— me?** ¿Cómo? *(when one doesn't understand or hear what is being said)*, 1
exercise hacer ejercicio, 4; ejercicio *(m.)*, 4
exit salida *(f.)*, 11
expand ampliar
expensive caro(a), 6
expert experto(a), 8
expression expresión *(f.)*, 1
exterior exterior *(m.)*, 12
eyes ojos *(m. pl.)*, 4; **brown —** ojos castaños, 4

F

face cara *(f.)*, 7; rostro *(m.)*, Unit 5
faculty facultad, 9
faint desfallecer, Unit 5
fair justo(a), 7
fall otoño *(m.)*, 2; **— asleep** dormirse (o > ue), 7; **— in love (with)** enamorarse (de), 12
false falso(a), 1
familiar: to be familiar with conocer, 4
family familia *(f.)*, 3; **— room** sala de estar *(f.)*
famous famoso(a), 6
fantastic fantástico, 1
far (away) lejos, 8
farewell despedida *(f.)*, 1
fast rápido(a), 8
fasten the seat belt abrocharse el cinturón de seguridad, 11
fat gordo(a), 1
father padre *(m.)*, 4; papá *(m.)*, 4
father-in-law suegro *(m.)*, 4
favourite favorito(a), 3
fear temer, 11
February febrero, 2
feel *(v.)* sentir(se) (e > ie), 10; **— like** tener ganas de, Unit 3
few pocos(as), Unit 3
field campo *(m.)*, 2
fifteen quince, 1
fifty cincuenta, 2
fill (out) llenar, 10
finally finalmente, 6; por fin, 10
find *(v.)* encontrar (o > ue), 6; **— out** averiguar, 11
fine bien, 1
finger dedo *(m.)*, 7
finish *(v.)* terminar, 2
first primero *(adv.)*, 10; **— class** (de) primera clase, 11; **— time** primera vez, 12; **the — thing** lo primero, 12
fish pescado *(m.)*, 5; **— market** pescadería *(f.)*, 6; *(v.)* pescar, 8
fishing rod caña de pescar *(f.)*, 8
fit *(v.)* caber, 4; quedar, 12; quedarle bien
fitting room probador *(m.)*, 9
five cinco, 1

five hundred quinientos(as), 3
flight vuelo (*m.*), 11; — **attendant** auxiliar de vuelo (*m., f.*), 11, azafata (*f.*), 11
floor piso (*m.*), 12
flower flor (*f.*), Unit 4
fog niebla (*f.*), 9
follow seguir (e > i), 6
food comida (*f.*), 3
foot pie (*m.*), 7
for para, 3; por, 9
foreign extranjero(a), 7
forest bosque (*m.*), Unit 4
forget olvidarse (de), 12
forgive perdonar, Unit 4
fork tenedor (*m.*), 5
form planilla (*f.*), 10
fortress fortaleza (*f.*), Unit 4
fortunately por suerte/ afortunadamente, 12
forty cuarenta, 2
founded fundado(a), Unit 2
four cuatro, 1
four hundred cuatrocientos(as), 3
fourteen catorce, 1
free gratis, 10; libre, 6
French (*language*) francés (*m.*), 2; — **fries** papas fritas (*f. pl.*), 9
Friday viernes (*m.*), 2
fried frito(a), 8
friend amigo(a) (*m., f.*), 2
friendship amistad (*f.*)
from de; desde, 11
frozen helado(a), 2
fruit fruta (*f.*), 5
fry freír (e > i)
frying pan sartén (*f.*), 3
full lleno(a), 12
fun to be with simpático(a), 1
furniture muebles (*m. pl.*), 3

G

game juego (*m.*), partido (*m.*), 7
garage garaje (*m.*), 3
garbage basura (*f.*), 3
garden al jardín, 12
gee! ¡caramba!, 1
gender género (*m.*), 1
general general, 8
generally generalmente, 8
gentleman señor (*m.*) (*abbr.* Sr.), 1; caballero (*m.*), 9
geography geografía (*f.*), 2
geology geología (*f.*), 2
German (*language*) alemán (*m.*), 7
get conseguir (e > i), 6; buscar, 9; — **a haircut** cortarse el pelo; — **acquainted** conocer, 4; — **dressed** vestirse (e > i), 7; — **engaged (to)** comprometerse (con), 12; — **married to** casarse(con), 12; — **ready** prepararse, 7; — **through**

terminar, 2; — **up** levantarse, 7; **to — together** juntarse, 8
gift regalo (*m.*), 9
girlfriend novia (*f.*), 4
give dar, 4
glad: to be glad (about) alegrarse (de), 12
glass vaso (*m.*), 2
glove guante (*m.*), 9
go ir, 4; — **away** irse, 7; — **back** volver (o > ue), 6; — **down (get off)** bajar, 11; — **fishing** ir de pesca, 8; — **hiking** hacer una caminata, 8; — **in** entrar (en), 7; — **on vacation** ir(se) de vacaciones, 5; — **out** salir, 4; — **shopping** ir de compras, 9; — **to bed** acostarse (o > ue), 7
godfather padrino (*m.*), 4
godmother madrina (*f.*), 4
gold oro (*m.*), 9
good bueno(a), 2; — **afternoon** buenas tardes, 1; — **evening** buenas noches, 1; — **morning** buenos días, 1; — **night** buenas noches, 1
good-bye adiós, 1
government gobierno (*m.*), 1
grade nota (*f.*), 10
granddaughter nieta (*f.*), 4
grandfather abuelo (*m.*), 4
grandmother abuela (*f.*), 4
grandparents abuelos (*m.*), 4
grandson nieto (*m.*), 4
grape uva (*f.*), 2
grapefruit toronja (*f.*), 2
great magnífico(a), 5
great-granddaughter bisnieta (*f.*)
great-grandfather bisabuelo (*m.*)
great-grandmother bisabuela (*f.*)
great-grandson bisnieto (*m.*)
green verde, 1
greet saludar, 1
greeting saludo (*m.*), 1
grey gris, 1
grilled a la parrilla, 5
groceries (*food items*) comestibles (*m. pl.*), 6
group grupo (*m.*), 2
grow crecer, Unit 4
Guaranteed Income Supplement Seguro Social, 10
Guatemalan guatemalteco(a), 4
guest invitado(a), 4

H

hair pelo (*m.*), 8
half medio(a), 10; — **past** y media, 2; — **an hour** media hora, 3
half brother medio hermano (*m.*)
half sister media hermana (*f.*)
ham jamón (*m.*), 5
hamburger hamburguesa (*f.*), 5
hand mano (*f.*), 1
handbag bolso (*m.*), cartera (*f.*), bolsa (*f.*), 9

hand luggage maletín (*m.*), 11
handsome guapo(a), 1
happy feliz, contento(a), 4
hat sombrero (*m.*), 9
have tener, 3; haber, 10; — **a seat** tomar asiento, 1; — **breakfast** desayunar, 5; — **dinner (supper)** cenar, 3; — **fun** divertirse (e > ie), 7; — **just (done something)** acabar de + *inf.*, 8; — **lunch** almorzar (o > ue), 5, 6; — **many things to do** tener muchas cosas que hacer, Unit 2; — **to** deber, 3; tener que, 3; — **to do with** tener que ver con, Unit 6; — **a good time** pasarlo bien, 4; **not to — anything to wear** no tener nada que ponerse, 9
he él, 1
head cabeza (*f.*), 7
health salud (*f.*), 10
heart corazón (*m.*), 7
heating calefacción (*f.*), 12
heaven cielo (*m.*)
heel tacón (*m.*), **taco** (*m.*), 9
height estatura (*f.*), 4; **of medium —** de estatura mediana, 4
hello hola, 1
help (*v.*) ayudar, 12
her su(s) (*adj.*), 2; ella (*obj. of prep.*), 5; la (*dir. obj.*) 6; **(to) —** le (*ind. obj.*), 7
here aquí, 5; acá, 8; — **it is** aquí está, 2; — **you are** aquí las tiene, 10
hers suyo(a), suyos(as), 9
herself se, 7; sí misma, Unit 6
hi hola, 1
high alto(a), 9
high school escuela secundaria (*f.*), 2
hillside ladera (*f.*), Unit 5
him él (*obj. of prep.*), 5; lo (*dir. obj.*), 6; **(to) —** le (*ind. obj.*), 7
himself se, 7; sí mismo, Unit 6
his su(s) (*adj.*), 2; suyo(a), suyos(as), 9
Hispanic-Canadian el (la) hispano-canadiense, 2
history historia (*f.*), 2
hold (*v.*) sujetar(se), 9
holiday día feriado (*m.*), 10
home hogar (*m.*); **at —** en casa, 5; — **appliances** aparatos electrodomésticos (*m. pl.*), 3; — **office** casa central, 10
homework tarea (*f.*), 2
honeymoon luna de miel (*f.*), Unit 2
hope (*v.*) esperar, 11; **I —** ojalá, 11; **I — so** espero que sí, 8
horrible horrible, 1
horseback riding montar a caballo, 7
host anfitrión (*m.*), 1
hostess anfitriona (*f.*), 1
hot cálido(a), 9; caliente, 12; — **chocolate** chocolate caliente (*m.*), 2; — **dog** perro caliente (*m.*), 5
hotel hotel (*m.*), 8

hour hora *(f.)*, 2, 10
house casa *(f.)*, 3; —**work** trabajos de la casa, 3
how cómo, 1; — **are you?** ¿cómo está usted?, ¿cómo estás?, 1; — **do you do?** Mucho gusto, 1; — **do you say . . . ?** ¿cómo se dice...?, 1; — **is it going?** ¿qué tal?, 1; — **long?** ¿por cuánto tiempo?; — **many?** ¿cuántos(as)?, 2; — **may I help you?** ¿en qué puedo servirle?, 9; — **much?** ¿cuánto(a)?, 3
humid húmedo(a), 9
hunger hambre *(f.)*, 3
hungry: to be hungry tener hambre, 3
hurry darse prisa
husband esposo *(m.)*, 4

I

I yo, 1; —**'m going!** ¡Ya voy!
I am from . . . Soy de..., 1
ice hielo *(m.)*, 2; — **cream** helado *(m.)*, nieve *(f.)* *(Méx.)* 5; — **water** agua con hielo *(f.)*, 2
iced tea té helado, té frío *(m.)*, 2
idea idea *(f.)*, 2
identification identificación *(f.)*, 10; carnet de identidad *(m.)*, 12
if si, 12
illiterate analfabeto(a) *(m., f.)*, Unit 3
important importante; **the — thing** lo importante
in en, 1; de, 11; por, 9; a, 11; —**exchange for** por, 9; — **order to** para, 3
inch pulgada *(f.)*
include incluir, 11
income ingreso *(m.)*, Unit 2
individual individual, 10
inexpensive barato(a), 9
information información *(f.)*, 11
inside en, 11
insist on insistir en, 12
instead of en vez de, 7
insured asegurado(a)
intelligent inteligente, 1
interest interés *(m.)*, 10
interesting interesante, 1
interior interior, 12
international internacional, 1
invitation invitación *(f.)*, 4
invite invitar, 4
invited invitado(a), 4
invoke invocando *(v.)*, Unit 5
ipod ipod *(m.)*, 1
iron *(appliance)* plancha *(f.)*, 3; *(v.)* planchar, 3
isthmus istmo *(m.)*, Unit 3
it *(dir. obj. pron.)* la, 6; lo, 6
Italian *(language)* italiano *(m.)*, 2
its su(s), 2
itself se, 7

J

jacket chaqueta *(f.)*, chamarra *(f.)*, 9
jam mermelada *(f.)*, 5
January enero, 2
jewel joya *(f.)*
jewellery joyas *(f. pl.)*
join unir, Unit 3
joint account cuenta conjunta *(f.)*, 10
joke *(v.)* bromear, 7
journey viaje *(m.)*, 11
juice jugo *(m.)*, zumo *(m.)* *(Esp.)*, 2
July julio, 2
June junio, 2
just in case por si acaso, 8

K

keep guardar, 10
key llave *(f.)*, 4
keyboard teclado *(m.)*, 10
kid *(v.)* bromear, 7
kill matar; — **two birds with one stone** matar dos pájaros de un tiro
kiosk kiosko *(m.)*, 12
kitchen cocina *(f.)*, 3; — **utensils** batería de cocina *(f. sing.)*, 3
knee rodilla *(f.)*, 7
knife cuchillo *(m.)*, 5
knight caballero *(m.)*, Unit 5
knock (at the door) tocar (llamar) a la puerta, 3
know conocer, 4; saber 4
known conocido(a), 11

L

lady señora *(f.)* *(abbr. Sra.)*, 1
lake lago *(m.)*, 8
lamb cordero *(m.)*, 6
land tierra *(f.)*, Unit 4
language idioma *(m.)*, 2; lengua *(f.)*, 4
laptop laptop *(m.)*, 1; computadora portátil *(f.)*, 1; microcomputadora *(f.)*, 10
last *(v.)* durar, 2; *(adj.)* *(in a series)* último(a), pasado(a), 7; — **name** apellido *(m.)*, 1; — **night** anoche, 7; — **time** la última vez *(f.)*, 7; — **year** el año pasado *(m.)*, 7
late tarde, 5; **it's (already) —!** ¡ya es tarde!, 2
lately últimamente, 10
later después, más tarde, 5; luego, 1; **see you —** hasta luego, 1
Latin America Latinoamérica *(f.)*, 1
laugh *(v.)* reírse, 7
lawn césped *(m.)*, 3; zacate *(m.)* *(Méx.)*, 3
lawyer abogado(a) *(m., f.)*, 1
lean apoyarse *(v.)*, Unit 5
learn aprender (a), 11
leave salir, 4; dejar, 5; **I'm leaving** me voy, 2
left izquierdo(a); **to the —** a la izquierda, Unit 5
legal líctio *(adj.)*, Unit 5
lemonade limonada *(f.)*, 3

lend prestar, 8
less menos, 5; — **. . . than** menos... que, 5
lesson lección *(f.)*, 1
let dejar, 11
let's: — eat vamos a comer, 8; — **go** vamos, 4; — **see** a ver, 6
letter carta *(f.)*, 10
lettuce lechuga *(f.)*, 6
liberty libertad *(f.)*, 2
library biblioteca *(f.)*, 1
licence licencia *(f.)*, 6
lie *(v.)* mentir (e > ie), 11
life vida *(f.)*, 2
lifeguard salvavidas *(m., f.)*, 8
light luz *(f.)*, 1; ligero(a), Unit 5; claro(a), Unit 4
like gustar *(v.)*, 7; como *(adv.)*, 9; **I — it** me gusta; **you — it** te gusta, 7; — **very much** encantar, 8
list lista *(f.)*, 5
listen! ¡oye!, 1
literature literatura *(f.)*, 2
little *(adj.)* chico(a), 8, pequeño(a), 8; **a —** un poco, 6
live vivir, 3
living room sala *(f.)*, 3
loan préstamo *(m.)*, 10
lobby vestíbulo *(m.)*, 12
lobster langosta *(f.)*, 5, 6
lock *(in a canal)* esclusa *(f.)*, Unit 3
lodge *(v.)* hospedarse, 8
long largo(a), 9
look at mirar, 3
look for (up) buscar, 9
lose perder (e > ie), 11
love *(n.)* amor *(m.)*; *(v.)* encantar, 8; **in —** enamorado(a), 4
luck suerte *(f.)*; **it was a stroke of —** *(v.)* fue una suerte; **luckily** afortunadamente/por suerte, 12
luggage equipaje *(m.)*, 11; — **compartment** compartimiento de equipaje *(m.)*, 11
lunch almuerzo *(m.)*, 5; **have —** *(v.)* almorzar (o > ue), 5, 6
luxury lujo *(m.)*, 12

M

madam señora *(f.)* *(abbr. Sra.)*, 1
made hecho(a), 10
magazine revista *(f.)*, 12; — **stand** puesto de revistas *(m.)*, 12
maid criada *(f.)*, 6, muchacha *(f.)*
maiden name nombre de soltera *(m.)*
make hacer; 3; — **a decision** tomar una decisión, 11; — **an appointment** pedir turno
man hombre *(m.)*, 1
manager gerente *(m., f.)*, 10
many muchos(as), 3; un montón de, 12; **so —** tantos(as), 6

map mapa (*m.*), 1
March marzo, 2
market mercado (*m.*), 6
marmalade mermelada (*f.*), 5
married casado(a), 4; **— couple** matrimonio, 8
marry casarse (con), 12
mash moler (*v.*)
mashed potatoes puré de papas (*m. sing.*), 5
mathematics matemáticas (*f. pl.*), 2
matter (*v.*) importar, 6 **it doesn't —** no importa; **to —** importarle (a uno), 7
May mayo, 2
maybe quizás, tal vez, 9
M.D. médico(a) (*m., f.*), doctor(a) (*m., f.*), 11
me mí (*obj. of prep.*), 5; me (*dir. obj.*), 6; me (*indir. obj.*), 7; me (*refl. pron.*), 7
meal comida (*f.*), 3
mean (*v.*) querer (e > ie) decir, 1
measure medida (*f.*), 9
meat carne (*f.*), 6; **— market** carnicería (*f.*), 6
meatball albóndiga (*f.*), 6
medicine medicina (*f.*), 9
medium mediano(a), 9
memory memoria (*f.*), 10
men's department departamento de caballeros (*m.*), 9
menu menú (*m.*), 5
merchant vendedor(a) (*m., f.*), 6
Mexican mexicano(a) (*m., f.*), 1
microwave oven horno de microondas (*m.*), 3
midnight medianoche (*f.*), 7
milk leche (*f.*), 2
mine mío(a), míos(as), 9
minute minuto (*m.*), 6
mischievous travieso(a), 5
Miss señorita (*f.*) (*abbr.* Srta.), 1
mix mezclar (*v.*)
mixture mezcla (*f.*), Unit 3
mom madre (*f.*), 4; mamá (*f.*), 3
moment momento (*m.*), 3
mommy mami (*f.*)
Monday lunes (*m.*), 2
money dinero (*m.*), 2; **— order** giro postal (*m.*), 10
monitor monitor (*m.*), 10
month mes (*m.*), 2
monthly mensual
more más, 5; **—...than** más... que, 5; **— than (number)** más de, 5; **— or less** más o menos, 1
morning mañana (*f.*), 2; **early —** madrugada (*f.*)
mother madre (*f.*), 4; mamá (*f.*), 4
mother-in-law suegra (*f.*), 4
mouse ratón (*m.*), 10
mouth boca (*f.*), 7
move (*v.*) (*relocate*) mudarse, 9

movie película (*f.*), 7; **— theatre** cine (*m.*), 7; **to show a —** dar una película, poner una película, 7
mow (the lawn) cortar el césped, 3
Mr. señor (*m.*) (*abbr.* Sr.), 1; **Mr. and Mrs. . . .** los señores...
Mrs. señora (*f.*) (*abbr.* Sra.), 1
much mucho(a); **not —** no mucho, 1
museum museo (*m.*), 7
music música (*f.*), 2, 4
must deber, 3
my mi(s), 2; **— name is** me llamo, 1
myself me, 7

N

name nombre (*m.*); **my — is . . .** me llamo..., 1; **what is your —?** (*form.*) ¿cómo se llama usted?, (*fam.*) ¿cómo te llamas?, 1
narrow estrecho(a), Unit 4
nation país (*m.*), 11
near cerca (de), 6; **— here** cerca de aquí, 12
neck cuello (*m.*), 7
need (*v.*) necesitar, 2
negative negativo(a), 2
neighbourhood barrio (*m.*), Unit 2
neither ni, 6; tampoco, 6
nephew sobrino (*m.*), 4
nettle ortiga (*f.*), Unit 4
never jamás, nunca, 6
new nuevo(a), 2
newlyweds recién casados (*m. pl.*), 6
newspaper diario (*m.*), 10; periódico (*m.*), Unit 5
next próximo(a), 12; **— to** junto a, Unit 3; **— day (Monday, month, year . . .)** el próximo día (lunes, mes, año...), 12; **— week** la próxima semana, 12
nice simpático(a), 1
niece sobrina (*f.*), 4
night noche (*f.*), 2
nightclub club nocturno (*m.*), 7
nightgown camisón (*m.*), bata de dormir (*f.*), 9
nightingale ruiseñor (*m.*), Unit 6
nine nueve, 1
nine hundred novecientos(as), 3
nineteen diecinueve, 1
ninety noventa, 2
no no, 1; ningún, ninguno(a), 6; **— one** nadie, ninguno(a), 6
nobody nadie, 6; ninguno(a), 6
none ninguno(a), 6
noon mediodía (*m.*), 12; **at —** al mediodía, 2
no one nadie, ninguno(a), 6
North American norteamericano(a) (*m., f.*), 1
nose nariz (*f.*), 7
not no, 1; **— any** ningún, ninguno(a), 6; **— now** ahora no, 4; **— very well**

no muy bien, 4
notebook cuaderno (*m.*), 1
nothing nada, 6; **— else** nada más, 6
notice (*v.*) notar; fijarse, 12
noun nombre (*m.*), 1
November noviembre, 2
now ahora, 4
number número (*m.*), 1; **phone —** número de teléfono, 1

O

oar remo (*m.*), 8
obtain conseguir (e > i), 6
occasion vez (*f.*), 7
occupation ocupación (*f.*), 3
occupied ocupado(a), 12
ocean océano; **— view** vista al mar (*f.*), 12
October octubre, 2
of de, 2; **— course** cómo no, Unit 6; por supuesto
off (*available*) libre, 6
office oficina (*f.*), 10
often a menudo, frecuentemente, 8
oil aceite (*m.*); petróleo (*m.*), Unit 2
okay bueno, 1; pues, 8
old viejo(a), 1; antiguo(a), Unit 4
older mayor, 5
oldest (el, la) mayor, 5
olive oil aceite de oliva (*m.*), 6
omelette tortilla (*f.*), 5
on en, 1; **— the other hand** en cambio, 8
once upon a time había una vez, 9
one uno, 1; un(a), 1
one hundred cien (ciento), 2
one-way de ida, 11
onion cebolla (*f.*), 5, 6
only sólo, 2; solamente, 2
open (*v.*) abrir, 3; abierto(a), 10; franco(a), Unit 4
oppressed oprimido(a), Unit 4
optimist optimisto(a), 12
or o
orange anaranjado(a), 1; naranja (*f.*), 2; china (*Puerto Rico*) (*f.*), 2
order pedir (e > i), 5; mandar (*v.*), 11; pedido (*m.*), 10; **— drinks** pedir bebidas
other otro(a), 10
our nuestro(s), nuestra(s), 2
ours nuestro(s), nuestra(s) (*pron.*), 9
ourselves nos, 7
outdoor: — café café al aire libre, 5; **— market** mercado al aire libre (*m.*), 6
oven horno (*m.*), 3
overlooking con vista a, 12
own propio(a), 2
owner dueño(a) (*m., f.*), propietario(a) (*m., f.*), 12

P

package paquete *(m.)*, 10, 11
painter pintor(a) *(m., f.)*, 1
painting pintura *(f.)*
pair par *(m.)*, 9
pajamas pijama *(m.)*, pijamas *(m. pl.)*, 9
pancake panqueque *(m.)*, panqué *(m.)*, 5
pants pantalón *(m.)*, pantalones *(m. pl.)*, 9
pantyhose pantimedias *(f. pl.)*
paper papel *(m.)*, 1
parasol sombrilla *(f.)*, Unit 5
pardon? ¿cómo?, ¿mande? *(Méx.)*, 1
parents padres *(m. pl.)*, 3, 4
park *(n.)* parque *(m.)*, 7; *(v.)* parquear *(m.)*, 10; *(v.)* estacionar, 10
part parte *(f.)*, 2; **in —** en parte, 11
party fiesta *(f.)*, 4
passbook libreta de ahorros *(f.)*, 10
passenger pasajero(a) *(m., f.)*, 11
passport pasaporte *(m.)*, 11
pastry pastel *(m.)*, 4
patio al patio, 12
pay *(v.)* pagar, 5
peach durazno *(m.)*, melocotón *(m.)*, 6
pear pera *(f.)*, 6
pen bolígrafo *(m.)*, pluma *(f.)*, 1
pencil lápiz *(m.)*, 1
people gente *(f. sing.)*, 10
pepper *(green)* pimiento *(m.)*, ají *(m.)*, 6; *(black)* pimienta *(f.)*, 5
per por, 12; **— day** al día, 6; **— night** por noche, 9
percent por ciento, Unit 2
perfect perfecto(a), 1
perhaps quizás, tal vez, 9
person persona *(f.)*, 12
personal computer computadora personal *(f.)*, 10; ordenador personal *(m.) (Esp.)*, 1
Peruvian peruano(a), 12
phone *(v.)* llamar por teléfono, 6
physical education educación física *(f.)*, 2
physics física *(f.)*, 2
picnic picnic *(m.)*, 7
pie pastel *(m.)*, 5
piece pedazo *(m.)*, trozo *(m.)*
pill pastilla *(f.)*, 11
pineapple piña *(f.)*, 6
pink rosado(a), 1
place *(v.)* poner, 4; lugar *(m.)*, 12; **— of interest** lugar de interés, 11; **in — of** en lugar de, 11; **remote —** lejanías, Unit 5
placed puesto(a), 10
plan *(v.)* planear, 4; **to — to (do something)** pensar (e > ie) + *infinitive*, 5
plane avión *(m.)*, 11
plate plato *(m.)*, 3, 5
play *(a game) (v.)* jugar (u > ue), 8; *(music, an instrument)* tocar, 5; **— golf** jugar al golf, 8; **— tennis** jugar al tenis, 8

player jugador(a) *(m., f.)*, 8
please *(v.)* complacer, Unit 4; *(n.)* por favor, 1
pleasure gusto *(m.)*, 1; **it's a — to meet you** mucho gusto, 1; **the — is mine** el gusto es mío, 1
poem poema *(m.)*, 2
polite de cortesía, 1
political science ciencias políticas *(f. pl.)*, 2
poor pobre, 7
poorly mal
pop refresco *(m.)*, 6
pork chop chuleta de cerdo *(m.)*, 6
porridge avena *(f.)*, 9
possessive posesivo(a), 2
possible posible, 12
postcard tarjeta postal *(f.)*, 10
post office correo *(m.)*, oficina de correos *(f.)*, 10
potato patata *(f.) (Esp.)*, papa *(f.)*, 5; **mashed potatoes** puré de papas *(m.)*, 5
pour out echar, Unit 4
poverty pobreza *(f.)*
powder polvo *(m.)*, 3
practise *(v.)* practicar, 1
praise *(v.)* elogiar, Unit 6
prefer preferir (e > ie), 5
prepare preparar, 3
pretty bonito(a), lindo(a), 1
price precio *(m.)*, 12
printer impresora *(f.)*, 10
private privado(a), 12
probably probablemente, 12
problem problema *(m.)*, 2
professor profesor(a) *(m., f.)*, 1
program programa *(m.)*, 2
promise prometer, 8
proprietor dueño(a) *(m., f.)*, 12
psychology psicología *(f.)*, 2
Puerto Rican puertorriqueño(a), 2
pull someone's leg tomarle el pelo a alguien, 8
punch ponche *(m.)*, 5
purple morado(a), 1
purse bolso *(m.)*, cartera *(f.)*, bolsa *(f.)*, 9
put poner, 4; puesto(a), 10; **— on** ponerse, 7; **— together** armar, 8

Q

quality calidad *(f.)*, Unit 4
quarter cuarto *(m.)*; **— past (or after) . . .** . . .y cuarto, 2; **— to . . .** . . .menos cuarto, 2
queen reina *(f.)*, Unit 6

R

racket raqueta *(f.)*, 8
rain *(v.)* llover (o > ue), 9; *(n.)* lluvia *(f.)*, 9
raincoat impermeable *(m.)*, 9

rain forest selva *(f.)*, Unit 3
raise levantar, 4
rapid rápido, 8
rapidly rápidamente, 8
rate of exchange cambio de moneda *(m.)*, 11
read leer, 3
reader lector(a) *(m., f.)*, Unit 5
ready listo(a), 10
realize darse cuenta (de), 12
receive recibir, 3
recent reciente, 8
recently recientemente, 8
recipe receta *(f.)*, 3
recommend recomendar (e > ie), 11
record player tocadiscos *(m.)*
red rojo(a), 1; carmín, Unit 4; **— wine** vino tinto, 2
red-haired pelirrojo(a), 4
refrigerator refrigerador *(m.)*, 3; heladera *(f.)*, nevera *(f.)*, 3
registered certificado(a), 10
rehearse ensayar *(v.)*, Unit 5
relationship parentesco *(m.)*, 4
relative pariente *(m., f.)*, 6
remain quedarse, 8
remember recordar (o > ue), 6; acordarse (o > ue) (de), 12
rent *(v.)* alquilar, 8; rentar, 8
request *(v.)* pedir (e > i), 6
requirement el requisito, 2
reservation reservación *(f.)*, 12
reserve *(v.)* reservar, 12
rest *(v.)* descansar, 3
restaurant restaurante *(m.)*, 5
returned vuelto(a), 10
return volver (o > ue), 6; regresar
review repaso *(m.)*
rib costilla *(f.)*, 2
rice arroz *(m.)*, 5; **— pudding** arroz con leche, 5
rich rico(a), 1; sabroso(a), 5
ride a bike montar en bicicleta, andar en bicicleta, 7
right derecho(a), 7; **—?** ¿verdad?, 2; **to the —** a la derecha, 7; **— away** en seguida, 12; **— now** ahora mismo
river río *(m.)*, 8
roasted asado(a), 5
robe bata *(f.)*, 9
room cuarto *(m.)*, 3; habitación *(f.)*, 10; **— and board** pensión completa *(f.)*, 12; **— service** servicio de habitación, 12
roommate compañero(a) de cuarto *(m., f.)*, 1
root raíz *(f.)*, 5
rosé *(wine)* rosado, 2
round-trip de ida y vuelta, 11
row *(v.)* remar, 8
run correr, 3; **— errands** hacer diligencias, 10
Russian *(language)* ruso *(m.)*, 7

S

safe-deposit box   caja de seguridad (f.), 10

said   dicho(a), 10

sailboat   velero (m.), 8; bote de vela (m.), 8

salad   ensalada (f.), 3

sale   liquidación (f.), 9; venta (f.)

salsa *(dance)*   salsa (f.), 4; sauce, 6

salt   sal (f.), 5

same   mismo(a), 6; **the — thing**   lo mismo

sand   arena (f.), 8

sandal   sandalia (f.), 9

sandwich   sándwich (m.), 8

Saturday   sábado (m.), 2

saucepan   cacerola (f.), 3

saucer   platillo (m.), 5

sausage   chorizo (m.)

save *(money)*   ahorrar, 10, 11

savings: — account   cuenta de ahorros (f.), 10; **— plan**   plan de ahorros (m.), 10

say   decir (e > i), 6; **how do you — …?**   ¿cómo se dice…?, 1; **you — …**   se dice…, 1; **— hi to …**   saludos a…, 1

scarf   bufanda (f.), 9

schedule   horario (de clases) (m.), 2

school   escuela (f.), 9; **— year**   año escolar (m.), 2

screech   chillido (m.), Unit 6

screen   pantalla (f.), 10

scuba dive   bucear, 8

sea   mar (m.), 12

season *(food) (v.)*   condimentar

season *(n.)*   estación (f.), 2

seat   asiento (m.), 11; **aisle —**   asiento de pasillo, 11; **window —**   asiento de ventanilla, 11

seated   sentado(a), 11

second   segundo (m.), 12

section   sección (f.), Unit 4

see   ver, 4; **— you around**   hasta la vista; **— you later**   hasta luego, 1; **— you tomorrow**   hasta mañana, 1; **I'll — you**   nos vemos, 1

seem   parecer, 12

seen   visto(a), 10

sell   vender, 8

semester   semestre (m.), 2; **this —**   este semester, 2

send   mandar, enviar, 4

September   septiembre, 2

servant   criado(a), 6

serve   servir (e > i), 6

serviette   servilleta (f.), 5

set the table   poner la mesa, 3

seven   siete, 1

seven hundred   setecientos(as), 3

seventeen   diecisiete, 1

seventy   setenta, 2

share *(v.)*   compartir, 11

shave   afeitarse, rasurarse, 7

she   ella, 1

shellfish   marisco (m.), 6

shelter   amparo (m.), Unit 4

shine *(v.)*   lucir(se), Unit 6

shirt   camisa (f.), 9

shoe   zapato (m.), 9; **— store**   zapatería (f.), 9

shop   tienda (f.)

shore   orilla (f.), Unit 4

short   bajo(a), 5; corto(a), 9

shoulder   hombro (m.), 7

show *(v.)*   enseñar, mostrar (o > ue), 12

shower   ducha (f.), regadera (Méx.) (f.), 12

shrimp   camarón (m.), 5; gamba (Esp.) (f.), 5

shy   tímido(a), 5

sick   enfermo(a), 12

sign *(v.)*   firmar, 10; *(n.)* letrero (m.), 10

silver   plata (f.), Unit 3

single   soltero(a), 4

sir   señor (m.) *(abbr. Sr.)*, 1

sister   hermana (f.), 3, 4

sister-in-law   cuñada (f.), 4

sit down   sentarse (e > ie), 7

situation   situación (f.)

six   seis, 1

six hundred   seiscientos(as), 3

sixteen   dieciséis, 1

sixty   sesenta, 2

size *(of clothing)*   talla (f.), tamaño (m.), Unit 4

skate *(v.)*   patinar, 7; **to go —**   ir a patinar, 7

ski *(v.)*   esquiar, 7

skirt   falda (f.), 9

sky   cielo (m.), 9

skyscraper   rascacielo (m.)

slander   calumnia (f.), Unit 6

sleep   dormir (o > ue), 6

sleeper couch   sofácama (m.), 12

sleeping bag   bolsa de dormir (f.), 8; saco de dormir (m.), 8

sleeve   manga (f.), 9

slender   delgado(a), 1

slip   combinación (f.)

slipper   zapatilla (f.), 9

slow   despacio, 1; lento(a), 8; **— er, please**   más despacio, por favor, 1

slowly   lentamente, 8

small   pequeño(a), 5; chico(a), 8

smaller   más pequeño(a), 5

smallest   (el, la) más pequeño(a), 5

smoke *(v.)*   fumar; **(non) smoking section**   sección de (no) fumar (f.)

snack *(afternoon)* merienda (f.); antojito (m.), 6; **to have an afternoon —**   merendar (e > ie), 7

snow *(v.)*   nevar (e > ie), 9; *(n.)* nieve (f.), 9

snowfall   nevada (f.)

so   así que, 7; tan; de modo (manera) que, 6; **— much**   tanto(a)

soap   jabón (m.), 7; **— opera**   telenovela (f.), 3

soccer   fútbol (m.)

sociology   sociología (f.), 2

sock   calcetín (m.), 9

sofa   sofá (m.), 12; **sleeper —**   sofácama (m.), 12

soft drink   refresco (m.), 6

solution   solución (f.), 12

some   unos(as), 1; algún, alguno(a), algunos(as), 6

someone   alguien, 6

something   algo, 5; **— to eat (drink)**   algo para comer (tomar), 4

sometimes   a veces; algunas veces, 6

somewhere   en alguna parte

son   hijo (m.), 4

son-in-law   yerno (m.), 4

soon   pronto, 8; **as — as**   en cuanto, 9

sorry   perdón, 1; **I'm —**   lo siento, 1

soul   alma (f.), Unit 4

soup   sopa (f.), 5

source of income   fuente (f.) de ingresos, Unit 2

souvenir shop   tienda de regalos (f.), 12

spaghetti   espaguetis (m. pl.), 6

Spanish *(language)*   español (m.), 1; *(person)* español(a), 1; **— class**   clase de español (castellano) (f.), 1

speak   hablar, 2

specialty   especialidad (f.), 5

spell   deletrear, Unit 5

spelling   deletreo (m.), Unit 5

spend *(money)*   gastar, 9; *(time)* pasar, 8; **— the summer vacationing**   veranear

spirits: in good —   animado(a), 4

spoilsport   aguafiestas (m.), 2

spoken   hablado, 10

spoon   cuchara (f.), 5

sport   deporte (m.), Unit 2

spring *(season)*   primavera (f.), 2

stadium   estadio (m.), Unit 6

stamp   estampilla (f.), 10; sello (m.), 10; timbre (m.) (Méx.), 10

stand in line   hacer cola, 10

star   estrella (f.), 8

start   comenzar (e > ie), empezar (e > ie), 5

starving   muerto(a) de hambre, 6

state   estado (m.), 2

stay   quedarse, 8; *(at a hotel)* hospedarse, 8

steak   bistec (m.), biftec (m.), 5

stepbrother   hermanastro (m.)

stepdaughter   hijastra (f.)

stepfather   padrastro (m.)

stepmother   madrastra (f.)

stepsister   hermanastra (f.)

stepson   hijastro (m.)

stereo   estéreo (m.)

still   todavía, 3

stilts   pilotes (m. pl.)

stomach   estómago (m.), 7

stop (*v.*) parar, 10; dejar de, Unit 6; **to — over** hacer escala, 11

stopover escala (*f.*), 11

store tienda (*f.*), 9; **to — information** archivar la información, 10

stork cigüeña (*f.*), Unit 2

storm tormenta (*f.*)

stove cocina (*f.*), 3

strain (*v.*) colar (o > ue), 3

strainer colador (*m.*), 3

stranger extraño(a) (*m., f.*), 1

strawberry fresa (*f.*), 6; frutilla (*f.*) (*Cono Sur*), 6

street calle (*f.*), 1

student estudiante (*m., f.*), 1; alumno(a) (*m., f.*), 1

study (*v.*) estudiar, 2

stupidity torpeza (*f.*), Unit 5

subject (*academic*) asignatura (*f.*), materia (*f.*), 2; (*person*) vasallo(a) (*m., f.*), Unit 6

success éxito (*m.*), 4; **quite a —** todo un éxito, 4

sufficient suficiente

sugar azúcar (*m.*), 6; **— cane** caña de azúcar (*f.*), Unit 3

suggest sugerir (e > ie), 11

suit traje (*m.*), vestido (*m.*), 9; (*fit*) quedar

suitcase maleta (*f.*), 10; valija (*f.*), veliz (*m.*), 11; **small —** maletín, 11

summer verano (*m.*), 2

sunbathe tomar el sol, 8

Sunday domingo (*m.*), 2

superlative superlativo (*m.*), 5

supermarket supermercado (*m.*), 6

supper cena (*f.*), 3

sure seguro(a), 5

surf (*v.*) hacer surfing, 8; **— the 'net** navegar la Red, 10

surfboard tabla de mar (*f.*), 8

surprise sorpresa (*f.*), 4; **What a —** ¡Qué sorpresa!, 4

surrounded rodeado(a), Unit 4

survey encuesta (*f.*), 1

sweater suéter (*m.*), 9

sweep barrer, 3

swim (*v.*) nadar, 7

swimming pool piscina (*f.*), 12; alberca (*f.*), 12

system sistema (*m.*), 2

T

table mesa (*f.*), 3

tablecloth mantel (*m.*), 5

take (*v.*) tomar, 2; **— (someone or something someplace)** llevar, 4; **— out** sacar, 3; **— off** (*clothes*) quitarse, 7; **— place** tener lugar

talk (*v.*) conversar, 2; platicar (*Méx.*), 2

tall alto(a), 1

(to) taste al gusto (*m.*)

tasty rico(a), sabroso(a) 5; **very —** riquísimo(a)

taxi taxi (*m.*), 12

tea té (*m.*), 2

teacher maestro(a) (*m., f.*), Unit 3

tear out arrancar, Unit 4

teaspoon cucharita (*f.*), 5

technology tecnología (*f.*), 10

telegram telegrama (*m.*)

telephone teléfono (*m.*), 1

television televisión (*f.*), 2; (*set*) televisor (*m.*), 12

tell me something dime una cosa, 12

teller cajero(a) (*m., f.*), 10

temperature temperatura (*f.*), 9; **what is the —** ¿qué temperatura hace?, 9

ten diez, 1

tent tienda de campaña (*f.*), 8

tenth décimo(a), 12

term of endearment palabra cariñosa (*f.*)

terrible terrible, 1

test (*n.*) examen (*m.*), 1

than que, 5

thank goodness menos mal

thanks gracias, 1

thank you gracias, 1; **— very much** muchas gracias, 1

that que (*rel. pron.*), 2; ese, esa, eso, (*distant*) aquel, aquella, (*adj.*), 3; eso, aquello, (*neut. pron.*), 3; ése, ésa, aquél, aquélla, (*pron.*), 3; **— which** lo que, 9

the el (*m. sing.*), la (*f. sing.*), los (*m. pl.*), las (*f. pl.*), 1

theatre teatro (*m.*), 7

their su(s), 2

theirs (*pron.*) suyo(a), suyos(as), 9

them ellas (*f.*), ellos (*m.*) (*obj. of prep.*), 5; las (*f.*), los (*m.*), 6; **(to) —** les, 7

theme tema (*m.*), 2

themselves se, 7

then entonces, pues 2; después

there allí, 12; allá, Unit 4; ahí, 8; **— is (are)** hay 1, 2; **— was (were)** hubo, 8; **— is going to be** va a haber, 12

therefore pues

thermos termo (*m.*), 8

these estos(as) (*adj.*), 3; éstos(as) (*pron.*), 3

they ellos(as) (*m., f.*), 1

thin delgado(a), 1

thing cosa (*f.*), 3; **things to do** cosas que hacer, 3

think pensar (e > ie), 5; creer

thirteen trece, 1

thirty treinta, 1

this este, esta (*adj.*), 3; esto (*neut. pron.*), 3; **— one** (*pron.*) éste, ésta, 3; **— very day** hoy mismo, 12

thistle cardo (*m.*), Unit 4

those esos(as), aquellos(as) (*adj.*), 3; ésos(as), aquéllos(as) (*pron.*), 3

thousand mil, 3

three tres, 1

three hundred trescientos(as), 3

through por, 9

Thursday jueves (*m.*), 2

ticket pasaje (*m.*), 11; (*Esp.*) billete (*m.*), 11; **one-way —** billete de ida, 11; **round-trip —** billete de ida y vuelta, 11

tie corbata (*f.*), 9

time tiempo (*m.*), 3; hora (*f.*), 2; vez (*f.*), 7; **what — is it?** ¿qué hora es?, 2; **at what — . . . ?** ¿a qué hora...?, 2

tip (*for service*) propina (*f.*), 5

tired cansado(a), 4; **to get —** cansarse, 11

title título (*m.*), 1

to a, 2

toast (*n.*) pan tostado (*m.*), 5; tostada (*f.*); brindis (*m.*) (*at a celebration*), 4

toast (*v.*) brindar, 4

toaster tostadora (*f.*), 3

today hoy, 2

toe dedo del pie (*m.*), 7

together juntos(as), 2

toilet inodoro (*m.*), 12; **— paper** papel higiénico (*m.*), 6

tomato tomate (*m.*), 2, 6

tomorrow mañana, 2

tongue lengua (*f.*), 7

tonight esta noche, 1

too también, 2; **— bad** qué lástima; **— much** demasiado(a), Unit 5

tooth diente (*m.*), 7

tornado tornado (*m.*)

touch (*v.*) tocar, 5

tour excursión (*f.*), 11

tourist turista (*m., f.*), 12

traffic tráfico (*m.*), 9

translate traducir, 4

travel viajar, 11

travel agency agencia de viajes (*f.*), 11

traveller viajero(a) (*m., f.*), 11

traveller's cheque cheque de viajero (*m.*), 11

tremble estremecer (*v.*), Unit 5

trip viaje (*m.*), 11; **have a nice —** buen viaje, 11; **on a —** de viaje, 11

trousers pantalón (*m.*), 9; pantalones (*m. pl.*), 9

true cierto(a); verdadero, 1; **it's —** es verdad, es cierto; 11; **—?** ¿verdad?, 2

trunk tronco (*m.*), Unit 5

trust (*v.*) confiar en, 12

truth verdad (*f.*), 7

try tratar de, 8; **— (on)** probar(se) (o > ue), 7

T-shirt camiseta (*f.*), 9

Tuesday martes (*m.*), 2

turn on poner

TV set televisor (*m.*), 12

twelve doce, 1

twenty veinte, 1

two dos, 1; **there are — of us** somos dos

two hundred doscientos(as), 3

type tipo (*m.*), 5

U

ugly feo(a), 1
umbrella paraguas *(m. sing.)*, 9
uncle tío *(m.)*, 4
under bajo, 8; debajo de, 9
undershorts calzoncillos *(m. pl.)*, 9
understand entender (e > ie), 5
underwear ropa interior *(f.)*
unfortunately desgraciadamente
university universidad *(f.)*, 1
unpleasant antipático(a), 1
until hasta, 5, 7
us nosotros(as) *(obj. of prep.)*, 5; nos *(dir. obj.)*, 6; nos *(indir. obj.)*, 7
use usar, 9
used to acostumbrado(a) a, 8
useful útil, 1

V

vacant libre, disponible, 12
vacate desocupar, 12
vacation vacaciones *(f. pl.)*, 5; **to be on —** estar de vacaciones, 5
vacuum *(v.)* pasar la aspiradora, 3
vacuum cleaner aspiradora *(f.)*, 3
value valor *(m.)*, Unit 2
vanilla vainilla *(f.)*, 5
vase florero *(m.)*, 7
veal chop chuleta de ternera *(f.)*, 6
vegetable verdura, vegetal *(m.)*, 5; **market** verdulería *(f.)*
vermouth vermut *(m.)*, 5
very muy, 1; **— well** muy bien, 1
vest chaleco *(m.)*, 9
via por, 9
view vista *(f.)*, 10
vinegar vinagre *(m.)*
visa visa *(f.)*, 12
visit *(v.)* visitar, 7
vocabulary vocabulario *(m.)*, 1

W

wait (for) esperar, 5
waiter camarero *(m.)*, 5; mozo *(m.)*, mesero *(m.)*, salonero *(m.)*, 5
waiting list lista de espera *(f.)*, 11
waitress camarera *(f.)*, 5; mesera *(f.)*, salonera *(f.)*, 5
wake up despertarse (e > ie), 7
walk *(v.)* caminar, 4
wallet billetera *(f.)*, 9; cartera *(f.)*, 9
want desear, 2; querer (e > ie), 5
war guerra *(f.)*
warm templado(a), 9
warning advertencia *(f.)*, Unit 5
wash *(v.)* lavar, 3; **— oneself** lavarse, 7; **— one's hair** lavarse la cabeza, 7
washbasin lavabo *(m.)*, 12

washing machine lavadora *(f.)*, 3
wastebasket cesto de papeles *(m.)*, 1
watch *(v.)* mirar, 3; reloj *(m.)*, 1
water agua (el) *(f.)*, 2; **—- ski** esquí acuático *(m.)*, 8; **ice —** agua con hielo, 2; **mineral —** agua mineral, 2
watermelon sandía *(f.)*, 6; melón de agua *(m.)*, patilla *(f.)*, 6
way modo *(m.)*, Unit 5; **one — ticket** billete de ida, 11
we nosotros(as), 1; **— are not going** no vamos, 2
weak débil
wear usar, llevar, 9; **— a certain shoe size** calzar, 9
weather tiempo *(m.)*, 3; **to be good (bad) —** hacer buen (mal) tiempo, 9
wedding boda *(f.)*, 5; **— anniversary** aniversario de bodas *(m.)*, 5
Wednesday miércoles *(m.)*, 2
week semana *(f.)*, 7
weekend fin de semana *(m.)*, 7
weight peso *(m.)*
welcome bienvenido(a), 1; **you're —** de nada, 1; **— party** fiesta de bienvenida *(f.)*, 8
well pues, 2; bueno, 1; **very —** muy bien, 1; **not very —** no muy bien, 1
what? ¿qué?, 2; ¿cuál?, 1; lo que, 9; **— a pity!** ¡qué lástima!, 2; **— day is today?** ¿qué día es hoy?, 2; **— does . . . mean?** ¿Qué quiere decir...?, 1; **— is . . . like?** ¿cómo es...?, 5; **— is today's date?** ¿qué fecha es hoy?, 2; **—'s new?** ¿qué hay de nuevo?, 1; **—'s your phone number?** ¿Cuál es tu número de teléfono?, 1; **— is the rate of (monetary) exchange?** ¿a cómo está el cambio de moneda?, 11; **— is your name?** *(form.)* ¿cómo se llama usted?, *(fam.)* ¿cómo te llamas?, 1; **— time is it?** ¿Qué hora es?, 2; **— is?** ¿Qué es?, 1; **—'s new?/ —'s happening?** ¿Qué pasa?, 1; **— else** qué más, 6
when cuándo, 2; cuando, 3
where ¿dónde?, 1; **— are you from?** ¿de dónde eres *(fam.)*?, 1; **— (to)?** ¿adónde?, 4; **— is?** ¿Dónde es?, 1
which ¿cuál(es)?, 1; **— one is?** ¿Cuál es?, 1
while mientras, 6; rato *(m.)*, 3; **a —** un rato, 3, 12; **a — later** al rato
white blanco(a), 1
who ¿quién(es)?, 3; que, 2
whom ¿a quién(es)?, 4
why? ¿por qué?, 2
wide ancho(a), Unit 6

wife esposa *(f.)*, 4
will you? ¿Quieres?, 12
window ventana *(f.)*, 1; *(bank, ticket, etc.)* ventanilla *(f.)*, 11
wine vino *(m.)*, 2; **—glass** copa *(f.)*, 2, 5
winter invierno *(m.)*, 2
wish *(v.)* desear, 2; querer (e > ie), 5
with con, 1; de, 11; **— brown eyes** de ojos castaños, 4; **— me** conmigo, 3; **— you** contigo *(fam.)*, 5; **— whom?** ¿con quién?, 3
without sin, 5
woman mujer *(f.)*, 1
wonder: no — con razón
wood madera *(f.)*, Unit 3
word palabra *(f.)*, 1
work trabajo *(m.)*, 3; *(of art)* obra *(f.)*, Unit 5; *(v.)* trabajar, 2; **it doesn't —** no funciona, 12
worry preocuparse
worse peor, 5
worst (el, la) peor, 5
wounded herido(a), Unit 4
wrist muñeca *(f.)*, 7
write escribir, 3; **— down** anotar; **— programs** diseñar programas
written escrito(a), 10

Y

year año *(m.)*, 2
yellow amarillo(a), 1
yes sí, 1
yesterday ayer, 7
yet todavía, 3
you tú, vosotros(as), usted(es) *(pron.)*, 1; ti, usted(es), vosotros(as) *(obj. of prep.)*, 5; la(s), lo(s), os, te *(dir. obj.)*, 6; le(s), os, se, te *(indir. obj.)*, 7; **—'re welcome** de nada, 1
young joven, 1; **— girl** chica *(f.)*, muchacha *(f.)*, 1
young lady señorita *(f.)*, 1
young man chico *(m.)*, muchacho *(m.)*, 1
younger menor, 5
youngest (el, la) menor, 5
your tu(s), 1; su(s); vuestro(s), vuestras(s), 2
yours suyo(a), suyos(as), tuyo(a), tuyos(as), vuestro(a), vuestros(as), 9
yourself se, te, 7
yourselves os, se, 7

Z

zoo zoológico *(m.)*, 7

Index

Mar Caribe

OCÉANO ATLÁNTICO

Barranquilla
Cartagena
Maracaibo
Caracas
La Guaira
TRINIDAD Y TOBAGO
Puerto España
San Carlos
Ciudad Bolívar
VENEZUELA
Georgetown
Paramaribo
Río Orinoco
Salto Ángel
GUYANA
Cayena
Medellín
SURINAM
GUAYANA FRANCESA
Zipaquirá
Bogotá
Cali
COLOMBIA
Popayán
San Agustín
CORDILLERA DE LOS ANDES
Otavalo
Pichincha
Santo Domingo
de los Colorados
Quito
Ecuador
ECUADOR
Belén
Chimborazo
Guayaquil
Río Negro
Río Amazonas
Manaos
Iquitos
Río Madeira
BRASIL
Recife
Sipán
Trujillo
PERÚ
Machu Picchu
Callao
Lima
Cuzco
Salvador
Puno
Lago Titicaca
La Paz
Cochabamba
Río Paraguay
Brasilia
Arequipa
Tiahuanaco
Sucre
BOLIVIA
Arica
Potosí
Bello Horizonte
Iquique
Filadelfia
Río de Janeiro
PARAGUAY
Antofagasta
Salta
Asunción
San Pablo
Trópico de Capricornio
San Miguel
de Tucumán
Santos
Resistencia
Puerto Iguazú
OCÉANO PACÍFICO
CHILE
Córdoba
Río Paraná
Puerto Alegre
Aconcagua
Río Uruguay
Viña del Mar
Valparaíso
Mendoza
Rosario
URUGUAY
Santiago
Buenos Aires
Montevideo
ARGENTINA
La Plata
Punta del Este
Concepción
Mar del Plata
Río de la Plata
Río Colorado
Bariloche
Bahía Blanca
Puerto Montt
CORDILLERA DE LOS ANDES
PATAGONIA
Estrecho de Magallanes
Islas Malvinas
Punta Arenas
TIERRA DEL FUEGO
Cabo de Hornos

ISLAS GALÁPAGOS
San Salvador
Ecuador
Santa Cruz
San Cristóbal
Isabela
ECUADOR
Quito
Guayaquil

América del Sur

0 250 500 Km.
0 250 500 Mi.

Maps courtesy of
Patricia Isaacs, Parrot Graphics